POCHES ODILE JACOB

D1409978

UN NOUVEAU MODÈLE ÉCONOMIQUE

AMARTYA SEN
prix Nobel d'économie

UN NOUVEAU MODÈLE ÉCONOMIQUE
Développement, Justice, Liberté

traduit de l'anglais par
Michel Bessières

Odile Jacob
poches

À Emma

PUBLIÉ AVEC LE CONCOURS
DU CENTRE NATIONAL DU LIVRE

Ouvrage publié originellement par Alfred Knopf Inc.
sous le titre : *Development as Freedom*
© Amartya Sen, 1999

Pour la traduction française :
© ÉDITIONS ODILE JACOB, 2000, FÉVRIER 2003
15, RUE SOUFFLOT, 75005 PARIS

ISBN : 2-7381-1231-5
ISSN : 1621-0654

www.odilejacob.fr

Remerciements

Les recherches à l'origine de ce livre ont été rendues possibles grâce au soutien que j'ai reçu de la Fondation MacArthur (John D. and Catherine T. MacArthur Foundation) à l'occasion d'un projet commun avec Angus Deaton. Ces travaux reprennent des recherches antérieures menées pour l'Institut international de recherches économiques sur le développement d'Helsinki, alors dirigé par Lal Jayawardena. Pour partie, ils sont aussi issus de mon travail de conseiller pour le Rapport sur le développement humain réalisé par le Programme des Nations-Unies pour le développement (PNUD) sous la responsabilité de Mahbub ul Haq. La disparition, en 1998, de cet ami pakistanais, dont j'ai été proche depuis mes premières années à l'université, reste pour moi une douleur insurmontable. Au fil des ans, l'Université d'Harvard, où j'ai enseigné jusqu'au début de l'année 1998, m'a apporté un soutien enhousiaste dans tous mes travaux de recherches. J'ai aussi trouvé un soutien logistique auprès du Harvard Institute of International Development, du Harvard Center for Population and Development Studies et du Centre for History and Economics, du King's College, à l'Université de Cambridge.

Je dois remercier la chance pour la qualité exceptionnelle des collaborateurs avec lesquels j'ai travaillé. Je pense, en particulier, à Jean Drèze, à nos années de recherches communes et aux livres que nous avons publiés ensemble. Leur influence a été déterminante sur cet ouvrage. (L'un des avantages de cette association tient à ce que Jean assume la plus grande part des travaux et s'assure que vous en recueillez la plus grande part des bénéfices.) Avoir le plaisir de collaborer avec Sudhir Anand, sur de nombreux thèmes abordés dans ce livre, a aussi été une grande chance. Je tiens à souligner les relations fructueuses que j'ai entretenues avec Angus Deaton, Meghnad Desai, James Foster et Siddiq Osmani. Ma collaboration avec Martha Nussbaum, durant les années 1987-1989, a été déterminante pour l'élaboration des concepts de capacité et de qualité de vie, auxquels je me réfère à de nombreuses reprises dans ce livre.

En participant aux Rapports sur le développement humain, aux côtés du regretté Mahbub ul Haq, j'ai développé les relations les plus fécondes avec Sakiko Fukuda-Parr, Selim Jahan, Meghnad Desai et Paul Streeten, puis avec Richard Jolly, lorsqu'il a succédé à Mahbub ul Haq. J'ai tiré parti des avis et des critiques formulés par Tony Atkinson (ses idées m'ont souvent servi de points de départ) et par Kaushik Basu, Alok Bhargava, David Bloom, Anne Case, Lincoln Chen, Martha Chen, Stanley Fischer, Caren Grown, S. Guhan, Stephan Klasen, A. K. Shiva Kumar, Robert Nozick, Christina Paxson, Ben Polak, Jeffrey Sachs, Tim (Thomas) Scanlon, Joe Stiglitz, Kotaro Suzumura et Jong-il You. Mes idées et les versions sucessives du manuscrit ont bénéficié des remarques judicieuses de Sudhir Anand, Amiya Bagchi, Pranab Bardhan, Ashim Dasgupta, Angus Deaton, Peter Dimock, Jean Drèze, James Foster, Siddiq Osmani, Ingrid Robeyns et Adele Simmons.

Pendant une longue période, j'ai pu mener mes recherches grâce à l'assistance efficace d'Arun Abraham puis plus récemment, grâce à celle d'Ingrid Robeyns et de Tanni Mukhopadhyay. Anna Marie Svedrofsky a rempli un rôle précieux de coordination logistique.

Comme je l'ai mentionné dans la préface, ces conférences ont été données à l'invitation de James Wolfenshon, président de la Banque mondiale. Nos fréquentes discussions ont été très enrichissantes. Ces conférences ont été présidées successivement par James Wolfenshon, Caio Kochweser, Ismaïl Serageldin, Callisto Madavo et Sven Sandstrom. Chacun d'entre eux a formulé des observations pertinentes sur les thèmes abordés. Mes échanges avec le personnel de la Banque mondiale ont été des plus profitables. Ils ont été organisés avec une efficacité remarquable par Tariq Hussain, qui s'est aussi chargé, le plus souvent, de l'organisation des conférences.

Emma Rothschild, enfin, mon épouse, a dû lire successivement différentes versions de mes raisonnements et ses avis ont toujours été précieux. Son travail sur Adam Smith a été une de mes sources principales, puisque ce livre s'inspire, pour une bonne part, des analyses de cet ouvrage classique. Je le fréquentais assidûment avant de la connaître (comme mes plus anciens lecteurs s'en souviennent peut-être), mais l'influence d'Emma a encore aiguisé mon intérêt. Cela a beaucoup compté pour ce livre.

Préface

Notre monde connaît une opulence sans précédent que nous atteindrons. Même les imaginations les plus fécondes n'auraient pu envisager il y a seulement un siècle ou deux ce niveau de développement. Au-delà de la sphère économique, les mutations concernent tous les domaines. Au cours du XXe siècle, un modèle dominant d'organisation politique s'est imposé : la gestion démocratique et la participation publique. En tant que concepts, du moins, les droits de l'homme et la liberté politique sont largement acceptés. L'espérance moyenne de vie est plus longue qu'elle ne l'a jamais été. Les différentes régions de la planète entretiennent des relations plus étroites qu'à aucun autre moment de l'Histoire ; les idées, autant que les marchandises, circulent sans guère d'entraves.

Cependant, notre monde se caractérise aussi par un niveau incroyablement élevé de privations en tous genres, de misère et d'oppression. Des problèmes inédits viennent s'ajouter aux anciens fléaux, tels que la persistance de la pauvreté, les besoins élémentaires non satisfaits, les famines soudaines ou la malnutrition endémique, la violation des libertés politiques élémentaires, le non-respect des droits des femmes ou de leur rôle, ainsi que la détérioration de notre environnement et les interrogations sur la viabilité à long terme de notre modèle économique et social. Quelle que soit leur forme, ces problèmes et ces privations concernent tous les pays, qu'ils soient riches ou pauvres.

Surmonter ces handicaps est une tâche centrale pour le développement. Je montrerai dans ces pages que nous devons prendre la pleine mesure du rôle des libertés – et des libertés de toutes sortes – pour combattre ces maux. L'action des individus est indispensable pour surmonter ces privations. Mais nous ne devons pas perdre de vue que notre liberté d'action est nécessairement déterminée et contrainte par les possibilités sociales, politiques et économiques qui s'offrent à nous. Action individuelle et structures sociales sont complémentaires. Il nous faut donc reconnaître, à la fois, le caractère crucial de la liberté individuelle et la force des influences sociales sur le fond desquelles elle s'exprime. Face à tous les problèmes que nous rencontrerons, rappelons-nous que la liberté individuelle est un engagement social. C'est le point de vue que ce livre expose et il s'efforce d'en apprécier la portée.

Dans cette perspective, la liberté apparaît comme la fin ultime du développement, mais aussi comme son principal moyen. Le développement consiste à surmonter toutes les formes de non-libertés, qui restreignent le choix des gens et réduisent leurs possibilités d'agir. La suppression de ces non-libertés est, selon la thèse défendue ici, constitutive du développement. Ce postulat est essentiel. Toutefois, il faut aller encore plus loin pour comprendre pleinement les corrélations existant entre développement et liberté. À la prééminence de la liberté humaine, comme objectif prioritaire du développement, répond l'efficience instrumentale de certaines libertés pour la promotion d'autres libertés. Entre les différents types de libertés, les relations sont, cette fois, causales et empiriques. Ainsi, il est à peu près acquis que liberté politique et liberté économique bénéficient l'une de l'autre. Quoi qu'en disent encore certains, elles ne s'affaiblissent pas réciproquement. De la même manière, la diffusion de l'éducation et de la santé, qui dépend de l'action publique, accroît les possibilités individuelles d'insertion économique et de participation politique, tout comme elle encourage les initiatives de chacun, visant à combattre telle ou telle privation. Mon point de départ, c'est la reconnaissance de la liberté comme but essentiel du développement. L'analyse identifie ensuite les relations empiriques qui donnent à cette approche, fondée sur la liberté, sa cohérence dans la perspective du processus de développement.

Cet ouvrage insiste sur un impératif : une même analyse doit intégrer des données politiques, économiques et sociales hétérogènes qui mettent en jeu toutes sortes d'institutions ainsi que leurs interactions. Il s'attache particulièrement à étudier la fonction de certaines libertés instrumentales importantes et de leurs interconnexions, parmi lesquelles les *opportunités économiques*, les *libertés politiques*, les *dispositions sociales*, les *garanties de transparence* et la *sécurité protectrice*. La configuration de la société et toutes les institutions qui y participent (l'État, le marché, le système juridique, les partis politiques, les médias, les groupes d'intérêts, les forums de discussion publique, etc.) sont ici appréhendées du point de vue de leur contribution aux libertés substantielles des individus, lesquels sont définis ici, comme des acteurs du changement et non comme les destinataires passifs d'avantages octroyés par telle ou telle structure.

Ce livre est issu de cinq conférences que j'ai données devant la Banque mondiale, en tant qu'invité de la présidence, au cours de l'automne 1996, ainsi que d'une sixième conférence complémentaire, donnée en novembre 1997, qui revenait sur mon approche générale et ses implications. Cette invitation constituait à la fois une chance et un défi. Je suis spécialement touché qu'elle m'ait été adressée par le président James Wolfensohn dont j'admire la pénétration, les compétences et les qualités humaines. J'ai eu le privilège d'être son proche collaborateur, comme administrateur de l'Institute for Advanced Studies, à Princeton et, plus récemment, j'ai observé avec intérêt l'influence très constructive qu'il a exercée sur les activités de la Banque mondiale.

La Banque mondiale n'a pas toujours été mon organisation de prédilection. Le pouvoir d'agir dans un sens bénéfique s'accompagne presque toujours de la possibilité inverse et, en tant qu'économiste professionnel, je me suis souvent interrogé sur les orientations choisies par cette institution. Je ne livre ici aucune révélation, puisque j'ai exprimé mon scepticisme dans des publications antérieures. De ce fait, la possibilité de présenter mes propres vues sur le développement et l'élaboration des politiques publiques dans cette enceinte était particulièrement bienvenue.

Né de telles circonstances, ce livre n'a pas été conçu, toutefois, à l'attention des membres de la Banque mondiale ou d'autres organisations internationales. Il ne s'adresse pas non plus aux seuls décideurs politiques ou aux hauts fonctionnaires gouvernementaux. Il s'agit d'une étude générale sur le développement et sur les motivations pratiques qui le sous-tendent. Son but est de nourrir le débat public. Pour des raisons de clarté et pour une plus grande facilité d'accès du lecteur non spécialiste, j'ai réorganisé les six conférences en douze chapitres. Je me suis efforcé d'en éliminer tous les aspects techniques et je renvoie aux notes pour toutes les références spécialisées à destination les lecteurs intéressés. D'autre part, j'ai ajouté de nouveaux commentaires concernant des événements survenus après mes conférences (de 1996), tels que la crise économique asiatique (laquelle a confirmé les craintes que j'avais formulées devant la Banque mondiale).

Parce que j'attache la plus grande importance à la discussion publique, dans laquelle je vois le vecteur du changement social et du progrès économique (comme ce texte l'explique), ce travail est livré au débat d'opinion et à l'examen critique. Toute ma vie j'ai évité d'endosser le rôle de conseiller des « autorités ». N'ayant jamais travaillé pour aucun gouvernement, j'ai préféré mettre mes suggestions et mes critiques dans le domaine public. J'ai eu la chance de vivre dans trois démocraties, jouissant d'une presse largement libre (l'Inde, la Grande-Bretagne, les États-Unis) et je n'ai jamais eu la moindre raison de me plaindre de l'impossibilité de présenter mes idées. Si mes arguments éveillent l'intérêt, s'ils alimentent le débat sur ces questions vitales, je me sentirai alors rétribué de mes efforts.

Le développement comme liberté

Le développement peut être appréhendé – c'est la thèse défendue dans ce livre – comme un processus d'expansion des libertés réelles dont jouissent les individus. En se focalisant sur les libertés humaines, on évite une définition trop étroite du développement, qu'on réduise ce dernier à la croissance du produit national brut, à l'augmentation des revenus, à l'industrialisation, aux progrès technologiques ou encore à la modernisation sociale. Il ne fait aucun doute que la croissance du PNB ou des revenus revêtent une grande importance en tant que moyens d'étendre les libertés dont jouissent les membres d'une société. Mais d'autres facteurs déterminent ces libertés : les dispositions économiques ou sociales, par exemple (il peut s'agir de tous les moyens qui facilitent l'accès à l'éducation ou à la santé) et, tout autant, les libertés politiques et civiques (pensons ici à la liberté de participer au débat public ou d'exercer un droit de contrôle). De la même manière, l'industrialisation, le progrès technique ou les avancées sociales contribuent, dans une large mesure, à étendre la liberté humaine, mais d'autres influences, là encore, sont aux sources de la liberté. Si la liberté est ce que le développement promeut, alors c'est sur cet objectif global qu'il faut se concentrer et non sur un moyen particulier ou un autre, ni sur une série spécifique d'instruments. Percevoir le développement en termes d'expansion des libertés substantielles nous oblige à maintenir l'attention sur les fins en vue

desquelles le développement est important sans la dévier
vers de simples moyens qui, parmi d'autres, jouent un rôle
significatif au cours du processus.

Le développement exige la suppression des principaux
facteurs qui s'opposent aux libertés : la pauvreté aussi
bien que la tyrannie, l'absence d'opportunités économiques comme les conditions sociales précaires, l'inexistence de services publics autant que l'intolérance ou la
répression systématique exercée par les États autoritaires.
Malgré un niveau de prospérité économique sans précédent à l'échelle planétaire, un nombre considérable d'êtres
humains, la majorité de la population mondiale, peut-
être, souffre d'un déni permanent de libertés élémentaires. Fréquemment, celui-ci trouve sa source dans la
pauvreté économique : elle frustre les individus de la
liberté d'échapper à la faim et à la malnutrition, de se procurer les remèdes existants pour se soigner, de se vêtir
ou de se loger décemment, d'accéder à l'eau potable ou
aux installations sanitaires. Dans d'autres cas, le déni de
liberté tient à l'absence de services publics ou de protection sociale, quand, par exemple, il n'existe aucune surveillance épidémiologique, ni système de santé ni
structures scolaires, aucune institution juridique veillant
au respect de la loi. D'autres fois encore, il résulte d'une
violation des droits politiques et civiques, imposée par
un régime autoritaire qui restreint les possibilités de
participer à la vie sociale politique et économique de la
collectivité.

Efficacité et interconnexions

La liberté occupe une place centrale dans le processus
de développement pour deux raisons :
1) une raison d'évaluation : tout jugement sur le
progrès n'a de sens que rapporté aux libertés : une
avancée est une avancée des libertés ;
2) une raison d'efficacité : avancer dans le développement dépend avant tout de la possibilité pour les gens

d'exercer leur libre initiative, ce que j'appelle leur fonction d'agent.

J'ai déjà évoqué la première motivation et expliqué comment l'évaluation doit se focaliser sur les libertés. En ce qui concerne la seconde raison, nous devons cette fois observer les relations empiriques entre les libertés d'ordres différents et, en particulier, la façon dont elles se renforcent mutuellement. En analysant ces interconnexions de façon détaillée, tout au long de ce livre, on verra comment l'initiative des gens – leur libre rôle d'agent – apparaît comme l'un des principaux moteurs du développement. Cette libre initiative n'est pas seulement un élément « constitutif » du développement ; elle contribue aussi à renforcer la capacité d'initiative dans de nombreux domaines particuliers. L'examen exhaustif des interrelations empiriques auquel est consacré ce travail prend en compte le développement comme liberté sous ses deux aspects.

La relation entre liberté individuelle et développement social va bien au-delà de la relation constitutive évoquée ci-dessus. Les objectifs que les gens peuvent atteindre dépendent des possibilités économiques, des libertés politiques, de l'environnement social et des conditions qui favorisent l'accès à la santé et à l'éducation ou qui encouragent les initiatives. La codification institutionnelle de ces opportunités dépend, en retour, de la manière dont les gens exercent leurs libertés, par l'intermédiaire de leur participation aux choix sociaux et à l'élaboration des décisions publiques qui améliorent ces opportunités. Nous nous pencherons ausi sur ces interconnexions.

Quelques illustrations : liberté politique et qualité de la vie

Les exemples qui suivent visent à éclairer la conception générale de la liberté comme fin principale du développement. Bien que la véritable portée de cette approche ne puisse être appréhendée que par une analyse plus complète (qui sera développée dans les prochains chapitres), ces premiers cas de figure illustrent le caractère radical et les avantages de la notion de « développement comme liberté ».

Les approches du développement qui s'appuient sur des critères plus étroits, tels que le PNB ou l'industrialisation, en viennent inévitablement à poser la question de savoir si les libertés politiques ou sociales – liberté de participation ou d'expression, libre accès à l'éducation élémentaire – sont ou non des « conducteurs », au sens de la physique de l'électricité, du développement. Il suffit pourtant d'adopter notre perspective plus fondamentale pour surmonter ces débats spécieux. Les libertés en question (droit de participation, libre accès à l'éducation, à la santé) apparaissent alors pour ce qu'elles sont : des *éléments constitutifs* du développement. Dans ce cadre, rien ne sert de chercher à établir leur pertinence ou leur intérêt en fonction de leur effets indirects sur la croissance du PNB ou sur l'industrialisation. De fait, ces libertés contribuent *aussi*, et dans des proportions significatives, au progrès économique et nous verrons au cours de cette étude comment fonctionnent ces relations de cause à effet. Mais quelle que soit l'importance de ces dernières, la justification des libertés et des droits par ce biais reste accessoire au regard du rôle constitutif des libertés dans le développement.

Venons-en à une deuxième illustration : elle concerne la disparité entre le revenu par habitant (même après correction des variations de prix) et la liberté des individus de vivre longtemps et en bonne santé. Les habitants du Gabon, d'Afrique du Sud, de la Namibie ou du Brésil sont beaucoup plus riches en termes de PNB par habitant que ceux du Sri Lanka, de la Chine ou de l'État indien du Kérala ; toutefois, ces derniers bénéficient d'une espérance de vie indiscutablement plus longue.

Poursuivons maintenant dans le même ordre d'idées : il est bien connu que les Noirs américains sont relativement plus pauvres que leurs compatriotes blancs, mais beaucoup plus riches que les habitants du Tiers-Monde. Mais cette comparaison ne saurait masquer un fait saillant : la probabilité d'atteindre un âge avancé est absolument plus faible pour les Noirs américains que pour des habitants de nombreux pays du Tiers-Monde, tels que la Chine, le Sri Lanka, ou certains États indiens (avec, dans chaque cas, des dispositions différentes, en ce qui concerne la santé, l'éducation et les relations sociales). Si l'analyse du développement a une quelconque validité pour les pays riches (et ce livre défend cette thèse), l'analyse de disparités aussi criantes au sein de ces derniers contribue à une meilleure compréhension du développement et du sous-développement.

Transactions, marchés et non-libertés économiques

Le rôle des marchés dans le processus de développement nous fournira une troisième illustration. La contribution du mécanisme de marché à la croissance et au progrès économique général a été – à juste titre – largement reconnue dans les études consacrées au développement. Mais il serait erroné d'appréhender ce mécanisme par ces seules conséquences. Adam Smith le notait déjà : la liberté d'échanges et de transactions constitue, en elle-même, une de ces libertés élémentaires auxquelles les gens ont raison d'aspirer.

Déclarer son *opposition*, de façon *générique*, aux marchés, reviendrait à peu près à postuler une opposition de principe aux conversations entre les individus (et l'on sait qu'un simple échange de propos, badins ou venimeux, peut parfois nuire à des tiers, quand ce n'est au locuteur lui-même). Pourquoi faudrait-il défendre ou justifier la liberté d'échanger des mots, des biens ou des cadeaux, en faisant valoir des effets favorables à long terme, quand il s'agit d'une dimension constitutive de la vie en société et des interactions entre individus (sauf quand la loi s'y oppose). Certes, le mécanisme de marché contribue de façon significative à la croissance économique, mais cet aspect est secondaire, dès lors que l'on admet l'importance directe de la liberté d'échanger des mots, des biens ou des cadeaux.

Refuser la liberté de participer au marché du travail est l'une des manières de maintenir les gens dans une situation de sujétion et d'asservissement, et le combat contre le travail servile garde toute son actualité dans de nombreux pays du Tiers-Monde pour des raisons aussi cruciales qu'à l'époque de la guerre civile américaine. La liberté d'entrer sur le marché contribue au développement, quelle que soit l'appréciation que l'on porte sur le rôle du mécanisme de marché dans la croissance économique ou l'industrialisation. De fait, l'un des rares éloges de Karl Marx à l'endroit du capitalisme, tout comme sa caractérisation de la guerre civile américaine comme « le plus grand événement de l'histoire contemporaine », dans *Le Capital*, reflétait l'importance accordée par l'auteur à la liberté du contrat de travail, par opposition à l'esclavage et à l'exclusion forcée du marché du travail. Comme nous le verrons, la nécessité d'éradiquer les survivances du travail servile et toutes les formes implicites ou avouées d'interdiction d'accès au marché ouvert du travail restent aujourd'hui un défi impérieux du développement dans de nombreux pays. De la même manière, des obstacles insurmontables, entretenus par le poids de traditions ou créés par des dispositions légales, constituent une autre forme de déni de liberté, en empêchant la petite paysannerie ou les producteurs artisanaux d'accéder aux marchés qui représenteraient les débouchés de leur production. La liberté de participer aux échanges économiques a un rôle fondamental dans la vie sociale.

Rappeler ce principe trop souvent négligé ne remet nullement en cause une appréciation plus complète du mécanisme de marché, fondée sur une prise en compte de ses multiples effets, concernant, en particulier, la croissance voire, souvent, l'équité économiques. De la même manière, l'analyse doit prendre en compte les autres facettes de la question : la persistance de privations parmi les secteurs de la population qui reste exclue des avantages du marché tout comme la diversité des jugements

– et donc des critiques – que suscitent les styles de vie et les valeurs associés à la culture du marché. Si l'on perçoit le développement comme liberté, on se doit de discuter la valeur de tous les arguments, de quelque côté qu'ils proviennent. On imagine mal comment un réel processus de développement pourrait prendre place sans un recours massif au marché, mais on ne doit pas pour autant relativiser le rôle du soutien social, de la réglementation, ou même des orientations gouvernementales quand ils visent à enrichir les vies humaines. L'approche suivie ici ouvre une large perspective et évite de se focaliser sur une défense exclusive, ou, *a contrario*, sur une condamnation sans appel du mécanisme de marché.

J'en terminerai avec un dernier exemple, issu directement d'un souvenir d'enfance. Je devais avoir dix ans, et je jouais dans le jardin de la maison familiale, à Dhaka, qui n'était pas encore la capitale du Bangladesh. Vers le milieu de l'après-midi, un homme a pénétré dans la propriété en gémissant. Il venait d'être poignardé dans le dos et il saignait abondamment. Dans cette période, qui précédait l'indépendance et la partition de l'Inde et du Pakistan, des affrontements intercommunautaires opposaient chaque jour Hindous et musulmans. Notre blessé s'appelait Kader Mia. C'était un journalier musulman, qui, pour un salaire de misère, avait trouvé un emploi dans une maison du voisinage. Un petit groupe de fanatiques venaient de l'agresser dans les rues de notre quartier, où les Hindous était largement majoritaires. Pendant que je lui donnais de l'eau, tout en appelant les adultes de la maison au secours, puis un peu plus tard, alors que mon père le conduisait à l'hôpital, Kader Mia nous expliqua que sa femme l'avait supplié de rester à la maison, pendant les troubles, mais poussé par la nécessité, sa famille n'ayant rien à manger, il n'avait eu d'autre choix que de s'aventurer dans notre quartier, en pleine ébullition. Dans son cas, l'absence de liberté économique s'était conclue par la mort, survenue un peu plus tard, à l'hôpital.

Cette expérience m'avait bouleversé. Plus tard, elle m'incita à réfléchir à l'identité des individus et à la terrible étroitesse de certaines définitions, celles fondées sur l'apartenance communautaire ou sur le groupe, en particulier (je reviendrai sur cette question au cours de ce livre). Mais, dans un premier temps, je découvrais à quel point la non-liberté économique, quand elle s'exprime sous la forme de la pauvreté extrême, rend une personne vulnérable et combien ses autres libertés sont alors fragiles. Au cours de ces sombres journées, Kader Mia aurait pu rester chez lui et éviter les dangers d'un quartier hostile, si la simple survie de sa famille n'avait pas été en jeu. L'absence de libertés économiques favorise le déni de libertés sociales, tout comme l'absence de libertés sociales ou politiques facilite le déni de libertés économiques.

Organisations et valeur

D'autres exemples illustreraient aussi bien la particularité et les avantages de cette approche, qui conçoit le développement comme un processus intégré d'expansion des libertés substantielles, en corrélation étroite les unes avec les autres. C'est la perspective qui est présentée, examinée et utilisée dans ce livre. Elle veut servir une compréhension globale du processus de développement et en intégrer les aspects économiques, sociaux et politiques. Cette approche permet d'apprécier, de façon simultanée, le rôle vital des structures, par nature diverses, dans le processus de développement, qu'il s'agisse des marchés ou des institutions qui s'y rattachent, des gouvernements ou des autorités locales, des partis politiques ou d'autres regroupements intervenant sur le terrain des droits civiques, du système éducatif ou des possibilités de débat et de dialogue ouvert (à travers les médias ou d'autres moyens de communication).

Je soulignerai un mérite supplémentaire de cette approche : elle permet de prendre en compte le rôle des valeurs sociales, des mœurs et des traditions, susceptibles d'influencer les libertés dont jouissent les personnes et qu'elles ont raison de vouloir préserver. Les normes en vigueur déterminent les relations entre les sexes, le partage des charges et des responsabilités parentales, la taille des familles et le taux de fertilité, le rapport à l'environnement et bien d'autres traits encore de la configuration sociale. Valeurs et mœurs sociales contribuent à expliquer la tolérance à l'égard de la corruption ou son rejet, et le degré de confiance qui prévaut dans les relations sociales, politiques ou économiques. L'usage de la liberté s'exerce par la médiation de ces valeurs, mais celles-ci sont susceptibles d'évoluer, au gré du débat public et des interactions sociales, elles-mêmes influencées par la liberté de participation. Chacune de ces interrelations mérite un examen minutieux.

Malgré la virulence de ses ultimes détracteurs, il est largement admis que la liberté de transaction économique est un puissant moteur de la croissance. S'il est important de reconnaître la fonction du marché, il l'est tout autant d'estimer à sa juste mesure le rôle des autres libertés politiques, économiques et sociales, dans l'amélioration de la vie des individus. Et d'en saisir les conséquences favorables dans tous les domaines, y compris sur un sujet aussi brûlant que celui de la démographie. Quelle est l'influence de la liberté sur la réduction du taux de fertilité ? La question a suscité de nombreuses controverses. Et pas seulement aujourd'hui : alors que Condorcet, le grand rationaliste français, supposait déjà, au XVIIIᵉ siècle, que le taux de fertilité baisserait avec « les progrès de la raison », ou, dit autrement, que l'autonomie de décision, la diffusion de l'éducation et l'amélioration de la sécurité contribueraient à freiner la croissance démographique, son contemporain Thomas Robert Malthus campait sur une position adverse. Selon lui : « Rien ne nous permet de supposer que la moindre raison, hormis la difficulté de se procurer en quantité suffisante la subsistance nécessaire à la vie, saurait retenir le plus grand nombre de se marier précocement ni le dissuader d'élever autant d'enfants que la santé de ces derniers le permettra. » Nous nous pencherons plus loin sur les mérites

comparatifs de ces deux attitudes – l'une défendant la
liberté fondée sur la raison, l'autre se rendant à la
contrainte économique – et nous verrons pourquoi la
balance penche en faveur de Condorcet. À ce stade,
contentons-nous de souligner le caractère symptoma-
tique de ce débat particulier. Quel que soit le siècle, on
retrouvera les mêmes antagonismes à l'occasion de la plupart des controverses : partisans des libertés d'un côté,
adversaires de l'autre. Aujourd'hui encore, sous des
formes diverses, le débat continue. Et il reste vif.

Institutions et libertés instrumentales

À la faveur des études empiriques qui suivent, cinq
types distincts de libertés, appréhendées dans une perspective instrumentale, sont soumis à l'examen. Il s'agit des
libertés politiques, des ouvertures économiques, des
opportunités sociales, des garanties de transparence et de
la sécurité protectrice. Les droits et les possibilités qui se
rattachent à chacune de ces catégories favorisent les capacités des individus. Notons aussi qu'elles se renforcent
mutuellement. Les politiques publiques, qui visent à développer les capacités humaines et les libertés des personnes
doivent s'efforcer de promouvoir ces libertés, distinctes
mais interdépendantes. Dans les chapitres suivants, les
variantes de ces libertés – et les institutions concernées –
seront examinées et leurs relations discutées. Nous nous
efforcerons aussi de définir comment chacune d'entre
elles favorise la liberté des gens de vivre la vie qu'ils ont
raison de souhaiter. Dans la perspective du « développement comme liberté », toutes les libertés instrumentales
entretiennent des liens de réciprocité et toutes participent
à la promotion de la liberté humaine, en général.

Une remarque pour conclure

Les libertés sont l'objectif prioritaire du développement. Elles en sont aussi le principal vecteur. Notre tâche consiste donc à établir la valeur fondatrice des libertés et à comprendre les interdépendances empiriques entre libertés appartenant à des genres différents. Les libertés politiques (libre expression et élections) favorisent la sécurité économique. Les opportunités sociales (l'accès à l'éducation et à la santé) facilitent la participation économique. L'ouverture économique (les possibilités de participer à la production et aux échanges) aide à améliorer le niveau de vie individuel ainsi qu'à dégager des fonds publics pour les services sociaux. Les libertés d'ordre différent se renforcent l'une l'autre.

Ces connexions empiriques participent de la légitimation des libertés comme priorité. Si l'on reprend la distinction traditionnelle entre « agent » et « patient », l'approche du processus de développement et de l'économie centrée sur les libertés se situe dans la perspective de l'agent. Pour peu qu'ils disposent de possibilités sociales adéquates, les individus sont à même de prendre en charge leur destin et de s'apporter une aide mutuelle. En revanche, ils n'ont nul besoin d'être considérés comme les destinataires passifs de programmes de développement sophistiqués concoctés par d'habiles experts. Tout porte à reconnaître le rôle d'acteur libre et conséquent des individus et même leur impatience constructive.

CHAPITRE PREMIER

La perspective de la liberté

Quoi de plus courant dans un couple que de s'interroger sur les possibilités de gagner plus d'argent ? C'était déjà le cas au VIIIe siècle av. J.-C., un texte sanskrit en donne un exemple. Dans les *Upanishad Brihadaranyaka*, Maitreyee et son époux, Yajnavalkya, se demandent comment ils pourraient améliorer leurs revenus. Mais la discussion évolue vite vers un problème plus général : dans quelle mesure la fortune va-t-elle les aider à obtenir ce qui compte vraiment à leurs yeux [1] ? Posséder la Terre entière, avec toutes ses richesses, suffirait-il à assurer l'immortalité à Maitreyee. « Non, répond Yajnavalkya, tu connaîtras l'opulence qui entoure les nantis. Mais ne caresse aucun espoir d'atteindre ainsi à l'immortalité. – À quoi bon tous ces biens, s'ils ne me rendent pas immortelle ? » s'interroge Maitreyee.

On trouve, dans la philosophie religieuse indienne, d'innombrables références aux interrogations soulevées par la jeune femme. Elles éclairent la nature de la condition humaine et les contingences auxquelles nous sommes soumis ici-bas. Mon scepticisme quant à l'existence d'une quelconque transcendance m'interdit de proposer une issue aux frustrations de Maitreyee. En revanche, le dialogue entre les époux m'intéresse sous un angle strictement économique, plus précisément pour ce qu'il nous enseigne quant aux mécanismes du développement. Il établit une relation entre les revenus et la satisfaction des besoins, entre les biens disponibles et les possibilités qu'ils nous ouvrent, entre la richesse économique et notre faculté de vivre comme nous le souhaitons. À l'évidence, l'aisance matérielle nous aide à réaliser nos aspirations, mais cette relation n'est pas nécessaire et des contingences de toutes sortes s'appliquent à la distendre. Maitreyee caressait l'espoir insensé d'atteindre l'immortalité. Il existe des objectifs plus raisonnables que nous visons tous, par exemple la possibilité de vivre longtemps (au lieu de mourir jeune) et de vivre bien (au lieu de connaître la misère ou l'esclavage). Entre un intérêt exclusif pour la création de richesses et une attention plus générale à l'amélioration de l'existence des individus, il n'y a pas d'adéquation automatique. Cette divergence de perspectives constitue un problème majeur pour toute réflexion économique. Comme le note Aristote au tout début de l'*Éthique à Nicomaque* (poursuivant la disussion entamée à cinq mille kilomètres de là par Maitreyee et Yajnavalkya) : « La richesse n'est évidemment pas le bien que nous cherchons : c'est seulement une chose utile, un moyen en vue d'autre chose [2]. »

Chaque fois que pour une raison quelconque, nous cherchons à accroître notre richesse, nous devons nous poser les questions suivantes : quelles sont exactement nos motivations, comment les hiérarchisons-nous, à quelles fins pourra nous servir ce surcroît de richesse ? Nous avons souvent d'excellentes raisons de vouloir plus d'argent ou de meilleurs revenus. Non pas pour leur valeur intrinsèque, mais parce que cela représente, en général, le meilleur moyen d'étendre notre liberté d'action et de nous offrir un mode de vie qu'il est légitime de désirer.

L'utilité de la richesse se mesure à ce qu'elle nous permet d'accomplir, à l'accroissement du champ d'action qu'elle autorise. Mais cette formule n'est ni exclusive (hormis la richesse, d'autres facteurs influencent en effet le cours de notre vie) ni uniforme (l'impact relatif de ces divers facteurs varie). Autant il est important de reconnaître le rôle crucial que joue la richesse dans notre vie quotidienne, dans ses conditions et sa qualité, autant nous ne devons pas perdre de vue que cette relation n'est pas immédiate. Aucune discussion sérieuse sur le développement ne saurait donc se cantonner aux seules questions d'accumulation du capital, de croissance du produit national brut ou aux autres variables reflétant l'évolution des revenus. Il ne s'agit pas d'ignorer l'importance de la croissance économique, mais de porter son regard bien au-delà.

Quels sont les objectifs du développement ? Par quels moyens y parvenir ? Pour répondre à ces questions, il est nécessaire de soumettre à un examen attentif l'ensemble du processus en jeu. On ne saurait se focaliser, à l'exclusion d'autres facteurs, sur l'amélioration des revenus et des richesses, lesquelles constituent, comme nous l'a rappelé Aristote, « seulement une chose utile, un moyen en vue d'autre chose ». Pour les mêmes raisons, on ne saurait considérer la croissance économique comme une fin en soi. Toute réflexion sur le développement doit prendre en compte l'amélioration de la qualité de la vie et les libertés individuelles. Il existe un éventail de libertés dont nous désirons jouir, parce qu'elles nous confèrent une plus grande autonomie, parce qu'elles donnent plus de relief à notre vie. Grâce à elles, nous devenons des individus sociaux dans toute l'acception de ce terme, nous exerçons notre volonté, nous entrons en interaction avec le monde dans lequel nous vivons et nous l'influençons. Au chapitre III, j'exposerai cette approche en détail et je la comparerai avec des thèses concurrentes [3].

Des formes multiples de déni de liberté

Quantité de gens, dans le monde entier, souffrent de formes diverses de déni de liberté. La famine frappe encore certaines zones du globe, déniant à des millions de personnes le simple droit à la survie. Dans les pays qui ont su juguler ce fléau, la malnutrition affecte toujours les couches les plus vulnérables. Une proportion encore plus importante de la population ne bénéficie que d'un accès limité à la santé, aux installations sanitaires et à l'eau potable ; elle connaît des conditions d'existence précaires, marquées, en particulier, par un taux de mortalité infantile élevé. Trop souvent, dans les pays riches, malgré une couverture médicale et un système éducatif généralisés, les catégories les plus désavantagées passent entre les mailles du filet. Elles sont exclues du monde du travail et des formes minimales de sécurité économique ou sociale. On constate d'ailleurs que dans les pays les plus riches, l'espérance de vie de certains secteurs de la population s'aligne sur celle des pays les plus pauvres du Tiers-Monde. Par ailleurs, des millions de femmes souffrent – et parfois meurent – du fait de discriminations sexuelles ou de restrictions de leurs libertés.

Les libertés politiques et les droits civiques sont encore loin d'être des acquis universels. On connaît l'argument, défendu par un certain nombre d'observateurs, selon lequel le non-respect des droits individuels stimulerait la croissance économique et constituerait un facteur essentiel de décollage. Cette approche, qu'on appelle parfois la « thèse de Lee », parce qu'on en attribue la paternité à Lee Kuan Yew, l'ancien Premier ministre de Singapour, a bon nombre de défenseurs. Les plus radicaux encouragent un durcissement des régimes politiques, qu'ils exhortent à refuser toute forme d'ouverture démocratique, au prétexte de doper le développement économique. Certes, ici ou là, un exemple, extrait de son contexte, peut donner quelque crédit à ces vues. Mais les études comparatives sérieuses entre pays n'ont jamais réussi à corroborer ces conceptions et on ne dispose d'aucun indicateur probant pour affirmer que les régimes autoritaires favorisent la croissance économique. Au contraire, un simple constat empirique suggère que le développement bénéficie plus d'un environnement économique ouvert que d'un système politique rigide. Je discuterai ce problème au chapitre VI.

Par ailleurs, le développement prend d'autres dimensions, telle que la sécurité économique. Or l'absence de libertés et de droits démocratiques influe souvent sur celle-ci. De fait, le libre fonctionnement de la démocratie

peut contribuer à éviter les famines ou d'autres catastrophes économiques. Dans la mesure où les classes diri-
geantes ne sont guère affectées par la famine et les autres
calamités, rien ne pousse les gouvernements autoritaires
à se préoccuper de ces fléaux en temps voulu. Dans les
régimes démocratiques, à l'inverse, la survie politique
dépend des revirements de l'opinion, et cela constitue,
pour les élus, une forte incitation à mettre en œuvre des
mesures préventives efficaces. Tout au long de l'Histoire,
on aurait bien du mal à trouver un seul exemple de
famine ayant affecté un pays à régime démocratique, et
ce aussi bien dans les régions développées (comme
l'Europe de l'Ouest ou l'Amérique du Nord contemporaines) que dans des zones relativement pauvres, telles
que l'Inde d'après l'indépendance, le Botswana ou le Zimbabwe. En règle générale, les famines apparaissent dans
les territoires coloniaux, soumis à une administration
étrangère (l'Inde sous la tutelle britannique, l'Irlande gou-
vernée depuis Londres, en toute ignorance des réalités
locales) ou encore sous les régimes de parti unique
(l'Ukraine des années 1930, la Chine entre 1958 et 1961, le
Cambodge dans les années 1970) et les dictatures militaires (comme l'Éthiopie, la Somalie ou certains pays du
Sahel, dans un passé récent). Notons qu'à l'heure où
j'écris ces lignes, deux pays peuvent prétendre au titre de
leader de la « Ligue des affameurs » : il s'agit de la Corée
du Nord et du Soudan, exemples éminents, chacun à leur
manière, de gouvernements dictatoriaux. Si l'incitation à
la prévention des famines illustre avec force les avantages
du pluralisme démocratique, il va de soi que l'on ne saurait cantonner son utilité à cet exemple.

De façon plus fondamentale, il est indispensable de
considérer les libertés publiques du point de vue de leur
valeur intrinsèque, sans chercher à les justifier par leurs
effets positifs sur le développement. Même dans les pays
où la sécurité économique est assurée, là où la population
bénéficie d'un environnement économique favorable, une
privation des droits démocratiques entrave les initiatives
des individus jusque dans leur vie quotidienne et les tient

à l'écart des décisions importantes concernant la vie publique. Ce déni de liberté pèse sur tous les aspects de la sphère sociale et politique, et sa fonction répressive est manifeste même quand il ne conduit pas à des maux aussi graves que les désastres économiques. Les libertés civiles et politiques étant constitutives de la notion de liberté humaine, leur simple absence est un handicap. Si l'on veut prendre la juste mesure des droits de l'homme dans le développement, il est nécessaire de considérer leur importance intrinsèque, autant que leur utilité fonctionnelle. Je développerai cette problématique au chapitre VI.

Processus et possibilités

À ce stade de notre cheminement, il est nécessaire de préciser que la notion de liberté, telle qu'elle est entendue ici, prend en compte aussi bien les *processus* qui permettent l'exercice d'un libre choix dans l'action que les *possibilités* réelles qui s'offrent aux individus, compte tenu des conditions de vie dans lesquelles ils évoluent. Le déni de liberté affecte aussi bien les processus (quand le droit de vote est supprimé, les droits civiques violés) que le champ des possibilités. Lorsqu'on considère des données telles que la mortalité prématurée, la morbidité évitable ou la malnutrition, on constate que pour beaucoup de gens, ne serait-ce qu'échapper à ces fléaux est un objectif hors d'atteinte.

La distinction entre ces deux aspects principaux – processus et possibilités – s'applique à différents niveaux. J'ai étudié ailleurs les fonctions respectives de ces deux versants de la notion de liberté, ainsi que les déterminations propres à chacun des deux et leurs relations mutuelles [4]. Bien que je ne juge pas opportun de détailler ici les conséquences complexes qui résultent de cette distinction, il me paraît toutefois nécessaire de donner une acception très large à la notion de liberté. Cet impératif répond à un double souci : ne pas se focaliser sur les seules procédures légitimes – c'est le reproche que l'on peut parfois adresser aux « libertariens », qui oublient au passage d'examiner si certaines populations désavantagées souffrent d'une privation systématique d'opportunités réelles – et, à l'inverse, ne pas s'attacher au seul terrain des possibilités – défaut des « conséquentialistes », quand ils négligent la nature des processus qui créent les possibilités ou qu'ils ne prennent pas en compte la liberté de choix des personnes. Processus et possibilités : ces deux notions ont leur importance propre et chacune compte dans la conception que l'on peut se faire du développement par la liberté.

Les deux rôles de la liberté

L'analyse du développement, telle qu'elle est présentée dans ce livre, s'appuie sur les libertés individuelles. Celles-ci constituent ses unités de base, ses briques, si l'on préfère. Je porte donc une attention particulière aux « capacités » dont jouissent les individus pour diriger leur vie comme ils l'entendent, c'est-à-dire en accord avec les valeurs qu'ils respectent et qu'ils ont raison de respecter. Le type de régime politique, la conduite des affaires publiques peuvent contribuer au développement de ces possibilités ; à l'inverse, l'usage effectif, par la population, de ses possibilités de participation peut influencer les orientations publiques. Cette *relation de réciprocité* joue un rôle central dans l'analyse présentée ici.

L'importance primordiale accordée à la liberté individuelle dans le concept de développement répond à deux raisons distinctes, liées aux notions d'*évaluation* et d'*effectivité* [5]. Tout d'abord, dans l'approche normative suivie ici, on accorde une importance critique aux libertés individuelles substantielles. Dans cette perspective, le succès d'une société donnée est mesuré, en premier lieu, par les libertés substantielles dont jouissent ses membres. Il s'agit d'une position d'évaluation, différente des positions informationnelles que l'on rencontre dans les approches normatives classiques, lesquelles se préoccupent, en priorité, d'autres variables, telles que l'utilité, la liberté du point de vue des procédures, ou le revenu réel.

Bénéficier d'une plus grande liberté pour réaliser les objectifs que l'on s'est fixés, en accord avec ses valeurs, est significatif en tant que tel pour la liberté de la personne et important pour améliorer ses chances d'accéder à des solutions utiles [6]. Nous avons donc là deux éléments pertinents dans l'évaluation de la liberté des membres d'une société et essentiels dans toute estimation du développement de cette société. Les motivations qui soutiennent cette approche normative (en particulier l'appréhension de la justice en termes de libertés individuelles et les implications sociales qui en découlent) seront examinées en détail au chapitre III.

Une deuxième raison explique que l'on accorde ici la prééminence à la liberté individuelle. Elle tient à ce que la liberté n'est pas seulement la base d'évaluation du succès et de l'échec, mais aussi un déterminant essentiel de l'initiative individuelle et de l'effectivité sociale. Plus de liberté signifie une plus grande faculté, pour les individus, de s'aider eux-mêmes et d'influencer le monde. Or nous touchons là à des notions centrales dans le processus de développement. Au risque de trop simplifier, on pourrait ranger ces notions sous l'appellation « aspect agent » de l'individu.

L'usage de ce terme appelle une clarification rapide. Dans la littérature économique ou dans la théorie des jeux, on restreint souvent la dénomination d'« agent » à un acteur subordonné, qui n'a pas la maîtrise de ses motivations et dont les succès ou les échecs doivent être mesurés à l'aune des objectifs de son « mandant ». J'utilise, quant à moi, le terme dans son acception plus traditionnelle et plus « noble » ; il désigne alors une personne qui agit et modifie l'état des choses et dont les résultats doivent être jugés selon les objectifs et les valeurs explicitement formulés par cette personne, ce qui n'exclut pas, pour autant, de les estimer aussi en fonction d'autres critères. Cet ouvrage porte une attention particulière au rôle d'agent que jouent les individus, considérés comme membres d'une collectivité et comme intervenants sur la scène économique, sociale et politique, que ce soit par une implication sur le marché ou une participation directe ou indirecte, individuelle ou collective, dans la sphère politique ou à d'autres niveaux.

Cela a des implications sur de nombreux aspects des politiques publiques. Dans le domaine stratégique, par exemple, où les décideurs politiques subissent la tentation permanente d'ajuster leur message, afin de mieux cibler une population supposée inerte, et plus encore lorsque l'on aborde des sujets fondamentaux, tels que les tentatives pour dissocier la gestion gouvernementale des processus de contrôle et de sanction démocratiques (ainsi que des modalités d'exercice des droits civiques et politiques) [7].

Systèmes d'évaluation : revenus et capacités

En ce qui concerne l'évaluation, l'approche suivie ici privilégie une base factuelle. En cela, elle se différencie des analyses plus traditionnelles de politique économique ou d'éthique pratique, par exemple l'approche « économique », qui accorde la primauté *aux revenus et à la richesse* (plutôt qu'aux caractéristiques spécifiques des vies humaines et des libertés réelles) ; l'approche utilitariste, focalisée sur la *satisfaction mentale* (plutôt que sur le mécontentement créatif et l'insatisfaction constructive) ou encore l'approche libertarienne, soucieuse des procédures de la liberté (couplée au désintérêt avoué pour les conséquences qui dérivent de ces procédures) ; etc. Le chapitre III développe un plaidoyer argumenté en faveur d'une base factuelle, centrée sur les libertés réelles, dont les gens veulent – avec raison – bénéficier.

Bien entendu, il existe un lien étroit entre l'impossibilité de développer ses facultés individuelles et le maintien des revenus à un bas niveau. Notons d'ailleurs que la connexion est double : la faiblesse des revenus joue souvent un rôle majeur dans l'analphabétisme, les problèmes de santé, la faim ou la malnutrition et à l'inverse, l'accès à l'éducation et à la santé favorise de meilleurs revenus.

Il est indispensable de prendre la pleine mesure de ces relations. Mais d'autres facteurs influencent les capacités les plus simples et les libertés effectives dont jouissent les individus et il est légitime d'étudier la nature de ces interconnexions et d'en mesurer les effets avec précision. On constate, il est vrai, des corrélations indéniables entre faiblesse des revenus et faiblesse des facultés, mais il est important de ne pas céder à l'illusion qu'en éclairant le premier terme, on apprend tout du second. L'intrication n'est pas si étroite et, du point de vue de la définition des politiques publiques, les divergences comptent souvent beaucoup plus que les convergences limitées entre les deux ensembles de variables. Plutôt que de nous focaliser sur la question – exclusive – de l'insuffisance des revenus, si nous déplaçons notre attention vers la notion plus inclusive de privation de capacités, nous pouvons alors mieux nous figurer l'appauvrissement des vies humaines et des libertés en référence à notre base informationnelle (qui prend en compte un ensemble de données statistiques, que l'approche par les revenus tend à évacuer de l'analyse des politiques publiques). Aussi déterminant que soit le rôle du revenu et de la richesse – à côté d'autres paramètres –, il doit être intégré dans une perspective plus large et plus complète.

Pauvreté et inégalité

Les implications de cette base informationnelle sur l'analyse de la pauvreté et de l'inégalité sont examinées au chapitre IV. Il est juste de considérer la pauvreté comme une privation de capacités de base plutôt que, simplement, comme un revenu faible. La privation de capacités élémentaires se traduit par une mortalité prématurée élevée, de la malnutrition (surtout pour les enfants), une morbidité persistante, un fort taux d'illettrisme et autres problèmes. Prenons par exemple le terrible phénomène des « femmes manquantes », que l'on constate en Asie du Sud et de l'Ouest, en Afrique du Nord ou en Chine et qui correspond à une surmortalité féminine dans certaines classes d'âge. Si on veut le comprendre, il est nécessaire de prendre en compte des données démographiques, médicales et sociales. En effet, dans ce cas, comme dans bien d'autres, l'analyse en termes de revenus nous éclaire très peu sur les questions liées à l'inégalité des sexes [8].

Grâce à ce changement de perspective, nous bénéficions d'un éclairage différent – et autrement pertinent – sur la pauvreté dans les pays en voie de *développement*, mais aussi dans les sociétés plus *riches*. Le chômage massif en Europe (avec un taux de 10 à 12 % dans la plupart des grandes nations européennes) entraîne une série de privations que ne reflètent pas les statistiques portant sur la distribution des revenus. On néglige souvent ces privations au prétexte que les systèmes de couverture sociale européens (en particulier l'assurance-chômage) compensent dans une large mesure les pertes de revenus des chômeurs. Mais le chômage ne se résume pas à un déficit de revenus que des transferts par l'État peuvent contrebalancer (au prix d'une ponction fiscale d'ailleurs élevée, qui constitue en elle-même un lourd handicap). Il provoque aussi d'autres effets à long terme, nuisibles pour les libertés individuelles, les capacités d'initiative et la valorisation des savoir-faire. Entre autres, le chômage est source d'« exclusion sociale » pour certains groupes, il mine les capacités d'autonomie, de confiance en soi et même l'équilibre psychologique ou physique. De fait, on a du mal à ne pas ressentir de la gêne dès que l'on compare le discours social européen, qui s'acharne à promouvoir une plus grande autonomie des individus, et l'absence de politique mise en œuvre pour réduire le niveau intolérable du chômage, lequel rend très difficile une telle autonomie.

Revenus et mortalité

En ce qui concerne les relations entre mortalité et revenus (domaine dans lequel Maitreyee se montrait trop présomptueuse), certains groupes spécifiques subissent dans les pays les plus riches des privations tout à fait comparables aux habitants du Tiers-Monde. Aux États-Unis, par exemple, la probabilité d'atteindre un âge avancé pour les Afro-Américains en tant que groupe n'est pas plus élevée – en fait, elle est plus faible – que celle des populations de pays incomparablement plus pauvres, comme la Chine ou l'État indien du Kérala (ou encore le Sri Lanka, la Jamaïque ou le Costa Rica) [9].

Les figures 1.1 et 1.2 reflètent cette réalité. Bien que, du point de vue du revenu par habitant, il existe une différence considérable aux États-Unis entre Blancs et Afro-Américains au détriment de ces derniers, ceux-ci bénéficient de revenus beaucoup plus importants que les Chinois ou les Kéralais (même en tenant compte des différences de coût de la vie). À cet égard, la comparaison des perspectives de survie entre ces différents groupes est riche d'enseignements. Pour les classes d'âge les plus basses, la survie est mieux assurée chez les Afro-Américains (en particulier si l'on considère la mortalité infantile), mais la tendance s'inverse, en faveur des Chinois et des Indiens, à mesure du vieillissement.

De fait, si l'on restreint l'échantillon aux hommes adultes, Chinois et Kéralais ont des chances de survie très supérieures à celles des Afro-Américains. Quant aux femmes, on constate, à mesure que l'on avance dans les classes d'âge, que la courbe de survie pour les Afro-Américaines tend à coïncider avec celle représentant les Chinoises, pourtant plus pauvres, et s'infléchit sous la courbe représentant les femmes du Kérala, encore beaucoup plus pauvres. Ainsi, les Noirs américains pâtissent non seulement d'un désavantage *relatif*, en termes de revenus, par comparaison avec les Blancs, mais aussi d'un désavantage

FIGURE 1.1 : *Variations dans le taux de survie
des hommes selon les régions*

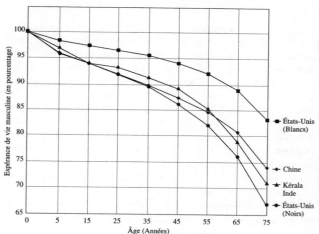

Sources : États-Unis, 1991-1992 : *Health United States 1995* (Hyatts-ville, National Center for Health Statistics, 1996) ; Kérala, 1991 : *Sample Registration System : Fertility and Mortality Indicators 1991* (New Delhi, Office of the Registrar General, 1991) ; Chine, 1992 : World Health Organization, *World Health Statistics Annual 1994* (Genève, WHO, 1994).

absolu, en termes de longévité, par comparaison avec les Indiens du Kérala à faibles revenus (hommes et femmes compris) ou par comparaison avec les Chinois (dans le cas des hommes). La différence d'échelle, selon que l'on analyse le niveau de vie en se fondant sur le revenu par habitant ou sur la capacité à atteindre un âge avancé, met en jeu des dispositions et des relations sociales, telles que la couverture médicale, la santé publique, le système scolaire, la justice et la police, la prévalence de la violence, etc[10].

On notera, par ailleurs, que la désignation d'Afro-Américains recouvre une réalité très disparate. De fait, si l'on

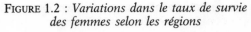

FIGURE 1.2 : *Variations dans le taux de survie
des femmes selon les régions*

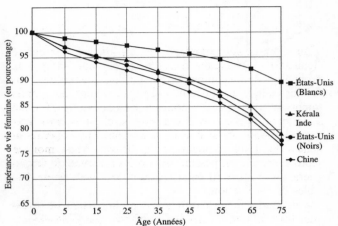

Sources : États-Unis, 1991-1992 : *Health United States 1995* (Hyatts-
ville, National Center for Health Statistics, 1996) ; Kérala, 1991 :
Sample Registration System : Fertility and Mortality Indicators 1991
(New Delhi, Office of the Registrar General, 1991) ; Chine, 1992 :
World Health Organization, *World Health Statistics Annual 1994*
(Genève, WHO, 1994).

restreint l'étude à la population masculine des principales métropoles (New York, San Francisco, Saint Louis
ou Washington DC), on s'aperçoit que celle-ci est
dépassée, en termes de survie, par les populations de
Chine ou du Kérala, dès un très jeune âge [11]. Le même
échantillon est aussi distancé par les populations de nombreux autres pays du Tiers-Monde : les hommes, au Bangladesh, par exemple, ont de meilleures chances de
dépasser l'âge de 40 ans que ceux qui habitent Harlem,
quartier pourtant situé dans l'opulente New York [12]. Et ce,
en dépit du fait que les Afro-Américains, aux États-Unis,

sont incomparablement plus riches que les groupes de
référence dans les pays du Tiers-Monde.

Liberté, capacité et qualité de la vie

Au cours de cet exposé, je me suis limité à une liberté
élémentaire : la faculté de survivre, par opposition à la
probabilité de succomber à une mortalité prématurée. Au-
delà de celle-ci, bien d'autres libertés revêtent une grande
importance. De fait, l'éventail est si vaste que la difficulté
à en donner une définition extensive est parfois présentée comme un obstacle à une approche « opération-
nelle » du développement par la liberté. Selon moi, ce
reproche révèle un pessimisme excessif, comme je l'expli-
querai au chapitre III en abordant divers fondements possibles de l'évaluation.

À ce stade, il me paraît toutefois important de souligner les similitudes entre la perspective que je développe,
fondée sur les libertés, et la notion commune de « qualité de vie ». Dans les deux cas, on accorde la priorité aux
existences individuelles et à la façon dont elles se déroulent (prenant en compte, en particulier, la notion de choix
personnel) plutôt qu'aux revenus ou aux ressources dont
disposent les personnes [13]. Subordonner la richesse à la
qualité de la vie et aux libertés réelles, voilà qui peut
paraître une entorse à la tradition des sciences économiques. D'un certain point de vue, l'hérésie est consti-
tuée (songeons un instant aux analyses austères, centrées
sur les revenus, qui prévalent dans la plupart des études
économiques en vigueur). Tout bien considéré, cette
démarche moins univoque perpétue cependant une tradition propre à l'analyse économique que l'on rencontre
depuis les origines. On en perçoit les évidentes résonances
aristotéliciennes : l'« épanouissement » et les « capacités »
qui intéressent au premier chef le philosophe ne sont pas
très éloignées de la qualité de vie et des libertés substantielles, ainsi que l'a montré Martha Nussbaum [14]. On saisit

aussi la forte relation avec Adam Smith et son analyse des nécessités et des conditions de vie [15].

En vérité, la naissance de la discipline économique répond au besoin d'étudier et d'évaluer le rôle de tous les facteurs susceptibles de favoriser une « bonne vie ». Au-delà de son usage classique par Aristote, on retrouve cette notion – à quelques variantes près – dès les premiers écrits sur la comptabilité nationale et la prospérité économique, initiés par William Petty, au XVIIe siècle, et poursuivis par Gregory King, François Quesnay, Antoine-Laurent Lavoisier, Joseph-Louis Lagrange et bien d'autres. Bien que les catégories définies par ces pionniers de l'analyse économique posent les fondations du concept moderne de revenus, leur attention ne s'est jamais bornée à cette question, qu'ils ont toujours considérée comme instrumentale et contingente [16].

Lorsque William Petty, par exemple, élaborait la « méthode du revenu » et la « méthode des dépenses », toutes deux destinées à l'estimation du revenu national (les méthodes modernes s'inscrivent dans le droit fil de ces premières tentatives), il se souciait avant tout, ainsi qu'il l'explique lui-même, de la « sûreté commune » et « du bonheur particulier de chaque homme ». En entreprenant ses travaux, il se fixait très clairement pour objectif l'évaluation des conditions de vie des individus et il parvint à combiner l'investigation scientifique avec une bonne dose de réflexion politique, à la façon du XVIIe siècle, en cherchant « à montrer [que] les sujets de Sa Majesté ne vivent pas dans des conditions aussi mauvaises que quelques mécontents le prétendent ». À son instar, d'autres ont porté leur attention sur les relations entre la consommation des biens de première nécessité et les fonctionnalités économiques des personnes. Le grand mathématicien Joseph-Louis Lagrange, par exemple, a eu l'idée très novatrice d'appréhender les biens de première nécessité selon leurs caractéristiques fonctionnelles. Le blé et les autres céréales sont convertis d'unités de poids en valeur nutritive, les diverses variétés de viande en unités de bœuf (considéré du point de vue de sa valeur nutritive) et toutes les boissons en équivalent-vin (n'oublions pas que Lagrange était français) [17]. En portant notre attention sur les « modes de fonctionnement » qui en résultent plutôt que sur les matières premières brutes, nous renouons avec un héritage négligé de la science économique.

Marchés et libertés

À présent, voici un autre domaine dans lequel on peut tirer profit des enseignements traditionnels de la science économique : le rôle du mécanisme du marché. La relation entre mécanisme de marché et liberté (et, en conséquence, développement économique) soulève deux séries de questions, qu'il est nécessaire de bien distinguer. Tout d'abord, une restriction des possibilités de transactions, au travers de contrôles arbitraires, constitue une première forme d'atteinte aux libertés. Les gens se trouvent alors empêchés de réaliser les transactions simples, légitimes et habituelles auxquelles ils s'adonneraient en l'absence de raisons majeures pour agir autrement. Ce problème peut être abordé en dehors de toute discussion sur l'efficacité du mécanisme de marché ou de toute analyse détaillée sur les avantages et inconvénients d'un système de marché. Il concerne exclusivement l'importance de la liberté des échanges et des transactions.

On doit bien distinguer ce premier point d'un autre débat, qui se polarise autour de la thèse, très en vogue aujourd'hui, selon laquelle le marché favorise l'accroissement des revenus, de la richesse et des opportunités pour les individus. Des limitations arbitraires imposées au mécanisme de marché peuvent conduire à une restriction des libertés, conséquence directe de l'absence de marché. Un déni d'opportunités économiques – celles offertes par l'existence du marché – équivaut à un déni de libertés.

Ces deux arguments en faveur du mécanisme de marché, l'un et l'autre pertinents dans la perspective des libertés substantielles, doivent être examinés séparément.

Dans la littérature économique contemporaine, le deuxième – fondé sur le caractère fonctionnel du mécanisme de marché et ses résultats positifs – capte toute l'attention [18]. Certes, la démonstration a de quoi convaincre et les exemples ne manquent pas pour établir que le marché peut servir d'accélérateur à la croissance économique et à l'amélioration des conditions de vie. On peut aussi vérifier cette thèse *a contrario* : il est vrai que les politiques publiques qui brident le fonctionnement du marché nuisent à la prospérité économique et ont souvent pour effet de restreindre l'expansion des libertés substantielles. Il va de soi que cette règle générale souffre des exceptions (les marchés sont parfois contre-productifs, comme le soulignait Adam Smith lui-même, quand il prônait, en particulier, le contrôle des marchés financiers) [19]. Et l'on connaît d'autres cas où les arguments en faveur d'une régulation sont recevables. Mais, d'une manière générale, les effets positifs du système de marché sont largement admis aujourd'hui, bien plus qu'il y a une dizaine d'années.

Cependant, cette défense et illustration des avantages du marché ne recoupe pas l'autre problématique, centrée sur la revendication du libre droit des individus à s'engager dans des transactions et des échanges. Même si, nulle part, ce droit n'a été formalisé et déclaré imprescriptible – en dehors de toute considération quant à ses effets –, on comprend aisément les conséquences néfastes qui résultent, dans la sphère sociale, des entraves à la libre interaction entre acteurs économiques. Quand bien même on pourrait aligner les exemples montrant que la mise en œuvre de ce principe nuit, par ses effets, à une partie de la population, au point de rendre nécessaires des restrictions, il n'en reste pas moins que l'on perd quelque chose en limitant la valeur du principe (même si ce déficit peut être estimé inférieur aux effets négatifs indirects des transactions sur la partie concernée de la population).

Soucieuse, à ses origines, de la valeur des libertés, la science économique a évolué vers une attention plus exclusive à la valeur des biens, des revenus et de la richesse. L'adoption d'un point de vue plus étroit a conduit à minimiser le rôle véritable joué par le mécanisme du marché. Certes, les économistes ne jurent que par le marché, mais le problème concerne moins la profondeur de leurs convictions que les raisons qui les suscitent.

Prenons par exemple l'argument bien connu des économistes, selon lequel un mécanisme de marché concurrentiel favorise un niveau d'efficacité qu'un système centralisé serait incapable d'obtenir, à la fois pour des raisons d'économie d'information (sur le marché, chaque acteur peut remplir son rôle en disposant de peu de savoir) et de compatibilité des objectifs (sur le marché encore, toutes les actions fragmentaires se complètent). Considérons maintenant, à rebours du sens commun, la situation hypothétique dans laquelle le même résultat économique est obtenu au sein d'un système centralisé, aux ordres d'un dictateur qui parvient à centraliser toutes les décisions des acteurs, concernant la production et la distribution. Pourrait-on saluer la réussite d'un tel système ?

On voit bien qu'un élément a disparu de ce scénario : la liberté, pour les individus, d'agir comme ils l'entendent, en décidant ce qu'ils vont produire et consommer, où ils vont travailler, etc. Admettons que dans les deux situations (la première fondée sur le libre arbitre, l'autre sur l'obéissance à un ordre dictatorial), une personne produise les mêmes biens pour un même travail, reçoive les mêmes revenus et consomme dans les mêmes termes. Cette personne aura toutes les raisons du monde de préférer le scénario du libre arbitre à celui de la soumission. Il faut donc distinguer les résultats agrégatifs (c'est-à-dire les résultats finaux, sans tenir aucun compte des processus qui y conduisent, parmi lesquels l'exercice de la liberté) des résultats compréhensifs (prenant en compte les processus à travers lesquels ont été obtenus les résultats agrégatifs), et j'accorde une importance capitale à cette distinction que j'ai tenté d'analyser en détail par ailleurs [20]. Le mérite du marché ne saurait se réduire à sa capacité de délivrer de meilleurs résultats agrégatifs.

En centrant sa réflexion sur les produits, la théorie économique du marché a abandonné une de ses valeurs centrales : la notion de liberté. John Hicks, un des plus
grands économistes de ce siècle, qui a consacré lui-même
l'essentiel de ses travaux à la production et aux services, a
néanmoins reconnu cet oubli. Il l'expose avec clarté dans
un passage de son œuvre :

> « Avec les principes libéraux – ou de non-interférence – posés
> par Smith, Ricardo et les autres économistes classiques, nous
> n'avons pas affaire, à proprement parler, à des principes éco-
> nomiques, mais à l'application, au domaine économique, de
> principes valides dans un champ beaucoup plus large. L'idée
> que la liberté, en matière économique, engendre l'efficacité, ne
> constituait, après tout, qu'une conséquence secondaire […]. Je
> pose donc la question suivante : est-il légitime que nous ayons
> oublié – et pour la plupart d'entre nous, il s'agit d'une amnésie
> totale – l'autre versant de l'argumentation [21] ? »

Cette précision pourrait paraître quelque peu ésoté-
rique dans le contexte d'une réflexion sur le développement économique, si l'on s'en tient aux priorités
habituelles sur le sujet : comment améliorer les revenus,
la quantité des biens de consommation et autres résultats
agrégatifs. Il s'agit pourtant d'une question très concrète.
Dans de nombreuses économies, le processus du développement bute sur un obstacle majeur : l'incapacité à
accomplir la mutation entre un système de main-
d'œuvre servile et de travail forcé, caractéristique de certains secteurs de l'agriculture traditionnelle, et un système
contractuel et libre, assurant le droit au déplacement de
chacun. Voilà un des problèmes qu'une approche du développement fondée sur les libertés identifie au premier
coup d'œil et que l'analyse par l'évaluation, qui se préoccupe seulement de résultats agrégatifs tend à négliger.
   La meilleure illustration de cette question nous est
fournie par les débats sur la nature économique du travail
des esclaves, dans le sud des États-Unis, avant l'abolition.
Robert Fogel et Stanley Engerman, auteurs de la thèse de

référence sur le sujet (*Time on the Cross : The Economics of American Negro Slavery*) ont ainsi réussi à établir que le « revenu pécuniaire » des esclaves, contrairement aux idées reçues, était assez élevé. (Cette découverte, à la différence d'autres questions soulevées par ce livre n'a pas suscité de controverses.) La comparaison entre le panier des biens de consommation des esclaves et le revenu de la main-d'œuvre agricole libre tourne en faveur des premiers. Par ailleurs, l'espérance de vie des esclaves n'apparaît pas – en termes relatifs – spécialement basse, elle est « à peu près identique à celle qui prévalait alors dans des pays aussi développés que la France ou la Hollande » et encore « plus longue que celle des citadins employés dans l'industrie, aussi bien aux États-Unis qu'en Europe »[22]. Cependant, comme on le sait, les esclaves cherchaient à s'enfuir et l'on a toutes les raisons de penser que le système esclavagiste ne servait en rien leurs intérêts. De fait, après l'abolition, les tentatives successives pour attirer les nouveaux affranchis dans des formes diverses d'organisation du travail, calquées sur le modèle servile, mais en échange, cette fois, de rétributions élevées, ont toutes abouti à l'échec.

> « Après la libération des esclaves, de nombreux planteurs se sont efforcés de reconstituer leurs équipes, en s'engageant à les rémunérer. En général, ces expériences ont avorté, bien que les salaires offerts aux affranchis excédaient de plus de 100 % les revenus dont ils avaient pu bénéficier dans leur condition antérieure. Malgré la forte incitation financière, les planteurs ont dû se rendre à l'évidence : privés de la possibilité d'user de la contrainte, il leur était impossible de maintenir le système des équipes[23]. »

L'importance de la liberté de l'emploi est donc cruciale pour la compréhension des évaluations en jeu[24].

Rappelons, à ce sujet, que les commentaires de Karl Marx, lorsqu'il concédait un avantage au capitalisme sur les formes précapitalistes de travail non libre, s'appliquaient précisément à cette situation. Pour les mêmes raisons, il considérait la guerre civile américaine comme le « plus grand événement de l'histoire contemporaine »[25]. En vérité, la « liberté fondée sur le marché » est une notion primordiale dans l'analyse du travail servile – lequel existe dans nombre de pays en voie de développement – et de la transition vers le travail libre et contractuel. On notera aussi que, sur ce point particulier, l'analyse marxienne tend à rejoindre l'approche libertarienne et à accorder la priorité à la liberté sur l'utilité.

Dans son étude exemplaire sur la transition du travail servile au salariat en Inde, V. K. Ramachandran illustre l'importance pratique de cette question dans le contexte particulier de la question agraire en Inde du Sud :

> « Marx établit une distinction (que l'on exprimera ici dans la terminologie de Jon Elster) entre la *liberté formelle* du travailleur dans le système capitaliste et sa *non-liberté réelle* dans les systèmes précapitalistes : "Avec la latitude de changer d'employeur, le travailleur connaît une liberté sans équivalent dans les précédents modes de production." Le développement du travail salarié dans l'agriculture nous intéresse encore sous un autre angle. La généralisation de la faculté, pour les travailleurs, de vendre leur force de travail représente une amélioration de leurs libertés positives, lesquelles constituent, à leur tour, un bon indicateur de l'état de santé d'une société donnée[26]. »

Dans les agricultures précapitalistes, le couple infernal travail servile endettement nourrit une forme particulièrement résistante de non-liberté[27]. Envisager le développement comme liberté permet de bien cerner cette réalité. Certes, il est nécessaire de montrer, par ailleurs, comment l'existence d'un marché du travail accroît la productivité dans le secteur agricole, mais ce mécanisme essentiel ne recoupe pas la question de l'emploi libre et contractuel.

Un autre problème douloureux a partie liée avec la liberté de choix : celui du travail des enfants. Les pires violations des règles en vigueur dans ce domaine reflètent la situation d'esclavage virtuel dans laquelle sont tenus les enfants des familles désavantagées, contraints d'accepter l'exploitation de leur force de travail (et donc non libres d'envisager un autre choix, l'école, par exemple) [28].

Les valeurs et le processus d'évaluation

J'en reviens maintenant à la notion d'*évaluation*. Du fait de la diversité de nos libertés, il y a place pour un examen explicite de leur valeur relative, selon les avantages individuels qu'elles offrent et leur influence sur le progrès social. Toutes les approches de ce type – celles des utilitaristes, des libertariens, ou d'autres encore qui seront discutées au chapitre III – supposent, elles aussi, cette évaluation, mais celle-ci reste souvent implicite. On notera, d'ailleurs, que les partisans d'un classement mécanique, qui refusent de débattre du comment et du pourquoi de leur propre échelle de valeurs, manifestent leurs réticences à l'égard de l'approche fondée sur la liberté précisément parce qu'elle exige une évaluation explicite. De telles critiques ont souvent été formulées. À celles-ci, je réponds qu'un impératif de clarté devrait guider tout exercice d'appréciation de la valeur, surtout quand la discussion est ouverte à l'examen public et aux objections de l'opinion. De fait, l'un des meilleurs arguments en faveur de la liberté politique réside justement dans l'implication des citoyens, quant à la définition et au choix des valeurs qui permettront d'établir l'ordre des priorités (aspects qui seront discutés dans les chapitres VI à XI).

Par essence, les libertés individuelles sont le produit d'une situation sociale. À ce sujet, on constate qu'il existe une relation à double sens entre, d'une part, les modifications de l'organisation sociale en vue de promouvoir les libertés individuelles et, d'autre part, l'exercice des libertés en vue d'améliorer non seulement l'existence individuelle mais aussi de rendre l'organisation sociale plus fonctionnelle. De plus, les conceptions de la justice et de la légitimité, telles que les élaborent les individus et qui influencent la façon dont ils utilisent leurs libertés, dépendent des connexions sociales, en particulier des interactions évolutives entre perception par le public et compréhension collective des problèmes et de leurs solutions. L'analyse des politiques publiques doit prendre en compte ces multiples connexions.

Tradition, culture et démocratie

Certaines critiques adressées à la théorie du développement remettent en cause ses présupposés mêmes, en particulier ceux qui sont liés à la question de la participation. Ainsi, le développement économique, tel que nous le connaissons, est parfois jugé dangereux pour les nations, dans la mesure où il conduirait à l'élimination des traditions et de l'héritage culturel [29]. On balaye parfois ces objections d'un simple revers de la main, au prétexte qu'il vaut mieux être riche et satisfait que pauvre et respectueux des traditions. Si l'on se contente de slogans, l'argument est imparable. Toutefois, un examen plus approfondi s'impose pour fournir des réponses cohérentes aux sceptiques du développement, sur le terrain qu'ils ont choisi, celui de l'évaluation.

Le débat le plus sérieux concerne les sources de l'autorité et de la légitimité. Opérer un choix, dès lors que des pans entiers de la tradition ne peuvent coexister avec un changement social ou économique, jugé nécessaire pour d'autres raisons, pose un problème d'évaluation auquel il n'y a aucun moyen d'échapper. Les personnes confrontées à cette alternative doivent assumer leurs décisions. Le choix est ouvert (contrairement aux affirmations de nombreux apologistes du développement) et ne devrait pas être laissé à la seule élite des « gardiens » de la tradition (comme les sceptiques du développement le préconisent souvent). S'il est nécessaire de sacrifier un mode de vie traditionnel pour briser le carcan de la pauvreté et allonger l'espérance de vie (plaies millénaires de nombreuses sociétés), l'ensemble des populations directement concernées devrait participer au processus de décision. Le véritable conflit oppose, d'un côté, une valeur fondamentale : le droit des gens à décider librement quelles traditions ils veulent ou non suivre et, de l'autre côté, les pressions sociales en faveur du respect des traditions établies, quelles que soient les circonstances ou, en d'autres termes, l'obéissance aux décisions prises par les autorités religieuses ou séculières, gardiennes des traditions (réelles ou imaginaires).

Le premier côté de l'alternative tire sa force, tout simplement, de l'importance essentielle que revêt la liberté humaine. Une fois ce principe reconnu, il interfère dans toutes les prises de décision liées au respect de la tradition. L'approche du « développement comme liberté » donne toute sa dimension à ce précepte.

En vérité, dans la perspective orientée vers la liberté, la latitude laissée à tous d'intervenir dans les décisions concernant les traditions à préserver ne saurait être remise en cause par les « gardiens » nationaux ou locaux, qu'il s'agisse des ayatollahs ou d'autres autorités religieuses, du pouvoir politique, en particulier de gouvernements dictatoriaux, ou encore des « experts » culturels, issus de la culture considérée ou extérieurs. Dès qu'un conflit se manifeste entre préservation de la tradition et introduction des avantages de la modernité, sa résolution suppose un élargissement de la participation et non un rejet unilatéral de la modernité par l'élite politique, les autorités religieuses ou les défenseurs de l'héritage culturel. Puisqu'il s'agit d'une question ouverte, c'est à la société tout entière de s'en emparer et de s'investir dans le processus de décision. Les tentatives pour étouffer la liberté de participation au nom des valeurs traditionnelles (fondamentalisme religieux, coutumes, ou encore les prétendues valeurs asiatiques) ignorent la simple notion de légitimité et le besoin, pour les personnes, de prendre part aux décisions concernant ce qu'elles souhaitent et ce qu'elles ont raison d'accepter.

Cette reconnaissance de principe a des conséquences considérables. Rien ne justifie que la liberté de la presse ou le droit des citoyens à communiquer entre eux chancellent dans l'ombre portée de la tradition. Le confucianisme des origines correspondrait-il à l'interprétation qu'en donnent les historiens les plus versés dans l'autoritarisme (et que je récuse, quant à moi, au chapitre X), cela ne légitimerait en aucun cas la censure ou les lois d'exception, tant il est clair que l'adhésion, par nos contemporains, à des principes énoncés au VIᵉ siècle av. J.-C. mérite d'être soumise à discussion.

Par ailleurs, puisque la participation exige un niveau élémentaire de connaissances et d'éducation, dénier à certains groupes l'accès à la scolarité – aux jeunes filles, par exemple – est contraire aux conditions nécessaires à l'exercice de la liberté de participation. Malgré les remises en cause fréquentes de ces droits (parfois avec une brutalité extrême, comme dans l'Afghanistan des Talibans), ils constituent un impératif incontournable dans une perspective fondée sur les libertés. L'approche du développement comme liberté a des implications multiples, elles ne concernent pas seulement les objectifs ultimes du développement, mais aussi les processus et les procédures à respecter.

Pour conclure, quelques remarques

Concevoir le développement en termes de libertés substantielles des gens modifie notre compréhension du processus de développement et nous renseigne sur les moyens à mettre en œuvre. L'évaluation consiste, dès lors, à estimer quelles entraves aux libertés affectent les membres d'une société donnée. D'une certaine manière, on pourrait assimiler le processus de développpement à l'histoire du dépassement de ces entraves, histoire possédant de nombreux points communs avec le processus de croissance économique et d'accumulation de capital – physique et humain – mais qu'on ne saurait réduire à ces seules variables.

Se centrer sur les libertés dans l'évaluation du développement ne signifie pas, pour autant, qu'il existe une « table des valeurs » générale du développement, référence unique à laquelle on devrait comparer les expériences réelles en vue d'un classement. La notion de liberté met en jeu des éléments hétérogènes et, d'autre part, il est nécessaire de considérer la diversité des situations, des personnes et des libertés. Ce qui motive l'approche du développement comme liberté est moins le besoin de classer les États ou les scénarios du développement dans un tableau général que d'attirer l'attention sur les aspects importants du processus de développement, qui méritent, pour chacun d'entre eux, d'être pris en compte. Même en tenant compte de ces réalités, un classement général ne serait possible qu'au prix de discussions sans fin, mais cela est secondaire.

En revanche, le désintérêt à l'égard de ces problèmes essentiels, trop fréquent dans la littérature consacrée au développement et due à une absence de préoccupations pour les libertés des personnes, est réellement dommageable. Il est indispensable d'aborder le développement avec la vue la plus large possible, afin de soumettre à l'évaluation tous les sujets importants, en prenant garde de n'en négliger aucun. Par angélisme, on considère parfois que la prise en compte de l'ensemble des facteurs pertinents conduit immanquablement à un consensus sur les scénarios les plus souhaitables. De fait, l'unanimité n'est pas indispensable. Un débat sans retenue, suscitant une forte polarisation politique, favorise le processus de participation démocratique, lequel est caractéristique du développement. L'occasion se présentera, au cours de cet exposé, d'aborder la question centrale de la participation et de son rôle dans le développement.

CHAPITRE II

Les fins et les moyens du développement

Je commencerai ici en distinguant deux attitudes anti-nomiques à l'égard du processus de développement. Elles s'expriment aussi bien dans la sphère de l'analyse écono-mique que dans la discussion publique [1]. Selon la pre-mière, le développement serait un processus brutal, supposant beaucoup de « sang, de sueur et de larmes » ; seule une volonté implacable saurait l'accompagner. Dans cette perspective, il est indispensable de s'interdire toute mièvrerie. Chaque auteur ayant ses épouvantails de prédi-lection, une grande variété de faiblesses, auxquelles il fau-drait résister, sont stigmatisées : il pourra s'agir des « filets de protection » sociaux, destinés aux plus pauvres ou de la création de services sociaux ouverts à tous. D'autres mettront en garde contre une moindre dévia-tion par rapport à des orientations rigides préétablies, même quand il s'agit de faire face à des difficultés inat-tendues frappant la population, ou encore contre la ten-tation d'accorder – « de façon beaucoup trop précoce » – les droits politiques et civiques et le « luxe » de la démo-cratie. Ces divers facteurs, expliquent les tenants de cette vision austère, auront leur place dans l'avenir, lorsque le processus de développement aura commencé à porter ses fruits. En attendant, ils préconisent de s'en tenir aux exi-gences de l'heure et à un seul mot d'ordre : « rigueur et discipline ». Entre les diverses théories qui s'inspirent de cette démarche, les principales divergences concernent les domaines dans lesquels l'assaut contre la mollesse est

prioritaire. Cela peut aller du laxisme financier à la man-
suétude politique, des programmes sociaux généreux, à
l'aide aux pauvres trop complaisante.

Aux antipodes de ces rigidités, la seconde perspective
considère que le développement est un processus essentiellement compréhensif. Là encore, cette attitude
commune s'exprime sous diverses formes, certaines visant
à promouvoir les échanges mutuellement bénéfiques
(décrits avec éloquence par Adam Smith), d'autres à améliorer le fonctionnement des « filets de sécurité » sociaux,
ou à établir les libertés politiques, le développement
social, ou encore à combiner deux ou plusieurs de ces
paramètres.

Rôle constitutif et rôle instrumental de la liberté

L'approche défendue dans ce livre a plus d'affinités avec
la seconde de ces deux perspectives [2]. Pour l'essentiel,
j'envisage ici le développement comme un processus
d'expansion des libertés réelles dont les personnes peuvent jouir. De cette façon, l'expansion des libertés
constitue à la fois, la *fin première* et le *moyen principal* du
développement, ce que j'appelle, respectivement, le « rôle
constitutif » et le « rôle instrumental » de la liberté dans
le développement. Le rôle constitutif concerne la liberté
substantielle, élément essentiel à l'épanouissement des
vies humaines. Par libertés substantielles, j'entends
l'ensemble des « capacités » élémentaires, telles que la
faculté d'échapper à la famine, à la malnutrition, à la
morbidité évitable et à la mortalité prématurée, aussi bien
que les libertés qui découlent de l'alphabétisation, de la
participation politique ouverte, de la libre expression, etc.
Dans cette perspective, le développement s'accompagne de
l'expansion des libertés fondamentales, celles men-
tionnées ci-dessus, en particulier. De ce point de vue, le
développement peut se ramener au processus d'expansion
des libertés humaines et toute appréciation du développement doit prendre en compte cette donnée.

Je reprendrai ici un exemple brièvement abordé dans l'introduction (et qui recoupe une question fréquemment soulevée dans les débats sur le développement) afin de mieux montrer comment la prise en compte du rôle « constitutif » de la liberté modifie l'analyse du développement. Dans les approches les plus étroites (qui se focalisent, par exemple, sur le PNB, la croissance ou l'industrialisation) la question est souvent posée de savoir si la libre participation politique ou le droit à l'opposition sont ou non des « conducteurs » – au sens que revêt ce terme en électricité – du développement. Si l'on en revient maintenant aux principes qui fondent le développement comme liberté, la question apparaît inconséquente dans sa formulation, puisqu'elle trahit une incompréhension de ce fait essentiel : la libre participation politique et le droit à l'opposition sont des éléments *constitutifs* du développement. Même un individu très riche, dont la libre expression ou la participation aux débats et aux décisions publics sont restreintes, se voit privé des droits auxquels il aspire légitimement. Dès que l'on juge le processus de développement à l'aune des libertés humaines et de leur promotion, restituer cette personne dans ses droits devient une nécessité. Même si elle n'exprime aucun désir immédiat de les exercer, l'absence de choix suffit à caractériser la privation de libertés. Le développement considéré comme promotion des libertés ne peut pas ignorer un déni de cet ordre. On ne saurait restreindre la question des libertés politiques fondamentales à leurs seuls effets sur les autres aspects du développement (qu'il s'agisse de la croissance du PNB ou du soutien à l'industrialisation). Ces libertés sont consubstantielles au processus de développement et à son enrichissement.

Cet aspect fondamental ne recoupe pas le versant « instrumental » de la discussion : en effet, ces droits et ces libertés peuvent *aussi* favoriser le progrès économique. Je ne négligerai pas cette connexion instrumentale (qui sera abordée, en particulier, dans les chapitres V et VI), mais l'appréciation de ce rôle de la liberté politique, comme *moyen* du développement, ne réduit d'aucune manière l'importance évaluationnelle de la liberté comme une *fin* du développement.

La priorité *intrinsèque* accordée à la liberté humaine, comme objectif du développement, doit être distinguée de l'efficacité *instrumentale* des formes diverses des libertés, comme moyen de promotion de la liberté humaine. Après avoir porté mon attention sur le premier de ces deux aspects de la liberté, au cours du précédent chapitre, je vais maintenant aborder la question de l'efficacité de la liberté comme *moyen* – et pas seulement comme fin. Le rôle instrumental de la liberté concerne la manière dont une grande variété de droits, de possibilités et d'acquis contribuent à l'expansion de la liberté humaine en général et, par conséquent, à la promotion du développement. Cet examen ne saurait se réduire à la constatation d'un lien évident entre l'expansion des diverses libertés et leur contribution au développement, fondée sur notre approche selon laquelle le développement peut se ramener au processus d'élargissement de la liberté humaine, en général. Au-delà de ce lien constitutif, l'efficacité de la liberté comme instrument réside dans les interactions qu'entretiennent les différents types de liberté, chacun d'entre eux étant susceptible d'en favoriser d'autres. Par ces connexions empiriques, les deux rôles de la liberté sont ainsi intimement liés.

Les libertés instrumentales

À travers les cas empiriques présentés dans cet ouvrage, j'aurai l'occasion d'aborder un certain nombre de libertés instrumentales qui contribuent, de manière directe ou indirecte, à offrir aux personnes la latitude de vivre conformément à leurs aspirations. Bien que l'on puisse tenter d'identifier une grande diversité d'instruments de toutes sortes, je me restreindrai à l'examen de cinq types de libertés particulièrement significatives dans cette perspective instrumentale. Mon intérêt ici n'est pas de dresser une liste exhaustive mais de cerner quelques problèmes de politique publique qui requièrent une attention toute spéciale.

Voici les cinq types de libertés instrumentales qu'il me paraît indispensable de prendre en compte : *libertés politiques*, *facilités économiques*, *opportunités sociales*, *garanties de transparence* et *sécurité protectrice*. Ces cinq occurrences contribuent à la capacité générale d'une personne de vivre plus librement ; on notera par ailleurs qu'elles se complètent l'une l'autre. Si l'analyse du développement doit, d'un côté, se soucier des objectifs et des buts vis-à-vis desquels ces libertés sont opérationnelles, elle doit aussi être capable de saisir les connexions empiriques qui lient entre elles les différents types de libertés et les renforcent réciproquement. De fait, identifier ces relations est nécessaire à la compréhension du rôle instrumental que joue la liberté. L'affirmation selon laquelle la liberté constitue non seulement l'objet premier du développement, mais aussi son moyen essentiel tire une bonne partie de sa validité de ces connexions.

Avant tout, un rapide commentaire s'impose à propos de chacune de ces libertés instrumentales. Par *libertés politiques*, au sens le plus général, incluant donc les droits civiques, j'entends l'ensemble des possibilités, offertes aux individus, de déterminer qui devrait gouverner et selon quels principes, de contrôler et de critiquer les autorités, de s'exprimer sans restrictions et de lire une presse non censurée, de choisir entre des partis politiques antagonistes, etc. Comme il va de soi, tout l'éventail des droits politiques que l'on associe au fonctionnement démocratique – confrontation politique et dialogue ; libre organisation et libre expression de l'opposition, droit de vote et participation au processus de sélection des corps législatif et exécutif – sont compris sous cette notion.

Par *facilités économiques*, j'entends les opportunités, offertes aux individus, d'utiliser les ressources économiques à des fins de consommation, de production ou d'échanges. La marge de manœuvre économique des personnes dépendra des ressources qu'elles possèdent ou de celles dont elles peuvent disposer, aussi bien que des conditions de l'échange, telles que les prix relatifs ou le fonctionnement des marchés. Tout accroissement du revenu et de la richesse d'un pays, à mesure du processus de développement, devrait se traduire par l'élargissement équivalent des facilités économiques de la population. À l'évidence, dans la relation entre richesse et revenu national d'un côté, et droits économiques des individus et des familles, de l'autre, les questions liées à la distribution jouent un rôle déterminant. Plus que le calcul des agrégats, l'analyse de la répartition du revenu additionnel engendré par le développement permettra de tirer des conclusions pertinentes.

L'accès au financement exerce une influence prépondérante sur les facilités que les agents économiques sont capables de s'assurer. Cela vaut aussi bien pour les grandes entreprises (employant des centaines de milliers de salariés) que pour les sociétés unipersonnelles fonctionnant au moyen de microcrédits. Une soudaine contraction du crédit a souvent des effets dévastateurs pour les facilités économiques qui dépendent d'un accès au financement.

Par *opportunités sociales*, j'entends les dispositions prises par une société, en faveur de l'éducation, de la santé ou d'autres postes et qui accroissent la liberté substantielle qu'ont les personnes de vivre mieux. L'existence de tels services modifie la qualité de vie individuelle (suivi médical, prévention de la morbidité évitable et de la mortalité prématurée) et favorise aussi une participation plus effective aux activités économiques et politiques. L'analphabétisme, par exemple, est un facteur d'exclusion économique pour toutes les activités dans lesquelles la production répond à des spécifications écrites ou s'accompagne de stricts contrôles de qualité, situation qui se généralise dans le cadre de la mondialisation. De la même manière, la possibilité de lire la presse ou de communiquer par écrit facilite la participation politique.

Examinons maintenant la quatrième catégorie. Dans toute interaction sociale, les individus s'appuient sur une estimation plus ou moins précise de ce qui peut leur être proposé et de ce qu'ils comptent obtenir. En ce sens, le fonctionnement des sociétés implique toujours une certaine marge de confiance. La notion de *garanties de transparence* prend en compte cette exigence de non-duplicité, présupposée dans les relations sociales, c'est-à-dire la liberté de traiter, à quelque niveau que ce soit, en respectant une garantie au moins implicite de clarté. Lorsque cette dimension de confiance est sérieusement mise à mal, les parties impliquées, mais aussi des tiers, en subissent dans leur existence le contrecoup direct. Les garanties de transparence (y compris le droit de divulgation) constituent, de ce point de vue, une catégorie significative de la liberté instrumentale. Des garanties de cet ordre jouent un rôle instrumental déterminant dans la prévention de la corruption, de l'irresponsabilité financière et des ententes illicites.

Enfin, aussi satisfaisant que soit le fonctionnement d'une économie, il subsiste toujours, aux frontières du système, des couches de population vulnérables à toutes les fluctuations de la conjoncture. La *sécurité protectrice* doit servir à leur fournir un filet de protection sociale, afin qu'elles ne se trouvent, en aucun cas, réduites à la misère, voire, dans des situations extrêmes, à la famine ou à la mort. Le domaine de la sécurité protectrice recouvre des dispositions institutionnelles formalisées (allocations pour les sans-emploi, compléments de revenus statutaires pour les indigents) et des capacités d'interventions exceptionnelles (fonds de secours en cas de famines ou programmes de travaux publics destinés à fournir un revenu aux victimes des crises).

Interconnexion et complémentarité

Si les libertés instrumentales améliorent directement les capacités des individus, on constate aussi qu'elles entretiennent des relations de réciprocité et peuvent se renforcer l'une l'autre. La réflexion sur les politiques de développement doit prendre en considération ces interrelations.

Tous les observateurs reconnaissent aujourd'hui que le droit de s'engager dans des transactions économiques tend à accélérer la croissance économique dans des proportions remarquables. Si d'autres connexions restent mésestimées, c'est souvent parce que la croissance est jugée du seul point de vue de l'augmentation des revenus privés. La croissance économique rend aussi possible le financement par l'État de l'assurance sociale et facilite des interventions publiques actives. Ainsi, pour estimer, en toute rigueur, la contribution de la croissance économique, il est nécessaire de prendre en compte l'extension des services sociaux, sous leurs différentes formes, y compris, dans de nombreux cas, les filets de sécurité sociaux [3].

De la même manière, la création d'opportunités sociales, à travers le développement de l'éducation publique, des services de santé ou grâce à l'existence d'une presse libre et dynamique, contribue au développement économique, tout autant qu'à une réduction significative du taux de mortalité. Par contrecoup, la baisse du taux de mortalité favorise la réduction de la natalité, ce qui renforce l'influence de l'éducation – grâce, en particulier, à l'alphabétisation et à la scolarisation féminine – sur le contrôle des naissances.

Le meilleur exemple historique de développement économique s'appuyant sur les opportunités sociales, et surtout sur l'éducation élémentaire, nous est fourni par le Japon. On oublie trop souvent que le taux d'alphabétisation y était plus élevé qu'en Europe, et ce dès les débuts de l'ère Meiji, au milieu du XIXᵉ siècle, alors que le pays n'avait pas encore engagé sa révolution industrielle. Le développement économique du Japon a bénéficié, dans une large mesure, de la qualité de ses ressources humaines, résultant d'un large éventail d'opportunités sociales. Plus récemment, le « miracle asiatique » évoqué à propos d'un certain nombre de pays d'Asie du Sud-Est, repose, pour une bonne part, sur des causes similaires [4].

Cette approche contredit – et d'une certaine manière, elle sape – la conviction partagée par de nombreux experts, selon laquelle le « développement humain » (ainsi que l'on désigne souvent les politiques en faveur de l'éducation, de la santé et de l'amélioration des conditions de vie en général) est un luxe inaccessible, sauf aux pays les plus riches. Pourtant, s'il y avait un seul enseignement à tirer de la réussite des économies asiatiques, à commencer par celle du Japon, ce serait la remise en cause de ce préjugé implicite. Très tôt, tous ces pays ont généralisé l'éducation puis se sont dotés de systèmes de santé, avant même, le plus souvent, d'avoir surmonté les obstacles liés à la pauvreté structurelle. Au bout du compte, ils ont récolté ce qu'ils avaient semé. Comme l'a montré Hiromitsu Ishi, c'est dans les premières phases du développement économique, à partir de l'ère Meiji (1868-1911) que la priorité a été accordée au développement des ressources humaines, ce volet de la politique publique n'ayant pas nécessité de réformes de fond lorsque le Japon commença à connaître la prospérité, ni lorsqu'il rejoignit les rangs des pays les plus riches [5].

Des disparités multiples entre la Chine et l'Inde

Dès lors que nous accordons un rôle central aux libertés individuelles dans le processus de développement, il est indispensable d'identifier les facteurs dont elles dépendent. Une attention particulière doit être portée aux influences sociales, y compris à l'action de l'État, qui permettent de déterminer la nature et l'impact des libertés individuelles. L'existence de ces libertés et leur promotion sont liées à la configuration sociale. Les libertés individuelles dépendent, d'un côté, du cadre légal, de la tolérance sociale et des possibilités d'échanges et de transactions et, de l'autre, du soutien actif du public en faveur de services, tels que la santé publique ou l'éducation, essentiels à la formation et à la mise en œuvre des capacités humaines. Ces deux séries de facteurs, déterminant les libertés individuelles, méritent toute notre attention.

Une comparaison entre l'Inde et la Chine me servira à éclairer cette discussion. Depuis un certain temps, les gouvernements de ces deux pays ont multiplié les mesures (plus précisément, à partir de 1979, pour la Chine et de 1991, pour l'Inde) destinées à ouvrir leur économie au marché mondial. Si les efforts indiens ont abouti à quelques succès, ils restent très en deçà des résultats de grande ampleur obtenus par la Chine. Un facteur explique sans aucun doute cette disparité : la Chine a bénéficié d'un environnement social beaucoup plus « mûr » pour accueillir l'économie de marché et en tirer de meilleurs bénéfices [6]. Quelle qu'ait pu être la défiance de la Chine à l'égard du marché, dans la période qui a précédé les réformes, le pays avait tablé depuis longtemps sur une généralisation de l'éducation et de l'accès à la santé. Au moment de sa réorientation économique, en 1979, il affichait un taux d'alphabétisation très élevé, en particulier dans les couches les plus jeunes de la population et disposait d'un système scolaire bien réparti sur l'ensemble du territoire. De ce point de vue, la Chine soutient la comparaison avec la Corée du Sud ou Taiwan, deux pays dans lesquels le niveau d'éducation a permis à la population de tirer parti des opportunités économiques offertes par le marché. Avec sa population adulte pour moitié analphabète, l'Inde souffrait d'un terrible handicap lorsqu'elle s'est ouverte au marché mondial, en 1991 ; la situation n'a guère évolué depuis.

La Chine jouissait, par ailleurs, de conditions sanitaires bien meilleures que celles de l'Inde, conséquence de la priorité accordée par le régime à ce secteur dans la période qui a précédé les réformes économiques. Hormis son rôle favorable dans la croissance de l'économie de marché, ce facteur a aussi permis de multiplier les oppportunités sociales « opérationnelles » dans la dynamique créée par l'introduction du marché. En revanche, l'arriération sociale de l'Inde, telle que la reflète la médiocrité des conditions sanitaires et le désintérêt pour l'éducation élémentaire, négligée au profit de la formation supérieure des élites, a contrarié la généralisation de l'expansion économique. Une comparaison exhaustive entre les deux pays devrait intégrer d'autres facteurs (différence entre les deux systèmes politiques, plus grande hétérogénéité régionale, en Inde, concernant des oppportunités sociales comme l'éducation et la santé) sur lesquels je reviendrai plus loin. Toutefois, pour analyser le développpement fondé sur le marché, la différence spectaculaire de maturité sociale entre l'Inde et la Chine nous donne un point de départ valide.

À l'inverse, on doit prendre en compte les sérieux handicaps que rencontre la Chine du fait de l'absence de libertés démocratiques. Le manque de flexibilité des politiques économiques, comme le peu de capacités de réaction des pouvoirs publics face aux crises sociales ou aux catastrophes naturelles en sont les indices les plus flagrants. Mieux que tout autre, le problème de la famine illustre cette différence. Après l'échec du « Grand Bond en avant », entre 1958 et 1961, trente millions de Chinois ont péri au cours de ce qui représente sans doute la famine la plus meurtrière de l'Histoire. L'Inde, de son côté, n'a enregistré aucun épisode de famine depuis l'Indépendance, survenue en 1947. Dans des conjonctures plus favorables, les avantages comparatifs de la démocratie tendent à s'estomper, mais des périls imprévisibles peuvent soudain menacer, comme on l'a vu encore lors de la crise financière qui a frappé les économies du Sud-Est asiatique. Je reviendrai sur ce problème au fil de cet ouvrage.

Les libertés instrumentales entretiennent entre elles toutes sortes d'interconnexions. Le rôle spécifique de chacune d'entre elles, tout comme leurs influences réciproques constituent des aspects essentiels du processus de développement. Dans les chapitres suivants, j'aurai l'occasion d'aborder plusieurs de ces interconnexions et de mesurer leurs conséquences. Afin de mieux saisir leur fonctionnement, je vais tout de suite examiner les influences multiples qu'elles exercent sur la longévité et l'espérance de vie à la naissance – deux capacités considérées comme particulièrement précieuses dans le monde entier.

Les politiques sociales et leur rapport avec la croissance

À travers tout un réseau de connexions instrumentales, la configuration sociale influe de façon prépondérante sur la liberté de survivre. Trop souvent, on tend à subordonner cette liberté à la seule croissance économique, en soulignant le lien indéniable qui existe entre revenu par habitant et longévité. Parfois, le raisonnement est poussé encore plus loin : il serait inapproprié de s'inquiéter d'éventuelles dissonances entre revenus et probabilité de survie, dans la mesure où, statistiques à l'appui, la connexion entre les deux variables finit toujours par s'établir. Si l'on s'en tient à une comparaison statistique entre pays, l'argument tient la route, mais un examen plus approfondi montre qu'il ne suffit pas à remettre en cause l'importance des politiques sociales.

Je me référerai, pour éclairer ce débat, aux analyses statistiques riches d'enseignements, établies récemment par Sudhir Anand et Martin Ravallion [7]. En comparant les données par pays, ils observent, comme on peut s'y attendre, une forte corrélation entre PNB par habitant et espérance de vie. Mais ils montrent aussi que ce lien dépend de deux facteurs : l'impact du PNB sur les revenus des plus pauvres et sur la dépense publique, en particulier dans le domaine de la santé. De fait, dès que ces deux variables sont considérées pour elles-mêmes, dans les tableaux statistiques, la contribution *supplémentaire* imputable au PNB par habitant se réduit à peu de chose, voire disparaît purement et simplement.

En attendant que d'autres études empiriques viennent les étayer, il me paraît important d'insister sur les conclusions des deux chercheurs : elles nous indiquent, non pas

que l'espérance de vie n'est pas favorisée par la croissance du PNB par habitant, mais que la véritable articu-
lation passe par la dépense publique en matière sanitaire
et par le succès de la lutte contre la pauvreté. Pour le
dire dans détour : l'impact de la croissance économique
dépend, pour l'essentiel, de l'usage fait des *fruits* de cette
croissance. Dans ce cadre, on comprend mieux comment
certains pays, Taiwan ou la Corée du Sud, par exemple,
ont réussi à augmenter leur espérance de vie à un rythme
aussi soutenu, grâce à la croissance économique.

À juste titre, le bilan des économies du Sud-Est asiatique a suscité des discussions virulentes et quelques révi-
sions, depuis le début de la violente secousse financière
qui a affecté ces pays, en 1997. Il s'agit, en effet, d'une
crise profonde, révélatrice de graves faiblesses structu-
relles, passées jusqu'alors inaperçues. Je prendrai le
temps, aux chapitres VI et VII, d'exposer en détail les problèmes particuliers, qui ont été aux origines de la crise
asiatique. Pour autant, on aurait tort de sous-estimer les
acquis considérables de ces économies au cours des
décennies précédentes, et les améliorations qu'elles ont
apportées aux habitants, surtout pour ce qui concerne la
longévité. Les difficultés auxquelles ces pays se trouvent
aujourd'hui confrontés (et qui préexistaient de longtemps à la crise) réclament des solutions (telles que la
reconnaissance des libertés politiques fondamentales, la
participation ouverte, la sécurité protectrice), mais elles
ne doivent pas nous conduire à négliger les succès indiscutables enregistrés dans des domaines essentiels.

Pour toute une série de raisons historiques – parmi lesquelles une attention particulière à l'éducation et à la
santé, une réforme agraire très tôt menée à terme – la
participation économique s'est généralisée sans obstacle
majeur dans de nombreux pays de l'Est et du Sud-Est
asiatique. Ce n'est pas toujours le cas ailleurs. Au Brésil,
en Inde ou au Pakistan, par exemple, la création
d'opportunités sociales a été beaucoup plus lente, cette
lenteur constituant une entrave au développement économique [8]. L'extension des opportunités sociales a facilité le

développement économique fondé sur l'emploi très qualifié, elle a aussi créé les circonstances favorables à la réduction du taux de mortalité et à l'allongement de l'espérance de vie. Contraste saisissant avec d'autres pays à fort taux de croissance ! Le Brésil, parmi ceux-là, peut afficher une augmentation comparable du PNB par habitant, mais il a souffert, tout au long de son histoire, de profondes inégalités sociales, d'un chômage endémique et de lourdes carences dans le domaine de la santé publique. Dans ces économies à forte croissance, l'allongement de l'espérance de vie procède à un rythme beaucoup plus lent.

Deux oppositions, d'ailleurs en interaction, méritent d'être relevées ici :

1) Pour les économies à fort taux de croissance, il existe une différence marquée entre les pays affichant *aussi* de bons résultats dans l'amélioration de l'espérance et de la qualité de vie (Corée du Sud ou Taiwan, par exemple) et ceux qui n'ont engrangé aucun acquis dans ces domaines (Brésil, par exemple).

2) Pour les économies enregistrant une forte amélioration de l'espérance et de la qualité de la vie, il existe une différence marquée entre les pays qui connaissent *aussi* une forte croissance économique (Corée du Sud ou Taiwan, par exemple) et ceux qui n'obtiennent pas de bons résultats dans ce domaine (Sri Lanka, Chine dans la période antérieure aux réformes, l'État du Kérala en Inde, par exemple).

J'ai développé plus haut la première de ces oppositions (entre la Corée du Sud et le Brésil, entre autres). La seconde met en jeu d'autres aspects des politiques publiques et mérite aussi notre attention. Dans le livre que j'ai écrit en collaboration avec Jean Drèze, et qui s'intitule *Hunger and Public Action*, nous avons distingué deux voies pour parvenir à une baisse rapide de la mortalité, que nous avons nommées, respectivement, processus « par la croissance » et processus « par le soutien »[9]. Le premier fonctionne grâce à une forte croissance économique s'appuyant sur la base la plus large possible (souvent en relation avec une orientation vers l'emploi) et réutilisant les gains de la prospérité pour l'extension de services sociaux, tels que la santé, l'éducation ou la Sécurité sociale. À l'inverse, le processus par le soutien peut se passer d'une forte croissance économique et fonctionne par l'intermédiaire de programmes sociaux adaptés dans la santé ou l'éducation. Diverses économies peuvent servir d'exemple : le Sri Lanka, la Chine dans la période antérieure aux réformes, le Costa Rica ou l'État du Kérala qui ont tous obtenu des résultats significatifs concernant la réduction de la mortalité et l'amélioration des conditions de vie, en l'absence d'une croissance économique notable.

Financements publics, bas revenus et coûts relatifs

Le processus par le soutien n'est pas conditionné à une croissance spectaculaire du revenu réel par habitant, puisque sa mise en œuvre dépend seulement de la priorité accordée aux services sociaux (santé et éducation, en particulier) qui aident à réduire la mortalité et à améliorer la qualité de la vie. La figure 2.1 illustre la relation entre PNB par habitant et espérance de vie à la naissance pour six pays et un État indien de trente millions d'habitants, le Kérala[10]. Malgré un très faible niveau de revenus, les Kéralais, les Chinois ou les Sri Lankais bénéficient d'une espérance de vie de très loin supérieure à celle des populations beaucoup plus riches du Brésil, d'Afrique du Sud, de Namibie, sans même mentionner le cas du Gabon. Puisque, comme on le sait, les variations dans l'espérance de vie dépendent de toute une variété d'opportunités sociales, essentielles au développement (telles que la prévention des épidémies, la politique de santé, l'accès à l'éducation, etc.), l'attention exclusive aux revenus manquerait particulièrement d'envergure pour saisir dans son intégralité le processus de développement[11]. Ces différences ont une importance considérable dans la définition

FIGURE 2.1 : *PNB par habitant (en dollars)
et espérance de vie à la naissance, 1994*

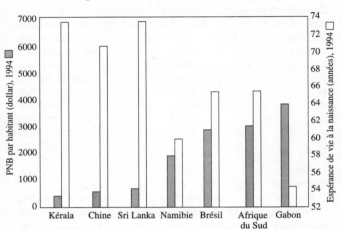

Sources : chiffres par pays, 1994, Banque mondiale, *Rapport sur le développement mondial 1996* ; données du Kérala, espérance de vie, 1989-1993, système d'enregistrement d'échantillons cité par le gouvernement indien (1997), ministère de l'Éducation, *Femmes en Inde : un profil statistique* ; produit intérieur par habitant, 1992-1993, gouvernement indien (1997), ministère des Finances, *Rapport économique 1996-1997*.

des politiques publiques et éclairent l'importance du processus par le soutien[12].

Une interrogation légitime concerne le financement du processus par le soutien dans les pays pauvres, dans la mesure où l'extension des services publics mobilise des ressources importantes. C'est d'ailleurs cet argument que de nombreux pays avancent pour reporter dans le temps – jusqu'à une situation financière plus favorable – des investissements socialement importants : quels moyens, est-il alors expliqué, pourraient être mobilisés, pour « soutenir » ces services ? Cette question pertinente appelle une réponse tout aussi pertinente, liée à l'économie des coûts relatifs. La viabilité du processus par le soutien repose sur le fait que des services sociaux fonctionnels (la santé ou l'éducation de base) utilisent une grande quantité de main-d'œuvre : ils sont donc relativement bon marché dans des économies pauvres, où le niveau des salaires est bas. Un pays pauvre dispose d'un faible budget pour la santé et l'éducation, mais il peut aussi fournir ces services pour un coût bien moindre que leur équivalent dans des pays plus riches. Prix et coûts relatifs sont des paramètres importants pour définir ce qu'un pays a les moyens d'entreprendre. En fonction d'un engagement social approprié, la nécessité de prendre en compte la variabilité des coûts relatifs est particulièrement importante pour les services de santé et d'éducation [13].

À l'évidence, le processus par la croissance présente divers avantages dans la mesure où un certain nombre de privations – au-delà de la mortalité prématurée, du taux de morbidité ou de l'analphabétisme – sont en relation directe avec la faiblesse des revenus (ne seraient-ce que l'habillement ou le logement). Mieux vaut bénéficier d'un revenu satisfaisant *et* d'une espérance de vie élevée (ou encore de l'ensemble des indicateurs de qualité de la vie), plutôt que du second exclusivement. Ce point mérite d'être souligné ; il importe, en effet, de ne pas se focaliser sur les seules statistiques concernant l'espérance de vie, pas plus que sur l'un quelconque des autres indicateurs bruts de la qualité de la vie.

Le Kérala, par exemple connaît, en dépit de son faible revenu par habitant, un taux de fertilité très bas, une espérance de vie et un taux d'alphabétisation élevés. Il convient de se pencher sur des résultats aussi remarquables et d'en tirer des leçons. Cependant, on ne peut s'empêcher de se demander pourquoi le Kérala n'a jamais réussi, en s'appuyant sur ces acquis en matière de développement humain, à élever aussi son niveau de revenus, ce qui conférerait une meilleure assise à son développement. Dans ces conditions, parler d'« exemple kéralais », comme s'y évertuent certains commentateurs, paraît très abusif. Au contraire, un examen critique des politiques publiques s'impose pour les « facilités économiques » en général, et surtout pour les orientations concernant les incitations et les investissements, malgré la réussite exceptionnelle concernant l'espérance et la qualité de la vie [14]. On voit donc que les politiques par le soutien aboutissent à des résultats moins satisfaisants, au bout du compte, que les politiques par la croissance, capables d'harmoniser les avancées de la prospérité économique et l'amélioration de la qualité de vie.

À l'inverse, les succès réels susceptibles d'être obtenus grâce à une politique de soutien confirment qu'il n'est nul besoin d'atteindre un certain seuil de prospérité (à l'issue d'une longue période de croissance économique) pour se donner les moyens de généraliser les services d'éducation et de santé. En dépit de revenus faibles, la qualité de la vie peut être largement améliorée, grâce à la mise en place de services sociaux adéquats. Le fait que l'éducation et la santé concourent aussi à la croissance économique, confirme la nécessité de politiques publiques leur accordant la priorité, dans le cadre d'économies pauvres ; cela invalide le prétexte selon lequel il serait nécessaire d'attendre d'abord d'être devenu « riche » [15]. Pour définir une politique publique, on ne doit pas perdre de vue que le processus par le soutien constitue la voie la plus rapide pour l'amélioration de la qualité de la vie. Pour autant, les acquis doivent servir de tremplin pour atteindre des objectifs plus larges, incluant la croissance économique et les autres aspects que revêt la qualité de la vie.

Un siècle de réduction de la mortalité en Grande-Bretagne

Fort de ce nouvel éclairage, nous pouvons maintenant procéder à un réexamen des courbes de réduction de mortalité et d'allongement de l'espérance de vie dans les pays industriellement avancés. Le rôle joué par la nutrition, la santé publique, et plus généralement par l'ensemble des

FIGURE 2.2 : *Allongement de l'espérance de vie, en Angleterre et au pays de Galles (1901-1960)*

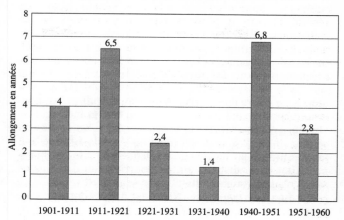

Sources : S. Preston, N. Keyfitz et R. Schoen, *Causes of Death : Life Tables for National Population* (New York, Seminar Press, 1992).

dispositifs sociaux, dans la réduction de la mortalité en Europe et aux États-Unis au cours des derniers siècles a été analysé en détail par Robert Fogel et Samuel Preston[16]. Nous allons nous pencher sur le cas de la Grande-Bretagne au cours du XXᵉ siècle, en gardant bien à l'esprit que l'espérance de vie à la naissance était, il y a cent ans, dans la première puissance capitaliste du monde, plus faible que la moyenne qui prévaut aujourd'hui dans les pays à revenus faibles. En conséquence des stratégies sociales suivies, la longévité a très vite progressé en Grande-Bretagne, mais au gré de fluctuations qui méritent notre attention.

La mise en œuvre de programmes de soutien à la nutrition, d'accès à la santé ou autres n'a pas suivi un rythme uniforme selon les décennies. Deux périodes de rapide expansion des politiques de soutien dominent le siècle :

elles coïncident avec les deux guerres mondiales. La situation spécifique à chacun des deux conflits a provoqué une répartition beaucoup plus large des moyens vitaux, en particulier pour la santé et l'alimentation (à travers le rationnement et les aides financières). Ainsi que l'a montré Jay Winter [17], durant la Première Guerre mondiale, un changement drastique, favorable au « partage », se manifeste dans les attitudes sociales et dans l'élaboration de politiques publiques destinées à l'organiser. De même, au cours de la Seconde Guerre mondiale, un nouveau dispositif social se développe sur une grande échelle. Orienté vers la répartition et le soutien, il reflète le fort sentiment de solidarité qui apparaît dans la Grande-Bretagne soumise au blocus et sans lequel la prise en charge par l'État de la distribution de nourriture et de soins de santé n'aurait jamais atteint ce niveau d'efficacité [18]. Le Service national de santé (NHS) est né au cours de cette période.

Cela a-t-il exercé une influence réelle sur la santé et la survie ? Constate-t-on une réduction plus rapide de la mortalité au cours de ces deux périodes, caractérisées par l'ampleur des politiques publiques de soutien en Grande-Bretagne ? La réponse est affirmative. Bien que le taux de disponibilité de la nourriture par habitant ait chuté, des études nutritionnelles très précises, concernant la Seconde Guerre mondiale, montrent que les cas de malnutrition ont aussi décliné dans des proportions considérables, alors que la malnutrition extrême a virtuellement disparu [19]. De la même manière, durant les deux guerres mondiales, la courbe de mortalité s'infléchit à la baisse de façon marquée (à l'exclusion de la mortalité liée à la guerre, comme il va de soi) [20].

De fait, la comparaison par décennies, fondée sur les recensements, montre que l'accroissement le plus rapide de l'espérance de vie s'est produit au cours des deux périodes incluant les guerres mondiales (voir la figure 2.2 qui représente l'augmentation, exprimée en nombre d'années, de l'espérance de vie, pendant les six premières décennies de ce siècle) [21]. Alors que pour chacune

FIGURE 2.3 : *Évolution du PIB (Grande-Bretagne)*
et allongement décennal de l'espérance de vie à la naissance
(Angleterre et pays de Galles), 1901-1960

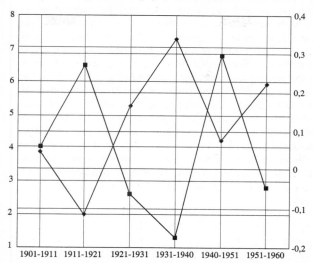

→■ Allongement décennal de l'espérance de vie à la naissance, Angleterre et pays de Galles
→ Évolution du PIB au Royaume-Uni, 1901-1960

Sources : A. Madison, *Phases of Capitalist Development* (New York, Oxford University Press, 1982) ; S. Preston et al., *Causes of Death : Life Tables for National Population* (New York, Seminar Press, 1992).

des autres décennies, l'espérance de vie augmente selon un rythme modéré (entre une et quatre années), elle progresse de presque sept années pour les deux décennies de guerre.

Il est toutefois légitime de se demander si cette soudaine accélération, au cours des deux décennies de guerre, ne trouve pas sa cause exclusive dans une croissance économique plus impétueuse. Selon tous les indicateurs, la réponse à cette question est négative.

Mieux encore, les décennies de rapide allongement de l'espérance de vie correspondent à des périodes de croissance lente du PIB par habitant, ainsi que le montre la figure 2.3. On peut alors formuler une autre hypothèse : la croissance du PIB n'aurait-elle pas des effets sur l'espérance de vie avec un retard décennal ? Bien que la figure 2.3 ne l'exclue pas, cette éventualité ne résiste guère à l'analyse et l'on serait bien en peine d'en expliquer l'enchaînement causal. Les changements d'ordre social, liés à l'impératif de répartition pendant les périodes de conflit et à l'aide publique apportée aux services sociaux (concernant en particulier l'alimentation et la santé), constituent une explication plus plausible. Elle est d'ailleurs confirmée par différents travaux concernant la santé et les conditions de vie de la population britannique pendant les périodes de guerre et leurs relations avec les attitudes sociales et les politiques publiques [22].

Démocratie et incitations politiques

Je pourrais commenter ici bien d'autres connexions, mais je me contenterai d'un bref exemple. Il concerne la relation entre, d'un côté, les libertés politiques et les droits civiques, et de l'autre, la liberté d'éviter les désastres économiques. L'absence de famines dans les régimes démocratiques nous fournit l'exemple le plus évident de cette connexion, comme je l'ai déjà montré dans le premier chapitre, puis, dans celui-ci en comparant l'Inde et la Chine. Aucun pays démocratique, même le plus pauvre, n'a jamais subi de famines [23]. La raison en est que la prévention de ce fléau ne présente aucune difficulté pour autant que les gouvernements aient la volonté de la mettre en œuvre. Bien entendu, une démocratie multipartite, dotée de médias libres et d'un système électoral, constitue, pour un gouvernement, une forte incitation politique à prendre les mesures préventives.

Aussi longtemps qu'aucune calamité ne frappe un pays, la sécurité que procure la démocratie passe inaperçue.

Mais les dangers de l'insécurité, qu'ils naissent de changements d'ordre économique, d'erreurs politiques persistantes ou d'autres circonstances, apparaissent vite, même dans des États affichant une bonne santé de façade. Lorsque je discuterai plus à fond cette connexion aux chapitres VI et VII, nous nous retrouverons confrontés aux aspects politiques de la récente « crise financière asiatique ».

Une remarque pour conclure

L'analyse développée dans ce chapitre s'articule autour d'une idée fondamentale : la promotion de la liberté humaine est à la fois l'objectif principal et le moyen premier du développement. L'objectif du développement concerne la mise en valeur des libertés réelles auxquelles aspirent les gens. Les capacités individuelles reposent sur un large réseau d'influences, mais elles dépendent avant tout d'une configuration économique, sociale et politique. Pour orienter les institutions dans le sens le plus approprié à cette fin, il est nécessaire d'examiner le rôle instrumental que jouent les divers types de liberté, exercice qui va bien au-delà du fait de reconnaître l'importance fondatrice des libertés individuelles.

Les fonctions instrumentales de la liberté se déclinent sous des formes diverses mais corrélées, telles que les facilités économiques, les libertés politiques, les opportunités sociales, les garanties de transparence et la sécurité protectrice. On pourrait suivre les connexions multiples entre ces opportunités et ces droits instrumentaux dans des directions multiples. Le processus de développement est profondément influencé par ces relations. Il est nécessaire de développer toute une gamme d'institutions, correspondant à ces libertés multiples et interdépendantes, et qui assurent l'existence d'un système démocratique, de procédures légales, de structures de marché, de services d'éducation et de santé, de médias et des moyens de communications, etc. Ces institutions peuvent dépendre d'initiatives privées, de structures publiques, ou d'autres acteurs, tels que les organisations non gouvernementales ou les coopératives.

Les moyens et les fins du développement exigent que la perspective de la liberté soit placée au centre de la réflexion. Et que les personnes soient considérées comme des acteurs à part entière, tirant parti des opportunités à leur disposition et maîtrisant leur destin, et non comme les destinataires passifs des fruits d'un développement programmé par des experts. Il est indispensable que l'État et la société jouent leur rôle pour renforcer et garantir les capacités humaines, un rôle de soutien et non de fournisseurs de produits finis. La perspective centrée sur la liberté, concernant les fins et les moyens du développement, mérite ainsi notre attention.

CHAPITRE III

La liberté et les fondements de la justice

Je commencerai ici avec une parabole : alors que la jeune Annapurna cherche quelqu'un pour s'occuper de son jardin, trois manœuvres du voisinage viennent proposer leurs services. Ils s'appellent Dinu, Bishanno et Rogini. Tous trois sans emploi, ils souhaitent ardemment obtenir ce travail. Annapurna réfléchit : elle sait que chacun des postulants lui donnera satisfaction pour un salaire équivalent. La tâche n'étant pas divisible elle doit choisir le meilleur candidat.

Des trois nécessiteux, Dinu est le plus misérable, ce qui incite Annapurna à l'embaucher (« N'est-il pas indispensable d'aider les plus pauvres ? », se demande-t-elle). Alors qu'elle s'apprête à prendre sa décision, elle apprend que Bishanno a récemment perdu le peu de biens qu'il possédait et qu'il en est très affecté. Dinu et Rogini, eux, ont l'habitude de leur situation, ils n'en ont jamais connu d'autre. Il est facile de voir que Bishanno est le plus malheureux des trois et que la situation de jardinier serait pour lui, plus encore que pour les deux autres, une source de satisfaction. Annapurna incline donc en sa faveur : « Ma priorité ne devrait-elle pas être de supprimer le malheur ? »

Sur ces entrefaites, Annapurna apprend que Rogini souffre d'un mal incurable, qu'elle supporte sans jamais se plaindre, et que le prix de ses gages, si elle devenait jardinière, suffirait à l'en débarrasser. De l'avis général, Rogini, bien que pauvre, n'a pas atteint, comme les deux autres, le dernier cercle de la misère. Habituée à sa condition et aux privations qui l'accompagnent, elle ne s'est jamais départie d'une certaine joie de vivre : dans sa famille, on lui a toujours enseigné qu'une jeune fille modeste ne doit ni se plaindre ni caresser la moindre ambition. Annapurna se demande maintenant si l'emploi ne devrait pas revenir à la méritante Rogini : « J'apporterais une véritable contribution à sa qualité de vie et à sa liberté vis-à-vis de la maladie. »

Annapurna hésite sur la conduite à tenir. Elle se rend bien compte que, si elle n'avait entendu parler que de l'extrême pauvreté de Dinu, c'est à lui qu'elle aurait offert l'emploi. Si elle n'avait connu que le sort de Bishanno – le plus malheureux – elle y aurait vu une excellente raison de l'embaucher et de lui rendre la joie de vivre. Et si elle avait été renseignée sur le seul état de santé de Rogini et sur sa possible guérison grâce aux émoluments offerts, elle aurait aussitôt sélectionné cette dernière. Mais elle détient des informations concernant les trois candidats et chacun d'entre eux, en toute légitimité, mérite d'être aidé.

Bien que cet exemple simple soulève toutes sortes de problèmes intéressant la raison pratique, je limiterai mon propos à un seul d'entre eux, en remarquant que les différents principes qui entrent ici en concurrence dépendent de l'information spécifique qui est choisie comme décisive. Dès que les trois faits sont connus, le choix s'élabore en fonction de l'information à laquelle on confère le plus de poids. Ainsi, on peut définir chacun de ces principes selon sa propre « base d'informations ». L'exemple de Dinu soulève la question de l'égalité par les revenus, qui renvoie à la relation entre revenus et pauvreté ; celui de Bishanno s'inscrit dans une problématique utilitariste classique, s'attachant à la mesure du plaisir et du bonheur, alors que, dans le cas de Rogini, la réflexion sur la qualité de vie induit une discussion sur le type de vie que chaque individu peut mener. La littérature économique et la philosophie morale ont consacré une vaste réflexion aux deux premiers thèmes. Je m'attacherai donc à présenter quelques arguments en faveur du troisième. Mais pour commencer, je me limiterai à une tâche plus modeste : illustrer l'importance cruciale de la base d'informations pour chacun des principes en concurrence.

Au cours de cet exposé, je discuterai deux points. En premier lieu, la question des bases d'informations et leur rôle dans les jugements d'évaluation. En second lieu, les divers problèmes liés à la validité des différentes bases d'informations sur lesquelles se fondent les grandes théories de l'éthique sociale et de la justice, telles que l'utilitarisme, la doctrine libertarienne et la théorie de la justice de John Rawls. Chacun de ces courants de la philosophie politique envisage sa base d'information d'une manière différente. Ces différences de points de vue sont riches d'enseignements. Cependant nous verrons aussi que les bases qui servent de référence – de façon explicite ou implicite – aux utilitaristes, aux libertariens ou aux rawlsiens sont affectées de sérieux défauts, dès que l'on accorde toute son importance à la question des libertés individuelles. Ce constat nous conduira à aborder autrement l'évaluation, et à la centrer directement sur la liberté, envisagée sous la forme des capacités dont disposent les personnes d'accomplir ce qu'elles ont raison de vouloir accomplir.

Dans la suite de ce livre, nous nous appuierons en permanence sur ce dernier volet de l'analyse qui en est la part constructive. Le lecteur qui ne souhaite pas se plonger dans la critique des autres approches (et dans la discussion concernant les mérites et les inconvénients de l'utilitarisme, de la doctrine libertarienne ou de la théorie de la justice de John Rawls) pourra sauter ces quelques pages et aborder directement la dernière partie de ce chapitre.

Information prise en compte, information exclue

Pour l'essentiel, toute démarche d'évaluation se caractérise par sa base d'informations, c'est-à-dire par l'ensemble des informations dont il est nécessaire de disposer pour formuler un jugement conforme à cette démarche, mais aussi, et ce n'est pas moins important, par l'ensemble des informations *exclues* de l'évaluation directe [1]. Ces *exclusions* sont des constituants essentiels de la démarche d'évaluation. L'information exclue n'est pas admise à exercer la moindre influence sur les jugements d'évaluation et, bien que ce processus reste le plus souvent implicite, le caractère même de la démarche est fortement influencé par son insensibilité à l'égard de l'information exclue.

Prenons l'exemple de l'utilitarisme. Même s'il tient compte de la valeur instrumentale des incitations, il s'appuie sur les seules utilités et l'information de cet ordre est considérée, en dernière analyse, comme l'unique base légitime pour évaluer une situation, ou porter un jugement concernant l'action ou les règles. Dans l'utilitarisme classique, développé en particulier par Jeremy Bentham, l'utilité est définie par le plaisir, le bonheur ou la satisfaction et toute chose est mesurée à l'aune de ces catégories mentales [2]. Des données aussi capitales que les libertés individuelles, l'exercice ou la violation des droits légaux, les aspects de la qualité de vie que reflètent mal les statistiques ayant trait au plaisir ne peuvent pas directement affecter une évaluation normative au sein de la structure utilitariste. Si elles exercent un rôle, c'est de manière indirecte, *à travers* leurs effets sur les chiffres de l'utilité (pour autant qu'elles aient un impact sur la satisfaction mentale, le plaisir ou le bonheur). Plus encore, dans son cadre agrégatif, l'utilitarisme ne se préoccupe nullement de la *distribution* réelle des utilités, puisqu'il n'envisage que l'utilité totale pour tous. Tout cela produit une base d'informations très limitée et cette insensibilité généralisée restreint, sans discussion, la portée de l'éthique utilitariste [3].

Dans ses variantes plus modernes, la notion d'utilité n'équivaut plus au plaisir, au contentement ou au bonheur, mais à la satisfaction d'un désir ou à la représentation d'un choix de comportement individuel [4]. Avant même de soumettre cette distinction à l'examen, on voit bien que cette nouvelle définition ne modifie en rien l'indifférence aux libertés et aux droits, trait caractéristique de l'utilitarisme en général.

Si nous nous tournons maintenant vers la doctrine libertarienne, nous constatons qu'elle ne s'intéresse pas aux notions de bonheur ou de contentement des désirs et que sa base d'informations se compose exclusivement d'un ensemble de droits et de libertés. Sans même examiner les formules précises élaborées par l'une ou l'autre des deux doctrines pour définir la justice, on devine, au seul vu de leurs bases informationnelles, qu'elles tracent, dans ce domaine, des perspectives divergentes et même incompatibles.

De fait, pour isoler le « principe actif » d'une théorie de la justice, il suffit de se pencher sur sa base d'informations et de voir quels éléments celle-ci intègre ou exclut [5].

Ainsi, l'utilitarisme classique prend en compte toutes les données relatives au bonheur ou au plaisir des individus (dans une perspective comparative), là où le libertarianisme, qui recherche la conformité avec les règles définissant la liberté, s'attachera aux informations susceptibles d'éclairer cette adéquation. Les deux doctrines suivent leurs voies propres, fonction des informations qu'elles tiennent pour essentielles à l'élaboration d'une définition de la justice ou à l'acceptabilité des différents scénarios sociaux. Pour les théories normatives et, en particulier, pour les théories de la justice, la base informationnelle joue un rôle déterminant. Sur elle se concentrent, comme nous le verrons plus loin, de nombreux débats concernant les politiques publiques.

Dans les pages suivantes, je soumettrai à l'examen les bases informationnelles sur lesquelles s'appuient quelques-unes des approches de la justice les mieux établies, à commencer par l'utilitarisme. Nous verrons que l'on peut apprécier leurs atouts et leurs limites, en nous référant aux données comprises dans la base informationnelle de chacune d'entre elles. Comme on le sait, ces doctrines prévalent aujourd'hui dans la définition des politiques publiques, or, en m'efforçant de surmonter les obstacles auxquels elles se heurtent dans ce contexte, j'esquisserai les linéaments d'une autre approche de la justice. Celle-ci a pour base d'information les libertés individuelles (que je distingue des utilités), mais elle prend aussi en considération leurs conséquences, ce dont je suis redevable à la perspective utilitariste. J'exposerai en détail mon approche de la justice « par les capacités », plus loin dans ce chapitre et dans le suivant.

L'utilité comme base d'informations

La base d'informations de l'utilitarisme est la somme totale de l'utilité. Dans la version classique, celle de Jeremy Bentham, « l'utilité » d'une personne représente une mesure de son plaisir ou de son bonheur. L'idée est de prendre en compte le bien-être de chaque individu, bien-être considéré avant tout comme une caractéristique mentale, c'est-à-dire en relation avec le plaisir ou le bonheur qui en résulte. Comme il va de soi, il est difficile d'établir des comparaisons interpersonnelles de bonheur ou de le mesurer par des méthodes scientifiques [6]. Néanmoins, il n'y a rien d'absurde (ou de « dépourvu de sens ») du point de vue du sens commun, à percevoir telle ou telle personne, comme moins heureuse ou plus misérable que telle ou telle autre.

L'utilitarisme a dominé la réflexion éthique – et par conséquent, les théories de la justice – pendant plus d'un siècle. L'économie traditionnelle du bien-être et la définition des politiques publiques ont longtemps été gouvernées par cette approche, formulée, à l'origine par Jeremy Bentham et poursuivie par des économistes tels que John Stuart Mill, William Stanley Jevons, Henry Sidgwick, Francis Edgeworth, Alfred Marshall et A. C. Pigou [7].

Dans la perspective utilitariste, les exigences de l'évaluation combinent trois éléments. Le premier est le « conséquentialisme », un mot peu attrayant qui signifie que tous les choix (choix des actions, des règles, des institutions, etc.) doivent être jugés selon leurs conséquences, c'est-à-dire en fonction des résultats qu'ils délivrent. Cette attention exclusive aux conséquences sur un état de fait constitue une réfutation d'autres théories normatives qui tendent à considérer certains principes comme valides, *quels que soient* leurs résultats. En toute logique, le conséquentialisme, parce qu'il commande un intérêt pour les conséquences, exclut en retour la prise en considération de toute autre donnée. Nous discuterons plus loin des handicaps qui résultent de cette approche restrictive. Notons, dès à présent, que la discussion portera, pour une part, sur les éléments que l'on compte au nombre des conséquences. (L'exécution d'une action, par exemple, est-elle déjà une conséquence de cette action, comme, de toute évidence, elle devrait l'être ?)

La deuxième dimension de l'utilitarisme est la théorie du « bien-être », qui restreint les jugements sur un état de fait aux seules utilités dans leurs états respectifs (sans tenir compte de données concernant la satisfaction ou la violation des droits, des obligations, etc.). En combinant la théorie du bien-être et le conséquentialisme, il en résulte que tout choix doit être jugé par les utilités respectives qu'il engendre. Par exemple, chaque action est jugée par l'état de fait conséquent (en fonction du conséquentialisme) et l'état de fait conséquent est jugé par les utilités dans cet état (en fonction du bien-être).

Le troisième élément, le « classement après sommation » exige que les utilités des différentes personnes soient simplement additionnées pour obtenir leur mérite agrégé, sans tenir compte de la distribution de ce total entre les individus (en d'autres termes, la somme des utilités doit être maximisée indépendamment des inégalités dans la distribution des utilités). La combinaison de ces trois éléments se résume dans la formule utilitariste classique qui juge tout choix par la somme des utilités qu'il engendre [8].

Dans la perspective utilitariste, l'injustice consiste en une perte agrégée de l'utilité, par comparaison avec ce qui aurait pu être obtenu. De ce point de vue, une société injuste est une société dans laquelle les gens, pris dans leur ensemble, sont beaucoup moins heureux qu'ils n'ont besoin de l'être. Dans certaines versions modernes de l'utilitarisme, la focalisation exclusive sur le bonheur ou le plaisir a été supprimée et, dans une occurrence particulière, l'utilité est définie comme la satisfaction d'un désir. On s'intéresse alors à l'intensité du désir qui doit être satisfait et non à l'intensité du bonheur qui en résulte.

Le bonheur, pas plus que le désir n'étant aisés à quantifier, l'utilité est souvent définie dans l'analyse économique moderne, sous la forme d'une représentation numérique des *choix* observables d'une personne. Cela soulève divers problèmes techniques liés à la représentation, sur lesquels nous ne nous arrêterons pas ici. La formule de base se résume à ceci : si une personne devait choisir x plutôt que y, alors et seulement alors, cette personne tire plus d'utilité de x que de y. L'« ajustement des échelles » de l'utilité doit suivre cette règle, parmi d'autres et l'on peut affirmer indifféremment qu'une personne a plus d'utilité de x que de y ou bien que cette personne se déterminerait pour x, si elle avait à choisir entre x et y [9].

Les mérites de l'approche utilitariste

La procédure comptable fondée sur le choix a autant d'avantages que d'inconvénients. Dans le contexte du calcul utilitariste, son principal défaut tient à l'impossibilité d'en tirer des comparaisons interpersonnelles, puisqu'elle se concentre sur les choix individuels, pris séparément. Or la comparabilité interpersonnelle est indispensable à l'utilitarisme pour induire un classement après sommation. De ce fait, le recours à la procédure du choix de l'utilité se restreint essentiellement à un certain nombre d'approches s'appuyant sur la théorie du bien-être (« welfarisme ») et sur le conséquentialisme. Inspirées par l'utilitarisme, elles n'en répondent pas pour autant à sa définition *stricto sensu*.

Quant aux mérites de l'utilitarisme, sans entrer dans les nombreux débats qu'ils suscitent, nous en retiendrons deux :

1) la nécessité de prendre en considération les résultats dans toute appréciation d'une situation sociale (ne jamais négliger l'examen des conséquences, sans pour autant adhérer à un conséquentialisme intégral) ;

2) l'exigence de prendre en compte le *bien-être* des gens concernés, dans l'analyse d'une situation sociale et de ses résultats (on ne saurait oublier cet impératif, même en refusant les critères utilitaristes du bien-être, fondés sur l'utilité et les formalisations mathématiques de la satisfaction mentale).

Pour illustrer la pertinence de la notion de résultats, rappelons-nous que, trop souvent, des orientations sociales sont défendues au nom de la valeur intrinsèque des principes qui les sous-tendent, sans aucune prise en compte des conséquences possibles. Prenons l'exemple du droit de propriété. Pour ses avocats, il s'agit d'un élément constitutif de l'autonomie individuelle qui ne saurait souffrir aucune restriction, quant à sa nature, son usage ou sa transmission. Ces défenseurs vont jusqu'à rejeter l'idée d'une taxation sur la propriété ou sur ses revenus. Leurs adversaires politiques stigmatisent les inégalités inhérentes à la propriété privée – quelques-uns accaparent presque tout, les autres se partagent si peu – et exigent qu'elle soit abolie.

Ainsi, selon qu'on en perçoit les vices ou les vertus, la propriété privée suscite des points de vue opposés. La démarche conséquentialiste s'extrait de cette contradiction en proposant d'examiner les implications qui résultent du fait de détenir – ou non – des droits de propriété. Dans ce cas précis, les conséquences positives, telles que les reflètent une série d'indices, paraissent en mesure d'emporter l'argument : il est incontestable que le régime de propriété privée a toujours favorisé l'expansion économique et la prospérité. Voilà un fait qui occupe une position centrale dans tout jugement sur les mérites de la propriété privée, obéissant à une perspective conséquentialiste. D'un autre côté, et toujours en termes de résultats, il n'est pas difficile d'établir que l'usage illimité du droit de propriété – sans restrictions ni taxation – contribue souvent à pérenniser la pauvreté et fait obstacle aux mesures de soutien social en faveur des laissés-pour-compte, lesquels n'ont, par eux-mêmes, aucun moyen de peser sur leur sort (qu'il s'agisse des handicapés, des personnes âgées, des malades ou des exclus du développement économique). Par ailleurs, le droit de propriété est peu propice à la préservation de l'environnement et au développement des infrastructures sociales [10].

Au terme de l'analyse par les résultats, les deux positions antagoniques des « puristes » de la propriété ressortent, l'une et l'autre, affaiblies. On peut en conclure que les dispositions concernant cette question gagneraient à être appréciées, au moins en partie, en fonction de leurs conséquences probables, ainsi que le suggère la doctrine utilitariste. Voudrait-on appliquer celle-ci à la lettre que l'on se contraindrait à mettre en œuvre un ensemble de procédures très précises pour juger des conséquences et de leur pertinence. Sans aller jusque-là, nous en respectons au moins l'esprit. Le plaidoyer en faveur d'une prise en compte des résultats dans toute estimation des politiques publiques et des institutions répond à une exigence capitale. Elle doit beaucoup aux défenseurs de l'éthique utilitariste.

De la même manière, la prise en compte du bien-être humain dans le jugement sur les résultats remplace avantageusement les considérations spécieuses sur les caractéristiques abstraites d'un état de fait. S'attacher aux conséquences et au bien-être est, bien souvent, un souci légitime et explique notre adhésion, quoique limitée, à l'approche utilitariste de la justice, en relation directe avec sa base informationnelle.

Limites de la perspective utilitariste

Les inconvénients de l'approche utilitariste découlent, eux aussi, de sa base d'informations. De fait, la conception utilitariste de la justice ne résiste guère à l'analyse [11].

Je ne mentionnerai ici que trois exemples, tous liés à l'approche orthodoxe.

1) *L'indifférence distributionnelle* : les calculs d'utilité tendent à ignorer les inégalités dans la répartition du bonheur (seule compte la sommation des utilités – quel que soit le mode de distribution). On est pourtant en droit de se soucier, au-delà du bonheur général et des grandeurs agrégées, de l'étendue des inégalités dans la distribution du bonheur.

2) *Un total désintérêt pour les droits, les libertés et les autres questions non liées à l'utilité* : l'approche utilitariste n'accorde aucune importance intrinsèque aux revendications concernant les droits et les libertés (elles ne suscitent qu'un intérêt indirect et dans la seule mesure où elles influencent les utilités). La sensibilité au bonheur manifestée par l'utilitarisme est certes méritoire, mais voulons-nous être des esclaves heureux, des vassaux sans discernement ?

3) *L'adaptation et le conditionnement mental* : le point de vue utilitariste sur le bien-être individuel manque de solidité, puisqu'il est susceptible de varier en fonction d'un conditionnement mental ou d'attitudes adaptatives.

Mes deux premières critiques se passent d'éclaircissements. La troisième, en revanche – c'est-à-dire la question du conditionnement mental et de ses effets sur le calcul utilitaire – mérite un commentaire. L'attention exclusive portée aux caractéristiques mentales (telles que le plaisir, le bonheur ou les désirs) risque d'être très restrictive dès qu'on cherche à établir des comparaisons interpersonnelles concernant le bien-être ou les privations. Nos désirs et nos capacités d'éprouver du plaisir s'ajustent selon les circonstances, en particulier lorsqu'il s'agit de nous rendre la vie supportable dans des situations difficiles. Le calcul d'utilité est très injuste pour les personnes dont les conditions d'existence sont pénibles, qu'il s'agisse des membres des basses castes dans les sociétés stratifiées, des minorités opprimées dans les sociétés intolérantes, de la main-d'œuvre paysanne soumise aux modes d'exploitation traditionnels, des employés surexploités des ateliers clandestins ou encore des épouses privées de droits dans les sociétés pratiquant une discrimination sexuelle sévère. Par un simple impératif de survie, tous ces gens sont contraints de s'accommoder de leur destin. Obéissant au principe de réalité, ne disposant pas du courage nécessaire pour exiger un changement radical, ravalant la moindre lueur d'ambition, ils ajusteront leurs désirs et leurs espoirs à des objectifs qu'ils jugeront réalisables [12]. Des catégories mentales telles que le plaisir ou le désir sont trop malléables pour servir d'étalon quand on veut mesurer des désavantages ou des privations.

Mais il ne suffit pas de noter que l'échelle des utilités tend à estomper les privations dont souffrent les plus démunis. Encore faut-il envisager les conditions qui offrent aux individus la possibilité de choisir le genre de vie qu'ils souhaitent mener. Un ensemble de facteurs sociaux et économiques, tels que l'éducation, l'accès aux soins élémentaires et la sécurité de l'emploi, au-delà de leur valeur intrinsèque, jouent aussi un rôle précieux en procurant aux individus la possibilité d'une relation avec le monde fondée sur le courage et la liberté. Pour prendre en compte ces considérations, il est nécessaire d'élargir la base d'informations et d'y inclure les capacités des individus, celles qui leur permettent de choisir le genre de vie qu'ils ont raison de souhaiter.

John Rawls et la priorité accordée à la liberté

J'en viens maintenant à la théorie de la justice élaborée par John Rawls [13]. Par sa cohérence et l'influence qu'elle exerce, elle occupe une position centrale, qu'aucune autre conception contemporaine n'a été en mesure de lui disputer. Bien qu'on puisse l'aborder par diverses entrées, je partirai de l'exigence particulière que John Rawls appelle « la priorité de la liberté ». Telle qu'il la définit, cette priorité reste assez nuancée. Mais, une fois réintroduite dans la théorie libertarienne, cette même notion apparaît comme un véritable impératif et une urgence. Dans plusieurs versions de cette dernière (par exemple, dans la brillante construction élaborée par Robert Nozick), les droits ou certains ensembles d'entre eux – depuis les libertés personnelles jusqu'aux droits de propriété – bénéficient d'une préséance politique presque absolue sur la poursuite d'objectifs sociaux (tels que la suppression de la misère) [14]. Ces ensembles de droits prennent la forme de « contraintes auxiliaires » et ne peuvent être violés à aucun titre. Les procédures élaborées pour garantir ces droits, qui doivent être avalisés quelles que soient les conséquences susceptibles d'en découler, ne se situent tout simplement pas sur le même plan que les autres notions, si désirables soient-elles (par exemple, les utilités, le bien-être, l'égalité des revenus et des chances, etc.). L'accent est mis ici, non pas sur l'importance comparative des droits, mais sur leur priorité absolue.

Dans d'autres théories « libérales », au sens américain du mot (celle de John Rawls, en particulier), la notion de « priorité à la liberté » s'accorde d'un usage moins strict. La préséance est accordée à un ensemble plus restreint de droits, lesquels consistent, pour l'essentiel, en libertés individuelles, telles que les droits civiques et politiques [15]. Mais, là encore, cette préséance ne souffre aucune limitation et, bien que ces droits ne couvrent pas un champ aussi large que dans la théorie libertarienne, ceux-ci ne sauraient, en aucun cas, faire l'objet d'un arbitrage avec les nécessités économiques, aussi impératives soient ces dernières.

Comment justifier une priorité aussi absolue, alors qu'il est aisé de montrer la force d'autres considérations, sur le terrain économique, en particulier ? La satisfaction des besoins économiques vitaux – leur nom l'indique – est souvent une question de vie ou de mort : pourquoi faudrait-il leur conférer un statut second, par comparaison avec les libertés individuelles ? On doit à Herbert Hart d'avoir soulevé ces critiques de la façon la plus cohérente dans un article publié en 1973 et resté célèbre depuis. John Rawls, reconnaissant la valeur de l'argument, en a d'ailleurs tiré les conséquences. Dans son dernier livre,

Libéralisme politique, il suggère des accommodements internes compatibles avec sa théorie de la justice [16].

Pour que la notion de « priorité à la liberté » soit plausible partout, y compris dans les pays les plus pauvres, il est nécessaire, selon moi, de définir cette exigence avec tous ses déterminants. Je n'en conclus pas, pour autant, que la priorité doit être accordée à un facteur autre que la liberté, mais plutôt que les formes revêtues par cet impératif ne doivent pas conduire à négliger les nécessités économiques. On peut assez aisément distinguer, d'une part, la proposition rawlsienne stricte qui voudrait que la liberté bénéficie d'une préséance indiscutable en cas de conflit d'intérêts et, d'autre part, la procédure générale qu'il adopte et qui sépare la liberté individuelle de toutes autres formes d'avantages et la voue à l'un d'eux. Cette seconde affirmation, moins restrictive, instaure une différence légitime d'évaluation entre les libertés et tous les autres types d'avantages individuels.

Selon mes vues, toujours, la meilleure formulation de cette problématique pourrait se résumer ainsi : non pas accorder une totale préséance, mais envisager si la liberté d'une personne doit se voir attribuer une importance équivalente (et non supérieure) à d'autres types d'avantages individuels – revenus, utilités, etc. En d'autres termes, la question est de savoir si la signification que la société accorde à la liberté reflète de façon adéquate le poids relatif que lui donnerait un individu en estimant l'ensemble de ses avantages. Proclamer la prééminence de la liberté (incluant les libertés politiques élémentaires et les droits civiques), c'est rejeter comme inadéquat tout jugement qui considérerait celle-ci comme un simple avantage – à l'instar d'une augmentation de revenus – que la personne reçoit en conséquence de cette liberté.

Afin d'éviter tout malentendu, je crois indispensable de préciser que le problème ne réside pas dans la valeur que les citoyens accordent – et ont raison d'accorder – à la liberté et aux droits, dans leurs jugements politiques. De ce point de vue, il me paraît, au contraire, que la légitimité de la liberté doit être estimée en regard de l'acceptabilité politique générale de son importance. Mais la question est de ne pas se cantonner à mesurer l'accès aux droits et aux libertés en termes d'avantages personnels d'un individu, sachant que ces conséquences ne sont qu'un aspect du problème. Au sens politique, la proclamation de principe de la liberté ne se limite pas à savoir si l'avantage personnel des détenteurs des droits est amélioré par la jouissance de ces droits. Il est nécessaire de prendre en compte – aussi – l'intérêt d'autrui (il y a des connexions entre les libertés des uns et des autres) et, par ailleurs, de reconnaître que la violation des libertés est une transgression à laquelle nous avons raison de résister, comme étant mauvaise en soi. On voit donc qu'il existe une dissymétrie avec d'autres sources d'avantages individuels, le revenu, par exemple, que l'on peut estimer largement en fonction de sa contribution relative aux avantages personnels. La garantie de la liberté et des droits politiques élémentaires tire donc sa priorité de cette dissymétrie.

Cette question revêt une grande importance dans le contexte du rôle constitutif de la liberté et des droits civiques et politiques, parce qu'elle explique la possibilité d'un discours public et l'émergence communicationnelle de normes admises et de valeurs sociales. Je développerai cette question complexe au cours des chapitres VI et X.

Robert Nozick et la doctrine libertarienne

J'en reviens maintenant au problème de la priorité totale des droits, droits de propriété compris, telle qu'elle est exposée dans les versions plus exigeantes de la théorie libertarienne. Dans la conception de Robert Nozick, par exemple (et qu'il développe dans *Anarchie, État et Utopie*), les « droits légitimes » dont disposent les individus, à travers l'exercice de leurs droits divers, ne peuvent, de manière générale, être remis en cause, du fait des résultats qu'ils délivrent – aussi néfastes soient ces derniers. L'auteur ménage cependant une exception à cette règle, pour ce qu'il nomme les « erreurs morales catastrophiques », mais cette exception s'intègre mal dans l'ensemble de sa démarche et ne s'appuie sur aucune justification. La priorité absolue des droits libertariens devient problématique quand l'exercice des « droits légitimes » peut conduire, en toute hypothèse, à des résultats désastreux, quand par exemple, il peut avoir pour conséquence la violation de la liberté des individus, telle qu'elle se manifeste dans la poursuite de buts aussi importants que d'échapper à la mortalité évitable, d'être bien nourri et en bonne santé, d'être capable de lire, d'écrire, de compter, etc. L'importance de ces libertés ne saurait être ignorée au nom de la « priorité de la liberté ».

Ainsi que je l'ai montré dans un précédent livre (*Poverty and Famines*), des famines gigantesques peuvent se produire, sans que les droits – au sens libertarien – de quiconque, y compris le droit de propriété, ne soient violés [17]. Il peut arriver que les représentants des couches les plus pauvres – sans travail ou miséreux – soient réduits à la famine précisément parce que leurs « droits légitimes » ne leur donnent pas accès aux ressources alimentaires. Qu'il s'agisse ou non d'un cas extrême, appartenant à la catégorie mal définie des « horreurs morales catastrophiques », il n'en reste pas moins que toute une série de phénomènes, correspondant à une certaine gradation dans l'horreur – famine à grande échelle, malnutrition endémique, ou poches de faim – peuvent coexister, en toute cohérence, avec le respect des droits libertariens de tous. Des privations d'un autre type, le non-accès à la santé pour des maux guérissables, par exemple, sont, elles aussi, conciliables avec un système satisfaisant aux règles des droits libertariens (incluant les droits de propriété).

Les théories privilégiant les droits formels, sans considération des conséquences, s'accompagnent d'une indifférence à peu près totale pour les libertés réelles dont les gens jouissent – ou dont ils sont privés. Il nous paraît difficile d'adhérer à un système de règles de procédures déconnecté d'un examen des conséquences, quand celles-ci peuvent être inacceptables ou effroyables pour l'existence des personnes concernées. À l'inverse, le raisonnement conséquentialiste s'attache à prendre en compte la satisfaction ou la violation des libertés individuelles (et peut même accorder un traitement de faveur à ces caractéristiques) sans pour autant négliger d'autres considérations, telles que l'impact des diverses procédures sur les libertés dont jouissent réellement les individus [18]. Ignorer les conséquences, et en particulier celles qui touchent à l'exercice des libertés par les individus, ne saurait constituer un principe fondateur adéquat, pour asseoir un système d'évaluation satisfaisant.

Du point de vue de sa base d'informations, la théorie libertarienne propose une approche trop limitée. Non seulement, elle ignore ces variables auxquelles les théories utilitaristes et « welfaristes » attachent une grande importance, mais, de plus, elle néglige les libertés les plus élémentaires auxquelles nous avons raison de tenir ou d'aspirer. Même si la liberté mérite un statut particulier, il semble difficile de lui conférer la priorité indiscutable et absolue que les libertariens nous proposent. Nous avons besoin d'une base informationnelle plus large pour la justice.

Utilité, revenu réel et comparaisons interpersonnelles

Dans l'éthique utilitariste traditionnelle, l'« utilité » est définie simplement comme bonheur, plaisir et parfois comme satisfaction des désirs. Cette manière de voir l'utilité en termes de système de mesure des catégories mentales (le bonheur, le désir) a été utilisée non seulement par les initiateurs de cette philosophie, comme Jeremy Bentham, mais aussi par les économistes utilitaristes, tels que Francis Edgeworth, Alfred Marshall, A. C. Pigou et Dennis Robertson. Ainsi que nous l'avons vu plus haut dans ce chapitre, cette mesure mentale est sujette à des distorsions, en particulier du fait des ajustements psychologiques résultant de privations permanentes. Cette dimension subjective d'unités de mesures telles que le plaisir ou le désir entache leur validité. Mais peut-on contourner cette imperfection et sauver l'utilitarisme ?

Si l'on recourt toujours, dans la théorie contemporaine du choix, à la notion d'« utilité », elle ne recouvre plus le plaisir ou la satisfaction d'un désir ; on l'identifie plus simplement à la représentation numérique du choix d'une personne. Ce glissement de sens néanmoins ne s'est pas produit en réaction au problème de l'ajustement psychologique mais en réponse aux critiques de Lionel Robbins et d'autres positivistes méthodologiques qui ont montré que les comparaisons interpersonnelles des états d'esprit de personnes différentes n'avaient aucun sens d'un point de vue scientifique. Selon Lionel Robbins, il n'existe « aucun moyen par lequel on puisse établir de telles comparaisons ». Il poursuivait en citant W. S. Jevons, le gourou de l'utilitarisme, qui, le premier avait exprimé les doutes que lui-même partageait : « Chaque esprit individuel échappe à l'examen d'un autre esprit et il est impossible d'établir le moindre dénominateur commun des sensations [19]. » À mesure que les économistes en vinrent à être convaincus que la comparaison interpersonnelle des utilités reposait sur une approche méthodologique erronée, le grand courant utilitariste traditionnel s'efforça d'élaborer divers compromis. On parvint ainsi à l'acception la plus communément partagée aujourd'hui, selon laquelle l'utilité ne représente rien de plus que la représentation des préférences d'un individu. Ainsi que je l'ai noté plus haut, dans cette version de la théorie de l'utilité, dire qu'une personne a plus d'utilité dans un état x que dans un état y, revient à peu près à dire que cette personne choisirait d'être dans un état x plutôt que dans un état y.

Cette approche, et c'est son avantage, nous évite le difficile exercice de comparaison entre les conditions psychologiques de différentes personnes (tels le plaisir ou les désirs), mais conséquemment, elle ferme la porte à toute tentative de comparaison interpersonnelle d'utilités (l'utilité étant la représentation hiérarchisée des préférences d'une personne à l'exclusion de toutes les autres). Pour autant qu'aucun individu ne dispose de la possibilité d'en devenir un autre, il n'existe aucun moyen d'« extraire » des comparaisons interpersonnelles de l'utilité fondée sur le choix, à partir des options réellement choisies [20].

Si des individus différents manifestent des préférences différentes, on ne dispose, de toute évidence, d'aucun moyen pour établir des comparaisons interpersonnelles fondées sur ces préférences hétérogènes. Mais considérons maintenant le cas de figure où les individus partagent les même préférences et choisissent les mêmes options dans des circonstances similaires. Certes, il s'agit d'une situation improbable (comme le dit Horace : « il existe autant de préférences que de gens »), mais il vaut la peine de se demander dans quelle mesure des comparaisons interpersonnelles pourraient alors être établies. Remarquons d'ailleurs que l'économie du bien-être présuppose fréquemment des préférences et des comportements communs face au choix, et cela, dans la plupart des cas, afin de justifier l'hypothèse que tous les individus ont la même fonction d'utilité. Une question demeure : peut-on partir du même présupposé dans l'interprétation de l'utilité comme représentation numérique d'une préférence ?

La réponse est hélas négative. Il ne fait aucun doute que la supposition selon laquelle chacun a la même fonction d'utilité induirait les mêmes préférences et les mêmes choix. Mais c'est aussi le cas de nombreuses autres suppositions. Ainsi, si une personne retire exactement la moitié (ou le dixième ou le centième, ou le millionième) de l'utilité pour chaque ensemble de biens matériels qu'en retire une autre, toutes deux auront le même comportement de choix et une fonction de demande identique, mais clairement, par construction, elles ne retireront pas le même niveau d'utilité de chaque ensemble de biens matériels. Formalisée de façon plus mathématique, la représentation du comportement de choix n'est pas unique, chacun pouvant être représenté par une large gamme de fonctions d'utilité [21]. La coïncidence des comportements de choix n'implique nullement une congruence des utilités [22].

Il ne s'agit pas d'une distinction spécieuse, valide dans le seul domaine de la théorie. En pratique, elle induit des différences considérables. Prenons l'exemple d'une personne déprimée, handicapée ou malade. Même s'il se trouve qu'elle a la même fonction de demande sur un ensemble de biens matériels qu'une autre ne souffrant d'aucun désavantage comparable, il serait tout à fait absurde d'en conclure qu'elle bénéficie de la même utilité (ou bien-être ou qualité de vie) pour un ensemble donné de biens matériels. Admettons qu'un pauvre, souffrant d'une maladie parasitaire, préfère disposer de deux kilos de riz plutôt que d'un seul, à l'égal d'un autre pauvre – en bonne santé celui-ci. On ne saurait en déduire que les deux satisfont leurs besoins de manière équivalente avec, par exemple, un kilo de riz. Ainsi, l'hypothèse d'un même comportement de choix et d'une même fonction de demande (présupposé peu réaliste, par ailleurs) ne nous fournit aucune raison d'attendre une même fonction d'utilité. Établir des comparaison interpersonnelles et expliquer un choice behaviour relèvent de deux domaines distincts et l'on ne peut les faire coïncider qu'au prix d'une confusion conceptuelle.

Ces difficultés étant souvent ignorées, on en vient à désigner sous le nom de *comparaisons d'utilités* fondées sur le comportement de choix, des comparaisons qui mettent en regard, au mieux, les « revenus réels » ou la *base de biens matériels* de l'utilité. La simple comparaison de revenus réels reste d'ailleurs malaisée dès lors que des individus différents ont des fonctions de demande différentes et cela limite la validité de telles comparaisons (quand elle concerne les utilités en elles-mêmes, mais aussi quand on se restreint à leur base matérielle). Vouloir extrapoler des comparaisons d'utilité à partir de comparaisons de revenus réels est un exercice qui trouve très vite ses limites, parce qu'il suppose, d'une façon totalement arbitraire, qu'un ensemble donné de biens matériels fournit un niveau équivalent d'utilités à des individus différents (même lorsque les fonctions de demande des différents individus convergent), mais aussi parce que toute tentative d'indexer, ne serait-ce que la base matérielle des utilités (quand les fonctions de demande divergent) présente des difficultés presque insurmontables [23].

D'un point de vue pratique, le principal obstacle auquel se heurte l'approche par les revenus réels tient à la diversité des êtres humains. Les différences d'âge, de sexe, de talent, de handicap, de prédisposition aux maladies induisent pour deux personnes des opportunités divergentes de qualité de vie, *même quand* elles disposent d'un ensemble de biens matériels strictement égal. La diversité humaine constitue l'une de ces difficultés qui limitent à la fois la validité des comparaisons par les revenus réels et les tentatives d'en tirer des conclusions quant aux avantages respectifs des individus. J'examinerai l'ensemble de ces difficultés dans la section suivante, avant de prendre en considération une approche alternative permettant la comparaison interpersonnelle des avantages.

Le bien-être : diversité et hétérogénéité

Les revenus et les biens matériels sont la base de notre bien-être. Mais l'usage que chacun peut tirer d'un ensemble donné de biens matériels, ou, plus généralement, d'un niveau donné de revenus, dépend, pour l'essentiel, de toute une série de circonstances contingentes, aussi bien personnelles que sociales [24]. On peut aisément identifier au moins cinq sources distinctes de variation entre nos revenus réels et les avantages – le bien-être et la liberté – qu'il est possible d'en tirer.

1) *Hétérogénéité des personnes.* Les gens sont dotés de caractéristiques physiques disparates, en relation avec l'âge, le sexe, les infirmités ou les maladies. En conséquence, leurs besoins sont divers. Un malade, par exemple, peut avoir besoin, pour accéder à un traitement, d'un revenu plus élevé qu'une personne en bonne santé et,

même en bénéficiant des meilleurs remèdes, le malade ne jouit pas pour autant d'une qualité de vie équivalente – à revenu égal – que la personne en bonne santé. Un handicapé peut avoir besoin d'une prothèse, une personne âgée d'une aide permanente, une femme enceinte de plus de nourriture, etc. La « correction » nécessaire diffère selon la nature de chaque désavantage et certains de ces derniers ne sont susceptibles d'aucune réelle « compensation » même par des transferts de revenus importants.

2) *Diversité de l'environnement*. Les variations des conditions du milieu, telles que les paramètres du climat (amplitude des températures, pluviométrie, inondabilité et autres) exercent une influence sur ce qu'une personne peut obtenir à partir d'un niveau de revenu donné. La nécessité de se chauffer, de se couvrir dans les pays froids crée des problèmes pour les plus pauvres que ne partagent pas leurs équivalents dans les régions tropicales, par exemple. Le caractère endémique de maladies infectieuses (malaria, choléra, sida), dans certaines zones, altère la qualité de vie dont les habitants pourraient jouir. Il en va de même pour la pollution ou d'autres problèmes d'environnement.

3) *Disparités de l'environnement social*. La conversion du revenu individuel et des ressources en qualité de vie est aussi influencée, en un lieu donné, par divers éléments de la configuration sociale, tels que le développement de l'enseignement public ou la prévalence de la criminalité et de la violence. Les questions de santé publique ou de pollution relèvent de ce domaine, autant que de l'environnement. Outre les services publics, la nature des relations sociales joue un rôle déterminant, comme le montrent les travaux récents sur le capital social [25].

4) *Relativité des perspectives*. L'ensemble des biens nécessaires, correspondant à un comportement social donné, peut varier d'une société à l'autre, en fonction des conventions et des usages. Ainsi, un individu doté d'un statut *relativement* pauvre dans un pays riche rencontre des obstacles insurmontables qui l'empêchent d'assumer certains « fonctionnements » élémentaires (participer à la

vie sociale, par exemple) même si ses revenus, en termes absolus, sont de loin supérieurs au niveau moyen qui permet aux individus de pays plus pauvres d'assumer ces mêmes fonctionnements avec aisance. Par exemple, « faire face à un public sans perdre ses moyens » suppose de se conformer à une norme vestimentaire et à d'autres critères de consommation apparente beaucoup plus sophistiqués dans une société développée (ainsi que le soulignait Adam Smith, il y a plus de deux siècles)[26]. On rencontre la même variabilité si l'on examine le montant des ressources personnelles nécessaires pour jouir d'une bonne estime de soi. Ces variations entrent en ligne de compte, avant tout, à l'occasion de comparaisons entre sociétés et non lors de comparaisons interindividuelles, au sein d'une même société, mais les deux aspects sont souvent liés.

5) *Distribution au sein de la famille*. Les revenus acquis par un ou plusieurs de ses membres sont partagés par tous. La famille constitue donc l'unité de base dans tout examen du revenu, du point de vue de son utilisation. Au sein d'une famille, le bien-être ou la liberté de chaque individu dépend de la part du revenu qui lui est attribuée dans la poursuite de ses intérêts ou de ses objectifs. La distribution familiale du revenu constitue un paramètre essentiel qui reflète le lien entre possibilités et succès individuels, d'une part, et niveau de revenu familial, de l'autre. Les règles de répartition en usage dans une famille (liées, par exemple, à l'âge, au sexe ou aux besoins admis) modifient, dans des proportions significatives, les objectifs et la situation de chacun de ses membres[27].

Une fois spécifiées ces différentes sources de variation, qui influencent la relation entre revenu et bien-être, il est clair que la notion d'opulence – la possession d'un revenu élevé – nous fournit un critère très limité pour juger de la qualité de la vie. Je reviendrai plus loin sur ces variations et sur leur impact (en particulier dans le chapitre IV), mais auparavant, nous ne pouvons plus éviter la question suivante : une autre approche est-elle possible ?

Revenus, ressources et libertés

Les économistes qui nous ont précédé dans ce domaine ont posé une équivalence entre pauvreté et insuffisance des revenus. Le simple bon sens inspire ce point de vue puisque le revenu, défini strictement, exerce, en effet, une influence considérable sur ce que nous pouvons ou non accomplir. Le plus souvent, un revenu inadéquat est à l'origine de privations de toutes sortes, y compris la malnutrition et la famine, que nous associons à la pauvreté. Il est donc tout à fait légitime, en étudiant la pauvreté, de commencer par les données disponibles sur la répartition des revenus et sur les plus bas d'entre eux [28].

Il est, toutefois, légitime de ne pas s'arrêter à l'analyse des revenus. La thèse, désormais classique, de John Rawls sur les « biens premiers » nous procure une vision plus panoramique des ressources nécessaires aux individus, quelles que soient les fins qu'ils poursuivent. Selon cette thèse, d'autres « moyens », d'ordre général, côtoient les revenus : les biens premiers, susceptibles d'aider quiconque à poursuivre telle ou telle fin et qui incluent « les droits, les libertés et les opportunités, le revenu et la richesse, et les bases sociales de l'estime de soi [29] ». L'attention portée aux biens premiers dans la perspective de John Rawls est conforme à sa conception des avantages individuels en termes d'opportunités sur lesquelles s'appuient les individus pour atteindre les fins qui leur sont propres. D'après John Rawls, ces fins constituent autant de « conceptions individuelles du bien ». Si, disposant du même « panier de biens premiers » ou même d'un panier plus fourni, un individu n'atteint pas les mêmes satisfactions qu'un autre (à cause de goûts plus luxueux, par exemple), du point de vue de l'utilité, cette inégalité ne repose, pour autant, sur aucune injustice. Aux individus, explique John Rawls, d'endosser la responsabilité de leurs préférences personnelles [30].

L'élargissement du champ d'informations des seuls

revenus à l'ensemble des biens premiers ne suffit pas, cependant, à embrasser toutes les variations qui sont en jeu dans la relation entre, d'une part, revenus et ressources et, d'autre part, bien-être et liberté. De fait, la notion de biens premiers recouvre une typologie variée de ressources générales et l'usage fait de ces ressources, en vue de favoriser la possibilité d'accomplir des actions désirables, est lui aussi sujet aux variations dont nous avons dressé la liste dans la section précédente, en observant la relation entre revenus et bien-être : hétérogénéité personnelle, diversité du milieu, variation dans l'environnement social, différences dans les perspectives relationnelles et distribution au sein de la famille [31]. La santé, par exemple, et la capacité de l'entretenir, est influencée par toute une série de facteurs [32].

Si l'on cesse, maintenant, de se concentrer sur les moyens de mener une bonne vie, il existe une autre voie. Elle consiste à s'attacher au mode de vie réel que les gens s'efforcent de mener (ou pour aller plus loin, à la liberté mise en œuvre pour mener la vie que l'on a raison de souhaiter). À travers de nombreuses tentatives, l'économie contemporaine, au moins depuis A. C. Pigou, s'est efforcée d'étudier directement les « niveaux de vie » et leurs composants, ainsi que la satisfaction des besoins élémentaires [33]. Dès 1990, à l'initiative de Mahbub ul Haq, le grand économiste pakistanais, brusquement disparu en 1998, le Programme des Nations-Unies pour le développement (PNUD) a publié des rapports annuels sur le « développement humain », qui ont jeté un nouveau jour sur la réalité des existences individuelles, en particulier celles des gens démunis [34].

S'intéresser à la vie que mènent réellement les gens n'est pas une innovation radicale dans le domaine économique (comme je l'ai expliqué dans le premier chapitre). De fait, l'analyse aristotélicienne du bien humain (discutée par Martha Nussbaum) était, de façon explicite, liée à la nécessité de « définir, dans un premier temps, la fonction de l'homme » et, de là, d'explorer « la vie, comme activité », c'est-à-dire de dégager les unités de base de l'analyse normative [35]. Un intérêt similaire pour les conditions de vie transparaît encore (voir plus haut) dans les travaux sur la comptabilité nationale et la prospérité économique menés par les pionniers de l'analyse économique, tels que William Petty, Gregory King, François Quesnay, Antoine-Laurent Lavoisier et Joseph-Louis Lagrange.

Adam Smith, lui-même, s'est engagé très avant dans cette voie. Comme je l'ai déjà souligné, il s'est intéressé à bon nombre de capacités à fonctionner, telles que la disposition à « faire face à un public sans embarras » (non pas avec son revenu réel ou l'ensemble des biens matériels possédés) [36]. Adam Smith identifie ce qui relève de la « nécessité », dans une société, en relation avec des libertés minimales indispensables, telles que la capacité à faire face à un public sans embarras, ou celle de prendre part à la vie de la communauté. Voici comment il formule le problème :

> « Par objets de nécessité, j'entends non seulement les denrées qui sont indispensablement nécessaires au soutien de la vie, mais encore toutes les choses dont les honnêtes gens, même de la dernière classe du peuple, ne sauraient décemment manquer, selon les usages du pays. Par exemple, une chemise, strictement parlant, n'est pas une chose nécessaire aux besoins de la vie. Les Grecs et les Romains vivaient, je pense, très commodément, quoiqu'ils n'eussent pas de linge. Mais aujourd'hui, dans presque toute l'Europe, un ouvrier à la journée, tant soit peu honnête, aurait honte de se montrer sans porter une chemise ; et un tel dénuement annoncerait en lui cet état de misère ignominieuse dans lequel on ne peut guère tomber que par la mauvaise conduite. D'après les usages reçus, les souliers sont devenus de même, en Angleterre, un des besoins nécessaires de la vie. La personne la plus pauvre de l'un et de l'autre sexe, pour peu qu'elle respecte les bienséances, rougirait de se montrer en public sans souliers [37]. »

De la même manière, dans l'Amérique du Nord ou l'Europe contemporaines, une famille peut considérer qu'il lui est difficile de participer à la vie de la collectivité, si elle ne possède pas certains biens (un téléphone, un téléviseur,une voiture…) qui ne sont pas indispensables à la vie collective dans des pays plus pauvres. L'attention se porte, dans cette analyse, sur les libertés qui résultent des biens, et non sur les biens considérés pour eux-mêmes.

Bien-être, liberté et capacité

Je me suis efforcé d'établir, au cours de ce long exposé concernant la démarche d'évaluation, que le « domaine » pertinent n'est ni celui des utilités (contrairement à ce que revendiquent les welfaristes), ni celui des biens premiers (à l'inverse de la thèse de John Rawls), mais celui des libertés non formelles – les capacités – de choisir un mode de vie que l'on a raison de souhaiter [38]. Dans la mesure où notre propos consiste à définir la possibilité réelle pour un individu, de poursuivre ses objectifs (ainsi que le recommande John Rawls), alors il est important de prendre en compte non seulement les biens premiers détenus par les individus, mai aussi les caractéristiques personnelles qui commandent la conversion des biens premiers en facultés personnelles de favoriser ses fins. Une personne handicapée, par exemple, disposant d'un « panier de biens premiers » plus important aura néanmoins moins de chances de vivre une existence normale (ou de poursuivre ses objectifs) qu'une personne en bonne santé disposant d'un panier plus restreint de biens premiers. De la même manière, une personne âgée ou affligée d'une santé précaire sera, au sens le plus large, désavantagée, même en disposant d'un ensemble plus important de biens premiers [39].

Le concept de « fonctionnement » issu en droite ligne de l'aristotélisme, recouvre les différentes choses qu'une personne peut aspirer à faire ou à être [40]. Selon sa situation, telle ou telle personne privilégiera des fonctionnements divers, depuis les plus élémentaires – se nourrir convenablement, jouir de la liberté d'échapper aux maladies évitables [41] – jusqu'à des activités ou des états très complexes – participer à la vie de la collectivité, jouir d'une bonne estime de soi...

La « capacité » d'une personne définit les différentes combinaisons de fonctionnements qu'il lui est possible de mettre en œuvre. Il s'agit donc d'une forme de liberté, c'est-à-dire de la liberté substantielle de mettre en œuvre diverses combinaisons de fonctionnements (ou pour le dire de façon plus concrète, la liberté de mener des modes de vie divers). Par exemple, un individu jouissant d'une certaine aisance matérielle qui choisit de jeûner adopte, en ce qui concerne la nourriture, le même fonctionnement qu'un autre qui est réduit à la famine, mais le premier dispose d'un « ensemble de capacités » nettement différent (il peut choisir de manger à sa faim, une option inexistante pour le second).

On pourrait débattre longtemps des fonctionnements spécifiques susceptibles de conduire à des accomplissements humains importants, d'une part, et les capacités correspondantes, d'autre part [42]. Dans la perspective qui est la nôtre et qui vise justement à l'évaluation, il n'y a aucun moyen de se dérober à l'exercice. L'un des principaux mérites de cette approche est, d'ailleurs, qu'elle nous contraint à nous confronter, de façon explicite, à ces questions qui exigent des prises de position plutôt que de les dissimuler dans un cadre plus général et de ne leur apporter que des réponses implicites.

Je n'entrerai pas, à ce stade, dans les détails pratiques de représentation et d'analyse des fonctionnements et des capacités. La quantité ou l'étendue de chacun des fonctionnements dont jouit un individu peut être représentée par un nombre et, une fois cette opération effectuée, il devient possible de visualiser le véritable accomplissement d'une personne sous la forme d'un vecteur de fonctionnement. L'« ensemble de capacités » consiste alors en l'ensemble des vecteurs de fonctionnement parmi lesquels elle peut choisir [43]. Si la combinaison des fonctionnements pour une personne donnée reflète ses accomplissements réels, l'ensemble de capacités représente, quant à lui, sa liberté d'accomplir, c'est-à-dire les combinaisons de fonctionnement possibles, à partir desquelles cet individu peut choisir [44].

Si l'on suit cette « approche par les capacités », on peut alors faire porter l'évaluation, soit sur les fonctionnements réalisés (ce qu'un individu est en mesure d'accomplir) soit sur l'ensemble de capacités à sa disposition (ses opportunités réelles). On en retire deux séries différentes d'informations – dans le premier cas sur ce qu'une personne accomplit, dans le second sur ce qu'elle est libre d'entreprendre. Sous ces deux versions, l'approche par les capacités a été utilisée par les économistes, qui les ont parfois combinées [45].

Selon une tradition fortement enracinée dans le domaine économique, la valeur réelle d'un ensemble d'options équivaut à l'usage optimal qu'il est possible d'en faire et – en supposant le meilleur comportement et l'absence d'incertitudes – à l'usage qui en est réellement fait. En conséquence, la valeur de l'oppportunité se réduit à la valeur d'un de ses éléments (à savoir, l'option préférable ou encore l'option réellement choisie) [46]. Par définition, se concentrer sur un vecteur fonctionnel de choix revient à considérer l'ensemble de capacités, puisque le second est évalué, en dernière analyse, par le premier.

La liberté telle qu'elle est exprimée par l'ensemble des capacités peut aussi être utilisée à d'autres fins, puisque nous n'avons pas besoin d'identifier invariablement la valeur de l'ensemble avec la valeur du meilleur élément, ou de l'élément choisi. On peut, en effet, accorder de l'importance au fait de disposer d'opportunités non réalisées. Il est légitime de prendre ce parti, si l'on accorde au processus, par lequel les résultats adviennent, une valeur propre [47]. Autrement dit, l'action de « choisir », en tant que telle, peut être perçue comme un fonctionnement désirable, dans la mesure où il est tout à fait légitime de distinguer le fait de disposer de x, quand on n'a pas d'autre possibilités et choisir x parmi d'autres options [48]. Encore une fois, nous n'assimilons pas jeûner et se trouver réduit à la famine. Avoir la possibilité de se nourrir donne un sens particulier au jeûne, à savoir choisir de ne pas se nourrir quand on aurait pu le faire.

Poids, évaluations et choix social

Les fonctionnements individuels se prêtent mieux aux comparaisons interpersonnelles que les utilités (ou le bonheur, les plaisirs, les désirs, etc.). Par ailleurs, de nombreux fonctionnements opératoires – d'une manière générale les caractéristiques non mentales – se distinguent sans ambiguïté de leur estimation mentale (qui ne se réduit pas à l'ajustement mental). La variabilité inhérente à la conversion des moyens en fins (ou en liberté de poursuivre des fins) est déjà reflétée dans la totalité des accomplissements et des libertés qui peuvent figurer dans la liste des fins. C'est l'un des avantages du recours à la perspective des capacités pour l'évaluation.

Toutefois, les comparaisons interpersonnelles des avantages globaux exigent, encore une fois, une opération d'« agrégation » de composants hétérogènes. L'approche par les capacités est nécessairement pluraliste. Tout d'abord, parmi les divers fonctionnements, certains sont plus importants que les autres. Ensuite, se pose la question du poids à attacher à la liberté substantielle (l'ensemble de capacités) par rapport à l'accomplissement réel (le vecteur de fonctionnement choisi). Enfin, dans la mesure où notre perspective – les capacités – ne prétend pas épuiser toutes les questions pertinentes pour l'exercice d'évaluation (on peut, par exemple, attacher une certaine importance aux règles et aux procédures et ne pas se limiter aux libertés et aux résultats obtenus), une question sous-jacente demeure : quel poids relatif faut-il accorder aux capacités, par comparaison à d'autres considérations pertinentes [49] ?

Cette pluralité de la démarche par les capacités nuit-elle à sa fiabilité comme instrument d'évaluation ? C'est au contraire, un de ses atouts. Partir de l'impératif que l'évaluation devrait s'opérer sur une seule grandeur homogène reviendrait à réduire à peu de choses la portée du raisonnement d'évaluation. Faut-il mettre au crédit de l'utilitarisme classique la restriction de l'évaluation qu'il s'impose au seul plaisir, et son absence d'intérêt pour la liberté, les droits, la créativité ou les conditions de vie réelles ? Ne nions pas notre nature d'êtres pensants, en décrétant, de façon mécanique, qu'il existe une seule et unique « bonne chose », homogène pour tous. Cette attitude reviendrait à faciliter la vie du cuisinier en déclarant que tous les clients aiment un plat et un seul (le saumon fumé ou même les frites) ou encore qu'ils doivent tous optimiser une qualité (comme la sapidité de la nouriture).

L'hétérogénéité des facteurs qui influencent l'avantage individuel est un aspect inévitable de toute évaluation. On peut tourner le dos à cette réalité en supposant qu'il existe une donnée homogène (le « revenu », l'« utilité ») dans les termes de laquelle l'avantage total de chacun peut être estimé et qui servira de fondement aux comparaisons interpersonnelles (tout comme elle justifiera l'éviction d'autres variables : besoins personnels, circonstances particulières, etc.). Partir de ce postulat évacue le problème mais ne le résout pas. Dès qu'on s'attache aux besoins individuels, on est enclin à s'en tenir à la satisfaction des préférences, un critère, comme nous l'avons vu plus haut, peu favorable, toutefois, aux comparaisons interpersonnelles, lesquelles sont essentielles dans toute évaluation sociale. Même lorsque la préférence de chaque personne est tenue pour le discriminant ultime de son bien-être, même lorsque toute autre considérant que le bien-être (la liberté, par exemple) est ignoré et même quand – pour prendre en compte une configuration peu ordinaire – chacun a la même demand function ou carte de préférence, la comparaison de l'évaluation sur le marché d'un ensemble de biens matériels (ou leur placement relatif sur une carte de système d'indifférence partagé dans l'espace des biens) ne nous renseigne guère sur les comparaisons interpersonnelles.

Les démarches d'évaluation qui mettent en jeu un grand

nombre de déterminants admettent explicitement une large hétérogénéité. Ainsi, dans l'analyse de John Rawls, les biens premiers sont, par nature, tenus pour divers (rappelons qu'ils incluent « les droits, les libertés et les opportunités, le revenu et la richesse et la base sociale de l'estime de soi ») et l'auteur les traite par l'intermédiaire d'un « index » général des biens premiers [50]. L'approche de Rawls, tout comme nos fonctionnements, exige de procéder à l'évaluation au sein d'un espace non homogène. Elle s'appuie, toutefois, sur une base d'informations plus pauvre pour une raison déjà évoquée, c'est-à-dire, la variation paramétrique des ressources et des biens premiers, par rapport à l'opportunité de jouir d'un niveau de vie élevé.

La question de l'évaluation ne peut être abordée sous l'alternative du tout ou rien. Des jugements, d'une portée incomplète, découlent immédiatement de la circonscription d'un espace focal. Lorsque certains fonctionnements sont choisis comme pertinents, un espace de ce type est circonscrit et la relation de domination elle-même conduit à une « mise en ordre partielle » par comparaison avec les états des affaires alternatifs. Si une personne i a plus d'un fonctionnement spécifique qu'une personne j et au moins autant de tels fonctionnements, alors i a clairement un plus haut vecteur de fonctionnement que j. Cette mise en ordre partielle peut être « étendue » en spécifiant plus encore les poids possibles. Un ensemble unique de poids sera, bien entendu, suffisant pour obtenir une mise en ordre complète, mais en général, cela ne sera pas nécessaire. Étant donné une « gamme » de poids sur lesquels il y a accord (l'accord portant sur la définition de la gamme, même s'il n'est pas établi quant au point exact, à l'intérieur de celle-ci), on pourra faire une mise en ordre partielle, fondée sur l'intersection des classements. Cette mise en ordre partielle pourra être systématiquement étendue à mesure que la gamme sera réduite. À un certain point de ce processus de réduction – souvent même avant que le poids ne soit unique – la mise en ordre partielle deviendra complète [51].

Chaque fois que l'on pratique ce genre d'évaluation, il est essentiel de s'interroger sur la procédure de sélection des poids. Seule une évaluation raisonnée permet de mener à bien cet exercice de discrimination. Dans le cas d'un individu déterminé, qui établit son propre jugement d'appréciation, c'est la sélection des poids qui exige réflexion, plus que le consensus interpersonnel. Toutefois, pour parvenir à une plate-forme « commune » pour l'évaluation sociale (dans le cas d'études sur la pauvreté, par exemple), il est nécessaire d'établir un consensus raisonné sur les poids, ou, au moins, sur une gamme de poids. Il s'agit là d'un exercice de « choix social », qui exige un débat public et un processus démocratique de compréhension et d'acceptation [52]. Mais ce type de problèmes n'est pas spécifique à l'usage d'un espace de fonctionnements.

À ce point, la sélection des poids nous confronte à une alternative non dépourvue d'intérêt entre « technocratie » et « démocratie ». Une procédure de choix, inspirée par l'exigence démocratique d'un accord partagé ou d'un consensus peut être assez désordonnée pour inspirer de l'horreur aux technocrates et les inciter à rêver d'une formule magique, capable de leur livrer des poids prêts à l'usage et d'une légitimité indiscutable. Bien entendu, aucune formule magique n'est disponible, aucune technologie dépersonnalisée ne peut produire l'article en question, puisque peser, c'est évaluer et donc, exercer son jugement [53].

Rien ne nous empêche, à tout moment, d'élaborer une formule particulière – et non définitive – qui facilite l'opération d'agrégation, mais, puisqu'elle intervient au cours d'une procédure sociale de choix, elle est soumise à son acceptabilité par tous. Notons, encore une fois, que la soif d'une « formule imparable » qui s'imposerait à tous par son évidence reste inextinguible. Ainsi, T. N. Srinivasan, critiquant vigoureusement l'approche par les capacités (et en l'exploitant de façon partiale dans les Rapports sur le développement humain du PNUD) s'inquiète de « l'importance variable des différentes capacités » et propose de substituer à cette approche, le « cadre du revenu réel », lequel « inclut un système de calcul valide pour peser les biens – le système de mesure par la valeur d'échange ». Cette critique est-elle recevable ? Un système de mesure intervient, sans aucun doute, dans la fixation de la valeur sur le marché, mais en quoi recoupe-t-il notre problématique ?

Ainsi que cela a été discuté plus haut, le « système de mesure opérationnel » de la valeur d'échange ne nous fournit pas de comparaisons interpersonnelles des niveaux d'utilité, dans la mesure où de telles comparaisons ne peuvent être déduites du choice behaviour. Des confusions sont apparues à ce sujet, dues à une interprétation erronée de la théorie de la consommation. Elles consistent à tenir l'utilité pour la simple représentation numérique du choix d'un individu donné. C'est une façon utile de définir l'utilité pour l'analyse des comportements de consommation de chaque personne, prise isolément, mais cela ne nous fournit, en soi, aucun appui réel pour une comparaison interpersonnelle. Paul Samuelson s'enferre dans une erreur symétrique quand il écrit qu'il n'est « pas nécessaire de procéder à des comparaisons interpersonnelles d'utilité en décrivant l'échange [54] » : on n'apprend rien de la comparaison interpersonnelle d'utilité en observant le « système de mesure de la valeur d'échange ».

Ainsi que je l'ai déjà signalé, cette difficulté est manifeste même lorsque chacun a la même fonction de demande. Elle s'accroît donc lorsque les fonctions de demande individuelle diffèrent. Même les comparaisons d'utilité par leur base de biens deviennent alors problématiques. Rien, dans la méthodologie de l'analyse de la demande, y compris la théorie de la préférence révélée, ne permet d'établir des comparaisons interpersonnelles d'utilités ou de bien-être à partir des choix observés et donc, à partir de comparaisons par les revenus réels.

De fait, en tenant compte de la diversité interpersonnelle, liée à des facteurs tels que l'âge, le sexe, les prédispositions, les infirmités et les maladies, les possessions ne peuvent guère nous renseigner sur la nature des existences menées par les individus. Les revenus réels, de ce point de vue, constituent de piètres indicateurs quand on veut considérer des composantes importantes du bien-être et de la qualité de la vie que les gens ont raison de souhaiter. D'une manière générale, on n'échappe pas à l'obligation de formuler des jugements d'évaluation dès que l'on compare le bien-être des individus ou leur qualité de vie. De plus, si l'on accorde la moindre valeur à l'examen public, il est impératif d'admettre qu'un jugement est formulé dès que l'on observe les revenus réels à cette fin et que les poids utilisés implicitement relèvent d'un examen d'évaluation. Si, dans ce contexte, on procède, à partir d'un ensemble de biens matériels, à l'évaluation de l'utilité fondée sur le prix du marché, on donne alors l'impression fausse – au moins à certains – qu'un « système de mesure opérationnel » déjà existant a été présélectionné à des fins d'évaluation, ce qui constitue un problème et non une solution. L'examen par le public étant essentiel, comme je le crois, à toute évaluation sociale de cette nature, il faut s'efforcer de rendre explicite toutes les valeurs implicites, et non les tenir à l'abri de l'examen, au prétexte qu'elles relèvent d'un système de mesure « déjà établi » et disponible pour la société sans autre forme de procès.

Dans la mesure où les économistes, dans leur majorité, ont une préférence marquée pour l'évaluation fondée sur les prix du marché, il est tout aussi important de signaler que, dans une évaluation fondée exclusivement sur l'approche par le revenu réel, on impute un poids direct égal à zéro, à toutes les variables autres que les possessions (en particulier, à des variables aussi décisives que la mortalité, la morbidité, l'éducation, les libertés, et les droits reconnus). Éventuellement, on peut leur attribuer un poids indirect, mais à la seule condition – et dans la seule mesure – où elles accroissent les revenus et les possessions. Toute confusion entre comparaison du bien-être et comparaison des revenus réels se paie au prix fort [55].

Cela explique pourquoi, d'un point de vue méthodologique, il est nécessaire d'assigner, à chaque composante de la qualité de vie (ou du bien-être) son propre poids d'évaluation, et cela d'une manière explicite, puis de soumettre les poids ainsi définis à la discussion publique et à l'examen critique. Le choix des critères destinés à l'évaluation suppose des jugements de valeur et, le plus souvent, des jugements sur lesquels il n'est pas possible de parvenir à un accord. C'est une procédure inévitable dans le cadre d'un choix social de ce type. La véritable question consiste à se demander s'il est possible d'utiliser des critères susceptibles d'un large soutien public ou s'il faut s'en tenir aux indicateurs bruts, bénéficiant d'une soi-disant validité technique, tels que les mesures de revenus réels. Bien entendu, il s'agit d'une question centrale dans la définition de la base d'évaluation des politiques publiques.

Information de capacité : des perspectives multiples

L'approche par les capacités peut être utilisée dans plusieurs perspectives. Tout d'abord, il est nécessaire de distinguer l'aspect pratique – quelle *stratégie* concrète est-elle la plus adaptée à l'évaluation des politiques publiques ? – de la question de fond : comment évaluer au mieux les avantages individuels et établir de la façon la plus pertinente des comparaisons interpersonnelles ? À ce niveau et pour les raisons déjà exposées, l'approche par les capacités possède des mérites bien supérieurs à la seule prise en compte de variables instrumentales telles que le revenu. Mais ne perdons pas de vue les résultats essentiels que nous attendons, en pratique, de notre approche, c'est-à-dire une mesure fructueuse des capacités [56].

Toutes les capacités ne se prêtent pas à l'exercice avec la même facilité et les tentatives de soumettre chacune d'entre elles à un système de mesure aboutissent parfois à plus de confusion que de clarté. Dans bien des cas, les niveaux de revenus – corrigés, si nécessaire, des différences de prix et des variations liées à des particularités individuelles – constituent le meilleur point de départ d'une estimation concrète. Il est impératif d'avancer avec le plus grand pragmatisme quand on veut analyser les motivations qui sous-tendent l'usage des données à des fins d'évaluation pratiques et d'analyse des politiques publiques dans la perspective des capacités.

On peut prendre en compte trois approches différentes susceptibles de refléter concrètement cette démarche.

1) *L'approche directe*. Dans cette méthode générale, on étudie directement ce qui peut être dit des avantages respectifs en examinant et en comparant les vecteurs de fonctionnement ou les capacités. À bien des égards, il s'agit de la manière la plus directe d'intégrer les divers aspects de chaque capacité à des fins d'évaluation. Elle peut prendre des formes diverses, en voici trois variantes :

1.1) « la comparaison totale », qui implique le classement des vecteurs l'un par rapport à l'autre, en termes de pauvreté ou d'inégalités (ou de toute autre considération) ;

1.2) « le classement partiel », qui implique le classement d'un certain nombre de vecteurs par rapport à d'autres, mais n'exige pas un classement d'évaluation complet ;

1.3) « la comparaison d'une capacité choisie », qui met en jeu la comparaison d'une capacité, retenue comme centre d'intérêt, sans souci d'une prise en compte de l'ensemble des capacités. De ces trois variantes, la « comparaison totale » est la plus ambitieuse, elle l'est même parfois beaucoup trop. On peut s'avancer – assez loin, d'ailleurs – dans cette voie en négligeant le classement complet de toutes les possibilités. On utilise la « comparaison d'une capacité choisie » quand, par exemple, on restreint l'examen à une variable spécifique, telle que l'emploi, la longévité, l'alphabétisation ou la nutrition.

Bien entendu, à partir d'un ensemble de comparaisons de capacités choisies, on peut procéder à un classement agrégé des ensembles de capacités. Les poids jouent alors un rôle crucial, puisqu'ils permettent de combler l'écart entre les diverses comparaisons de capacité choisie et le « classement partiel » (voire les « comparaisons totales »)[57]. Même en ne fournissant qu'un panorama incomplet, soulignons que les comparaisons d'une capacité choisie peuvent être très fructueuses dans le cadre d'une évaluation. J'aurai l'ocasion d'en donner une illustration au cours du prochain chapitre.

2) *L'approche complémentaire.* Relativement peu radicale, cette approche utilise les procédures traditionnelles de comparaison interpersonnelle dans le domaine des revenus, mais les complète par une analyse (sans formalisation particulière) des capacités. Pour satisfaire des besoins pratiques, on peut, par cette voie, élargir la base d'informations. L'adjonction apportée peut concerner, au premier chef, soit les comparaisons de fonctionnement, soit des variables instrumentales autres que le revenu, et qu'on suppose devoir influencer la détermination des capacités. Des facteurs tels que l'accès aux soins et leur qualité, les éléments de discrimination sexuelle dans la répartition familiale du revenu, la prévalence et l'amplitude du chômage, sont susceptibles d'apporter un éclairage supplémentaire à celui fourni par les mesures traditionnelles dans le champ des revenus. Ils peuvent aussi enrichir la compréhension générale des problèmes de pauvreté et d'inégalité en se surajoutant aux données déjà obtenues par les mesures d'inégalité ou de pauvreté liées aux revenus. Pour l'essentiel, on recourt à la « comparaison de capacité choisie » comme instrument de complément[58].

3) *L'approche indirecte.* Cette troisième voie, plus ambitieuse que la précédente, reste cependant focalisée sur le champ des revenus, qu'elle s'efforce d'ajuster. On utilise alors des informations, et qui peuvent exercer une influence sur les capacités et l'on calcule des « revenus ajustés ». On peut ainsi ajuster les niveaux de revenus familiaux à la baisse, pour cause d'analphabétisme, ou à la hausse, en cas de niveau d'éducation élevé, de façon à les porter à leur juste niveau, en termes d'accomplissement de capacité. La procédure s'inspire des études sur les « échelles d'équivalence » ainsi que des recherches sur

l'analyse des modèles de dépenses familiales, qui visent à intégrer indirectement les facteurs dont l'observation directe est ardue (tels que la présence ou l'absence de certaines formes de discrimination sexuelle dans les familles) [59].

L'avantage de cette approche repose sur le fait que le revenu est un concept connu et assez aisément mesurable (plus, par exemple, que des « indices » généraux des capacités). On peut en tirer une vision d'ensemble plus claire et, partant, une interprétation plus facile. Dans ce cas, choisir un « système de mesure » du revenu, recoupe les motivations d'A. B. Atkinson, lorsqu'il choisit l'espace du revenu pour mesurer les effets des inégalités (dans son calcul du « revenu équivalent également distribué »), plutôt que l'espace de l'utilité, ainsi que le propose Hugh Dalton [60]. Selon l'approche préconisée par ce dernier, on peut concevoir l'inégalité en termes de perte d'utilité due à la disparité ; le déplacement opéré par Atkinson permet d'estimer les pertes dues à l'inégalité, en termes de « revenu équivalent ».

On ne saurait négliger la question du système de mesure et, de ce point de vue, l'approche indirecte comporte des avantages. Pour autant, il ne faut jamais oublier qu'elle n'est, en aucune manière, plus « simple » que l'évaluation directe. Tout d'abord, en appréciant les valeurs du revenu équivalent, on doit évaluer comment le revenu affecte les capacités concernées, sachant que les mesures de conversion sont parasitées par les motivations qui sous-tendent l'évaluation des capacités. De plus, la conversion entre les différentes capacités (et entre les différents poids qui leur sont affectés) pose les mêmes problèmes que l'on suive l'approche indirecte ou directe, puisque l'unité d'expression s'en trouve inévitablement altérée. En ce sens, approches indirecte et directe ne diffèrent guère des jugements à formuler pour obtenir des mesures appropriées dans l'espace des revenus équivalents.

D'autre part, il est important de distinguer le revenu, comme unité de référence, permettant de mesurer l'inégalité, du revenu comme véhicule de la réduction des inégalités. Même si les inégalités, du point de vue des capacités, sont bien reflétées en termes de revenus, cela ne signifie pas qu'un transfert de revenu constitue le meilleur moyen de réduire les inégalités observées. Les politiques publiques ne peuvent envisager des mesures de compensation sans prendre en compte d'autres questions (possibilité de modifier les disparités de capacité, efficacité réelle des effets incitatifs, etc.) et la facilité de lecture des différences de revenus ne doit pas suggérer qu'un transfert de revenus correspondant serait le moyen le plus efficace de supprimer les disparités. On peut facilement éviter ce piège, mais la clarté et l'immédiateté qui règnent dans l'espace du revenu peut inciter à succomber à cette tentation, contre laquelle il faut se parer.

Enfin, bien que l'espace du revenu se prête mieux aux mesures, les amplitudes qu'on y constate ne reflètent pas nécessairement des écarts de valeur équivalents. Par exemple, le long d'une courbe de revenus descendante et à partir du moment où un individu commence à souffrir de la faim, on tend vite vers un point auquel les chances de survie de cet individu s'effondrent. Même si, dans l'espace des revenus, la « distance » entre deux valeurs apparaît réduite (mesurée uniquement en termes de revenus), alors que la conséquence du déplacement induit une altération spectaculaire des chances de survie, on voit bien que l'impact de cette légère variation du revenu prend des proportions considérables dans un espace différent et qui compte vraiment (dans ce cas la capacité de survie). En constatant un faible écart de revenus, on est souvent incité à en déduire une différence minime. C'est à tort. Dans la mesure où l'observation des revenus nous fournit un simple indicateur, nous ne pouvons rien conclure des écarts de revenus, avant d'avoir pris en compte leurs conséquences, dans l'espace qui nous préoccupe, en dernière analyse. Si une armée est défaite pour un seul bouton de guêtre manquant, alors celui-ci occasionne une grande différence, malgré son affligeante banalité dans l'espace des revenus ou des dépenses.

Chacune de ces approches possède ses mérites propres. Ils peuvent varier en fonction de la nature de l'exercice, de la disponibilité de l'information ou de l'urgence des décisions à prendre. On associe trop souvent perspective des capacités et minutie scrupuleuse (qui peut valoir pour les comparaisons totales dans l'approche directe), alors que l'éclectisme de la démarche mériterait d'être souligné. Affirmer l'importance de principe des capacités ne restreint en rien la variété des stratégies d'évaluation ou la possibilité de compromis pratiques. La nature pragmatique de la raison pratique exige cette combinaison.

Pour conclure, quelques remarques

Euclide, s'adressant à Ptolémée, aurait affirmé : « La géométrie ne connaît pas de voie royale. » On peut douter qu'il existe une voie royale pour l'évaluation des politiques économiques ou sociales. Celle-ci doit prendre en compte toutes sortes de considérations et traiter chacune d'entre elles avec l'attention requise. La plupart des débats concernant les approches antagoniques de l'évaluation dépendent des priorités que l'on privilégie dans la démarche normative.

J'ai tenté de montrer que les priorités, souvent implicites, dans les différentes démarches de l'éthique, de l'économie sociale et de la philosophie politique pouvaient être isolées et analysées en identifiant la base d'informations sur laquelle se fonde, dans chaque approche, les jugements d'évaluation. Dans ce chapitre, je me suis efforcé de montrer comment fonctionnent ces « bases d'informations » et comment les différents systèmes – éthiques et d'évaluation – recourent à des bases d'information hétérogènes.

Partant de cette question générale, l'analyse m'a conduit à présenter des méthodes d'évaluation particulières, parmi lesquelles l'utilitarisme, la doctrine libertarienne et la théorie de la justice selon John Rawls. Et, confirmant qu'il n'existe pas de voie royale, il est apparu que chacune de ces stratégies bien établies possédait ses mérites propres, aussi bien que des insuffisances.

J'ai ensuite adopté une démarche constructive, en me concentrant sur les libertés substantielles des individus et en examinant quelles implications pouvaient en découler. J'ai alors circonscrit une approche générale, centrée sur les capacités des individus de réaliser un certain nombre de choses – et de jouir de la liberté de mener la vie qu'ils ont raison de souhaiter. C'est une approche que j'ai déjà eu l'occasion d'exposer dans des ouvrages précédents [61]. D'autres auteurs s'y sont aussi employés, si bien que ses avantages et ses insuffisances sont raisonnablement définis. Il apparaît ainsi que cette approche permet, non seulement de prendre en compte l'importance de la liberté, mais aussi de mettre en évidence les motivations implicites qui orientent les autres approches. En particulier, la perspective fondée sur les libertés se réapproprie le souci de l'utilitarisme pour le bien-être humain, le parti pris des libertariens en faveur du processus de choix et de la liberté d'agir, et l'attention de la théorie de John Rawls à l'égard de la liberté individuelle et des ressources nécessaires aux libertés substantielles. En ce sens, l'approche par les capacités a une étendue et une réactivité qui lui confèrent une vaste portée et qui permet, dans la démarche d'évaluation, de diriger l'attention vers des thèmes disparates, ignorés, pour certains d'entre eux, par les autres approches. Cette extension de l'horizon est possible parce que les libertés des individus peuvent être jugées à travers des références explicites aux résultats et aux processus qu'ils ont raison de souhaiter et de rechercher [62].

J'ai ensuite discuté différentes manières d'utiliser cette approche fondée sur les libertés, avec la volonté de montrer qu'elle ne s'inscrit pas dans une forme unique. Face à certains problèmes concrets, la possibilité d'y recourir, dans une version explicite, peut se révéler assez limitée. Dans ces cas-là encore, elle fournira de précieux aperçus, en laissant toute leur place à d'autres procédures, quand elles peuvent être mises en œuvre avec profit, dans des contextes particuliers. Dans les chapitres suivants, je m'efforcerai, à partir de ces acquis, de poursuivre l'analyse et d'éclairer les problèmes du sous-développement (défini, au sens le plus large, comme non-liberté) et du développement (conçu comme processus d'élimination des non-libertés et d'extension des libertés substantielles de différents types que les gens ont raison de souhaiter). Une approche générale peut être utilisée de bien des façons, selon le contexte et la quantité d'informations disponibles. C'est la combinaison d'une analyse fondamentale et d'une mise en œuvre pragmatique qui confère sa portée à l'approche par les capacités.

CHAPITRE IV

La pauvreté comme privation
de capacités

Au cours du précédent chapitre, je me suis efforcé de montrer qu'il était légitime, dans l'analyse de la justice sociale, de considérer l'avantage individuel en termes de capacités, c'est-à-dire en termes de libertés substantielles qui permettent à un individu de mener le genre de vie qu'il a raison de souhaiter. Dans cette perspective, la pauvreté doit être appréhendée comme une privation des capacités élémentaires, et non, selon la norme habituelle, comme une simple faiblesse des revenus [1]. Cette définition ne vise en aucune manière à nier l'évidence : un revenu faible constitue bien une des causes essentielles de la pauvreté, pour la raison, au moins, que l'absence de ressources est la principale source de privation des capacités d'un individu.

De fait, aucune condition ne prédispose autant à une vie de pauvreté qu'un revenu inadéquat. Cette relation étant posée, définir la pauvreté par les capacités plutôt que par le revenu ne devrait guère soulever d'objections. Toute une série d'arguments pèsent, selon moi, en faveur de la première définition. En voici trois :

1) Il est réaliste d'identifier la pauvreté en termes de privations de capacités : l'approche se focalise sur des privations qui ont une importance intrinsèque (à la différence des bas revenus, dont la signification est instrumentale).

2) D'autres facteurs influencent la privation de capacités – et donc la pauvreté réelle – hormis la faiblesse des

revenus (le revenu n'est pas le seul instrument qui produise des capacités).

3) La relation instrumentale entre pénurie des revenus et pénurie des capacités varie d'un pays à l'autre, d'une famille à l'autre, d'un individu à l'autre (l'impact du revenu sur les capacités est contingent et conditionnel) [2].

Ce troisième argument revêt une importance déterminante dans le cadre d'une reflexion et d'une évaluation des politiques publiques, dès lors que celles-ci visent à réduire les inégalités et la pauvreté. Le caractère conditionnel des variations a été, sous divers aspects, discuté dans la littérature sur ce sujet – ainsi que dans le chapitre III du présent ouvrage – mais il sera utile de revenir sur certains d'entre eux, dans le contexte spécifique de la mise en œuvre des politique publiques.

En premier lieu, la relation entre revenus et capacités est affectée par l'âge des personnes considérées (il existe des besoins spécifiques aux jeunes enfants et aux personnes âgées), par le sexe et le rôle social (on pense aux responsabilités particulières liées à la maternité ou aux obligations familiales d'ordre coutumier), par la situation géographique (probabilité de sécheresse ou d'inondations, insécurité et violence urbaine) par l'environnement épidémiologique (zones de maladies endémiques), ainsi que par d'autres variations sur lesquelles le contrôle des individus est inexistant ou, au mieux, limité [3]. En comparant des groupes de population constitués selon l'âge, le sexe, la situation géographique ou autres, ces paramètres jouent un rôle déterminant.

En second lieu, il n'est pas rare que l'on rencontre un « couplage » des désavantages, associant pénurie de revenus et dificultés à convertir celui-ci en fonctionnements [4]. L'âge, les handicaps physiques, la maladie ou d'autres facteurs tendent à saper la faculté de gagner un revenu [5]. Mais ils rendent aussi plus problématique la conversion du revenu en capacité, dans la mesure où une personne âgée, handicapée, ou malade aura besoin de plus d'argent (destiné à payer une aide, une prothèse ou un traitement) pour obtenir le même fonctionnement, quand celui-ci ne sera pas, tout simplement, hors de portée [6]. De ce fait, la « pauvreté réelle « (en termes de privation de capacités) est souvent, à bien des égards, plus solidement établie, que le reflet qu'on en saisit, dans l'espace du revenu, ne le laisse apparaître. Il est important de ne pas perdre de vue cette dimension en élaborant une aide publique en direction des personnes âgées ou d'autres groupes affectés par des difficultés de conversion qui se surajoutent à de faibles revenus.

En troisième lieu, l'approche de la pauvreté par le revenu bute sur une autre difficulté, liée à la répartition familiale du revenu. Si une part disproportionnée de celui-ci est affectée aux besoins de certains membres (dans le cas, par exemple, d'un « favoritisme systématique pour les garçons »), au détriment des autres (ici, les filles) alors la prise en compte du revenu familial, en tant que tel, ne reflète pas nécessairement les privations auxquelles certains de ces membres sont confrontés. C'est un problème qui ne peut être ignoré dans de nombreux contextes, la discrimination sexuelle déterminant, pour une bonne part, la répartition du revenu familial en Asie et en Afrique du Nord. On apprécie de façon plus directe la situation réelle des filles en prenant en compte les privations de capacités (exprimées sous forme de mortalité accrue, morbidité, malnutrition, moindre suivi médical, etc.) et non la seule analyse des revenus [7].

Cette question n'occupe pas une position aussi centrale dans la problématique de la pauvreté en Europe et en Amérique du Nord. Toutefois, le présupposé – souvent implicite – que les inégalités sexuelles ne jouent aucun rôle significatif en « Occident » peut être trompeur. En Italie, par exemple, pour les femmes, la proportion du travail au noir, par rapport au travail légal, est l'une des plus élevées, selon les données officielles [8]. La prise en compte de leur travail et du temps consommé – qui réduisent leur liberté – garde une portée significative dans l'analyse de la pauvreté. Les divisions au sein de la famille ont, par ailleurs, d'autres implications, qui concernent au premier chef les politiques publiques à peu près partout dans le monde.

Quatrièmement, des privations relatives, en terme de revenus, peuvent entraîner des privations en termes de capacités. Être relativement pauvre dans un pays riche constitue un grand handicap, du point de vue des capacités, même lorsqu'on dispose d'un revenu élevé, au regard des normes internationales. Pour acheter les biens qui permettent un même fonctionnement social, un revenu plus important est nécessaire dans un pays opulent. Ce constat, déjà dressé par Adam Smith dans *La Richesse des nations* (1776) sous-tend toute la compréhension sociologique de la pauvreté. De nombreux auteurs l'ont pris en compte, parmi lesquels W. G. Runciman ou Peter Townsend [9].

Les difficultés éprouvées par certains groupes pour « prendre part à la vie de la communauté », par exemple, jouent souvent un rôle essentiel, que les études consacrées à l'« exclusion sociale » ne doivent pas négliger. Pour participer à la vie d'une collectivité, il faut parfois satisfaire à certaines exigences, en matière d'équipements techniques (téléviseurs, caméscopes, voitures, etc.). Dans les pays où la possession de ces biens est quasiment universelle (à la différence de ce qui serait nécessaire dans des économies moins développées), cela constitue un handicap pour une personne relativement pauvre, même si son niveau de revenus est élevé, par comparaison avec la moyenne des revenus dans les pays plus pauvres [10]. De fait, le phénomène paradoxal de la faim dans les pays riches – y compris aux États-Unis – n'est pas étranger à ces exigences et aux dépenses qu'elles suscitent [11].

Appliquée à l'analyse de la pauvreté, la perspective des capacités permet une meilleure compréhension de la pauvreté et des privations, par leur nature et leurs causes, en déplaçant l'examen depuis les moyens (et de l'un de ceux-ci, en particulier, qui reçoit souvent une attention exclusive, c'est-à-dire le revenu) vers les fins que les gens ont de bonnes raisons de poursuivre et, conséquemment, vers les libertés mises en jeu pour y parvenir. Les quelques exemples exposés ci-dessus illustrent ce changement de perspective et les avantages qui en résultent. Les privations sont alors perçues à un niveau plus fondamental et plus proche des exigences informationnelles de la justice sociale. D'où la pertinence de l'approche par les capacités.

Pauvreté par le revenu et par les capacités

S'il est important de distinguer, d'un point de vue conceptuel, la notion de pauvreté comme inadéquation des capacités de celle de pauvreté comme faiblesse du revenu, il ne faut pas perdre de vue la relation étroite qui existe entre ces deux réalités, ne serait-ce que parce que le revenu est un moyen essentiel pour développer des capacités. Et, dans la mesure où, pour tout individu, améliorer les capacités dont il dispose pour conduire sa vie, tend, d'une manière générale, à faciliter ses possibilités d'accroître sa productivité et ses revenus, nous pouvons suspecter que la relation fonctionne aussi en sens inverse.

Ce second aspect concerne tout particulièrement la suppression de la pauvreté due aux revenus. Non seulement l'accès à l'éducation et aux soins a des conséquences positives sur la qualité de la vie, mais, mieux encore, elle accroît la faculté d'une personne de gagner sa vie et d'échapper à la pauvreté par le revenu. Plus l'éducation élémentaire et le système de santé se généralisent, plus les probabilités que les couches potentiellement pauvres surmontent l'état de pénurie s'accroissent.

L'importance de cette relation a retenu toute mon attention, lors de mes travaux récents en Inde, menés en collaboration avec Jean Drèze, à propos des réformes économiques [12]. À bien des égards, ces réformes ont créé, pour les Indiens, des possibilités nouvelles, que le contrôle tâtillon et les limitations imposées par le License Raj (le contrôle d'État sur toutes les activités économiques par l'imposition de licences) avaient jusque-là étouffées. Mais la mise en valeur de possibilités de cet ordre n'est pas indépendante du niveau de préparation sociale dans les différentes couches de la population. Dans le cas de l'Inde, bien que ces réformes tardives aient été très attendues, leur efficacité aurait été décuplée si les structures sociales existantes avaient préparé le terrain, à tous les niveaux de la société [13]. De nombreuses économies asiatiques – la première fut le Japon, suivi par la Corée du Sud, Taiwan, Hong Kong et Singapour, et plus récemment la Chine et la Thaïlande – ont réussi dans des proportions remarquables, à diffuser les opportunités économiques, par capillarité sociale, grâce à un bon niveau d'éducation générale, à des facilités d'accès aux services de santé, à une réforme foncière achevée, etc. De tous ces exemples venus de l'Est, les responsables indiens n'ont voulu retenir qu'un volet : l'ouverture de l'économie et l'importance des échanges marchands [14].

En Inde, le développement est très disparate selon les régions. Le Kérala, par exemple, affiche des résultats plus qu'honorables, en matière d'éducation, de santé et de réforme agraire, quand le Bihar, l'Uttar Prasdesh, le Rajasthan et le Madhya Pradesh sont handicapés par leur retard. Tous ces États affrontent des obstacles de nature différente. Le Kérala a souffert, jusque dans une période récente, d'une réglementation très hostile au marché et d'une forte suspicion vis-à-vis de toute initiative économique échappant à son contrôle. On peut considérer, de ce point de vue, que les ressources humaines dont il disposait n'ont pas été utilisées à bon escient. Ce n'est que récemment qu'une stratégie économique adéquate a permis de les valoriser. D'autre part, certains États du Nord, partisans du contrôle de l'économie ou bienveillants, à des degrés divers, à l'égard de l'entreprise privée, ont été paralysés par l'absence de développement social. S'attaquer à ces retards exige, dans tous ces cas de figure, de bien saisir la complémentarité entre les deux pôles – social et économique.

Il est toutefois intéressant de noter que le Kérala, en dépit d'une croissance économique plutôt modérée, a connu un rythme plus rapide de réduction de la pauvreté par les revenus, que tous les autres États indiens [15].

Si plusieurs, parmi ces derniers, ont obtenu des résultats significatifs à la faveur d'une croissance économique soutenue, en particulier le Pendjab, le Kérala s'est appuyé, quant à lui, sur la diffusion de l'éducation, de la santé et sur une politique de redistribution des terres.

Ces exemples des relations entre pauvreté par les revenus et pauvreté par les capacités étant exposés, on ne doit pas, pour autant, perdre de vue une réalité fondamentale : la réduction de la pauvreté par les revenus ne saurait servir de motivation dernière aux politiques publiques. Pour peu que l'on observe la pauvreté en termes de pénurie de revenus, on est guetté par ce danger. Dans cette situation, on en vient très vite à justifier les investissements dans l'éducation ou la santé au seul motif qu'ils constituent des moyens adéquats pour atteindre l'objectif visé : la réduction de la pauvreté par les revenus. Cette démarche révèle une confusion entre les moyens et les fins. Les raisons de principe déjà discutées, qui fondent notre approche, nous amènent à comprendre la pauvreté et les privations, du point de vue de l'existence réelle que mènent les gens et des libertés dont ils jouissent. On peut, dans ce cadre seulement, prendre en considération l'extension des capacités humaines. Il se trouve, par ailleurs, que la promotion de ces capacités tend à s'accompagner d'une amélioration de la productivité et de la faculté de gagner sa vie. À travers cette connexion nodale, la promotion des capacités favorise, à la fois directement et indirectement, l'enrichissement des vies humaines et la réduction des privations, qui deviennent plus rares et moins pesantes. Quelle que soit leur importance, les connexions instrumentales ne sauraient se substituer à une compréhension sur le fond de la nature et des caractéristiques de la pauvreté.

Inégalité : en quels termes ?

Le traitement de la question de l'inégalité dans l'évaluation économique et sociale soulève de nombreux dilemmes. L'existence des inégalités apparaît peu justifiable dans le cadre des modèles d'« équité ». Les préoccupations d'Adam Smith pour les intérêts des pauvres (et ses réactions indignées face à la tendance générale à les négliger) doivent être rapportées à la position spéculative qu'il élabore, celle d'un « spectateur impartial », bénéficiant d'un point de vue certes imaginaire, mais néanmoins convaincant quant aux exigences de l'équité dans le jugement social [16]. De manière similaire, la notion élaborée par John Rawls de « justice comme équité » comme ce qui peut être choisi dans une hypothétique « position originelle », dans laquelle les gens ne savent pas encore qui ils seront, afin d'envisager quels choix auront leur préférence, permet une pédagogie très éclairante des exigences de l'équité, et des traits anti-inégalitaires, qui caractérisent ses « principes de justice » [17]. Il paraît, par ailleurs, difficile de justifier, face aux acteurs d'une société, les inégalités manifestes que celle-ci engendre en recourant à un « impératif raisonnable » (dans le cas, par exemple, d'inégalités que d'autres « ne peuvent raisonnablement rejeter », selon le critère proposé par Thomas Scanlon – et dont il fait lui-même un usage convaincant – à des fins d'évaluation éthique) [18]. Sans aucun doute, des inégalités sociales patentes n'ont rien de séduisant et des inégalités criantes contreviennent, disent certains, à la notion de civilisation.

Et cependant, les efforts en vue d'éradiquer l'inégalité entraînent souvent des conséquences nuisibles pour une majorité, voire pour l'ensemble de la population. Des conflits de ce type prennent des formes plus ou moins aiguës. Les représentations de la justice – qu'elles s'inspirent du « spectateur impartial », de la « position originelle » ou du rejet des objections non raisonnables ne sauraient ignorer ces considérations.

À juste titre, l'épineuse question du conflit entre considérations agrégatives et distributives a retenu l'attention des économistes [19]. Diverses formules de compromis, susceptibles de prendre en compte ces deux aspects de l'évaluation des accomplissements sociaux ont été suggérées. Le concept du « revenu équivalent également distribué », proposé par A. B. Atkinson, par exemple, ajuste le revenu agrégé par une réduction de sa valeur comptable, établie en relation avec l'ampleur des inégalités dans la répartition des revenus, le compromis entre les aspects distributifs et agrégatifs étant fondé sur le choix d'un paramètre qui reflète notre jugement éthique [20].

Une autre série de conflits est liée au choix de l'« espace » – autrement dit, du domaine de référence et des variables choisies pour évaluer et examiner l'inégalité – ainsi que nous l'avons exposé dans le chapitre précédent. L'inégalité par les revenus diffère, à bien des égards, de l'inégalité dans d'autres « espaces » (telle qu'elle est exprimée par d'autres variables), qu'il s'agisse du bien-être, de la liberté et des différents aspects de la qualité de la vie (parmi lesquels la santé et la longévité). Même des résultats agrégés prennent des formes différentes selon l'espace choisi pour leur composition – ou leur « somme totale ». Ainsi, un classement des pays fondé sur les revenus moyens différerait d'un classement fondé sur l'état sanitaire moyen.

Adopter la perspective des capacités ou celle des revenus implique de nombreuses différences. Au nombre de celles-ci, il faut compter l'hétérogénéité des espaces de référence, choisis pour l'examen de l'inégalité et de l'efficacité. Ainsi, un individu disposant d'un haut revenu, mais dépourvu de toute possibilité de participation politique, ne sera pas qualifié de « pauvre » au sens commun, bien qu'il le soit au regard d'une liberté essentielle. Un autre, qui sera plus riche que la plupart de ses pairs, mais qui souffrira d'une maladie réclamant des soins onéreux subit incontestablement une privation majeure, qui ne transparaîtra en aucune manière dans les statistiques de répartition des revenus. Un autre, encore, à qui échappera la possibilité de trouver un emploi, mais qui recevra une aide de l'État, sous forme d'« allocation chômage » apparaît plus ou moins handicapé selon que l'on apprécie sa situation dans l'espace des revenus ou qu'on la juge à une autre aune, telle que la possibilité d'occuper une activité gratifiante. Enfin, si l'on considère l'importance de la question du chômage dans plusieurs grandes régions de la planète (y compris l'Europe occidentale), on comprend que, dans ce domaine aussi, saisir la différence de perspectives entre revenus et capacités est capital pour toute prise en compte des inégalités [21].

Chômage et privation de capacités

Les jugements portés sur l'inégalité diffèrent selon qu'on se situe dans l'espace des revenus ou qu'on se réfère à d'autres capacités importantes. Observons, parmi les nombreux exemples non dénués de conséquences, qui corroborent cette thèse, le cas de l'Europe, région marquée par un fort taux de chômage. Dans une large mesure, diverses formes d'aide, incluant les allocations de chômage, visent à compenser les pertes de revenus. Si le chômage se réduisait à ce seul facteur – la perte de revenus – on serait en droit de considérer que les mesures de soutien gouvernementales en éliminent à peu près toutes les conséquences pour les individus (à l'exception, néanmoins, de la question importante des coûts représentés par les prélèvements sociaux et des effets d'incitation de ces mesures). Si, toutefois, le chômage a d'autres effets néfastes sur la vie des gens concernés et entraîne pour eux des formes diverses de privations, cela signifie que l'aide aux revenus ne compense pas ce type de privations. L'expérience montre que les nuisances du chômage s'étendent loin au-delà de la perte de revenus et affectent l'équilibre psychologique, la motivation professionnelle, les compétences et l'estime de soi. On sait aussi qu'il est la cause d'une augmentation des maladies et du taux de morbidité (et même de mortalité), d'une détérioration des relations sociales et familiales, d'un renforcement de l'exclusion sociale et d'une accentuation des tensions raciales et des inégalités liées au sexe [22].

À observer exclusivement l'inégalité par les revenus dans le cas des économies européennes, qui enregistrent un haut niveau de chômage, on aboutit à des résultats trompeurs. De fait, on peut même défendre l'idée que le chômage massif en Europe est, en soi, une cause majeure d'inégalité, au même titre que la répartition des revenus. En se concentrant sur l'inégalité par les revenus, on peut en retirer l'impression que l'Europe de l'Ouest a adopté des mesures de réduction des inégalités plus satisfaisantes que les États-Unis, lesquels ont connu un étirement spectaculaire de l'échelle des revenus. Dans l'espace des revenus, l'Europe enregistre, sans conteste, de meilleurs résultats, en niveau comme en tendance, ainsi que l'établit la minutieuse enquête de l'OCDE (Organisation pour la coopération et le développement économique), sous la responsabilité de A. B. Atkinson, Lee Rainwater et Timothy Smeeding [23]. Toutes les mesures conventionnelles montrent que l'inégalité de revenus est considérablement plus aiguë aux États-Unis que du côté européen de l'Atlantique, mais aussi que la tendance continue au creusement des écarts, manifeste aux États-Unis, n'existe pas dans la plupart des pays européens.

Si nous tournons maintenant notre attention vers les chiffres du chômage, nous découvrons alors un tableau tout différent. L'accroissement spectaculaire enregistré dans presque toute l'Europe de l'Ouest est sans équivalent aux États-Unis. Dans la période 1965-1973, le taux de chômage américain était de 4,5 %, contre 5,8 % en Italie, 2,3 % en France et moins de 1 % en Allemagne de l'Ouest. Aujourd'hui, dans chacun des trois pays européens, ce chiffre varie entre 10 et 12 %, alors qu'il oscille toujours entre 4 et 5 % pour les États-Unis. Et puisque le chômage malmène les existences individuelles, il est légitime de le prendre en compte dans l'analyse des inégalités économiques. La comparaison des courbes de revenus permet à l'Europe de cultiver sa suffisance, mais cette complaisance apparaît déplacée dès qu'on adopte une vue moins étroite de l'inégalité [24].

La disparité entre les deux grands ensembles géographiques soulève une autre question, d'une portée plus générale. L'indifférence dont peut faire preuve la morale sociale américaine pour le sort des indigents et des pauvres, trouble la plupart des Européens de l'Ouest, habitués aux bienfaits de l'État-providence. Mais en vertu des mêmes principes éthiques, un taux de chômage à deux chiffres, tel qu'on le rencontre communément en Europe, paraît intolérable aux États-Unis. L'Europe a accepté jusqu'ici la disparition continue des emplois salariés avec une équanimité remarquable. Ces divergences d'attitudes reflètent, bien évidemment, des conceptions distinctes de la responsabilité individuelle ou sociale, sur lesquelles j'aurai l'occasion de revenir.

Protection sociale et mortalité :
les attitudes sociales américaine et européenne

La persistance des inégalités entre les groupes raciaux aux États-Unis a suscité de nombreuses études, au cours des dernières années. Ainsi, dans l'espace des revenus, les Afro-Américains sont indiscutablement défavorisés, par rapport à la population blanche. Cet exemple est souvent utilisé pour illustrer la pauvreté relative des Afro-Américains au sein de leur pays. Tentons maintenant d'établir une comparaison avec les autres couches pauvres de la population mondiale. On réalise alors que, même en tenant compte des différences de niveau de vie, les Afro-Américains bénéficient de revenus beaucoup plus élevés que les habitants du Tiers-Monde. Cette perspective planétaire conduit à minimiser singulièrement l'ampleur des privations subies par les Noirs américains.

Mais est-ce bien dans l'espace des revenus qu'une comparaison de cette nature éclaire la discussion ? Et que se passe-t-il si l'on observe maintenant un autre critère, la capacité élémentaire d'atteindre l'âge adulte, par exemple, sans être affecté par une mortalité prématurée ? Comme nous l'avons déjà vu dans le premier chapitre, dans cet « espace », la situation des Américains noirs de sexe masculin est moins bonne que celle des Chinois – incommensurablement plus pauvres –, des habitants du Kérala (voir figure 4.1) ou encore du Sri Lanka, du Costa Rica, de la Jamaïque et de bien d'autres pays du Tiers-Monde. Il est généralement admis que le taux de mortalité élevé des Afro-Américains ne concerne que les hommes, et, pour l'essentiel, les adolescents et les jeunes adultes, parce qu'ils vivent dans un climat de violence. Ce facteur joue certes un rôle parmi les jeunes Noirs américains, mais il ne saurait, à lui seul, expliquer la situation. De fait, comme le montre la figure 4.2, la situation des Américaines noires est moins bonne que celle de leurs compatriotes blanches aux États-Unis, et que celle – aussi – des Indiennes du Kérala, et elle est quasiment similaire à celle des Chinoises. De plus, la figure 4.1 montre que la courbe qui représente les hommes continue à s'infléchir par rapport à celle des Chinois et des Kéralais, à mesure qu'on avance dans les classes d'âge, soit bien au-delà de la période où une part significative de mortalité peut être attribuée à la violence. Ce seul facteur ne saurait donc fournir une explication suffisante.

De fait, si nous choisissons d'isoler une tranche d'âge élevée – par exemple, de 35 à 54 ans – le désavantage considérable se vérifie encore, pour les hommes comme pour les femmes. Et ce différentiel persiste, même si l'on s'efforce d'ajuster les écarts de revenus. Notons d'ailleurs qu'une des études de santé publique les plus précises pour la décennie 1980, a opéré cette correction des revenus pour les femmes. Et on constate, en effet, que l'écart reste significatif. Le tableau 4.1 représente le rapport des taux de mortalité des Noirs et des Blancs, pour l'ensemble du pays (il résulte d'une étude d'échantillons)[25]. Si le taux de mortalité des hommes noirs est 1,8 fois supérieur à celui des hommes blancs, celui des femmes noires est presque

FIGURE 4.1 : *Rapport entre les taux de mortalité des Blancs et des Noirs (âgés de 35 à 54 ans).*
Chiffres réels et chiffres ajustés par le revenu familial

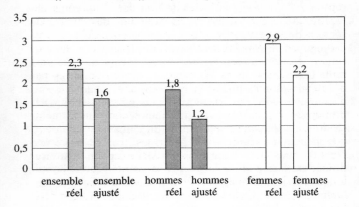

Source : M.W. Owen, S.M. Teutsch, D.F. Willamson et J.S. Marks, « The Effects of Known Risk Factors on the Excess Mortality Rate of Black Adults in the United States », *Journal of the American Medical Association 263*, n° 6 (9 février 1990).

3 fois supérieur à celui des femmes blanches. Après ajustement des différences dues au revenu familial, le taux de mortalité est 1,2 fois supérieur pour les hommes et 2,2 fois pour les femmes. Ainsi, même en tenant compte, de la façon la plus scrupuleuse, des niveaux de revenus, on doit conclure qu'aux États-Unis, aujourd'hui, les femmes noires meurent jeunes dans des proportions beaucoup plus importantes que les femmes blanches.

En élargissant la base d'informations du revenu aux capacités fondamentales, nous élargissons aussi, dans des proportions remarquables, notre compréhension de l'inégalité et de la pauvreté. Ainsi, quand nous observons la faculté d'occuper une activité professionnelle et de bénéficier des avantages qui en découlent, la situation européenne s'assombrit, mais si nous nous focalisons sur la capacité de survivre, c'est la situation américaine qui révèle des inégalités aiguës. Cette disparité, qui suppose de mettre en œuvre des politiques publiques différentes, repose sur des attitudes hétérogènes, des deux côtés de l'Atlantique, à l'égard des responsabilités individuelles et sociales. Les priorités officielles, telles qu'elles sont définies aux États-Unis, font peu de place à la généralisation de la protection médicale, ce qui explique que des millions de personnes – 40 millions pour être précis – ne bénéficient d'aucune forme de couverture médicale ou d'assurance de santé. Bien qu'on puisse supposer qu'une proportion significative des personnes concernées aient choisi volontairement cette option, il ne fait aucun doute que la majorité d'entre elles ne disposent d'aucun choix, pour des raisons d'ordre économique ou, pour certaines d'entre elles, parce que leur état de santé leur a fermé les portes des compagnies d'assurances. En Europe, où la couverture médicale est perçue comme l'un des droits fondamentaux de tout citoyen, quelle que soit sa position sociale ou son état de santé, une telle situation serait jugée intolérable. Personne n'admettrait l'insignifiance de l'aide publique à destination des malades et des pauvres, pas plus que la faiblesse des crédits alloués aux services publics, qu'il s'agisse de la santé ou de l'éducation, considérés comme des fonctions naturelles de l'État providence à travers l'Europe.

À l'inverse, un taux de chômage à deux chiffres, trait banal du paysage social européen, suffirait, comme je l'ai expliqué plus haut, à allumer la mèche d'une crise politique majeure aux États-Unis, ne serait-ce qu'en sapant la conviction, si solidement enracinée, que chacun est en mesure de prendre les initiatives nécessaires pour s'aider soi-même. Si le taux de chômage actuel devait seulement doubler aux États-Unis, le gouvernement, quelle que soit sa couleur politique, ne pourrait en sortir indemne, alors que, notons-le bien, dans cette situation encore, les chiffres américains seraient inférieurs à ceux que la France, l'Allemagne ou l'Italie enregistrent. L'orientation des politiques publiques – et leurs lacunes – reflète donc, ici, une différence dans la perception des inégalités et des capacités fondamentales qui en sont la source.

Pauvreté et privation en Inde et en Afrique subsaharienne

Aujourd'hui, l'extrême pauvreté se concentre dans deux régions du monde : l'Asie du Sud et l'Afrique subsaharienne. Les revenus par habitant y sont parmi les plus bas du monde, mais cet indicateur ne suffit pas à nous renseigner sur la nature et la signification des privations qui prévalent dans ces deux zones, ni à établir de comparaison entre elles. Si l'on définit la pauvreté en termes de privation des capacités fondamentales, on peut alors rassembler des informations beaucoup plus significatives sur les aspects de la vie dans ces régions [26]. Je m'y emploierai dans cette courte analyse, qui fait suite à mon enquête, menée en collaboration avec Jean Drèze et à deux études complémentaires de cet auteur [27].

Au début des années 1990, l'espérance de vie à la naissance était inférieure à 60 ans dans 52 pays qui, pris ensemble, totalisaient 1,69 milliard d'habitants. 46 de ces pays sont situés en Asie du Sud et en Afrique subsaharienne et les six autres – l'Afghanistan, le Cambodge, Haïti, le Laos, la Papouasie-Nouvelle-Guinée et le Yémen – ne représentent que 3,5 % de la population de notre échantillon. À l'exception du Sri Lanka, toute l'Asie du Sud (Inde, Pakistan, Bangladesh, Népal et Bhoutan) et, à l'exception de l'Afrique du Sud, du Zimbabwe, du Lesotho, du Botswana et d'un chapelet d'îles de l'océan Indien, comme Maurice et les Seychelles, toute l'Afrique subsaharienne, sont incluses dans ce groupe de 46 pays [28]. Il va de soi que des disparités existent à l'intérieur de chacun de ces pays. Les couches de la population les mieux loties, en Asie du Sud et en Afrique jouissent d'une longue espérance de vie, et, comme nous l'avons vu plus haut, certains secteurs de la population, dans des pays où l'espérance de vie moyenne est élevée, comme les États-Unis, affrontent des problèmes de survie comparables à ceux du Tiers-Monde.

TABLEAU 4.1 : *Éléments de comparaison entre l'Inde et l'Afrique subsaharienne (1991)*

	Comparaison des taux de mortalité infantile			Comparaison des taux d'alphabétisation des adultes		
	Région	Population (en millions)	Taux de mortalité infantile (pour mille naissances)	Région	Population (en millions)	Taux d'alphabétisation des adultes* (femmes/hommes)
INDE	Inde	846,3	80	Inde	846,3	39/64
Les trois « pires » États indiens	Orissa	31,7	124	Rajasthan	44	20/55
	Madhya Pradesh	66,2	117	Bihar	86,4	23/52
« Pires » districts	Uttar Pradesh	139,1	97	Uttar Pradesh	139,1	25/56
	Ganjam (Orissa)	3,2	164	Barmer (Rajasthan)	1,4	8/37
pour chacun des « pires » États	Tikamgarh (Madhya Pradesh)	0,9	152	Kishanganj (Bihar)	1	10/33
	Hardoi (Uttar Pradesh)	2,7	129	Bahraich (Uttar Pradesh)	2,8	11/36
Trois « pires » pays en Afrique subsaharienne	Mali	8,7	161	Burkina Faso	9,2	10/31
	Mozambique	16,1	149	Sierra Leone	4,3	12/35
	Guinée-Bissau	1,0	148	Bénin	4,8	17/35
AFRIQUE SUBSAHARIENNE	Afrique subsaharienne	488,9	104	Afrique subsaharienne	488,9	40/63

* Note : l'âge minimal est de 15 ans pour les statistiques africaines et de 7 ans pour les statistiques indiennes. En Inde, le taux d'alphabétisation de l'échantillon 7 ans et plus élevé que pour l'échantillon 15 ans et plus (pour 1981, le taux 7 ans et plus, pour l'ensemble de l'Inde était de 43,6 %, contre 40,8 % pour l'échantillon 15 ans et plus).

Source : J. Drèze et A. Sen, *India : Economic Development and Social Opportunity*, Delhi, Oxford University Press, 1995, tableau 3.1.

Ainsi, à San Francisco, New York, Saint Louis ou Washington DC, l'espérance de vie de la population masculine noire n'atteint pas notre critère de 60 ans [29]. Toutefois, en termes de moyennes nationales, l'Asie du Sud et l'Afrique subsaharienne constituent les deux grandes régions du monde, caractérisées par la précarité et la fugacité des existences.

L'Inde à elle seule abrite plus de la moitié de la population des 52 pays défavorisés. En moyenne, ses scores la situent plutôt dans le peloton de tête de l'ensemble. De fait, l'espérance de vie moyenne y approche les 60 ans et les aurait même dépassés, selon les statistiques les plus récentes. Mais on enregistre, à l'intérieur du pays, une grande disparité régionale en ce qui concerne les conditions de vie. Plusieurs régions (comptant chacune une population totale aussi – ou plus – importante, que la plupart des États de la planète) enregistrent des résultats qui les classent dans les derniers rangs du classement mondial. Pour la plupart des indicateurs, y compris l'espérance de vie, l'Inde obtient de meilleurs résultats moyens que les pays du peloton de queue (comme l'Éthiopie ou la république démocratique du Congo, ex-Zaïre), mais dans de larges zones du pays, l'espérance de vie et les autres indicateurs des conditions de vie ne diffèrent guère de ceux des pays les plus défavorisés [30].

Le tableau 4.1 compare les niveaux de mortalité infantile et ceux d'alphabétisation des adultes, dans les régions les moins développées d'Afrique subsaharienne et d'Inde [31]. Outre les estimations de 1991 – données ici pour les deux ensembles géographiques de référence (première et dernière ligne) – on trouvera aussi celles des trois pays africains du peloton de queue en Afrique, des trois États du peloton de queue en Inde, et pour ceux-ci, du district affichant les plus mauvais résultats. On doit noter qu'aucun pays d'Afrique – ou dans le reste du monde – ne connaît un taux de mortalité infantile aussi élevé que le district de Ganjam, dans l'État d'Orissa, ou un taux d'alphabétisation des femmes aussi bas que le district de Barmer au Rajasthan. La population de chacun de ces deux districts est plus nombreuse que celle du Botswana ou de la Namibie, leurs populations combinées dépassent celle de la Sierra Leone, du Nicaragua ou de l'Irlande. Notons aussi que certains États indiens, comme l'Uttar Pradesh, dont la population équivaut à celle du Brésil ou de la Russie obtiennent des résultats à peine meilleurs que les pays d'Afrique subsahariennes quant aux indicateurs élémentaires de qualité de vie [32].

Si nous comparons maintenant les deux ensembles, nous constatons que les indices sont très proches pour l'alphabétisation ou la mortalité infantile. Mais ils diffèrent en ce qui concerne l'espérance de vie : en Inde, elle se situe, toujours pour 1991, autour de 60 ans, alors qu'elle est beaucoup plus faible en Afrique subsaharienne (autour de 52 ans, en moyenne) [33]. Inversement, toutes les études montrent que la malnutrition est beaucoup plus répandue en Inde que dans l'Afrique subsaharienne [34].

En observant ces données, on voit apparaître un contraste entre les deux ensemble, du point de vue de la mortalité et de la nutrition. L'avantage de l'Inde, concernant les chances de survie, s'explique non seulement par les comparaisons d'espérance de vie, mais aussi par les différences entre les autres statistiques liées à la mortalité. En Inde, par exemple, l'âge médian au moment du décès était de 37 ans en 1991. Pour l'Afrique subsaharienne, en moyenne pondérée, ce chiffre est de 5 ans [35]. De fait, pour cinq des pays de la région, il et même égal ou inférieur à 3 ans. De ce point de vue, le problème de la mortalité prématurée est incomparablement plus aigu en Afrique qu'en Inde.

Mais le centre de gravité de notre comparaison change si nous obervons, cette fois, la prévalence de la malnutrition. Tous les indices de malnutrition générale sont plus élevés, en moyenne, en Inde qu'en Afrique subsaharienne [36]. Et cela, malgré le fait que l'Inde, à la différence de l'Afrique subsaharienne, a atteint l'autosuffisance alimentaire. La notion d'« autosuffisance » signifie que la demande du marché est satisfaite, ce qui, en année normale, ne pose aucune difficulté, avec la seule production nationale. Ainsi, la demande du marché reflète uniquement le pouvoir d'achat, elle ne donne qu'une estimation imparfaite des besoins alimentaires. Tout montre que la malnutrition réelle est plus importante en Inde qu'en Afrique subsaharienne. Si l'on se réfère aux normes de déficit pondéral par âge, la proportion d'enfants souffrant de malnutrition en Afrique est de 20 à 40 %, alors qu'elle atteint le chiffre effarant de 40 à 60 % en Inde [37]. La moitié des enfants indiens sont ainsi victimes de malnutrition chronique. Si on vit plus longtemps en Inde qu'en Afrique et qu'on y atteint un âge médian bien plus élevé, on constate que les enfants souffrant de malnutrition y sont plus nombreux, non seulement en chiffres absolus, mais aussi en proportion du total [38]. Si nous ajoutons le fait que les inégalités liées au sexe ont, en Inde, une incidence significative sur la mortalité, à la différence de l'Afrique sub-saharienne, alors nous obtenons un tableau d'ensemble beaucoup moins favorable pour l'Inde que pour l'ensemble africain [39].

Dans les deux régions considérées, la configuration particulière de la pauvreté et le type de privations qui en résultent dépendent, pour une large part, de facteurs politiques. Pour comprendre l'avantage dont bénéficie l'Inde, en termes de survie, il est nécessaire de prendre en compte les causes de la mortalité prématurée en Afrique. Depuis l'indépendance, l'Inde a largement éradiqué les famines et les guerres, fléaux qui ravagent périodiquement de nombreux pays africains. Aussi inadéquats soient-ils, les services de santé, en Inde, n'ont pas eu à faire face à des troubles politiques et militaires. Par ailleurs, de nombreux pays africains ont traversé des phases très particulières de déclin économique – conséquence, pour partie, des guerres, des troubles sociaux ou de désordres politiques – qui compliquent encore les tentatives d'amélioration du niveau de vie. Un bilan comparatif du développement dans ces deux ensembles devrait prendre en compte ces spécificités [40].

On doit aussi noter un handicap commun, qui n'a jamais été surmonté par l'une ou l'autre des deux régions :

l'analphabétisme endémique, donnée qui, à l'égal de la faible espérance de vie distingue l'Asie du Sud et l'Afrique subsaharienne du reste du monde. Ainsi que le montre le tableau 4.1, les deux ensembles connaissent des taux d'alphabétisation similaires. Traduits en langage concret, ils signifient qu'un adulte sur deux est analphabète.

Mortalité prématurée, malnutrition, analphabétisme... Dans cette comparaison de la nature des privations subies en Inde et en Afrique subsaharienne, je me suis concentré sur trois obstacles à la mise en œuvre des capacités élémentaires. Il va de soi que cet aperçu ne fournit pas, pour ces deux régions, une approche exhaustive de la pauvreté par les capacités. Il éclaire toutefois certains échecs majeurs et soulève des questions cruciales pour la définition des politiques publiques. On remarquera aussi que je n'ai pas cherché à obtenir une mesure « agrégée » des privations, fondée sur le « pesage » des différents aspects des privations de capacités [41]. Un agrégat de ce type offre souvent moins de prise à l'analyse des politiques publiques que l'observation concrète des diverses performances.

Inégalités liées au sexe et femmes manquantes

J'examinerai maintenant un aspect spécifique de l'inégalité qui, ces derniers temps, a attiré toutes les attentions. Le développement qui suit se fonde sur l'article intitulé « Femmes manquantes », que j'ai publié dans le *British Medical Journal*, en 1992 [42]. Il se réfère au terrible phénomène de la mortalité excessive et du taux de survie artificiellement inférieur qui frappe les femmes dans de nombreuses régions du monde. Il s'agit là d'un des aspects les plus criants et les plus brutaux de l'inégalité entre les sexes, laquelle se manifeste, par ailleurs, sous des formes plus subtiles et moins cruelles. Mais sous le terrible aspect décrit ici, l'inégalité reflète une privation de capacité considérable.

En Europe et en Amérique du Nord, le nombre de femmes dans la population tend à surpasser celui des

FIGURE 4.2 : *Rapport hommes-femmes
dans la population totale, par pays*

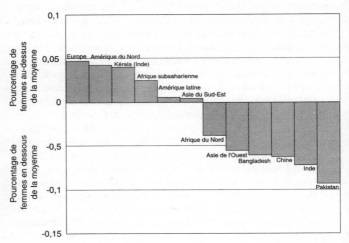

Source : calculs établis d'après les statistiques démographiques des
Nations-Unies.

hommes, et cela dans une proportion conséquente. En
Grande-Bretagne, en France et aux États-Unis, par
exemple, le rapport femmes/hommes excède 1,05. Beaucoup de pays du Tiers-Monde, spécialement en Asie et en
Afrique du Nord, connaissent une situation inverse. La
proportion est ainsi de 0,95 en Égypte, de 0,94 au Bangladesh, en Chine, en Asie de l'Ouest ; de 0,93 en Inde et
même de 0,90 au Pakistan. Ces différences, telles qu'elles
apparaissent dans le tableau 4.2, sont significatives des
inégalités entre hommes et femmes à travers le monde [43].
De fait, il naît – partout – plus de garçons que de filles
(en général, 5 % en plus). Mais, il est établi que les filles
sont mieux « armées » que les garçons et, à niveau de
suivi médical égal, leurs chances de survie sont plus
grandes. Comme on le sait aujourd'hui, même la survie

intra-utérine est mieux assurée pour les filles que pour les garçons. Au surcroît de garçons à la naissance correspond un surcroît encore plus significatif de fœtus de sexe masculin au stade de la conception [44]. Le rapport femmes/hommes dans les pays occidentaux, supérieur à un, résulte donc du moindre taux de mortalité féminin. D'autres causes expliquent encore la prépondérance des femmes. La surmortalité masculine due aux guerres du passé garde encore un impact dans la population. L'incidence des maladies liées au tabac, les morts de cause violente jouent aussi un rôle. Mais, même en tenant compte de ces paramètres, il est indiscutable que la population féminine, à niveau de soins égal, tend à surclasser la population masculine.

Le rapport femmes/hommes inférieur à un, en Asie et en Afrique du Nord, traduit l'influence de facteurs sociaux. À population masculine constante, les femmes devraient être beaucoup plus nombreuses et le rapport femmes/hommes similaire à celui qui prévaut en Europe et en Amérique du Nord [45]. Calculé d'après cette référence, le nombre de « femmes manquantes » pour la Chine, s'établit ainsi à plus de cinquante millions et s'élève à plus de cent millions pour l'ensemble des pays considérés.

On peut toutefois s'interroger sur la validité du rapport choisi. En conséquence d'un taux de mortalité féminin plus faible la proportion femmes/hommes tend à s'accroître avec l'âge, dans les pays développés. Le rapport devrait être plus faible en Asie et en Afrique du Nord du fait d'une moindre espérance de vie moyenne et d'un taux de fertilité plus élevé. On peut, en revanche, établir une comparaison plus fidèle, en prenant pour référence le rapport femmes/hommes qui prévaut en Afrique subsaharienne, région où n'existe pas de désavantage particulier des femmes, du point de vue des taux de mortalité, et où l'espérance de vie moyenne et les taux de fertilité sont comparables (voire, pour ce dernier indice, plus élevé). C'est d'ailleurs ce rapport de 1,022 que j'ai utilisé pour mes études précédentes, celles, en particulier, menées en collaboration avec Jean Drèze. Par comparaison avec ce chiffre, le nombre de femmes manquantes s'établit alors à 44 millions pour la Chine, 37 millions pour l'Inde et toujours plus de 100 millions pour la totalité des pays considérés [46].

Une autre façon, encore, d'aborder ce problème consiste à calculer le niveau auquel s'établirait la population féminine, en l'absence de désavantages spécifiques et en se fondant sur l'espérance de vie et le taux de fertilité réels dans chacun de ces pays. Bien que la méthode se révèle assez complexe, on peut se fier aux solides estimations présentées par Ansley Coale, qui a dressé des tableaux de populations, extrapolés du modèle de développement historique des pays « occidentaux ». Par cette méthode, il obtient les chiffres de 29 millions de « femmes manquantes » en Chine, 23 millions en Inde et un total de quelque 60 millions [47]. Plus faibles, ces résultats sont encore considérables. Les estimations plus récentes de Stephan Klasen, fondées sur des données historiques plus fines, aboutissent à des chiffres plus élevés, soit 90 millions de « femmes manquantes » [48].

Il reste à comprendre les raisons pour lesquelles les taux de mortalité sont plus élevés pour les femmes dans ces pays. En Inde, par exemple, comment expliquer que le taux de mortalité excède celui des hommes pour toutes les classes d'âge jusqu'à 40 ans ? Si, à l'âge de la fécondité, la différence peut résulter partiellement de la mortalité maternelle (décès concomitants ou consécutifs aux accouchements), cette raison ne vaut pas pour les petites ou les jeunes filles. Malgré quelques relations avérées d'infanticides de filles, ce phénomène, somme toute rare, ne saurait expliquer l'ampleur de la surmortalité, ni sa répartition sur l'ensemble des classes d'âge. Il semble que le principal facteur soit le manque d'attention dont les femmes sont victimes, en matière de santé et de nutrition, en particulier, mais pas exclusivement, durant l'enfance. Le constat a souvent été établi : les filles bénéficient de moins d'égards que les garçons pour l'accès aux soins, à l'hospitalisation et même à la nourriture [49].

Si l'exemple indien a fait l'objet d'innnombrables études

– plus de chercheurs travaillent sur cette question en Inde, que partout ailleurs – des comportements similaires à l'égard de la population féminine ont été mis en évidence dans d'autres pays. En Chine, il paraît à peu près indiscutable que les discriminations dont les femmes sont victimes se sont encore renforcées, en conséquence de la législation antinataliste rigide, introduite depuis 1979 et, en particulier, de la politique de l'enfant unique, appliquée dans certaines régions. La disproportion croissante en faveur des garçons à la naissance est le signe le plus net d'une évolution inquiétante et tout à fait atypique, par rapport au reste du monde. Il est plausible que ces chiffres, pour une part, ne soient pas fidèles à la réalité, que les naissances de filles soient « masquées », afin d'éviter les rigueurs de la loi, mais on ne peut exclure la possiblité qu'ils reflètent une mortalité infantile largement supérieure pour les filles – qu'elle soit ou non provoquée (les nouvelles naissances suivies de décès n'étant alors pas prises en compte dans les statistiques). Dans la période récente, il apparaît que la discrimination sexuelle à la naissance se manifeste tout d'abord par l'avortement, les progrès de la technologie permettant de le pratiquer dès que le sexe du fœtus est identifié.

Pour conclure, quelques remarques

On reproche souvent aux économistes de trop se soucier d'efficacité et pas assez d'égalité. La critique n'est pas dénuée de fondement, mais, en toute justice, on doit rappeler que les doctrines économiques, à travers l'Histoire, ont souvent mis au centre de leur réflexion, la question de l'inégalité. Adam Smith, que l'on qualifie de « père de l'économie moderne », s'est préoccupé de l'écart entre riches et pauvres (voir plus loin, les chapitres V et XI). Quelques-uns des théoriciens de la société et des philosophes qui ont le plus élaboré autour de la question de l'inégalité (qu'il s'agisse de Karl Marx, de John Stuart Mill, de B. S. Rowntree ou de Hugh Dalton pour prendre des

exemples issus des traditions les plus hétérogènes) étaient
– aussi – des économistes de poids. Au cours de la période
récente, l'économie de l'inégalité est devenue un domaine
à part entière de la discipline, sous l'égide de quelques
grandes figures, telle celle de A. B. Atkinson [50]. L'attention exclusive portée à l'efficacité demeure sans doute un
trait saillant de nombreux travaux, néanmoins on ne saurait accuser l'ensemble des économistes de négliger la
question de l'inégalité.

La plupart des approches qu'ils proposent prêtent pourtant le flanc à la critique : non parce qu'elles ignorent
l'inégalité mais parce qu'elles la confinent à un domaine
très étroit : celui de l'inégalité par le revenu. Cette réduction du champ de vision, la non-prise en compte d'autres
aspects de l'égalité et de l'inégalité a des implications
considérables sur la définition des politiques publiques.
En la matière, tous les débats sont faussés par la même
obsession : l'attention est portée exclusivement sur la pauvreté et l'inégalité liées aux revenus et ignore les privations résultant d'autres facteurs, tels que le chômage,
l'état sanitaire, le manque d'éducation ou l'exclusion
sociale. Les experts identifient trop souvent, hélas, inégalité économique et inégalité des revenus et finissent par
considérer que ces deux notions sont interchangeables.
Toute étude traitant de l'inégalité économique est ainsi
supposée porter sur la distribution des revenus.

Même au niveau philosophique, on retrouve, dans
une large mesure, cette identification implicite. Ainsi,
Harry Frankfurt, dans son remarquable article intitulé
« L'égalité comme idéal moral » développe une critique
argumentée et très convaincante de ce qu'il appelle « l'économie égalitarienne » qu'il définit comme « la doctrine
selon laquelle aucune inégalité ne devrait résulter de la
répartition monétaire » [51].

Il est pourtant indispensable de saisir la distinction
entre inégalité par les revenus et inégalité économique [52].
La plupart des critiques adressées à l'« économie égalitarienne » comme norme ou comme but, si elles valent pour
le concept étroit d'inégalité par les revenus ne s'appliquent

pas nécessairement à la notion plus large d'inégalité économique. Ainsi, attribuer une meilleure part de revenus à une personne ayant des besoins plus importants – du fait de problèmes de santé, par exemple – pourrait contredire l'exigence d'égalisation des revenus. Il s'agit cependant d'une attitude conforme au précepte plus large d'égalité économique, dans la mesure où ces problèmes de santé et les besoins économiques supplémentaires qu'ils occasionnent doivent être pris en compte, au nombre des exigences de l'égalité économique.

De façon empirique, la relation entre l'inégalité par les revenus et l'inégalité dans d'autres espaces pertinents peut sembler difficile à saisir du fait des nombreux facteurs économiques qui influent sur les inégalités, en termes d'avantages individuels et de libertés substantielles. Mais revenons, encore une fois, sur la comparaison des taux de mortalité entre Afro-Américains d'un côté et Chinois ou Kéralais de l'autre, à l'avantage de ces derniers, malgré leur situation de plus grande pauvreté. Cet exemple illustre, parmi d'autres, l'influence de facteurs en contradiction totale avec l'inégalité par les revenus, mais qui exigent, dans l'élaboration des politiques publiques, la prise en compte de données économiques capitales, telles que le financement de la santé publique et de la couverture médicale, les décisions budgétaires en faveur de l'éducation ou de la sécurité publique.

Comme je l'ai montré dans ce chapitre, le taux de mortalité est un indice significatif des profondes inégalités qui affectent les races, les classes et les sexes. Ainsi, le grave préjudice que subissent les femmes dans de nombreuses régions du monde contemporain et que reflètent les diverses estimations concernant les « femmes manquantes », n'apparaît pas dans d'autres relevés statistiques. De plus, j'ai montré que l'on ne pouvait pas réduire l'analyse des inégalités entre les sexes à l'étude des disparités de revenus mais qu'il fallait aussi prendre en compte la répartition de ce revenu entre les membres de la famille. Nous sommes loin de disposer de toutes les infomations qui seraient nécessaires à ce propos pour en tirer des conclusions fiables quant aux inégalités économiques. Mais d'autres statistiques, qu'elles concernent les taux de mortalité ou encore la malnutrition ou l'analphabétisme permettent d'établir un tableau plus parlant des inégalités et de la pauvreté. Ces informations nous renseignent aussi sur l'étendue des privations relatives que subissent les femmes, en termes de moindre accès aux opportunités (aller à l'école, occuper un emploi, etc.). Cette perspective élargie, qui définit les inégalités et la pauvreté comme des privations de capacités doit pouvoir nourrir l'analyse aussi bien que les débats sur les politiques publiques.

Malgré le rôle majeur des revenus dans les avantages dont jouissent les individus, la relation entre revenus (et autres ressources), d'un côté, et accomplissements individuels et libertés, de l'autre, n'a rien d'automatique, de permanent, ou d'inévitable. Un large faisceau de facteurs contingents soumet à des variations continuelles la « conversion » des revenus en « fonctionnements » que nous souhaitons obtenir et affectent la conduite que nous nous fixons. Je me suis efforcé d'illustrer dans ce chapitre, les différents biais par lesquels interviennent les variations dans la relation entre revenus et libertés substantielles (sous la forme de capacités de vivre la vie que les gens ont raison de souhaiter). De ce point de vue, l'élaboration des politiques publiques exige de soumettre à un examen détaillé les interférences dues aux hétérogénéités individuelles, à la diversité environnementale, aux variations dans le climat social, aux différences dans les perspectives relationnelles et à la distribution au sein de la famille.

On m'oppose parfois l'argument selon lequel le revenu constituerait une entité homogène, par opposition aux capacités, qui seraient, par nature, diverses. Cette appréciation n'est pas tout à fait exacte, dans la mesure où toute évaluation du revenu dissimule, le plus souvent, sans l'assumer, une grande hétérogénéité interne [53]. De plus, comme nous l'avons vu dans au chapitre III, les comparaisons interpersonnelles de revenu réel ne nous fournissent aucune base solide pour d'autres comparaisons interpersonnelles, serait-ce des comparaisons d'utilité (notons que ce hiatus est souvent ignoré dans les études d'économie welfariste appliquée qui mettent en œuvre des conversions totalement arbitraires). Si l'on se fixe comme point de départ la comparaison des moyens, sous la forme de différences de revenus et que l'on veut aboutir à des conclusions valides (en termes de bien-être ou de libertés, par exemple) il est indispensable de prendre en compte les variations contingentes qui affectent notre échelle de conversion. Le présupposé selon lequel la comparaison par les revenus constitue le moyen le plus « pratique » pour établir des différences interpersonnelles d'avantages n'est guère fondé.

De plus, la nécessité d'entamer la discussion sur la valeur des diverses capacités, dans le cadre de la définition des priorités publiques, constitue, comme je l'ai noté, un solide point d'ancrage, et nous contraint à clarifier quelles valeurs sont prises en compte, dans un domaine où les jugements de valeur ne sauraient être éludés. J'insiste, à nouveau, sur le fait que la participation publique au débat d'évaluation – sous des forme explicites ou implicites – est une dimension essentielle de l'exercice de la démocratie et d'un choix social responsable. En matière de décisions publiques, on ne saurait échapper à la nécessité de l'évaluation par le débat public. Aucun principe alternatif, fût-il fondé sur une élaboration brillante n'est à même de remplacer le travail d'évaluation publique. Certains principes qui, en apparence, ouvrent des perspectives riches et lumineuses ne peuvent être mis en œuvre qu'à la faveur d'une dissimulation du processus de choix des valeurs et des poids. Ainsi, le présupposé souvent implicite, que deux individus avec la même fonction de demande doivent entretenir la même relation entre ensembles de biens matériels et bien-être (sans tenir compte de l'hétérogénéité de leur état de santé ou d'autres facteurs) revient, en dernière analyse, à contourner la nécessité de prendre en considératon de nombreuses influences déterminantes pour le bien-être (voir mon développement, à ce sujet, dans le troisième chapitre).

Qu'il s'agisse là d'un simple contournement est évident, comme je me suis efforcé de le démontrer, dès lors que nous adjoignons, aux données concernant le revenu et les biens, des informations d'une autre nature (liées, par exemple, aux notions de vie et de mort).

À ce point, la question du débat public et de la participation sociale apparaît constitutive de l'élaboration politique dans un cadre démocratique. À côté de ses autres fonctions, l'usage des prérogatives de la démocratie – libertés politiques et droits civiques – est une dimension essentielle du processus d'élaboration des politiques économiques. Dans la perspective suivie ici, celle de la liberté, le droit à la participation joue un rôle central dans l'analyse des politiques publiques.

CHAPITRE V

Marché, État et opportunités sociales

« Le destin des vérités nouvelles, écrivait T. H. Huxley dans *Science et culture*, est de commencer en hérésie et de finir en superstitions. » Dans l'histoire de la pensée économique, la notion de marché a suivi cette trajectoire. Il fut un temps – pas si lointain – où tout jeune économiste « connaissait » les limites du marché, et où les manuels, quels qu'en fussent les auteurs, reproduisaient la même liste de « défauts » inhérents au système. La critique intellectuelle du mécanisme de marché a conduit à l'élaboration de méthodes d'organisation du monde radicalement différentes. Elles donnaient la part belle à une bureaucratie puissante et induisaient un niveau de charges fiscales insoutenable. Que ces orientations puissent se solder par des échecs plus graves que ceux imputés au marché ou qu'elles puissent être la cause de nouveaux problèmes, voilà des hypothèses dont on ne souciait guère.

Le climat intellectuel a changé au cours des dernières décennies. On prête aujourd'hui de telles vertus au marché qu'on ne pense même plus à lui demander des comptes. Quiconque s'obstine à mentionner ses défauts trahit un indécrottable passéisme, une inadaptation à l'esprit du temps : écoute-t-on encore les musiques des années 1920 sur des 78 tours ? Un préjugé chasse l'autre. On tient pour hérésie la vérité d'hier et l'hérésie d'hier est la nouvelle superstition.

L'analyse critique des présupposés politico-économiques

et des attitudes qui en découlent n'a jamais été aussi nécessaire [1]. Le dogme du jour (en faveur d'une pure économie de marché) mérite d'être soumis à un examen scrupuleux dont résulte, selon moi, une remise en cause partielle. Il ne s'agit pas de retomber dans les folies d'hier et de nier l'importance – la nécessité vitale, même – du marché mais d'identifier les aspects les plus sensés de l'une et de l'autre approche. Par une prédisposition sans doute personnelle, mon illustre compatriote, Gautama Buddha, n'a cessé d'insister sur l'importance universelle d'une « voie moyenne » (sa réflexion au demeurant ne portait pas spécifiquement sur le mécanismes de marché). On peut, encore aujourd'hui, tirer parti de ses inlassables plaidoyers en faveur du « non-extrémisme », formulés voici deux mille cinq cents ans.

Marchés, liberté et travail

Si les mérites du marché sont aujourd'hui largement reconnus, les *raisons* pour lesquelles nous souhaitons son existence ne sont pas assez expliquées. J'ai abordé le sujet dans l'introduction et le premier chapitre, mais il me faut maintenant y revenir brièvement à propos des aspects institutionnels du développement. On a tendance à juger le marché sur ses résultats, c'est-à-dire à l'aune des revenus et les biens qu'il procure. Cet aspect mérite d'être considéré, je compte d'ailleurs y revenir. Mais il existe un argument plus immédiat en faveur de la liberté du marché : elle se résume, tout simplement, à l'importance élémentaire de cette liberté elle-même. Nous avons de bonnes raisons d'acheter, de vendre, d'échanger, et de conduire notre vie sur un mode qui exige l'existence de transactions. Un déni de liberté sur ce terrain constituerait, en soi, un grave échec pour la société. Le caractère fondamental de cette liberté *précède* tout théorème vérifié ou non (nous y reviendrons dans un instant), visant à évaluer les résultats cumulatifs des marchés en termes de revenus, de services, des produits, etc [2].

On néglige souvent l'omniprésence des transactions dans la vie moderne, tout simplement parce que le phénomène nous paraît aller de soi. Notons que, de la même manière, le rôle de certaines règles de conduite (la morale élémentaire qui gouverne les relations d'affaires, par exemple) dans les économies développées passe souvent inaperçu et l'on ne s'inquiète guère que d'éventuels dysfonctionnements lorsqu'ils surviennent. Mais dans les situations où ces valeurs sont encore balbutiantes, il suffit qu'elles soient négligées pour que leur absence saute aux yeux. L'analyse du développement ne saurait se contenter d'enregistrer la présence obscure d'un code de conduite régissant les relations économiques. Elle doit l'identifier et en prendre toute la mesure. De même, dans certains contextes, l'absence de liberté des transactions peut constituer un handicap majeur[3].

C'est particulièrement vrai, bien sûr, lorsque la liberté du marché du travail est entravée par des lois, des règlements, ou par la tradition. Dans le sud des États-Unis avant la guerre civile, les esclaves noirs disposaient souvent de revenus égaux, voire supérieurs, à ceux de la main-d'œuvre libre aux États-Unis ou ailleurs dans le monde. Ils jouissaient aussi d'une espérance de vie plus longue que les ouvriers des villes du Nord[4]. Pourtant, quels qu'aient été ses résultats, en terrmes de revenus ou de production de biens, l'esclavage n'en constituait pas moins une privation fondamentale de liberté, du fait de l'absence de choix sur le marché de l'emploi et de la soumission à des relations de travail tyranniques.

Toutes les études historiques considèrent la mise en place des marchés libres en général, et de celui de l'emploi en particulier, comme une étape cruciale du développement. Même Karl Marx, grand critique du capitalisme, voyait dans l'émergence de la liberté de l'emploi un progrès majeur (comme nous l'avons déjà noté dans le premier chapitre). Pour une partie du monde, cette étape appartient à l'histoire : ailleurs, elle reste un objectif essentiel. J'en donnerai quatre exemples.

Tout d'abord, des formes diverses de travail servile

existent en Asie et en Afrique, et le droit – essentiel – à la libre recherche d'un emploi salarié hors du contrôle des maîtres traditionnels s'y trouve en permanence bafoué. Il arrive ainsi que les propriétaires de caste supérieure du Bihar, l'un des États les plus arriérés de l'Inde, terrorisent par le meurtre et par le viol les familles « attachées » à leurs terres. Il arrive même que la nature criminelle de leurs actes attire l'attention des médias. Que la presse indienne rapporte ces exactions pourrait, à terme, impulser un changement au sein de ces collectivités. Mais ces crimes sinistres ne sont que l'expression exacerbée d'une situation économique particulière. Y mettre fin exige d'imposer la liberté de l'emploi et de reconsidérer la propriété de cette terre à laquelle ces ouvriers sont rivés contre leur gré. Ces relations de soumission se sont perpétuées jusqu'à aujourd'hui en dépit de leur caractère illégal (votée après l'Indépendance, la loi qui les interdit n'a jamais été entièrement appliquée). Les situations de ce type ont été étudiées en Inde plus que partout ailleurs (voir chapitre I), mais des problèmes similaires sont attestés dans d'autres pays.

Tournons-nous maintenant vers un cas très différent : l'échec du socialisme bureaucratique en Europe de l'Est et en Union soviétique. Si l'on s'en tient aux données économiques brutes, qu'il s'agisse des revenus ou de l'espérance de vie, sa faillite est incompréhensible. En termes d'espérance de vie, par exemple, les pays communistes ont souvent obtenu d'excellents résultats – les statistiques démographiques (vérifiées) de l'Union soviétique, de la Chine avant les réformes de 1979, du Vietnam et de Cuba le prouvent. De ce point de vue, on enregistre même une *détérioration* dans certains de ces pays au cours de la dernière décennie, en Russie, en particulier, où l'espérance de vie à la naissance est tombée à environ 58 ans pour les hommes – un chiffre de loin inférieur à ceux de l'Inde et du Pakistan [5]. Les résultats électoraux montrent pourtant que la population ne souhaite pas revenir à l'ancien système. Même les partis héritiers de l'ancien ordre se gardent de réclamer une véritable restauration et ne revendiquent des retours en arrière que très partiels.

Si l'on veut tirer le bilan de ces évolutions, on doit prendre en compte l'inefficacité économique du communisme. Mais ce facteur n'explique pas tout. L'échec est dû aussi au déni de liberté dans un système dont les marchés étaient bannis. Et même dans les secteurs où ils existaient, leur accès pouvait être interdit à certains. Il arrivait ainsi que des gens postulant pour un emploi soient exclus du processus de recrutement (ou que des indésirables soient contraints d'aller travailler là où leur employeur décidait de les envoyer). La définition cinglante de « route de la servitude » qu'utilisait Friedrich Hayek quand il parlait des économies communistes est tout à fait appropriée[6]. Dans un contexte différent, Michal Kalecki (le grand économiste polonais qui regagna son pays dans la phase d'euphorie qui suivit l'avènement du communisme) répondait à un journaliste qui l'interrogeait sur la transition du capitalisme au socialisme dans son pays : « L'abolition du capitalisme est accomplie. Il ne nous reste plus maintenant qu'à abolir le féodalisme. »

Troisièmement, comme nous l'avons noté au cours du premier chapitre, la question dramatique du travail des enfants (qui existe sur une grande échelle au Pakistan, en Inde ou au Bangladesh, notamment) entretient des relations étroites avec l'esclavage et le servage puisqu'une grande partie des enfants sont astreints par la force à exécuter des tâches épuisantes. Leur condition a pour cause la pauvreté des familles – il n'est pas rare que les parents soient eux-mêmes tenus dans des relations de servitude vis-à-vis de leurs employeurs –, même si l'on ne peut ignorer une autre dimension de cette sinistre réalité, c'est-à-dire la barbarie qui consiste à *forcer* des enfants à accomplir tel ou tel ordre. Dans les régions concernées, la liberté de s'instruire est limitée non seulement par la faiblesse des structures scolaires élémentaires mais aussi par l'impossibilité dans laquelle ces enfants – et souvent leurs parents – se trouvent de choisir ce qu'ils souhaitent faire.

En Asie du Sud, les économistes sont divisés sur la

question du travail des enfants. Pour certains, l'abolition pure et simple du travail des enfants, si elle ne s'accompagnait pas de mesures visant à améliorer la situation économique des familles, ne servirait les intérêts de personne et surtout pas ceux des enfants. L'argument n'est pas dépourvu de fondements, mais la forme proprement esclavagiste souvent revêtue par ce travail ramène le débat à des données plus simples. L'esclavagisme est une forme d'obscurantisme : la législation anti-esclavagiste doit donc s'appliquer sans détour, tout comme celle relative au travail des enfants. Celui-ci constitue un sérieux problème, il prend un caractère plus monstrueux encore en raison du contexte de servage, ou d'esclavage pur et simple, dans lequel il s'inscrit.

Quatrièmement, la liberté pour les femmes de travailler en dehors du cadre familial est une question cruciale dans de nombreux pays du Tiers-Monde. Partout où cette possibilité est déniée, il s'agit d'une violation grave de la liberté des femmes et de l'égalité entre les sexes. C'est un obstacle à leur responsabilisation économique dont les conséquences négatives sont multiples. En effet, l'entrée sur le marché du travail contribue non seulement à leur indépendance économique, mais il a aussi pour effet de procurer aux femmes une meilleure part dans la répartition du revenu au sein même du foyer [7]. Faut-il le rappeler ? Le travail domestique, si éreintant soit-il, est rarement respecté ou même reconnu – et jamais rémunéré. La privation du droit de travailler hors du foyer n'en est qu'une plus grave atteinte à la liberté des femmes [8].

L'interdiction faite aux femmes de travailler est parfois imposée par des moyens brutaux et démonstratifs (par exemple, en Afghanistan, aujourd'hui). Dans d'autres cas, elle s'exerce par les voies tacites de la convention et du conformisme. Il se peut encore qu'en l'absence de tout interdit formel, les femmes élevées dans les valeurs traditionnelles se montrent elles-mêmes réticentes à rompre avec la tradition et craignent de choquer. Les notions de

« normalité » et de « convenances » jouent ici un rôle central.

Cette question renvoie à d'autres thèmes abordés dans ce livre, en particulier à la nécessité de la libre discussion concernant l'ensemble des problèmes sociaux, ou encore à l'avantage d'introduire les changements sociaux par l'intermédiaire de groupes organisés. Les organisations de femmes ont pris en charge ce rôle dans de nombreux pays. La Self-employed Women's Association (SEWA- association des femmes auto-employées) est parvenue, dans une partie de l'Inde, à obtenir plus d'emplois pour les femmes, mais surtout à créer un climat de pensée différent. C'est aussi le cas d'organismes de crédit participatif ou coopératif, tels que la Grameen Bank et le Bangladesh Rural Advancement Committee (BRAC), tous deux au Bangladesh.

J'ai mis l'accent, jusqu'ici, sur deux points : d'une part, l'importance des transactions et du droit à la participation économique (qui inclut le droit à la libre recherche d'un emploi), d'autre part, l'importance directe des libertés liées au marché. Mais nous ne devons pas perdre de vue la complémentarité entre ces libertés et celles qui résultent de l'existence d'institutions indépendantes du marché [9]. Cette complémentarité entre divers types d'institutions (en particulier entre les organisations non liées au marché et celui-ci) constitue un autre thème central de ce livre.

Marchés et efficacité

Le marché du travail agit souvent comme un libérateur. En toutes circonstances, la simple liberté de s'engager dans des transactions revêt une importance centrale, quels que soient, par ailleurs, les résultats imputables au marché, en termes de revenus ou de production de biens. Mais on ne doit pas pour autant négliger ces conséquences et j'examinerai maintenant cet aspect.

Pour évaluer le mécanisme de marché, il est important

de tenir compte du type de marchés observés : concurrentiels ou monopolistiques (ou non concurrentiels pour
d'autres raisons) ; caractérisés ou non par l'absence
(structurelle et donc difficilement amendable) de certains marchés et ainsi de suite. D'autre part, les situations particulières (disponibilité ou non de tel ou tel type
d'informations, dimensions plus ou moins importantes de
l'économie concernée) influencent les possibilités réelles
et prédéterminent les objectifs qu'il est possible
d'atteindre à travers les différentes formes institutionnelles que revêt le mécanisme de marché [10].

En l'absence d'imperfections telles que celles déjà men-
tionnées (y compris les biens et services qu'on ne saurait
soumettre au statut marchand), les modèles classiques de
l'équilibre ont été utilisés pour démontrer les mérites du
mécanisme de marché en termes d'efficacité économique. Celle-ci est habituellement définie en référence à
ce que les économistes appellent « l'optimum de Pareto » :
une situation dans laquelle l'utilité (ou le bien-être) de
quiconque ne peut être améliorée sans réduire l'utilité (ou
le bien-être) d'autrui. Cette réalisation de l'efficacité – ce
que l'on appelle le théorème d'Arrow-Debreu (en référence
aux auteurs qui l'ont formulé, Kenneth Arrow et Gérard
Debreu [11]) revêt une réelle importance en dépit de présupposés simplistes [12].

Ce « théorème » montre que, dans certaines conditions,
les résultats du mécanisme de marché ne sont pas perfec-
tibles d'une manière telle que l'utilité de chacun s'en trouverait augmentée (ou telle que l'utilité de certains puisse
être augmentée sans que celle de quelqu'un d'autre s'en
trouve diminuée) [13].

On peut cependant se demander si l'efficacité recher-
chée ne devrait pas être comptabilisée en termes de
libertés individuelles plutôt que d'*utilités*. La question est
d'autant plus légitime que notre problématique s'orga-
nise ici autour des libertés individuelles et non de la question de l'utilité. En fait, j'ai démontré ailleurs que, dans
les termes d'une caractérisation plausible des libertés
substantielles des individus, une bonne part des résultats

d'Arrow-Debreu sont transposables de « l'espace » de l'utilité à celui des libertés individuelles, à la fois en termes de liberté de choisir des *paniers de biens matériels* et en termes de *capacités de fonctionnement* [14]. Pour prouver la viabilité d'une telle extension, on recourt à des hypothèses similaires à celles exigées dans les résultats d'Arrow-Debreu (telles que l'absence de biens non commercialisables sur le marché). Ces hypothèses faites, il apparaît que, en vue d'une caractérisation cohérente des libertés individuelles, un marché concurrentiel équilibré garantit que personne ne peut voir sa liberté accrue sans porter atteinte à la liberté de tous les autres.

Pour établir cette connexion, l'importance de la liberté ne doit pas être évaluée simplement en fonction du *nombre* d'options disponibles mais aussi en tenant compte du caractère plus ou moins *attractif* de chacun des choix possibles. Les aspects de la liberté sont multiples. Nous avons déjà examiné les libertés personnelles ainsi que la liberté de transaction. Cependant, pour la *liberté de réaliser*, en fonction de l'objectif que l'on s'est fixé, nous devons prendre en considération les avantages de chaque option [15]. Pour éclaircir ce rapport liberté-efficacité (sans entrer dans les détails techniques), on peut noter que lorsque les individus sont à même d'exercer un choix intelligent, l'efficacité en termes d'utilités individuelles doit, dans une large mesure, se greffer sur l'offre de possibilités adéquates parmi lesquelles les individus ont la possibilité de choisir. Ces possibilités concernent non seulement ce que les gens choisissent (et l'utilité qu'ils réalisent) mais aussi l'ensemble des options utiles dont ils disposent (et les libertés substantielles dont ils jouissent).

Un point mérite d'être clarifié : il s'agit de la maximisation de l'intérêt personnel en relation avec les résultats d'efficacité du mécanisme de marché. Dans le cadre classique – celui d'Arrow-Debreu – on présuppose que la motivation exclusive de chacun est la satisfaction de son intérêt personnel. On doit prédéfinir ce comportement en vue d'établir le résultat auquel la performance du marché atteindra « l'optimum de Pareto » (défini en termes d'intérêts personnels), de sorte qu'aucun intérêt personnel ne pourra être encore optimisé sans nuire aux intérêts d'autres personnes [16].

Or cette présomption d'égoïsme généralisé est difficilement défendable, d'un point de vue empirique. En outre, il existe des circonstances plus complexes que celles envisagées par Arrow-Debreu pour élaborer leur modèle (elles mettent en jeu des interdépendances directes entre les intérêts de diverses personnes). Les comportements fondés sur l'intérêt personnel peuvent alors se révéler contre-productifs : ils ne débouchent pas sur des résultats efficaces. S'obliger à postuler l'égoïsme universel pour établir l'efficacité dans le modèle Arrow-Debreu limiterait sérieusement cette approche. On peut éviter cette limitation si l'on examine les demandes d'efficacité en termes de libertés individuelles et non simplement en termes d'utilités.

Si le présupposé de l'intérêt personnel impose des restrictions, on peut toutefois les lever dès lors que l'on prend pour objet les libertés substantielles dont les gens jouissent (quel que soit l'objectif qu'ils poursuivent en exerçant ces libertés) et non plus l'intérêt personnel et la mesure dans laquelle il est satisfait (à travers leur propre comportement, motivé par l'intérêt personnel). Dans ce cas, il n'est pas nécessaire de formuler des hypothèses en vue de définir ce qui motive les choix des individus, puisque ce dont il est question n'est plus la réalisation d'intérêts mais la disponibilité de la liberté (qu'elle serve à satisfaire l'intérêt personnel ou à tout autre but). Les résultats analytiques élémentaires du théorème d'Arrow-Debreu sont ainsi indépendants des motivations sous-jacentes aux préférences individuelles et celles-ci peuvent ne pas être prises en compte si l'objectif est de démontrer l'efficacité dans la satisfaction préférentielle, ou l'efficacité dans les libertés substantielles individuelles (quelle qu'en soit la motivation) [17].

Couplage des désavantages et inégalité des libertés

Le résultat concernant l'efficacité du marché peut être étendu à la perspective des libertés substantielles. Mais ces résultats ne nous renseignent pas sur l'équité des productions du marché, ni sur l'équité dans la distribution des libertés. Une situation peut être estimée efficace quand l'utilité ou la liberté substantielle d'un individu ne peut être améliorée sans que ne soient réduites l'utilité ou la liberté réelle d'un autre individu. Mais même alors, il se peut que subsistent de profondes inégalités dans la distribution des utilités et des libertés.

De fait, le problème de l'inégalité gagne en importance dès que l'attention se déplace de l'inégalité des revenus vers l'inégalité de la *distribution des libertés substantielles et des capacités*. La raison tient à la possibilité de ce que je nommerais un « couplage » de l'inégalité par le revenu, d'une part, avec l'inégalité des avantages dans la conversion des revenus en capacités, d'autre part. Avec ce deuxième terme, on tend à intensifier le problème d'inégalité que reflète déjà l'inégalité des revenus. Ainsi, une personne malade ou âgée ou affectée d'un autre handicap aura, d'une part, du mal à *gagner* un revenu décent, et, d'autre part, plus de difficultés à *convertir* ce revenu en capacités et en confort de vie. Un facteur susceptible d'empêcher quelqu'un d'obtenir un bon travail et un revenu correct (l'infirmité, par exemple) sera *aussi* susceptible d'empêcher cette personne de jouir d'une bonne qualité de vie, même à travail et à revenu égal [18]. La relation entre la faculté de gagner un revenu et la faculté de l'utiliser est un phénomène souvent relevé dans les études empiriques sur la pauvreté [19]. L'inégalité interpersonnelle du revenu comme résultat du marché tend à s'amplifier sous l'effet de ce « couplage » bas revenus-handicap dans la conversion des revenus en capacités.

L'efficience, du point de vue des libertés dans le mécanisme de marché, d'une part, et la gravité des problèmes d'inégalités en relation avec les libertés, de l'autre, méritent d'être considérées simultanément. Il est nécessaire de trouver une réponse aux problèmes d'équité, particulièrement dans un contexte de privations graves et de pauvreté, et l'intervention sociale, soutien gouvernemental inclus, pourrait bien avoir un rôle important à jouer dans ce domaine. Pour une bonne part, la Sécurité sociale de l'État-providence remplit ce rôle, par la couverture médicale, l'aide publique aux chômeurs et aux pauvres, etc. Mais dans ce cadre encore, il faut maintenir, *de façon simultanée*, deux préoccupations : l'efficacité et l'équité. En effet, les interventions motivées par l'équité peuvent, même si elles atteignent leur objectif, nuire à l'efficacité. L'impératif de simultanéité doit être maintenu lorsqu'on aborde les divers aspects de l'évaluation sociale et de la justice.

À plusieurs reprises, dans cet ouvrage, nous avons dû prendre en compte, de façon synchronisée, des objectifs distincts. Ainsi, dans le chapitre IV, nous avons souligné le contraste, sur le terrain social, entre l'Europe et les États-Unis, la première s'efforçant de garantir les minima sociaux et les soins médicaux, et les seconds privilégiant le maintien de l'emploi à un niveau élevé. Jusqu'à un certain point, ces deux types d'engagements sociaux peuvent coexister comme ils peuvent parfois entrer en conflit. Dans la mesure où un tel conflit apparaît, l'impératif de simultanéité doit nous conduire à considérer les deux questions *ensemble* pour définir des priorités sociales *générales*, tenant compte à la fois de l'efficacité et de l'équité.

Marchés et groupes d'intérêts

Le rôle que l'on attribue aux marchés dépend non seulement de ce qu'ils peuvent faire mais aussi de ce qu'on les autorise à faire. Dans une situation où beaucoup de gens bénéficient d'un fonctionnement harmonieux des marchés, les intérêts établis de certains groupes pâtissent de ce même fonctionnement. En fonction du poids politique ou de l'influence dont ils disposent, ces groupes peuvent tenter de restreindre le libre déploiement des marchés dans l'économie. Le problème peut devenir très sérieux là où se sont imposés des monopoles, protégés de la concurrence – nationale ou internationale – en dépit de leur inefficacité ou de leurs erreurs d'orientation. Si la population pâtit alors des prix élevés et de la mauvaise qualité des produits, les cartels « industriels », politiquement influents, sauvegardent ainsi leurs intérêts.

Lorsque Adam Smith déplorait les obstacles au déploiement des marchés dans la Grande-Bretagne du XVIIIᵉ siècle, il ne cherchait pas seulement à mettre en lumière les avantages sociaux du bon fonctionnement du marché, il dénonçait aussi l'influence déployée par certains groupes pour maintenir leurs rentes de situation et protéger leurs profits pléthoriques des effets de la concurrence. Décrire le fonctionnement du marché lui apparaissait comme le meilleur antidote aux arguments de ces groupes d'intérêts privés : ils voulaient restreindre le rôle de la concurrence, la doctrine d'Adam Smith allait miner leurs arguments.

Les limitations imposées au marché dont Adam Smith était l'adversaire résolu pourraient être qualifiées de précapitalistes. Ses critiques ne visaient pas l'intervention publique telle qu'elle apparaîtra plus tard dans les programmes de protection sociale impulsés par l'État-providence et qu'on ne rencontre, à son époque, que sous forme embryonnaire dans des législations telles que les lois sur les pauvres (Poor Laws) [20]. Il n'avait pas non plus pour cible d'autres fonctions de l'État, telles que l'enseignement public, dont il était par ailleurs un fervent partisan (nous allons bientôt revenir sur ce point).

La plupart des limitations dont souffrent aujourd'hui les pays en voie de développement – ou même les pays prétendument socialistes d'hier – relèvent de cette même catégorie « précapitaliste ». Qu'il s'agisse des restrictions aux échanges sur le marché national ou international, du maintien de techniques ou de méthodes de production obsolètes dans des entreprises sous le contrôle de la « bourgeoisie protégée », on retrouve associées, par une analogie frappante, les plaidoyers au rouleau compresseur pour une concurrence restreinte et la défense des valeurs et des modes de pensée précapitalistes. Parmi les « radicaux » d'hier, aucun ne souscrivait aux thèses – généralement hostiles au marché – des maîtres-penseurs précapitalistes : pensons à Adam Smith, dont la pensée inspira nombre d'acteurs de la Révolution française ; à David Ricardo, qui s'opposa à Malthus quand celui-ci défendait la contribution productive des propriétaires terriens engourdis dans leur torpeur ou encore à Karl Marx, qui voyait dans le capitalisme concurrentiel le principal moteur du progrès pour son époque.

Par une ironie de l'histoire des idées, certains « radicaux » d'aujourd'hui se laissent séduire par ces mêmes vieilles thèses économiques que Smith, Ricardo et Marx avaient rejetées sans équivoque de leur temps (on comprend mieux dans ce contexte l'amertume de Michal Kalecki envers sa Pologne enlisée dans les restrictions et que résume la formule que j'ai citée plus haut : « Nous avons aboli le capitalisme ; il ne nous reste plus qu'à abolir le féodalisme. »). On ne s'étonnera donc pas que la bourgeoisie protégée voie du meilleur œil ces thèses qui, sous leur vernis radical et moderniste, ont pour principale fonction de dépoussiérer des arguments obsolètes d'opposition au marché.

Anciens ou récents, les arguments visant à défendre une restriction généralisée de la concurrence doivent faire l'objet d'une critique ouverte et étayée. Comme cela va de soi, il est indispensable d'analyser, en parallèle, le pouvoir politique mis en œuvre concrètement par les groupes d'intérêt bénéficiaires de la limitation du commerce et des échanges. De nombreux auteurs estiment, à juste titre, que les plaidoyers en faveur de la limitation du marché doivent être jugés à la lumière des intérêts privés en jeu, et en montrant quelles rentes de situation sont perpétuées par le refus d'une économie concurrentielle. Comme le notait Vilfredo Pareto dans un développement célèbre, si « une certaine mesure A est cause de la perte d'un franc pour chaque individu d'un groupe de mille personnes, et d'un gain de mille francs pour un individu particulier, ce dernier déploiera une énergie importante, tandis que les premiers opposeront une faible résistance et il est probable qu'au bout du compte, c'est la personne qui s'efforce de défendre ses mille francs au moyen de A qui l'emportera [21] ». Dans notre monde, l'influence politique mise au service d'un bénéfice économique est un phénomène courant [22].

On ne peut s'opposer à cette influence en se contentant de résister aux groupes d'intérêts qui profitent des marchés captifs, ou en les « dénonçant » (pour employer une expression aujourd'hui désuète). Il est également indispensable de passer leurs arguments au crible. Il existe en économie une longue tradition critique sur ce thème. Elle remonte, au moins, à Adam Smith, qui désignait du doigt les coupables tout en démystifiant les thèses qui associaient limitation de la concurrence et progrès social. Adam Smith affirmait que les intérêts privés tendent à l'emporter en raison d'une « meilleure connaissance de leurs intérêts » (et non d'une meilleure connaissance de l'intérêt public). Il écrivait :

> « L'intérêt des négociants cependant, dans toute branche du négoce ou de la manufacture, est toujours à quelque égard différent, voire opposé, à celui du public. Il est toujours dans l'intérêt du négociant d'élargir le marché et de restreindre la concurrence. Or il se trouve qu'élargir le marché est fréquemment compatible avec l'intérêt du public, mais que restreindre la concurrence dessert toujours celui-ci et ne saurait avoir d'autre fin que de permettre au négociant, élevant ses bénéfices bien au-delà de ce que ces derniers auraient naturellement dû être, de lever sur le reste de ses concitoyens, et à son seul bénéfice, une taxe absurde. Toute nouvelle loi ou réglementation commerciale visant à une telle fin devrait être accueillie avec une grande prudence, et ne jamais être adoptée avant que d'avoir été longuement et prudemment examinée de la plus scrupuleuse, mais aussi de la plus méfiante, des attentions [23]. »

Pour peu qu'un débat ouvert s'instaure, les rentes de situation peuvent être remises en cause. Même dans le cas de figure imaginé par Pareto, lorsque le millier d'individus, lésés par une politique qui sert démesurément les intérêts d'un seul entrepreneur, prennent conscience de la réalité de la situation, alors une majorité conséquente d'entre eux ne manque pas de se faire entendre en opposition à cet intérêt particulier. C'est un terrain idéal pour poursuivre un débat public, dans lequel chacun ferait valoir ses arguments. Dans la confrontation démocratique ouverte, l'intérêt commun a les meilleures chances de s'imposer contre le plaidoyer, si éloquent fût-il, des représentants de coteries défendant leurs intérêts particuliers. Ici encore, comme dans d'autres domaines déjà explorés dans ce livre, le remède réside dans plus de liberté – en particulier, les libertés de débattre et de participer aux décisions politiques. Et il apparaît, une fois encore, que certains types de libertés (ici, la liberté politique) contribuent à l'établissement de libertés d'autres types (ici, l'ouverture économique).

Nécessité d'un examen critique du rôle des marchés

Le débat public et critique est indispensable aux politiques publiques, ne serait-ce que parce qu'il est impossible de déterminer à l'avance le rôle et la portée du marché par une belle formule, abstraite et générale, que celle-ci vise à soumettre toute activité à la loi du marché ou à lui retirer au contraire toute prérogative. Même Adam Smith, ardent défenseur du marché partout où celui-ci lui semblait efficace (et qui niait le bien-fondé de tout rejet *global* du commerce et des échanges), n'hésitait pas à examiner les circonstances dans lesquelles des restrictions particulières pouvaient se révéler efficaces, ou les champs économiques dans lesquels des institutions externes au marché pourraient complémenter utilement ce dernier [24].

On aurait tort de croire que les critiques d'Adam Smith

à l'égard du mécanisme de marché étaient toujours superficielles (et tort, également, de croire qu'elles étaient toujours justes). Il recommandait par exemple des lois limitant la pratique de l'usure [25]. Adam Smith était bien sûr opposé à une interdiction pure et simple des prêts à intérêt (effectivement proposée par certains adversaires du marché) [26]. Il désirait néanmoins que l'État impose une limite légale aux taux d'intérêt.

Dans les pays où l'intérêt est permis, la loi, afin de prévenir l'extorsion usuraire, fixe généralement le taux d'intérêt le plus élevé perceptible sans encourir de pénalité...

Il faut observer que le taux légal, s'il doit être quelque peu supérieur au taux inférieur du marché, ne doit pas excéder de beaucoup celui-ci. Si le taux d'intérêt légal en Grande-Bretagne, par exemple, était fixé aussi haut que 8 ou 10 %, il n'y aurait guère que des prodigues ou des imprudents pour emprunter l'argent à tel prix, nul autre qu'eux n'étant disposé à payer un intérêt aussi élevé. Des personnes saines d'esprit et de ce fait disposées à ne payer pour l'usage de l'argent qu'une partie du gain qu'ils sont en droit d'en attendre ne sauraient s'aventurer en une telle compétition. Une part importante du capital de ce pays se trouverait ainsi mise hors d'atteinte de ceux-là mêmes qui semblent les plus capables d'en faire un usage avantageux et profitable, et jeté entre les mains des plus susceptibles de le gâcher et de le détruire [27].

L'argument sous-jacent à la logique interventionniste d'Adam Smith est que les signaux du marché peuvent être trompeurs et que le libre marché peut être cause d'un gaspillage de capital par des entreprises mal guidées ou aveuglées par leurs intérêts particuliers à court terme ; ou d'un gaspillage par des entités privées de ressources publiques. En mars 1787, Jeremy Bentham prenait à partie Adam Smith dans une longue lettre où il conseillait à ce dernier de laisser faire le marché [28]. Cet épisode de l'histoire de la pensée économique ne manque pas de sel : le chef de file de l'utilitarisme interventionniste donnait des leçons de laisser-faire au pionnier de l'économie de marché [29].

Aujourd'hui, on ne débat plus de la nécessité de fixer un taux d'intérêt maximum légal (Bentham, sur ce point, a clairement prévalu sur Smith), mais il est important de saisir les raisons qui ont conduit ce dernier à adopter une position aussi sévère à l'égard des « prodigues et des imprudents ». Adam Smith était très soucieux du gâchis social et de la perte de capital productif. Il en discute les causes de façon approfondie (*La Richesse des nations*, livre 2, chapitre III). Dans les « prodigues », il voit une cause potentielle majeure de gâchis social, guidés qu'ils sont, selon lui, par « la passion d'une jouissance rapide ». Au point que « tout prodigue apparaît être un ennemi public ». Dans les « imprudents », il voit encore un risque potentiel de gâchis social :

> « Les effets de l'imprudence et ceux de la prodigalité sont souvent semblables. Tout projet inconsidéré ou infructueux dans l'agriculture, les mines, la pêche, le négoce ou la manufacture tend semblablement à amoindrir les fonds destinés à l'entretien de la main-d'œuvre productrice. De tels projets, quels qu'ils soient [...] résultent toujours en une diminution de ce qui aurait autrement dû entrer dans les fonds productifs de la société [30]. »

Il importe peu de discuter un à un les arguments exposés, ce qui compte plutôt, c'est la préoccupation générale dont ils témoignent. Adam Smith envisage la possibilité que l'objectif étroit du profit individuel soit la cause d'un déficit social, se situant dans une perspective strictement opposée à sa remarque la plus célèbre : « Ce n'est pas de la bienveillance du boucher, du brasseur ou du boulanger que nous attendons notre dîner, mais de l'attention qu'ils portent à leurs propres intérêts. Nous ne nous adressons pas à leur humanité mais à l'amour qu'ils ont pour eux-mêmes [31]... » Si l'exemple du boucher-brasseur-boulanger attire notre attention sur le rôle mutuellement bénéfique des échanges fondés sur l'intérêt individuel, l'argument du prodigue-imprudent envisage les situations particulières dans lesquelles le profit personnel et ses motivations s'exercent à l'encontre de l'intérêt social. C'est cette préoccupation d'ordre général qui reste aujourd'hui d'actualité (et non le cas particulier des prodigues et des imprudents) [32]. La perte sociale due à la pollution ou à la destruction de l'environnement et résultant de certaines productions privées est assez proche de ce qu'Adam Smith semble avoir en tête lorsqu'il parle « d'une diminution de ce qui aurait autrement dû entrer dans les fonds productifs de la société ».

L'analyse du mécanisme de marché proposée par Adam Smith ne nous fournit aucune stratégie d'ensemble, aucune méthode générale de définition des politiques publiques, fondée sur un principe « pro » ou « anti » marchés. Après avoir constaté le rôle important du commerce et de l'échange dans la vie humaine, il nous reste à examiner les autres conséquences des transactions sur le marché. Nous devons nous livrer à une évaluation critique des possibilités réelles, en accordant l'attention nécessaire à toutes les circonstances contingentes susceptibles d'entrer en ligne de compte dans l'estimation de l'ensemble des effets produits par un encouragement du marché, ou au contraire par sa limitation. Si l'exemple du boucher, du brasseur et du boulanger se réfère à une situation courante dans laquelle nos intérêts complémentaires se trouvent mutuellement servis par l'échange, l'exemple des prodigues et des imprudents illustre la possibilité que tout ne se passe pas toujours ainsi. Un examen critique s'impose.

Nécessité d'une approche diversifiée

Il est aujourd'hui acquis que, pour aborder les questions liées au développement, il est préférable de multiplier les angles d'approche et maintenir le point de vue le plus large possible. La leçon résulte de l'expérience des dernières décennies, des difficultés, mais aussi des réussites, rencontrées par divers pays [33]. Parmi d'autres aspects, l'expérience a permis de comprendre la nécessité de créer un équilibre entre le rôle du gouvernement – et les autres institutions sociales ou politiques – et le fonctionnement des marchés.

La même logique préside aussi à la notion de « cadre de développement global » tel que le proposait récemment James Wolfensohn, le président de la Banque mondiale [34]. Cette perspective implique le rejet d'une vision compartimentée du processus de développement (le fait, par exemple, de tout soumettre à la « libéralisation », ou à un autre processus unique et polyvalent). La quête d'un remède universel, tel que « l'ouverture des marchés » ou « la fixation des prix justes » a longtemps dominé la réflexion parmi les professionnels du développement, ceux de la Banque mondiale, en particulier. On comprend aujourd'hui la nécessité d'une approche diversifiée, capable d'intégrer des éléments hétérogènes et permettant d'accomplir simultanément et sur plusieurs fronts des progrès qui se renforcent mutuellement [35].

Cette approche « panoramique » peut paraître moins séduisante que les réformes très ciblées qui promettent de régler un problème après l'autre. C'est sans doute la raison pour laquelle les réformes économiques impulsées en Inde, à partir de 1991, sous l'autorité intellectuelle de Manmohan Singh se sont focalisées à ce point sur la seule « libéralisation », sans se soucier de la contrepartie logique de cette réorientation économique, c'est-à-dire le développement des opportunités sociales. La complémentarité semblait pourtant évidente. Quand on bride, d'un côté, l'interventionnisme excessif d'un État omniprésent dans l'économie et surnommé pour cette raison le « License Raj », on dispose alors des moyens de s'attaquer à la sous-activité du même État en ce qui concerne l'éducation élémentaire ou d'autres opportunités sociales (en Inde, une moitié de la population adulte est illettrée et incapable de participer à une économie de plus en plus mondialisée) [36]. Manmohan Singh a impulsé plusieurs réformes importantes et sa réussite a été saluée à juste titre [37]. Pourtant, celle-ci aurait pu être plus remarquable encore, si les réformes s'étaient accompagnées d'un engagement à développer les opportunités sociales chroniquement négligées en Inde.

Cette première combinaison – tirer le meilleur du fonctionnement des marchés et développer les opportunités sociales – devrait s'inscrire dans le cadre d'une approche plus large encore, destinée à favoriser des libertés d'autres types (droits démocratiques, garantie de la sécurité, possibilités de coopération, etc.). J'ai montré, dans le présent ouvrage, que les diverses libertés instrumentales (droits économiques, libertés démocratiques, opportunités sociales, garanties de transparence, sécurité protectrice) remplissent des fonctions indispensables mais aussi qu'elles se renforcent mutuellement. Dès lors que la discussion s'attache au cas particulier d'un pays ou d'un autre, l'expérience particulière de ce pays modifie l'axe des préoccupations. Pour l'Inde, par exemple, le peu d'attention accordée aux opportunités sociales constitue un axe critique pertinent, ce qui est moins vrai pour la Chine, alors que l'absence de libertés démocratiques appelle une discussion critique dans le cas de la Chine, ce qui est moins vrai pour l'Inde.

Interdépendance et biens publics

Certains partisans du mécanisme de marché considèrent qu'il offre des solutions à tous les problèmes économiques. Ils devraient mieux en mesurer les limites. J'ai discuté, plus haut, la question de l'équité et la nécessité de dépasser les considérations d'efficacité, et je me suis alors efforcé d'établir les raisons qui justifient l'activité d'autres institutions, en complément au marché. Mais même dans le domaine de l'efficacité, le marché se montre parfois défaillant – à l'égard, en particulier, de ce qu'on appelle les « biens publics ».

Pour démontrer l'efficacité du mécanisme de marché, on admet généralement que tout bien – et, de manière plus large, tout ce sur quoi repose notre bien-être – peut être acheté et vendu sur le marché. Si l'on adopte ce point de vue, tout – et surtout ce qui exerce une influence significative sur notre bien-être – peut entrer sur le marché, c'est-à-dire acquérir le statut de marchandise. En réalité, certains éléments qui contribuent de façon essentielle à notre capacité humaine peuvent se révéler difficiles à vendre exclusivement à une seule personne à la fois. C'est le cas de ce qu'il est convenu d'appeler les « biens publics » qui sont consommés collectivement et non individuellement [38].

Cela vaut, en particulier, dans des domaines tels que la protection de l'environnement, ou encore l'épidémiologie et la santé publique. Je peux être disposé à payer ma part dans un programme visant à l'éradication de la malaria, mais il m'est impossible d'acheter ma part de protection sous forme d'un « bien privé » (comme s'il s'agissait d'une pomme ou d'une chemise). Il s'agit d'un « bien public » – en l'occurrence, un environnement sans malaria – à consommer ensemble. Mieux : si je parvenais d'une façon ou d'une autre à organiser un environnement sans malaria là où je vis, mon voisin vivrait lui aussi dans cet environnement sans avoir eu à « l'acheter » auprès de qui que ce soit [39].

Le mécanisme de marché concerne les biens privés (les pommes, les chemises) plutôt que les biens publics (l'environnement sans malaria), et les raisons ne manquent pas pour justifier le financement des biens publics au-delà de ce que le marché privé aurait pu concéder [40]. Pour les mêmes raisons, le marché a une portée trop limitée pour fonctionner dans d'autres domaines : la défense, le maintien de l'ordre, la protection de l'environnement, etc.

Venons-en maintenant aux cas ambigus. Prenons l'exemple de l'éducation élémentaire : les avantages que la collectivité en retire transcendent les bénéfices individuels de chaque personne scolarisée. De ce point de vue, l'éducation est un bien public (on peut la définir comme un bien semi-public). L'alphabétisation, la diffusion de l'éducation dans un pays ou une région donnée, sont des facteurs du changement social (qui influencent jusqu'aux taux de fertilité et de mortalité, comme nous le verrons dans les chapitres VIII et IX) et de progrès économique. Pour être efficace, la diffusion de l'éducation doit mettre en œuvre une coopération public-privé ou des investissements de l'État et des autorités locales. De fait, un peu partout dans le monde, on constate que l'État a joué un rôle majeur dans la diffusion de l'éducation élémentaire. Historiquement, l'expansion rapide de l'alphabétisation des pays aujourd'hui développés (à l'Ouest, au Japon ou en Asie de l'Est) a résulté de la combinaison du faible coût de l'éducation publique avec les bénéfices publics partagés de cette éducation.

Ce bilan est unanimement reconnu. Et pourtant, les inconditionnels du marché recommandent aujourd'hui aux pays en développement de se reposer en tout sur le marché, y compris dans le domaine de l'éducation, les exhortant ainsi à tourner le dos au processus qui a permis l'expansion rapide de l'éducation en Europe, en Amérique du Nord, au Japon ou en Asie de l'Est. Ces prétendus disciples d'Adam Smith auraient tout intérêt à relire ses écrits sur l'éducation et, en particulier, les passages dans lesquels il fustige la parcimonie des dépenses publiques consacrées à l'éducation :

> « À bien peu de frais, le public peut faciliter, encourager, et même imposer au corps social dans sa quasi-totalité la nécessité d'acquérir ces parties les plus essentielles de l'éducation [41]. »

L'existence de « biens publics » justifie que l'on se situe au-delà du mécanisme de marché. Dans la même logique, les investissements sociaux doivent satisfaire les capacités élémentaires, dans le domaine de la santé ou de l'éducation. Ici, les critères d'efficacité et l'exigence d'équité se combinent pour justifier l'aide publique à l'éducation, à la santé et aux autres biens publics (ou semi-publics).

Financements publics et incitations

À ce point de la discussion, nous avons avancé quelques solides arguments en faveur des dépenses publiques dans des domaines essentiels au développement économique et au changement social. Il existe toutefois des arguments contradictoires que nous devons aussi prendre en compte. On sait, tout d'abord, que la charge fiscale s'alourdit vite, dès que les projets mis en route ont un peu d'envergure. Le spectre des déficits budgétaires et de l'inflation (et, plus généralement, d'une « instabilité macroéconomique ») hante, à juste titre, les débats de politique économique. Vient ensuite le problème des incitations : l'aide publique peut avoir pour effet de décourager l'initiative et d'exercer des distorsions sur l'effort individuel. Ces deux points – la modération fiscale et l'importance des incitations – méritent toute notre attention. Je commencerai par le second pour revenir ensuite à la charge fiscale et à ses conséquences [42].

Tout transfert – la redistribution d'un revenu ou le financement d'un service public – est susceptible d'altérer le fonctionnement des incitations dans l'économie. On a beaucoup dit, par exemple, que des allocations trop généreuses pouvaient émousser la détermination des chômeurs à retrouver un emploi, et l'on a même affirmé que la situation européenne reflétait ce phénomène. Étant donné la forte légitimité, en termes d'équité, des allocations de chômage, il y a là une difficulté particulièrement épineuse, pour autant que l'on puisse vérifier que l'aide publique fait obstacle, sur une grande échelle, à la réinsertion sur le marché du travail. Notons, toutefois, que la recherche d'un emploi répond à toute une série de motivations – l'obtention d'un revenu n'est pas la seule. De ce fait, la compensation partielle du salaire par l'aide publique pourrait bien ne pas avoir un effet aussi dissuasif qu'on l'estime parfois. Encore faudrait-il, d'ailleurs, que cet effet soit mesuré avec une relative précision. Ce qui reste un exercice nécessaire dont les résultats pourraient servir à arbitrer le débat public sur ces questions importantes de politique publique, en particulier sur le choix d'un équilibre optimal entre équité et efficacité.

Si, dans la plupart des pays en développement, le financement de l'assurance-chômage est faible, le problème de l'incitation n'en existe pas moins. Même en ce qui concerne l'aide médicale gratuite et les services de santé ou encore l'enseignement public, on est en droit de se poser les question suivantes : dans quelle mesure ces prestations sont-elles nécessaires ? Dans quelle mesure les personnes concernées auraient-elles pu payer elles-mêmes ces services (et l'auraient-elles fait en l'absence d'un financement public) ? Quiconque considère ces prestations sociales élémentaires (médecine, éducation, etc.) comme un droit imprescriptible des personnes aura tendance à juger cette question incongrue, voire à y déceler une négation des principes normatifs d'une « société » contemporaine. Jusqu'à un certain point, cette position est défendable, mais les ressources économiques étant limitées, les sociétés sont confrontées à des choix que l'on ne peut évacuer par l'invocation de principes « sociaux » pré-économiques. La question des incitations ne peut être évitée, au moins pour cette raison que l'étendue de l'aide sociale qu'une société est capable de fournir dépend en partie des coûts et des incitations.

Incitations, capacités et fonctionnements

Le problème des incitations est difficile à résoudre dans sa totalité. D'une façon générale, il est impossible de trouver des indicateurs pertinents de l'état de privation qui, pris comme critère de l'aide publique, seraient sans incidence sur l'incitation. Néanmoins, l'importance de ces effets incitatifs peut varier selon la nature et la forme des critères retenus.

J'ai déjà expliqué que, dans notre perspective informationnelle, l'analyse de la pauvreté est centrée sur la privation des capacités de base et non sur la faiblesse du revenu. Ce déplacement repose sur un argument de principe plutôt que sur une raison stratégique. J'ai montré pourquoi le critère de la privation de capacités était plus pertinent que la faiblesse du revenu. En effet, l'importance de ce dernier est d'ordre instrumental et sa valeur dérivative dépend de nombreuses circonstances sociales et économiques. À ce point de mon exposé, je peux étayer cet argument par une nouvelle remarque : si l'on choisit la perspective des capacités comme critère des transferts sociaux et de l'aide publique, au détriment du bas niveau de revenus, on évite les distorsions concernant les incitations. Cet argument d'ordre instrumental conforte la raison de principe en faveur du critère des capacités.

L'estimation des capacités doit procéder, en premier lieu, de l'observation des fonctionnements réels des personnes puis être complétée par d'autres informations. Cela nous contraint à sauter des fonctionnements aux capacités, mais le fossé est aisément franchissable, ne serait-ce que parce que l'évaluation des fonctionnements est une manière d'estimer comment une personne évalue elle-même les options dont elle dispose. De quelqu'un qui meurt prématurément, ou souffre d'une maladie douloureuse et grave, on peut généralement présumer qu'il a un problème de capacité.

Bien sûr, les situations ne sont pas toujours aussi tranchées. Il peut arriver, par exemple, que quelqu'un se suicide. Ou souffre de la faim non par nécessité mais parce qu'il décide de jeûner. De tels cas cependant sont relativement rares, et leur analyse est possible par simple complément d'information – celle-ci pouvant renvoyer, dans le cas du jeûne, à une pratique religieuse, à une stratégie politique ou à d'autres motivations. En principe, il est utile de dépasser le choix de fonctionnements d'un individu pour évaluer sa capacité, mais la somme d'informations disponibles dépend des circonstances. La politique publique, comme la politique, est un art du possible. Il est important de garder ce principe à l'esprit et de combiner les exigences théoriques avec une interprétation réaliste de ce qu'il est possible de mettre en œuvre. J'insisterai toutefois sur un point : même en limitant le champ informationnel aux fonctionnements (longévité, état de santé, alphabétisation, etc.), on obtient une mesure beaucoup plus instructive de la privation que celle fournie par les seules statistiques relatives au revenu.

Appréhender les réalisations obtenues grâce aux fonctionnements n'est pas toujours aisé. Mais certains des plus élémentaires d'entre eux se prêtent mieux à l'observation directe et fournissent assez souvent des bases informationnelles utiles aux politiques de lutte contre les privations. Les campagnes d'alphabétisation, la mise en place de services de soins ou l'aide alimentaire n'ont pas besoin de bases informationnelles particulièrement obscures [43]. Qui plus est, ces besoins ou ces handicaps sont moins susceptibles d'une distorsion stratégique que le handicap du faible revenu, le revenu étant souvent facile à dissimuler, en particulier, dans la plupart des pays en développement. Si les aides gouvernementales étaient distribuées aux personnes au seul motif de leur pauvreté (chacun payant alors avec ses propres revenus, les soins médicaux, l'école, etc.) il est vraisemblable que l'information subirait alors de considérables manipulations. L'accent mis, tout au long de ce livre, sur les fonctionnements et les capacités, tend à réduire les difficultés de la compatibilité incitative. Voyons tout de suite pourquoi.

D'abord parce que quelqu'un hésitera généralement à refuser de s'instruire, à rester malade, ou à se satisfaire de la malnutrition pour de pures raisons tactiques. Le raisonnement, la faculté de choisir vont, en principe, à l'encontre d'un tel consentement aux privations. Il peut y avoir des exceptions. Il est arrivé que des membres d'organisations participant à des programmes de lutte contre la famine apprennent que des parents maintiennent volontairement un de leurs enfants dans un état famélique pour garder le droit à une aide alimentaire (sous la forme, notamment, de rations à consommer au domicile), traitant cet enfant comme une sorte de chèque repas [44]. Mais en général, il n'existe guère d'incitations à prolonger la malnutrition, l'analphabétisme ou la maladie.

En deuxième lieu, on trouve, à l'origine de certaines privations fonctionnelles des causes bien plus profondes que la seule privation de revenu et ces facteurs échappent aux manipulations tactiques. Par exemple, les handicaps physiques, l'âge, le sexe et d'autres déterminations de ce type occasionnent des déperditions de capacités particulièrement graves, hors de toute maîtrise des personnes concernées. À l'inverse de données ajustables, elles ne sont pas susceptibles de distorsions de l'incitation, pas plus que ne l'est l'aide publique dans ces domaines.

En troisième lieu, les destinataires de l'aide sont, en règle générale, plus attentifs aux capacités et aux fonctionnements obtenus (ainsi qu'à la qualité de vie qui les accompagne) qu'au simple fait d'accroître leurs revenus. Ainsi, l'évaluation des politiques publiques, qui utilise des variables plus proches des préoccupations des individus, peut tabler sur l'engagement personnel comme outil de sélection. Cette question est liée au recours à l'autosélection dans la prestation de l'aide publique qui s'accompagne d'une exigence de travail et d'effort, comme on la pratique fréquemment dans les programmes alimentaires. Selon cette formule, devenue courante, seuls les individus assez démunis et ayant assez besoin d'argent se déclarent volontaires pour assurer la charge de travail relativement lourde offerte en contrepartie (souvent à des salaires assez bas) [45]. Ce type de ciblage a été utilisé avec des résultats très satisfaisants dans la prévention des famines. Son rôle pourrait être étendu pour améliorer les opportunités économiques de populations pauvres mais aptes au travail [46]. Dans cette approche, on suppose ques les choix des destinataires potentiels sont régis par des considérations plus larges que la maximisation du revenu. Les personnes concernées se préoccupent alors de possibilités plus générales (le coût humain de l'effort aussi bien que le bénéfice d'un revenu supplémentaire), en conséquence, les politiques publiques peuvent utiliser à bon escient ces considérations plus larges.

En quatrième lieu, en recentrant l'attention vers les handicaps de capacités – aux dépens des seuls revenus – on met au premier plan, dans la problématique des services publics, ceux qui répondent à ces handicaps, c'est-à-dire la santé et l'éducation [47]. Par définition, ces services ne sont ni échangeables, ni revendables et de peu d'utilité pour quiconque n'en a pas un besoin spécifique. De là, leur qualité propre que l'on pourrait appeler « adéquation structurelle [48] ». Et cette caractéristique du financement orienté sur les capacités facilite le ciblage en limitant le champ des distorsions d'incitations.

Ciblage et contrôle des ressources

Nous venons de voir quels avantages il y a à cibler le déficit de capacités plutôt que les faibles revenus. Mais cette approche ne dispense pas de prendre en compte la pauvreté économique des prestataires potentiels. En effet, la question demeure de savoir *comment* devraient être distribués les financements publics : devraient-ils, en particulier, être payants, à proportion des moyens des bénéficiaires ? Dans ce cas, nous voilà de nouveau tenus de connaître les revenus de ces derniers.

Dans le monde entier, le financement des services publics s'oriente de plus en plus vers une politique de contrôle des ressources. La raison en est simple, du moins en principe. Ce choix tend à réduire la charge fiscale et, à quantité de fonds publics égale, à couvrir mieux les indigents, à condition d'être en mesure d'obtenir des personnes relativement aisées qu'elles paient pour les avantages qu'elles retirent de ces services (ou qu'elles puissent au moins être amenées à contribuer de manière significative aux coûts engagés). La véritable difficulté consiste à opérer un contrôle fiable des ressources, sans que l'opération n'entraîne d'effets pervers.

Le contrôle des ressources, quand il s'applique aux services médicaux et à l'éducation soulève deux problèmes distincts, liés, pour l'un, à l'information concernant le handicap de capacité d'une personne (par exemple, son état de santé déficient) et pour l'autre, à sa situation financière (et aux possibilités qu'elle a de payer). En ce qui concerne le premier problème, la forme et la fongibilité de l'aide apportée sont décisives. Comme je l'ai expliqué plus haut, lorsque l'aide sociale répond à l'analyse concrète d'un besoin spécifique (par exemple : on sait que tel ou tel individu souffre de telle ou telle maladie) et qu'elle est fournie gratuitement sous la forme de services adaptés et non transférables (les soins médicaux requis par cette maladie), l'éventualité d'une distorsion informationnelle du premier type s'en trouve considérablement réduite. On voit bien quelle différence existe ici, avec une prestation accordée sous forme de fonds fongibles pour le traitement médical, qui suppose un examen plus indirect. À cet égard, les programmes de services directs tels que la santé et l'éducation scolaire sont moins vulnérables aux abus.

Mais le second problème est d'un autre ordre. Si la gratuité est réservée aux plus pauvres (les autres devant payer pour le même service), il faut alors vérifier la situation financière des bénéficiaires et cela n'est pas toujours aisé, surtout dans les pays où les données sur les revenus et la richesse sont difficiles à obtenir. La formule européenne de couverture médicale – le ciblage du handicap de capacités sans contrôle des ressources – a abouti à la mise en place de systèmes de santé nationaux, ouverts à tous. Cette solution facilite le recueil d'informations et laisse de côté la disparité entre riches et pauvres. Aux États-Unis, le système Medicaid, d'une moindre envergure, prend en compte les deux aspects et doit donc répondre à une double exigence informationnelle.

Comme les bénéficiaires de l'aide sont aussi des acteurs sociaux, l'art du « ciblage » est beaucoup plus sophistiqué que ne le laisse entendre les adeptes du contrôle des ressources. Quelle que soit la force de conviction des arguments en faveur d'un ciblage précis et du contrôle des ressources, en particulier, il faut savoir que leur mise en œuvre ne va pas sans problèmes. Voici quelques exemples possibles de distorsions dans un système appliquant la méthode du ciblage [49] :

1) *Distorsion des informations*. Un système de contrôle visant à détecter les « tricheurs » – ceux qui sous-estiment leur situation financière – est susceptible d'erreurs occasionnelles. Tout aussi grave, il dissuadera certains destinataires potentiels de faire valoir leurs droits à une assistance. En raison du caractère asymétrique de l'information, il est impossible d'éliminer les fraudeurs sans mettre en cause les destinataires honnêtes [50]. Les efforts pour éliminer un premier type d'erreurs (étendre l'aide à des « profils non conformes ») augmente la probabilité de multiplier un deuxième type d'erreurs (exclure de l'aide des « profils conformes »).

2) *Distorsion des incitations*. La distorsion des informations fausse les règles, mais elle n'affecte pas la réalité économique. Pourtant, l'assistance ciblée peut influencer le comportement économique des individus. Par exemple, la menace de perdre ses droits à l'assistance, pour cause de revenus trop élevés, peut dissuader la reprise d'activité. Dans la mesure où l'on choisit comme critère de l'assistance une variable telle que le revenu – librement ajustable à travers un changement de comportement économique – on doit alors s'attendre à des distorsions d'une ampleur significative. Dans les coûts sociaux induits par ces modifications de comportement, on doit inclure, entre autres, la perte du bénéfice des activités économiques abandonnées.

3) *Désutilité et stigmatisation*. Un système d'aide qui définit ses bénéficiaires comme pauvres (et qui se définit lui-même comme une expression de la « bienfaisance » envers ceux qui se montrent incapables de s'en sortir seuls) a nécessairement des effets sur le respect que les destinataires éprouveront pour eux-mêmes et sur le respect que la société leur manifestera. Le recours à l'aide peut non seulement s'en trouver faussé mais, de plus, la stigmatisation des destinataires et les sentiments qu'elle fait naître chez eux ont aussi un coût. Les décideurs n'accordent le plus souvent à la question de l'estime de soi

qu'un intérêt marginal (quand ils ne la rejettent pas entièrement pour cause de sentimentalisme déplacé), aussi me paraît-il bienvenu de rappeler que pour John Rawls, par exemple le respect de soi est « peut-être le plus essentiel des biens premiers », celui sur lequel devrait se concentrer toute théorie de la justice comme équité [51].

4) *Coûts administratifs, pertes généralisées et corruption.* La procédure du ciblage suppose des coûts administratifs importants – en dépenses de fonctionnement directs et en lenteurs bureaucratiques –, elle empiète sur la vie privée et restreint l'autonomie des personnes par ses collectes d'informations, ses procédures d'enquête et de contrôle. Le déséquilibre de pouvoir entre une bureaucratie toute-puissante et les solliciteurs de l'aide entraîne encore d'autres coûts sociaux. De plus, en confiant aux bureaucrates le pouvoir d'accorder les aides, le système de ciblage crée la tentation, pour les bénéficiaires éventuels, d'influencer leurs décisions par la corruption.

5) *Permanence et qualité.* Les prestataires de l'aide sociale ciblée ont peu de poids politique et des moyens d'expression trop faibles pour faire valoir leurs intérêts et défendre le maintien de la qualité des services. Comme on le sait, aux États-Unis, ce constat a justifié des campagnes politiques en faveur de programmes « universels », bénéficiant d'un soutien large, par opposition à des programmes étroitement ciblés sur les plus défavorisés [52]. Le même argument vaudrait aussi bien pour les pays les plus pauvres.

Le but de cet inventaire n'est pas de prouver que le ciblage est inutile ou toujours problématique, mais plutôt de montrer ses inconvénients éventuels, trop souvent négligés par ceux qui lui prêtent toutes les vertus. En réalité, le ciblage consiste en une méthode en vue d'un *objectif*, il ne se réduit pas à un *résultat*. Même lorsque l'on a pu définir, par ciblage, des résultats souhaitables, il ne s'ensuit pas nécessairement que l'élaboration de programmes ciblés produirait ces résultats. Le contrôle des ressources et le ciblage ont connu, ces derniers temps, une faveur considérable dans des cercles susceptibles de peser sur la définition des politiques publiques. Ces notions ont été promues par des raisonnements quelque peu sommaires, aussi vaut-il la peine d'en souligner les aspects contre-productifs et les effets les plus pervers.

Rôle d'agent et base d'informations

À ce niveau de généralité, aucun plaidoyer général ne saurait justifier une adhésion – ou un rejet – universel du contrôle des ressources. Dans cette discussion, je me suis contenté de contrebalancer les arguments des partisans d'un ciblage fin en mettant en évidence, pour chacun d'entre eux, de possibles inconvénients. Dans ce domaine (comme dans une bonne partie de ceux que nous avons abordés précédemment), des compromis s'imposent. Et ce livre n'a pas vocation à proposer une formule particulière, sur laquelle on pourrait fonder un compromis optimal. La bonne approche est celle qui tient compte des circonstances, c'est-à-dire de la nature des services publics offerts et des caractéristiques sociales du pays dans laquelle ils sont offerts. Sur ce versant, on ne saurait négliger l'emprise des codes de conduite moraux qui influencent les choix individuels et la motivation.

Toutefois, les questions évoquées au cours de cette discussion recoupent la problématique générale de ce livre et concernent à la fois le rôle d'agent (les individus – y compris les bénéficiaires de l'aide publique – appréhendés comme des agents plutôt que comme des récepteurs passifs) et la priorité accordée aux informations concernant les privations de capacité (et non la seule faiblesse du revenu). Les objets du « ciblage » sont, eux aussi, actifs et, comme nous l'avons vu, leur activité s'interpose entre les objectifs initiaux du ciblage et ses résultats réels.

La seconde question concerne les informations nécessaires au ciblage : quelles caractéristiques seront-elles pertinentes pour un système d'allocations donné ? C'est ici que le déplacement de l'attention – d'une base d'informations restreinte : la pauvreté en termes de revenu, vers les privations de capacités – facilite l'identification. Si le contrôle des ressources exige, dans tous les cas, l'identification des revenus et de la capacité de payer, l'exercice peut, au-delà, utiliser le diagnostic direct du handicap de capacités (maladie, analphabétisme, etc.). Les prestations de services publiques supposent un travail préalable d'informations, c'en est là une part importante.

Prudence financière et priorités des politiques publiques

Un impératif de prudence guide aujourd'hui le monde de la finance. L'inflation et l'instabilité ont été jugulées, leurs causes et leurs méfaits étudiés sous tous les angles et seul le conservatisme financier paraît devoir conjurer leur retour. De fait, dans l'univers de la finance, le conservatisme présente des mérites évidents. Mais essayons d'abord de cerner les aspirations qu'il recouvre.

Nous allons voir que c'est à tort que l'on associe le conservatisme financier à sa vertu la plus évidente et, sans doute, la plus séduisante : l'exigence de « vivre selon ses moyens », ou, dans les termes de Mister Micawber, le personnage de Charles Dickens, dans *David Copperfield* : « Revenu annuel vingt livres, dépense annuelle dix-neuf livres et six shillings. Bilan : le bonheur. Revenu annuel vingt livres, dépense annuelle vingt livres zéro six. Bilan : la misère. » Les conservateurs recourent volontiers à cette analogie entre leurs orientations et la solvabilité personnelle. Margaret Thatcher a su l'utiliser avec beaucoup d'éloquence. Mais en réalité cet argument est difficilement transposable au niveau d'un État, lequel *peut*, à l'inverse de Mister Micawber, dépenser plus qu'il ne gagne, par l'emprunt ou par d'autres moyens. C'est d'ailleurs ce que font, en permanence, la plupart des États.

La question n'est donc pas de savoir si un État peut se permettre ces excès, mais plutôt quels peuvent en être les *effets*. En d'autres termes, il s'agit de mesurer les avantages et les inconvénients liés à une situation que l'on appelle généralement de « stabilité macroéconomique » caractérisée, en particulier, par l'absence de pression inflationniste significative. Au cœur de la doctrine conservatrice, on trouve donc la priorité accordée à la stabilité des prix et l'idée que rien ne la menace autant que l'irresponsabilité ou le laxisme fiscal.

Quelles preuves possédons-nous des effets pernicieux de l'inflation ? Dans son étude critique, qui passe en revue l'expérience internationale dans ce domaine, Michael Bruno note que « plusieurs épisodes connus d'inflation modérée (20 à 40 % [de hausse des prix annuelle]) et la plupart des situations d'inflation à taux élevé (et ces cas ont été fort nombreux) suggèrent qu'une forte inflation s'accompagne d'effets négatifs sur la croissance ». Et, « inversement, toute une série d'indices montrent qu'une politique ferme de stabilisation à partir d'une inflation élevée a des effets positifs même à court ou à moyen terme » [53].

Il faut une once de subtilité pour tirer, de cette analyse, des conclusions utiles aux politiques publiques. Selon Michael Bruno encore : « Pour des taux d'inflation peu élevés (moins de 15 à 20 % par an), les effets sur la croissance sont, au mieux, obscurs. » Il poursuit avec cette question : « Pourquoi s'inquiéter de faibles taux, surtout si les coûts de l'inflation *anticipée* peuvent être évités (par l'indexation) et si ceux de l'inflation *non anticipée* semblent être bas [54] ? » Michael Bruno souligne aussi que : « Tandis que la racine de toute inflation forte est le déficit financier (et souvent, mais pas toujours, son financement par la monnaie), cette situation peut, en retour, être compatible avec des équilibres inflationnistes multiples. »

Le véritable problème tient au fait que « par définition, le processus inflationniste s'auto-entretient, et son degré de persistance tend à s'accroître avec le taux d'inflation ». Michael Bruno décrit précisément ce mécanisme d'accélération et illustre son propos au moyen d'une analogie : « L'inflation chronique ressemble au tabac : au-delà d'un certain seuil de cigarettes consommées chaque jour, il est difficile d'empêcher l'accoutumance de s'aggraver. »

En fait, « quand un choc se produit (crise personnelle chez le fumeur, crise des prix en économie), il y a de grandes chances pour que l'habitude [...] s'aggrave et que, même une fois le choc passé, elle se maintienne à ce nouveau palier. » Et ce processus est susceptible de se répéter [55].

L'essentiel de l'argument conservateur est développé ici, avec une force de conviction d'autant plus grande qu'il s'appuie sur un grand choix de comparaisons internationales. Sur le fond, je n'ai aucune objection à opposer à l'analyse et aux conclusions de Michael Bruno. L'essentiel, cependant, est de ne pas perdre de vue ce que cet argument établit au juste et ce qu'est l'exigence fondamentale du conservatisme financier. Malgré une confusion fréquente, cette exigence *n'est pas* identique au radicalisme anti-inflationniste. Le but n'est pas l'éradication, par tous les moyens et quels que soient les sacrifices à consentir, de l'inflation. La leçon à retenir est la suivante : il faut connaître le coût de l'inflation lorsqu'on la tolère et le comparer au coût de sa réduction ou de son élimination. S'il y a un écueil à éviter, c'est celui de « l'instabilité dynamique », liée à l'inflation chronique dès qu'elle dépasse les taux les plus bas et même si elle semble, en apparence, stable. En ce qui concerne la définition des politiques publiques, Michael Bruno tire lui-même la leçon : « La stabilisation coûteuse de l'inflation quand son taux est encore faible, combinée à la hausse tendancielle de l'inflation persistante offre un argument fondé sur la croissance des coûts en faveur du maintien d'un faible taux d'inflation même si la croissance des coûts ne semble être observée directement qu'à des taux d'inflation supérieurs [56]. » Cet argument explique pourquoi il faut éviter non seulement une inflation *forte*, mais aussi – à cause de l'instabilité dynamique – une inflation *modérée*.

Ce développement ne justifie en rien le parti pris radical d'une inflation zéro, choix qui n'apparaît ici ni particulièrement avisé, ni même conforme aux exigences du conservatisme financier. Et pourtant, la confusion existe, comme le montre la recherche obsessionnelle de l'équilibre budgétaire aux États-Unis, qui a eu récemment pour effet la suppression de certains services administratifs. Après ce premier pas, la menace de coupes claires persiste bien que le processus ait été gelé, suite à un compromis difficile entre la Maison Blanche et le Congrès, obtenu grâce aux performances à court terme de l'économie américaine. Il est nécessaire de distinguer le *radicalisme antidéficit* du véritable conservatisme financier. Il existe de bonnes raisons de réduire les déficits budgétaires observés dans de nombreux pays (souvent aggravés par le poids de la dette nationale, surtout quand elle augmente à vive allure). Mais ces raisons doivent être distinguées de l'extrémisme qui vise à éliminer tous les déficits budgétaires (quel que soit le coût social de l'opération).

L'Europe aurait de bonnes raisons de se soucier de déficits budgétaires. Plus que les États-Unis où celui-ci, assez modéré, depuis des années, répond aux « normes » fixées par l'accord de Maastricht pour l'Union monétaire européenne (moins de 3 % du produit intérieur brut). Pour le moment, ce déficit semble être nul. À l'inverse, la plupart des pays européens enregistrent, encore aujourd'hui, des déficits substantiels et l'on peut comprendre que plusieurs d'entre eux mènent des politiques visant à les réduire (comme l'Italie, ces dernières années, d'une manière exemplaire).

Une question mérite encore d'être soulevée : celle des priorités globales des politiques européennes (sujet que nous avons abordé, dans le chapitre IV). Est-il raisonnable de donner la priorité absolue à un seul objectif, à savoir l'absence d'inflation (priorité adoptée par de nombreuses banques centrales européennes) et de tolérer, en contrepartie, des taux de chômage élevés ? Si l'analyse présentée dans ce livre est fondée, les politiques publiques européennes devraient donner la priorité à l'élimination des privations de capacités que ces taux de chômage élevés impliquent.

Le conservatisme financier impose des exigences importantes, mais qui doivent être interprétées à la lumière des objectifs généraux de la politique publique. La dépense publique sert aussi à garantir de nombreuses capacités élémentaires, ce point ne doit pas être oublié, même lorsqu'on veut répondre au besoin instrumental de stabilité macro-économique. Ce dernier impératif devrait d'ailleurs être évalué dans le cadre plus large de l'ensemble des objectifs sociaux.

Selon le contexte, telle ou telle question devrait prédominer la définition des politiques publiques. L'Europe, par exemple, devrait s'attaquer aux méfaits du chômage (autour de 12 % de la population active dans plusieurs pays importants). Aux États-Unis, le plus grand défi tient à la faiblesse de l'assurance médicale et de la couverture sociale (plus de 40 millions d'Américains ne disposent d'aucune assurance médicale, c'est le seul exemple de ce type, parmi tous les pays riches). L'Inde devrait faire face à son plus grave échec en matière de politique publique : la moitié de la population adulte – et les deux tiers de la population féminine adulte – sont toujours analphabètes. En Asie de l'Est et du Sud-Est, la nécessité d'une régulation du système financier semble de plus en plus pressante, tout autant que la mise en place d'un dispositif de prévention capable de contrecarrer les épisodes subits de perte de confiance dans les monnaies nationales et les investissements (rappelons que ces pays ont dû, très récemment, accepter les opérations de renflouement gigantesques du Fonds monétaire international). Les problèmes diffèrent, et, compte tenu de leur complexité, chacun exige un examen attentif, prenant en compte les objectifs et les instruments des politiques publiques. Le conservatisme financier peut certes inspirer une orientation générale, mais il ne saurait se substituer à toute autre mesure, constituer l'unique cheval de bataille du gouvernement ou de la banque centrale. L'évaluation comparative des différents postes de la dépense publique est indispensable.

Quelques remarques pour conclure

Nous évoluons dans un univers d'institutions. Les possibilités qui s'offrent à nous, les perspectives que nous
traçons dépendent, de façon décisive, des institutions existantes et de la façon dont elles fonctionnent. Parce
qu'elles contribuent à nos libertés, on peut même évaluer
leur rôle à cette aune. Dans notre perspective – celle du
développement comme liberté – l'évaluation institutionnelle peut systématiquement trouver sa place.

D'une manière générale, l'analyse se concentre sur une
institution spécifique (marché, système démocratique,
médias, aide sociale) alors qu'il est nécessaire de les
considérer conjointement et de voir comment elles sont
susceptibles de fonctionner ensemble. C'est dans cette
perspective synthétique que toutes les institutions doivent
être comprises et examinées.

Le mécanisme de marché, qui suscite les passions de
ses partisans autant que de ses adversaires, est un simple
dispositif interactif qui permet aux hommes d'entreprendre des activités mutuellement avantageuses. Partant
de cette définition, on voit mal comment un esprit raisonnable pourrait s'opposer à un tel mécanisme. Les problèmes, et ils existent, ont généralement d'autres causes
que l'existence du marché, en tant que tel. Par exemple, le
manque de préparation dans l'utilisation des transactions du marché, la dissimulation volontaire d'informations, l'absence de régulations sur des opérations
permettant aux plus puissants de tirer parti des avantages
asymétriques dont ils jouissent... On ne règle pas ces problèmes en supprimant les marchés, mais en leur permettant de fonctionner mieux et de façon plus équitable. Les
résultats du marché sont tributaires de son encadrement
politique et social.

Partout où les circonstances ont permis que les possibilités qu'il offre soient raisonnablement partagées, le
mécanisme de marché a fait la preuve de son efficacité.

La mise en place de ces conditions – qu'il s'agisse de l'éducation, des services médicaux, de la disponibilité de ressources (foncières, par exemple) qui peuvent être vitales à certaines activités (l'agriculture, par exemple) – exigent des politiques publiques appropriées (système scolaire, couverture médicale, réforme foncière, etc.). Même là où existe un besoin criant de « réformes économiques » destinées à donner plus de place et d'autonomie aux marchés, elles devraient s'accompagner d'une intervention publique résolue, à l'égard de ces structures.

Dans ce chapitre, comme dans les précédents, j'ai examiné de nombreux exemples de cette complémentarité. Il serait difficile de remettre en cause l'efficacité du mécanisme de marché et l'on peut même étendre les procédures de l'économie classique – qui mesurent l'efficacité par la prospérité, l'opulence ou l'utilité – à la mesure de l'efficacité en termes de libertés individuelles. Mais ces résultats ne garantissent en rien une répartition équitable. Traduit en termes d'inégalité des libertés substantielles, c'est un problème d'ampleur. Dans ce contexte, en effet, un couplage des désavantages intervient (par exemple, la difficulté, pour une personne invalide ou n'ayant pas reçu de formation, de gagner un revenu est renforcée par sa difficulté à utiliser ce revenu pour sa capacité à bien vivre). Le fonctionnement du marché ne donne pas la solution à tous les problèmes. Les pouvoirs considérables du mécanisme de marché doivent être complétés par la création des opportunités sociales élémentaires favorisant l'équité et la justice sociale.

Dans les pays en voie de développement, d'une façon générale, il existe un besoin criant pour des initiatives capables de créer des opportunités sociales. Comme nous l'avons vu plus haut, dans les pays aujourd'hui les plus riches, l'action publique a été une constante historique, sous des formes souvent remarquables, concernant l'éducation, la santé, la réforme foncière, etc. Le partage très large des opportunités sociales a permis une participation massive des habitants au processus d'expansion économique.

Cette problématique n'entre pas en contradiction avec le conservatisme financier en soi, mais avec un présupposé sous-jacent qui prévaut souvent dans les cercles décisionnaires, bien qu'il soit rarement débattu. Dans cette perspective, le développement humain serait un luxe inabordable, sinon pour les pays riches. Les succès remportés par les pays d'Asie de l'Est (initiés par le Japon, avec quelques décennies d'avance) invalident ce préjugé implicite. Relativement tôt, ces économies se sont engagées dans un développement massif de l'éducation, et, plus tard, de la santé, et cela, dans de nombreux cas, avant même d'avoir surmonté les contraintes liées à la pauvreté de masse [57]. En dépit de la tempête financière qui vient de frapper un certain nombre d'entre eux, ces pays enregistrent, sur le long terme, des résultats globalement remarquables. Leurs investissements dans les ressources humaines ont été fructueux. Cette caractéristique a été, avant tout, celle du Japon, dans les *débuts* de son développement économique, pendant l'ère Meiji, au milieu du XIXᵉ siècle. Quand le pays a connu la prospérité, le besoin d'intensifier cette priorité n'a pas été ressenti [58]. Le développement humain est d'abord et surtout l'allié des pauvres, non celui des riches.

À quoi sert le développement humain ? La création d'opportunités sociales contribue à l'expansion des capacités et de la qualité de vie (comme nous l'avons expliqué). Le développement de la santé publique, de l'éducation, de la protection sociale, etc., contribue directement à la qualité et à l'épanouissement de la vie. Tous les indices montrent que, même à bas niveau de revenu, un pays qui garantit les soins et l'éducation à tous est capable d'atteindre des résultats remarquables en termes d'espérance et de qualité de vie pour l'ensemble de sa population. La santé et l'éducation publiques reposant, pour l'essentiel, sur le travail humain, ces secteurs sont relativement peu coûteux en phase initiale de développement économique, lorsque la main d'œuvre est bon marché.

Comme nous l'avons vu, l'impact du développement humain va bien au-delà de l'amélioration directe de la qualité de vie. Il favorise aussi les facultés productives des personnes et donc la croissance économique partagée [59]. Savoir lire et compter facilite la participation au processus d'expansion économique (comme l'illustrent, entre autres, les exemples japonais ou thaïlandais). Pour s'insérer dans les échanges mondiaux, il est crucial de pouvoir se plier à des normes telles que « le contrôle de qualité » que la main-d'œuvre analphabète maîtrise mal. En outre, tout montre que l'amélioration de la santé et de l'alimentation favorisent la productivité et les rémunérations de la main-d'œuvre salariée [60].

Dans un domaine différent, de nombreuses études de terrain ont mis en lumière les relations entre scolarisation (des filles, en premier lieu) et baisse du taux de fertilité. Lorsque celui-ci est élevé, il constitue un obstacle à la qualité de vie, particulièrement celle des jeunes femmes, les grossesses fréquentes et les soins aux enfants portant préjudice au bien-être et à la liberté des jeunes mères. Du fait de cette relation, la responsabilisation des femmes (par le travail à l'extérieur, l'accès à l'éducation, etc.) apparaît comme un moyen efficace pour réduire le taux de fertilité : les jeunes femmes ont alors toutes les raisons de limiter les naissances et disposent d'une influence plus grande sur les décisions familiales. Je reviendrai sur cette question dans les chapitres VIII et IX.

Les partisans déclarés du conservatisme financier expriment souvent leur scepticisme à l'égard du développement humain. Pourtant, ces deux notions ne sont en rien exclusives. Les bénéfices du développement humain sont indéniables, mieux vaut donc l'appréhender dans sa globalité pour en comprendre l'impact. Le souci de la maîtrise des coûts peut permettre de le canaliser dans les directions les plus productives – directement et indirectement – en termes de qualité de vie, mais aucune de ces considérations ne remet en cause son importance cruciale [61].

En toute logique, le conservatisme financier devrait remettre en cause l'affectation des ressources publiques à des fins peu compatibles avec un quelconque le bénéfice social, telles que les dépenses militaires massives de nombreux pays pauvres (souvent bien plus importantes que leurs dépenses pour l'éducation et la santé)[62]. Le conservatisme financier devrait être le cauchemar des militaires, pas celui des maîtresses d'écoles et des infirmières. Et que ces dernières se sentent plus menacées qu'un général de corps d'armée indique assez que notre monde marche sur la tête. Pour corriger cette anomalie, rien ne sert de fustiger les partisans du conservatisme financier. Mieux vaut procéder à un examen ouvert et pragmatique des prétentions rivales à l'aide publique.

CHAPITRE VI

De l'importance de la démocratie

La région de Sundarban borde la baie du Bengale, jusqu'à la frontière méridionale du Bangladesh et au-delà, dans l'État indien du Bengale de l'Ouest. Son nom signifie la « belle forêt ». Le tigre royal du Bengale, fauve à l'élégance altière, vif, puissant et souvent féroce subsiste encore ici dans son habitat naturel. L'espèce a été décimée, mais une loi de protection interdit désormais de le chasser. Le Sundarban est aussi célèbre pour son miel sauvage, produit en grandes quantités par des essaims d'abeilles qui nichent dans les arbres. Les habitants de la région, l'une des plus pauvres du monde, montent des expéditions en forêt pour y récolter le miel qu'ils revendent, en ville, jusqu'à 3,50 F par bouteille. Mais les chasseurs de miel doivent échapper aux tigres. Dans une année « moyenne », une cinquantaine d'entre eux sont tués. Parfois, le nombre des victimes est beaucoup plus considérable. Si les tigres sont protégés, ce n'est pas le cas des miséreux qui tentent d'améliorer leur sort en s'aventurant dans cette forêt si belle, si profonde et si périlleuse.

Bien d'autres exemples pourraient illustrer la force de la contrainte économique dans les pays du Tiers-Monde. On sent bien que la nécessité, quand elle devient aussi impérieuse, prend le pas sur les autres aspirations, telles que les libertés politiques ou les droits civiques. Si la pauvreté pousse les êtres humains à affronter de tels risques – jusqu'à en mourir, dans d'horribles circonstances – pour recueillir l'équivalent, en roupies, de quelques francs, toute réflexion consacrée aux droits démocratiques n'est-elle pas déplacée ? Une notion juridique aussi banale que la présomption d'innocence, par exemple, a-t-elle seulement un sens dans ce contexte ? Ici, la priorité doit être accordée à la satisfaction des besoins économiques élémentaires, nous souffle le sens commun, même si on ne peut l'envisager qu'au détriment des libertés politiques. Défendre la démocratie et le droit, voilà bien un luxe qu'un pays pauvre n'a pas les moyens de s'offrir.

Besoins économiques et libertés politiques

Régulièrement, ce point de vue est défendu dans les forums internationaux. À quoi bon s'intéresser aux libertés politiques et à leurs subtilités quand le problème de l'heure consiste à faire face à des contraintes économiques brutales ? Cette question et toutes les positions qui en découlent et qui reflètent un scepticisme partagé quant à l'urgence des libertés politiques et des droits civiques a occupé une large place lors de la conférence de Vienne sur les droits de l'homme, au printemps 1993. Les délégués de plusieurs pays ont alors pris position contre tout soutien de principe aux droits démocratiques, en particulier dans le Tiers-Monde. Ils défendaient l'idée de la priorité des « droits économiques », liés aux besoins matériels essentiels.

Rodée depuis longtemps, cette argumentation a été défendue vigoureusement à Vienne par les délégations officielles de plusieurs pays en voie de développement, entraînées par la Chine, Singapour et quelques-uns de leurs voisins. Elle n'a fait l'objet d'aucune opposition de la part de l'Inde ou des autres États du continent asiatique pas plus que des pays africains. Elle pourrait se résumer à une simple question : faut-il accorder la priorité au combat contre la pauvreté et la misère ou garantir les libertés politiques et civiques, d'une utilité très discutable pour les gens concernés ?

La prééminence des libertés politiques et de la démocratie

Est-il fondé d'abord ce problème sous la forme d'une alternative entre économie et politique ? Faut-il en rester à cette dichotomie simple qui réduit presque à néant la valeur des libertés politiques, du fait de l'urgence des besoins économiques [1] ? Selon moi, il n'en est rien et cette façon de voir révèle une mécompréhension des pressions économiques et de leur force, aussi bien que des libertés politiques et de leur dynamique. La véritable problématique doit être reformulée sur un autre terrain : elle nécessite que l'on prenne en considération le réseau d'interdépendances qui associe les libertés politiques à la définition des besoins économiques et à leur satisfaction. Ces interconnexions ne sont pas seulement d'ordre instrumental (bien que les libertés politiques agissent souvent comme un puissant facteur d'incitation et d'information et qu'elles participent à l'élaboration des moyens visant à satisfaire des besoins économiques pressants) ; elles sont aussi d'ordre structurel. Notre conceptualisation des besoins économiques dépend, au premier chef, de l'existence d'un débat public et ouvert, que seul le respect des libertés politiques et des droits civiques peut garantir.

Je m'attacherai donc dans ce chapitre à montrer que la pression des besoins économiques *renforce* – et non affaiblit – la validité et l'urgence des libertés politiques. Mon développement s'appuiera sur trois considérations qui légitiment la prééminence des droits et des libertés.

1) Leur importance *directe* pour la vie humaine, en relation avec les capacités élémentaires (en particulier la capacité de participation – sociale et politique).

2) Leur fonction *instrumentale* et la façon dont elles favorisent la prise en compte, au niveau politique, des souhaits et des revendications exprimés par la population (y compris des revendications liées aux besoins économiques).

3) Leur rôle *constructif* dans la définition des « besoins »

(y compris la définition des « besoins économiques » dans un contexte social donné).

Avant de passer à l'examen de ces diverses considérations, je m'attacherai à discuter les arguments avancés par les défenseurs de la position adverse, position qui suppose un conflit irréconciliable entre droits démocratiques et politiques, d'un côté, et satisfaction des besoins économiques élémentaires, de l'autre.

Les arguments contre les libertés politiques et les droits civiques

L'opposition à la démocratisation des pays en voie de développement et à l'introduction des libertés élémentaires recouvre, en fait, trois objections essentielles. Selon la première, les droits et les libertés entraveraient la croissance économique et le développement. Au chapitre I, j'ai eu l'occasion d'aborder ce point de vue, connu sous le nom de « thèse de Lee », du nom de Lee Kwan Yew, ancien Premier ministre de Singapour, qui l'a formulé succinctement.

Selon une deuxième objection, les populations pauvres, si elles avaient le choix, opteraient invariablement pour la satisfaction des besoins économiques contre les libertés politiques. Ce raisonnement étonnant repose sur une contradiction logique entre le principe démocratique et sa mise en œuvre pratique : en effet, il revient à dire que la majorité, si on lui donnait la possibilité de s'exprimer, refuserait la démocratie. Une variante assez proche de cet argument a été formulée ainsi : la question essentielle n'est pas l'option choisie réellement par les individus, mais l'option qu'ils ont *raison* de choisir. Ainsi, puisque la population a raison de vouloir éliminer, d'abord et avant tout, la pénurie et la misère, elle adopte une attitude conséquente en ne revendiquant pas, avec trop d'insistance, les libertés politiques, ce qui irait à l'encontre des véritables priorités. Ce syllogisme repose sur le présupposé d'un antagonisme irréductible entre libertés démocratiques et satisfaction des besoins économiques. De ce point de vue, cette variante de la deuxième objection n'est qu'une reformulation de la première, c'est-à-dire de la thèse de Lee.

Enfin, pour beaucoup de commentateurs, l'accent mis sur les libertés politiques et la démocratie refléterait une conception spécifiquement « occidentale », qui entrerait en conflit avec les « valeurs asiatiques », supposées donner la prééminence aux notions d'ordre et de discipline. Au nom de cette conception, il a été expliqué, par exemple, que la censure de la presse était plus tolérable en Asie (toujours au nom de l'ordre et de la discipline) qu'à l'Ouest. Pendant la conférence de Vienne, en 1993, le ministre des Affaires étrangères de Singapour prévenait son auditoire que « la reconnaissance d'un idéal universel des droits de l'homme peut être nuisible, si l'on brandit la notion d'universalisme pour nier ou masquer la réalité de la *diversité* ». Le porte-parole du ministère des Affaires étrangères chinois formulait même le principe, applicable, semble-t-il, en Chine et dans le reste de l'Asie, selon lequel : « Les individus doivent placer les droits de l'État avant les leurs [2]. »

J'aurai l'occasion, au cours du chapitre X, de soumettre ce dernier argument à une analyse culturelle approfondie [3]. En attendant, revenons-en aux deux premières objections.

Démocratie et croissance économique

L'autoritarisme a-t-il fait les preuves de son efficacité ? Il est incontestable qu'un certain nombre d'États, relativement autoritaires, tels que la Corée du Nord, Singapour avec Lee Kwan Yew ou la Chine après les réformes de 1979, ont connu un taux de croissance plus soutenu que des pays moins marqués par cette caractéristique (l'Inde, le Costa Rica ou la Jamaïque, par exemple). Mais, si la thèse de Lee s'appuie sur des informations partielles et soigneusement sélectionnées, elle n'est, en aucune manière, étayée par une comparaison statistique fiable de l'ensemble des données disponibles. Il est impossible de considérer les bons résultats économiques de la Chine ou de la Corée du Sud comme une preuve certaine que l'autoritarisme favorise la croissance, pas plus que l'on ne saurait tirer de conclusions opposées du seul fait que le Botswana, l'État africain doté du taux de croissance le plus fort du continent – et l'un des plus forts au monde –, est une oasis de démocratie dans une région instable. Seul un grand nombre de données circonstanciées permettrait d'éclairer le contexte.

De fait, aucune série de preuves convaincantes ne permet d'étayer les mérites des gouvernements autoritaires, ou de justifier la suppression des droits démocratiques dans la perspective du développement économique. Le tableau statistique est baucoup plus contradictoire. En l'absence d'études empiriques couvrant un champ suffisamment vaste, on ne saurait accréditer l'idée d'un antagonisme structurel entre libertés politiques et performances économiques [4]. Les liens de réciprocité entre les deux domaines semblent dépendre d'un large faisceau de circonstances et si plusieurs enquêtes statistiques concluent à une relation plutôt négative, d'autres mettent en lumière des effets très largement positifs. À ce point, l'hypothèse que les deux domaines n'entretiennent aucun lien de réciprocité n'est pas la moins bien établie. Auquel cas, les libertés politiques ayant une valeur intrinsèque, leur défense n'en serait pas affectée.

Remarquons qu'il est important de ne pas s'enfermer dans une impasse méthodologique. Elle consisterait à se focaliser exclusivement sur les données statistiques, quand il est indispensable d'examiner et d'analyser aussi l'enchaînement *causal* qui est à l'œuvre dans la croissance et le développement. Les politiques économiques adaptées à un contexte général, qui ont favorisé les succès des pays d'Asie, sont aujourd'hui assez bien connues. Si les études ont pu, selon les cas, mettre l'accent sur des aspects variés, tout le monde s'accorde sur une liste commune d'« orientations propices ». Elles comprennent l'ouverture à la concurrence et au marché mondial ; la généralisation d'un haut niveau d'éducation ; une réforme foncière menée à terme et un soutien public aux investissements ; l'orientation vers l'industrialisation et les exportations. On serait bien en peine de trouver une quelconque incompatibilité entre l'un de ces facteurs et le processus de démocratisation, ou, à l'inverse, de montrer que leur efficacité a pu être améliorée par les éléments d'autoritarisme qui prévalaient en Corée du Sud, à Singapour ou en Chine [5].

Mieux encore, lorsqu'on se livre à une estimation du développement, on ne saurait cantonner l'examen à la progression du PNB ou à d'autres indicateurs généraux de l'expansion économique. Il est indispensable de considérer l'impact de la démocratie et des libertés publiques sur la vie et les capacités des individus, en tenant compte, en particulier, des relations entre l'existence des droits civiques et politiques, d'un côté, et la prévention des catastrophes (telles que les les famines), de l'autre. L'obtention des droits civiques donne aux citoyens la possibilité d'attirer l'attention sur leurs besoins élémentaires et d'exercer des pressions en faveur d'une action publique adéquate. La réaction des gouvernements aux situations de détresse dépend, dans une large mesure, de cette pression ; c'est à ce niveau que l'existence effective des droits – d'expression, de vote, de manifestation – introduit une différence concrète. Nous touchons là à l'un des aspects du rôle « instrumental » de la démocratie et des libertés publiques. Je reviendrai sur cette question importante au cours de ce chapitre.

Les pauvres se soucient-ils de la démocratie et des droits politiques ?

J'en viens maintenant à la deuxième question. Les habitants des pays du Tiers-Monde sont-ils indifférents à la démocratie ? Bien qu'elle réapparaisse fréquemment, cette assertion, tout comme la « thèse de Lee », ne repose sur aucun fondement empirique convaincant. La seule manière satisfaisante de valider cette affirmation consisterait à la soumettre à un scrutin démocratique, à l'occasion d'élections libres, supposant liberté d'expression et d'opposition. En d'autres termes, il faudrait, pour la vérifier, créer le contexte même que les tenants de l'autoritarisme refusent. Mais comment établir cette proposition quand les citoyens ordinaires n'ont guère de possibilités d'exprimer leur opinion et moins encore de mettre en cause les affirmations des autorités ? Il ne fait aucun doute que la dépréciation des droits et des libertés correspond au système de valeurs de la classe dirigeante dans beaucoup de pays du Tiers-Monde, mais rien ne permet d'en tirer la conclusion que leurs concitoyens partagent tous un point de vue identique.

Notons, à ce sujet, que le gouvernement d'Indira Gandhi a tenté, au milieu des années 1970, de justifier l'« état d'urgence » établi en Inde en développant une argumentation similaire. Au cours de cet épisode fatidique, le débat se polarisa sur l'acceptabilité de l'état d'urgence. Dès le scrutin suivant, la suppression des droits civiques élémentaires fut clairement rejetée. L'électorat indien, l'un des plus pauvres de la planète, se montra tout aussi ardent à défendre les libertés élémentaires qu'il l'était à se plaindre de la pauvreté endémique. Si l'on admet qu'il s'agit là de l'unique test, mené en grandeur réelle, de la proposition selon laquelle les pauvres, en général, se soucient peu de droits civiques et de liberté politique, la conclusion est sans ambiguïté. On peut d'ailleurs tirer la même leçon de l'observation attentive des combats en faveur de la démocratisation menés en Corée du Sud, en Thaïlande, au Bangladesh, au Pakistan, en Birmanie (Myanmar) et ailleurs en Asie. De la même manière, en Afrique, où les libertés politiques sont largement inexistantes, des mouvements démocratiques vigoureux sont apparus, chaque fois que les circonstances s'y prêtaient et malgré l'étroitesse des marges de manœuvre concédées par les dictatures militaires.

Venons-en maintenant à la variante de cet argument qui

veut que les pauvres aient *raison* de renoncer aux droits démocratiques et politiques et de leur préférer la satisfaction de leurs besoins économiques. Comme je l'ai dit précédemment, cette assertion redouble, avec une formulation différente, la thèse de Lee. Puisqu'elle ne peut faire l'objet d'une vérification empirique, ce syllogisme s'en trouve, de ce fait, invalidé.

L'importance instrumentale de la liberté politique

Je passerai maintenant de la critique négative des droits démocratiques à leur valeur positive. L'importance de la liberté politique comme constituant des capacités élémentaires a déjà été abordée lors des précédents chapitres. Nous avons raison d'accorder de la valeur aux libertés d'expression et d'action et il est tout à fait légitime pour des êtres humains – qui sont créatures sociales – de souhaiter voir reconnue leur libre participation aux activités sociales et politiques. Par ailleurs, la formation de nos *valeurs*, dans un cadre critique et non doctrinaire, exige un processus de communication ouverte et de libre discussion, qui ne saurait exister sans reconnaissance des libertés politiques et des droits civiques. Enfin, exprimer publiquement les valeurs que nous privilégions et obtenir l'attention nécessaire implique l'existence de la liberté de parole et du choix démocratique.

Partant de l'importance directe des libertés politiques, si nous déplaçons notre intérêt vers leur rôle instrumental, nous devons nous demander quels sont les principaux aiguillons susceptibles d'agir sur les gouvernements et sur les individus ou les groupes responsables de la définition des orientations politiques. Les gouvernants sont incités à écouter les revendications de leurs administrés s'ils sont exposés à leurs critiques et s'ils doivent s'attacher leur soutien, à l'occasion d'élections. Comme je l'ai souligné précédemment, on n'a jamais déploré de famines dans un pays indépendant doté de structures démocratiques et d'une liberté – même relative – de la presse [6]. Les famines sont associées aux royaumes traditionnels dans l'histoire, et aux sociétés autoritaires dans le monde contemporain ; aux communautés tribales primitives et aux dictatures technocratiques ; aux économies coloniales soumises aux puissances impérialistes occidentales et aux nouveaux États indépendants du Sud qui sont placés sous le régime de despotes ou de partis uniques. Elles n'apparaissent jamais dans un pays indépendant où des consultations électorales sont organisées, où des partis d'opposition expriment leurs critiques et où la presse rend compte de la situation et peut mettre en cause le bien-fondé des orientations gouvernementales sans subir une censure excessive [7]. Je reviendrai, plus en détail, sur cet antagonisme au cours du prochain chapitre, qui traite spécifiquement de la famine et d'autres catastrophes.

Le rôle constructif des libertés politiques

Droits civiques et libertés jouent un rôle instrumental déterminant, mais il existe aussi, dans la relation entre besoins économiques et libertés politiques, un aspect *constructif*. Si l'exercice des droits démocratiques élémentaires facilite une réaction politique à l'expression politique des besoins économiques, il intervient aussi dans la conceptualisation – qui inclut la compréhension – des « besoins économiques ». On peut tout à fait défendre l'idée que la meilleure manière de définir les besoins économiques – leur contenu et leur force – passe par la discussion et l'échange. Les droits civiques et politiques, dans la mesure où ils garantissent la discussion ouverte, la contradiction, la critique et les divergences d'opinion, jouent un rôle central dans le processus d'élaboration de choix fondés et informés. Ce processus est lui-même crucial dans la définition des valeurs et des priorités. En règle générale, toute préférence ne devrait être considérée comme valide que si une discussion ouverte et des échanges de vues ont été autorisés et menés à terme.

On sous-estime trop souvent la portée et l'efficacité du

dialogue ouvert dans la définition des problèmes politiques ou sociaux. La discussion publique joue, par exemple, un rôle majeur dans la réduction des taux de fertilité élevés, caractéristiques de nombreux pays sous-développés. À de nombreux indices, on sait que la baisse significative du taux de fertilité dans les États les plus alphabétisés de l'Inde résulte, pour une bonne part, des débats organisés à ce sujet, concernant, en particulier, les effets néfastes des naissances à répétition sur la vie des jeunes femmes et sur l'ensemble de la collectivité. S'il est admis, aujourd'hui, au Kérala ou au Tamil Nadu, qu'une famille heureuse, à l'époque moderne, compte peu de membres, cette conviction résulte d'une longue pratique de débats publics. Le Kérala affiche une fertilité de 1,7 (chiffre équivalent à celui de la Grande-Bretagne ou de la France et inférieur au taux chinois de 1,9) sans jamais avoir mis en œuvre de politique coercitive. Ce chiffre reflète l'émergence de nouvelles valeurs, apparues à la faveur d'un processus dans lequel le dialogue social a joué un rôle essentiel. Le haut niveau d'alphabétisation de la population et des femmes en particulier, qui n'a d'équivalent dans aucune province chinoise, a beaucoup contribué à l'instauration de ce dialogue social. (Je reviendrai sur ce point dans le chapitre suivant.)

Toutes les misères et les privations ne sont pas de même nature ; et toutes ne réagissent pas à l'identique aux remèdes sociaux. Quoi qu'il en soit, on ne saurait partir de la condition humaine et de l'ensemble des difficultés qui s'y attachent pour identifier nos « besoins ». Il existe ainsi toute une variété d'objectifs que nous pourrions avoir de bonnes raisons de privilégier, s'il était envisageable de les atteindre. Nous pourrions même convoiter l'immortalité, comme Maitreyee. Mais nous ne percevons pas ces objectifs comme des « besoins ». Ce qui appartient à l'ordre du besoin, nous le comprenons en relation avec le caractère évitable de certaines privations et avec notre capacité à élaborer les moyens de les éviter. La formation de cette compréhension puise, pour une bonne part, dans la discussion publique. Les droits politiques, y compris la liberté d'expression et le libre débat, ne sont pas seulement primordiaux dans la formulation de réponses sociales aux besoins économiques, ils sont aussi cruciaux dans la façon de concevoir les besoins économiques eux-mêmes.

La démocratie en action

Nous avons appréhendé la démocratie sous trois aspects : sa légitimité intrinsèque, son rôle de protection et sa fonction constructive. Ils s'étendent à de nombreux domaines. Toutefois, en développant ces arguments sur l'avantage de la démocratie, on prend le risque de « survendre » son efficience. Comme je l'ai expliqué plus haut, les droits démocratiques constituent des avantages potentiels, leur efficacité dépend de la manière dont ils sont exercés. Le fonctionnement démocratique s'est montré particulièrement utile dans la prévention de ces grandes catastrophes, qui résultent d'un enchaînement de causes faciles à saisir et qui provoquent, lorsqu'elles se produisent, une réaction de sympathie immédiate. Tous les problèmes ne se manifestent pas avec une telle évidence. Les succès de l'Inde dans l'éradication de la famine, par exemple, ne s'accompagnent pas de progrès comparables dans la lutte contre la malnutrition, l'analphabétisme ou les inégalités sexuelles (ainsi que nous l'avons vu dans le chapitre IV). Si le sort des victimes de la famine relève d'une explication politique simple, ces autres privations exigent une analyse plus approfondie et des formes plus sophistiquées de participation et de communication politique, bref, une pratique plus complète de la démocratie.

Les démocraties les mieux établies enregistrent aussi des échecs, révélateurs de pratiques inadéquates ou lacunaires. Les difficultés d'accès à la santé et à l'éducation dont pâtissent les Afro-Américains, par exemple, et l'état déplorable de l'environnement social dans lequel ils évoluent expliquent, pour une bonne part, le taux de mortalité extraordinairement élevé qu'ils connaissent (voir les chapitres I et IV), en dépit du caractère démocratique des institutions américaines. La démocratie crée un ensemble de possibilités – du moins est-ce un bon moyen de la percevoir – et la façon dont chacune de ces possibilités est mise en œuvre réclame une analyse particulière, prenant en compte la *pratique* effective des droits démocratiques et politiques. Dans cette perspective, la faible participation de l'ensemble du corps électoral, lors de toutes les consultations et de la population afro-américaine en particulier, tout comme d'autres signes d'apathie et d'aliénation ne sauraient être ignorés. La démocratie ne soigne pas les maux sociaux par simple ingestion, à la façon dont la quinine traite la malaria. Les malades doivent s'emparer des possibilités existantes s'ils veulent atteindre l'effet recherché. Il s'agit là, bien entendu, d'une règle élémentaire qui vaut pour toutes les libertés : elles dépendent de la façon dont elles sont exercées.

La pratique de la démocratie et le rôle d'opposition

Le succès de la démocratie n'est pas seulement affaire de règles et de procédures. Il dépend aussi de la manière dont les citoyens mettent à profit des oppportunités existantes. Fidel Valdez Ramos, l'ancien président des Philippines, a parfaitement expliqué cela, lors d'une allocution à l'Université nationale d'Australie (Australian National University) en novembre 1998 :

> « Soumis à un régime de dictature, les individus n'ont nul besoin de réfléchir – de choisir –, nul besoin de soupeser les termes d'une alternative ou de manifester leur assentiment. Le passé politique récent des Philippines nous a appris cette amère leçon. À l'inverse, la démocratie ne peut survivre sans vertu civique. Aujourd'hui, pour la planète entière, le défi politique ne se réduit pas à remplacer des régimes autoritaires par la démocratie. La tâche va bien au-delà : elle consiste à faire fonctionner la démocratie pour les gens ordinaires [8]. »

Que la démocratie instaure de telles possibilités, cela traduit à la fois son « importance intrumentale » et son « rôle constructif ». Mais qu'une dynamique se crée pour tirer avantage de ces oppportunités dépend de toute une conjonction de facteurs, tels que la vigueur du multipartisme ou encore la vitalité du débat normatif et de la formation des valeurs [9]. En Inde, par exemple, au moment de l'indépendance, la prévention de la famine apparaissait comme une priorité et, à ce titre, comme la question politique la plus sensible (comme cela avait été le cas dans la jeune république irlandaise, traumatisée par l'expérience de la famine sous la domination anglaise). Les acteurs politiques ont consacré tous leurs efforts à ce combat et ont condamné l'inconséquence des autorités chaque fois que la famine frappait. C'est ainsi qu'ils ont contraint les gouvernements à éradiquer ce fléau. *A contrario*, les partis d'opposition se sont montrés beaucoup plus inconséquents face à l'analphabétisme, à la malnutrition chronique – phénomène qui affecte, en premier lieu, les enfants – ou encore à la mise en œuvre de la réforme agraire, pourtant adoptée, sur le papier, par les parlementaires. Cette docilité de l'opposition a permis aux gouvernements successifs de négliger, en toute bonne conscience, ces aspects capitaux des politiques publiques.

En réalité, l'activisme politique peut constituer une force significative quelle que soit la nature des institutions d'un pays – qu'elles soient démocratiques ou non. En Corée du Sud, avant les réformes démocratiques et même dans le Chili de Pinochet, contre toutes probabilités, la vigueur et la ténacité de l'opposition ont influencé, au moins indirectement, les orientations gouvernementales, même si la démocratie n'était pas encore rétablie. La mise en œuvre de programmes sociaux d'envergure visait, en premier lieu, à réduire l'écho des partis d'opposition au sein de la population, ce qui valait reconnaissance implicite de leur rôle réel avant même que leur existence légale ne soit avalisée [10].

De la même manière, dans le domaine de l'égalité entre les sexes, l'expérience montre qu'aucun progrès notable n'est enregistré, sans une mobilisation conséquente permettant de formuler des critiques et d'élaborer des réformes. Lorsque ces questions émergent dans la discussion publique et qu'elles deviennent un sujet de confrontation, les autorités sont contraintes de fournir des réponses. En général, dans les régimes démocratiques, les gens qui revendiquent finissent par obtenir satisfaction. Plus souvent encore, ils n'obtiennent pas ce qu'ils n'ont jamais demandé. En Inde, deux des domaines les plus négligés – l'égalité entre les sexes et l'éducation élémentaire – commencent à mobiliser les partis d'opposition et, en conséquence, les pouvoirs législatif et éxécutif. S'il est encore trop tôt pour présumer des avancées qui en résulteront, on peut d'ores et déjà constater un certain nombre d'évolutions. Notons, parmi celles-ci, une proposition de loi prévoyant un quota d'un tiers de femmes au parlement et une réforme de la scolarité ouvrant l'éducation élémentaire à une proportion beaucoup plus importante des enfants.

Dans le cas de l'Inde, on ne saurait réduire la contribution de la démocratie à la prévention des famines ou d'autres désastres économiques. Malgré une pratique limitée, elle a contribué à pérenniser la sécurité et la stabilité du pays, qui n'étaient en rien assurées au moment de l'indépendance, en 1947. Le pays, alors dirigé par des hommes sans expérience gouvernementale, souffrait des conséquences de la partition, d'alignements internationaux peu clairs, de violences communautaires et de graves désordres sociaux. Qui aurait pu alors professer sa foi en une Inde démocratique et unie ? Pourtant, un demi-siècle plus tard, avec tous ses défauts, le système continue à fonctionner. Pour l'essentiel, les affrontements politiques se déploient dans le cadre des procédures constitutionnelles. Des gouvernements se sont succédé, se sont formés et ont été dissouts selon les règles parlementaires et la loi électorale. L'Inde, cet amalgame invraisemblable, inélégant et dissonant, survit et s'est affirmée comme entité politique autour de son système démocratique et, même, grâce à celui-ci.

Le pays a aussi relevé le défi considérable que constituait l'hétérogénéité des langues et son extraordinaire diversité de religions et de cultures. Il va de soi que des politiciens sectaires n'hésitent pas à exploiter ces différences et s'efforcent d'attiser les violences intercommunautaires, ainsi qu'on l'a vu encore pendant la période récente. Mais lors de chacune de ces crises, la grande majorité du pays exprime sa consternation et condamne les violences sectaires. Cette réaction constitue sans doute la meilleure garantie démocratique contre les factions prêtes à tout pour exploiter les antagonismes. Cette attitude est essentielle à la survie et à la prospérité d'un pays doté d'une diversité aussi remarquable : si la majorité de la population professe l'hindouisme, l'Inde est aussi le troisième pays musulman du monde et abrite des millions de chrétiens et la quasi-totalité des communautés sikh, parsi et jaïn.

Une remarque pour conclure

Développer et assurer la vitalité d'un système démocratique représente une dimension essentielle du processus de développement. L'importance de la démocratie tient, comme je l'ai expliqué, à trois vertus : son poids intrinsèque, sa contribution instrumentale et son rôle constructif dans l'élaboration des valeurs et des normes. Aucune évaluation des formes de gouvernements démocratiques ne serait complète si on ne prend en compte ces trois aspects.

Malgré leurs limites, les libertés politiques et les droits civiques sont, le plus souvent, exploités à des fins positives. Dans les domaines où ils n'ont pas encore été mis en œuvre avec efficacité, des possibilités existent pour leur conférer tout leur rôle. La fonction « permissive » des droits démocratiques (ils rendent possibles et ils encouragent la discussion ouverte et l'échange, la participation de chacun et la reconnaissance de l'opposition) s'applique à un champ très vaste, bien que ce rôle ait été plus effectif sur un certain nombre de terrains. Leur utilité est vérifiée dans la prévention des catastrophes. Dans des situations plus routinières, ce rôle de la démocratie peut, il est vrai, passer inaperçu. Mais il se manifeste à nouveau quand survient, pour une raison quelconque, une crise majeure, comme lors de la récente tourmente financière en Asie du Sud-Est, qui a affecté plusieurs pays, plongeant une partie de la population dans une situation de grande précarité. Lors de tels revers de conjoncture, l'incitation politique propre au système démocratique retrouve toute sa valeur.

Quelle que soit l'importance des institutions démocratiques, on ne saurait se contenter de les considérer comme de simples outils, exerçant des effets mécaniques sur le développement. Leur mise en œuvre dépend des priorités et des valeurs que nous nous fixons, et de l'usage que nous faisons des occasions potentielles de participation qu'elles procurent. Dans ce contexte, l'existence d'une opposition organisée joue un rôle déterminant.

Le débat public et la discussion, favorisés par les libertés politiques et les droits civiques, contribuent de manière décisive à la formation des valeurs. De fait, même l'identification des besoins est influencée par la nature de la participation publique et du dialogue. Notons d'ailleurs que si le débat public constitue un corrélat de la démocratie, la promotion de celui-ci améliore en retour le fonctionnement de la démocratie. Nourri par une meilleure information et sorti de sa situation marginale, le débat sur l'écologie, par exemple, profiterait non seulement à l'environnement mais aussi à la santé et au fonctionnement du système démocratique lui-même [11].

Insister sur les bienfaits de la démocratie ne suffit pas. Il faut aussi protéger les conditions et les circonstances qui permettent d'optimiser les processus démocratiques. Parce que la démocratie est une des sources primordiales d'opportunités sociales, il est indispensable d'examiner les voies et les moyens permettant de faciliter son fonctionnement, afin d'en tirer le meilleur parti. Les progrès de la justice sociale ne dépendent pas uniquement de formes

institutionnelles (y compris la définition de règles de procédures), mais aussi de la pratique effective. Pour peu que
l'on place quelque espoir dans les droits civiques et les
libertés politiques, la question de leur mise en pratique
devient centrale, pour les raisons que j'ai exposées. Il
s'agit là d'un défi auquel doivent faire face toutes les
démocraties, les mieux enracinées (comme les États-Unis,
où la participation reste très différenciée selon les
communautés) tout comme les plus jeunes. Les unes et les
autres sont confrontées à ce problème.

CHAPITRE VII

Famines et autres crises

Dans le monde contemporain, la faim et la malnutrition restent des phénomènes largement répandus. Les famines elles-mêmes surviennent avec une fréquence inquiétante. On estime souvent – ne serait-ce que de manière implicite – que nous sommes impuissants face à ces situations désespérées. De nombreuses projections laissent supposer que le mal est destiné à empirer à long terme, par suite de l'augmentation de la population mondiale. Le plus souvent, un pessimisme latent colore les commentaires portés sur la misère. Largement admise, l'absence de marge de manœuvre pour en finir avec le problème de la faim conduit au fatalisme : à quoi bon envisager de vaines mesures pour remédier aux misères du monde ?

Ce pessimisme ne repose pourtant sur aucune analyse convaincante. Rien, dans les faits, ne permet de conclure que la faim et les privations sont immuables. L'expérience montre, au contraire, que, dans le monde moderne, des politiques adéquates peuvent continuer à éradiquer cette calamité. Tout un ensemble d'analyses récentes, d'ordre économique, politique et social montre qu'il est possible d'identifier les mesures conduisant à l'élimination des famines et à une réduction spectaculaire de la malnutrition chronique. L'essentiel, aujourd'hui, consiste à élaborer des politiques et des programmes qui s'appuient sur des enquêtes analytiques et des études empiriques [1].

Dans ce chapitre, je m'intéresserai aux famines et aux

autres « crises » soudaines qui se caractérisent par leur irruption inattendue et les privations qu'elles entraînent pour une proportion considérable de la population. (C'est le cas, par exemple, de la crise économique actuelle en Asie du Sud-Est.) Il est nécessaire de distinguer les famines et les autres crises de ce type des problèmes endémiques de malnutrition ou de pauvreté qui s'accompagnent de souffrances persistantes, mais ne se manifestent pas sous la forme d'une vague de privations extrêmes dont la force submerge des pans entiers de la population. Toutefois, lorsque j'en viendrai à l'analyse de la malnutrition endémique et des privations persistantes, principalement au chapitre IX, je m'appuierai sur certains concepts issus de l'étude des famines.

Tout projet pour éliminer la faim dans le monde moderne implique, en premier lieu, de comprendre les causes du phénomène et de ne pas simplement le réduire à un mécanisme d'équilibre entre nourriture et population. L'analyse de la faim doit partir des libertés substantielles dont disposent les personnes et les familles pour s'approprier des ressources suffisantes de nourriture, en les cultivant elles-mêmes (c'est le cas des paysans) ou bien en se les procurant sur le marché. Il n'est pas rare que des individus soient réduits à la famine alors que les ressources abondent autour d'eux, tout simplement parce qu'ils ne peuvent plus les acheter, suite à une perte de revenus (conséquence du chômage ou d'un effondrement du marché dans un ou plusieurs secteurs d'activités). À l'inverse, lorsque l'offre de nourriture se raréfie dans des proportions drastiques, il reste possible d'éviter la famine, en organisant une meilleure répartition des ressources disponibles, qui peut passer par la création d'emplois et de revenus supplémentaires pour les victimes potentielles de la famine. Pour une plus grande efficacité, ces mesures peuvent s'accompagner d'importations exceptionnelles de biens alimentaires, mais de nombreux exemples montrent qu'il est possible d'enrayer une menace de famine sans aller jusque-là. L'essentiel est de centrer ces interventions sur la capacité économique et la liberté substantielle des individus et des familles, afin qu'elles continuent à acheter des biens alimentaires en quantité suffisante, plutôt que de se focaliser sur les réserves disponibles de nourriture dans le pays concerné.

À ce point, il est nécessaire d'en passer par l'analyse économique et politique, qu'il s'agisse de comprendre les famines ou d'autres types de crises et de désastres. Un bon exemple nous est fourni par la conjoncture récente dans plusieurs pays d'Asie du Sud-Est. Au cours de ces crises, à l'instar de ce qui se produit lors de famines, certaines couches de la population ont vu leurs prérogatives économiques disparaître du jour au lendemain. La soudaineté et l'intensité des privations, ainsi que leur caractère de totale imprévisibilité, les distinguent des phénomènes habituels de pauvreté, tout comme les famines diffèrent de la malnutrition endémique.

Droits d'accès et interdépendance

Le phénomène de la faim n'entretient pas seulement des relations avec la production de biens alimentaires et le développement de l'agriculture, mais aussi avec l'ensemble du fonctionnement économique et, dans une perspective encore plus large, avec tout le contexte politique et social qui influence, par des biais divers, la capacité des individus à se procurer de quoi manger et à entretenir leur santé. Dans ce cadre, les gouvernements jouent un rôle majeur. L'analyse doit aussi prendre en compte les activités d'autres structures ou institutions, depuis le négoce, la distribution et les marchés jusqu'aux partis politiques, aux ONG et aux structures capables de favoriser un débat public informé, telles que les médias.

La malnutrition, la faim et la famine sont influencées par toute l'activité économique et sociale, pas seulement par l'agriculture. Il est indispensable d'identifier clairement les interdépendances économiques et sociales qui expliquent l'apparition de la faim. Dans les systèmes économiques contemporains, la distribution de la nourriture n'est pas régie par des critères caritatifs ni par un système de répartition automatique. La capacité de se procurer de la nourriture doit *se gagner*. La quantité totale de nourriture disponible sur le marché compte moins que les « droits d'accès » dont jouissent les individus et qui leur permettent d'acquérir une certaine quantité de produits de base. La faim touche les personnes qui ne peuvent revendiquer de droits d'accès à une quantité suffisante de denrées[2].

Comment sont établis les droits d'accès d'une famille ? Ils dépendent d'une série de facteurs. En premier lieu, vient la dotation : la propriété de ressources productives ou de richesses auxquelles est associé un prix sur le marché. Pour la grande majorité de l'humanité, l'unique dotation significative se résume à la force de travail, parfois accompagnée d'un niveau plus ou moins élevé de spécialisation ou d'expérience. D'une manière générale, le travail, la propriété foncière et les autres ressources constituent les diverses formes de dotation.

Une deuxième influence importante tient aux possibilités de production et à l'usage qui en est fait. Ici, la technologie entre en ligne de compte : elle détermine les possibilités de production, en fonction des connaissances disponibles aussi bien que de la capacité des individus à maîtriser ces connaissances et à les convertir.

En engendrant des droits d'accès, la dotation, sous forme de propriété foncière ou de force de travail, peut être mise directement au service de la production de biens alimentaires – c'est ainsi que procède l'agriculture. À défaut, un individu ou une famille acquièrent leur faculté d'acheter de la nourriture par l'intermédiaire d'un salaire. Cette faculté sera alors déterminée par la conjoncture sur le marché du travail et le niveau des rémunérations. Ces facteurs, à leur tour, dépendent des possibilités de production dans l'agriculture, l'industrie et les autres secteurs. La majorité des habitants de la planète ne produisent pas directement leur nourriture, mais gagnent la possibilité de l'acquérir en obtenant un emploi dans la production d'autres biens ou de services de toutes sortes.

Ces interdépendances jouent un rôle crucial dans l'analyse des famines, puisque des pans entiers de la population peuvent perdre tout accès à la nourriture du fait de problèmes liés à leur secteur d'activité et non à la production alimentaire.

En troisième lieu, nous devons considérer les conditions d'échange : c'est-à-dire la capacité de vendre et d'acheter des biens et le mode de fixation des prix relatifs pour les différents produits (par exemple, les produits de l'artisanat vis-à-vis des produits alimentaires de base). Du fait de la place disproportionnée de la force de travail – unique dotation de la grande majorité de l'humanité –, il est capital d'observer la façon dont les opérations se déroulent sur le marché du travail. Un chercheur d'emploi trouve-t-il un poste au salaire du marché ? Les débouchés pour les artisans et les fournisseurs de services sont-ils tels qu'escomptés ? À quels prix relatifs (par rapport au prix des biens alimentaires sur le marché) écoulent-ils leur production ou vendent-ils leurs services ?

Dans des situations d'urgence économique, on enregistre parfois des variations spectaculaires des conditions d'échange. Le spectre de la famine s'approche alors. Ces variations résultent de toute une série d'influences et peuvent prendre place en un temps très court. Il est arrivé que des famines s'installent à l'occasion de variations de grande amplitude entre les prix relatifs de produits divers (ou bien entre les salaires et les prix des produits alimentaires de base), dues à des causes éloignées, telles que des sécheresses, des inondations, une rétraction générale du marché de l'emploi, un boom économique cantonné à certains secteurs, qui accroît les inégalités de revenus, ou même un simple phénomène de panique : les rumeurs de pénurie alimentaire entraînent une flambée des prix et désorganisent le secteur de la distribution [3].

Quand une crise économique se déclenche, certains secteurs sont plus affectés que d'autres. Par exemple, en 1943, pendant la famine au Bengale, les taux de change entre les biens alimentaires et divers produits ont été radicalement modifiés. Indépendamment du ratio salaires/nourriture/prix, on a enregistré des variations colossales du prix du poisson vis-à-vis des céréales, à la suite desquelles les pêcheurs bengalais ont compté parmi les groupes les plus durement affectés. Le poisson est un produit alimentaire, mais aussi un bien de luxe, et les pêcheurs sont contraints de trouver un débouché commercial pour leur production s'ils veulent être en mesure d'acheter des calories à meilleur marché sous forme de biens alimentaires de base (c'est-à-dire du riz, dans le cas du Bengale). L'équilibre de la survie repose sur cet échange. Il suffit d'un soudain effondrement du prix relatif du poisson vis-à-vis du riz et le système cesse de fonctionner [4].

Bien d'autres activités se révèlent vulnérables aux variations de prix relatifs et aux circuits de vente. Prenons l'exemple des coiffeurs : en période de crise, deux séries de problèmes les affectent. Quand la conjoncture est difficile, on y regarde à deux fois avant d'aller se faire couper les cheveux. Mais au-delà de cette baisse « quantitative », on souffre aussi d'une chute du prix relatif de ces services : au Bengale, en 1943, encore une fois, le taux de change entre la coupe de cheveux et les produits alimentaires de base a baissé, dans certains districts, de 70 à 80 %. Rappelons que, lors de cet épisode, ces mécanismes s'enclenchèrent sans contraction significative de la production de biens alimentaires ou de l'offre totale. L'augmentation du pouvoir d'achat de la population urbaine, qui bénéficiait du boom de l'économie de guerre, combinée à une peur anticipée de pénurie alimentaire contribua à impulser le phénomène par l'intermédiaire d'une modification spectaculaire dans la distribution. Encore une fois, il importe de souligner que la compréhension des causes de la famine exige une analyse de la totalité des mécanismes économiques et non un simple calcul comptable concernant la production et l'offre de nourriture [5].

Les causes de la famine

L'effondrement des droit d'accès qui conduit aux famines peut avoir des origines diverses. Toute tentative pour combattre les famines et, plus encore, pour les prévenir doit prendre en compte cette pluralité de causes. Dans une certaine mesure, les famines se ressemblent toutes, mais leur généalogie est toujours singulière.

Ceux qui ne produisent pas de biens alimentaires – les employés de l'industrie ou des services, par exemple – ou qui ne possèdent pas les biens alimentaires qu'ils produisent – les ouvriers agricoles, par exemple – doivent utiliser leur faculté à se procurer la nourriture sur le marché. Elle dépend de leurs revenus, des prix du marché et de l'importance de leurs dépenses de première nécessité hors alimentation. Mais ces facteurs sont eux-mêmes soumis à la conjoncture économique : marché de l'emploi et niveau des salaires pour les employés, prix et disponibilité des biens pour les artisans et les fournisseurs de services, etc.

Quant aux producteurs de biens alimentaires, si leurs droits d'accès sont en lien direct avec leur production individuelle, ils ne bénéficient d'aucun avantage particulier sur la production nationale alimentaire, la seule observée, en général, par les études consacrées à la famine. Par ailleurs, il n'est pas rare que les producteurs vendent des biens alimentaires d'une valeur élevée (il s'agit le plus souvent de viande) afin d'acquérir des produits à meilleur marché (céréales). Cette pratique fréquente parmi les populations pastorales pauvres caractérise, en particulier, les éleveurs nomades du Sahel et de la corne de l'Afrique. La situation d'« échanges dépendants » des pasteurs africains est similaire à celle, décrite plus haut, des pêcheurs bengalais, contraints de vendre leur poisson pour acheter du riz. Toute variation des taux d'échange est susceptible de rompre le fragile équilibre. Une chute des cours des produits d'élevage vis-à-vis des céréales suffit à déclencher un désastre pour ces populations pastorales. En Afrique, plusieurs famines caractérisées par une forte composante pastorale ont résulté d'un processus de ce type. Il arrive que la sécheresse entraîne une chute des prix relatifs des produits de l'élevage (y compris la viande) vis-à-vis des produits de base. Dans des situations d'incertitude économique, les agents modifient leurs habitudes de consommation, au détriment des produits chers (tels que la viande) ou « superflus » (comme le cuir). Cette modification des prix relatifs peut interdire aux populations pastorales l'achat des biens alimentaires de base, nécessaires à la survie [6].

Le maintien de la production alimentaire ou de sa disponibilité ne suffit pas toujours à éviter les famines. Un ouvrier non qualifié, frappé par le chômage, peut être réduit à la famine, dans des pays où n'existent ni système de Sécurité sociale, ni assurance-chômage, ni aucune forme de filets de sécurité. Un tel cas de figure est susceptible de se mettre en place avec une facilité déconcertante et une famine majeure se développer, y compris dans une période marquée par un niveau élevé et constant de biens alimentaires disponibles, voire lors d'un « pic » de disponibilité.

La famine de 1974, au Bangladesh, s'est d'ailleurs déroulée dans ce contexte [7]. Elle est survenue au cours de l'année où les ressources alimentaires disponibles par habitant étaient les plus abondantes, pour la période 1971-1976 (voir figure 7.1). Le phénomène a commencé par une crise massive de l'emploi, dans les régions affectées par les inondations. Celles-ci devaient entraîner une forte baisse de la production agricole, mais seulement au moment des moissons, c'est-à-dire plusieurs mois plus tard (en décembre, pour l'essentiel) après que la famine se fut installée, après même qu'elle eut été résorbée. Les inondations, en revanche, ont causé une contraction *immédiate* du revenu pour la main-d'œuvre rurale, au cours de l'été 1974. Privées des salaires que leur auraient procuré le repiquage du riz et les activités connexes, ces populations n'avaient plus aucun moyen d'acheter leur

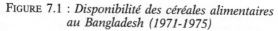

FIGURE 7.1 : *Disponibilité des céréales alimentaires au Bangladesh (1971-1975)*

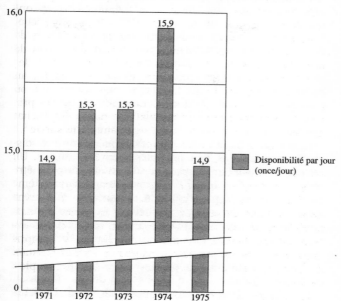

Source : Amartya Sen, *Poverty and Famines* (Oxford, Oxford University Press, 1981), tableau 9.5. La famine est survenue en 1974.

subsistance. La famine locale et la vague de panique se sont propagées au pays tout entier, favorisées par la nervosité du marché alimentaire et par la flambée des prix du riz, due à un pessimisme exagéré concernant la pénurie. Pendant une période, la spéculation a attisé les peurs, avant que n'intervienne une correction à la baisse du prix du riz[8]. Mais la famine avait alors fait son œuvre.

Même dans les cas où la famine résulte d'une baisse de la production alimentaire (comme en Chine, entre 1958 et 1961 ou en Irlande lors des famines des années 1840[9]), il est nécessaire de prendre en compte d'autres facteurs que les statistiques de production, si l'on veut comprendre pourquoi certains secteurs de la population subissent les ravages de la crise quand d'autres en sortent indemnes. Les famines divisent pour mieux régner. Il arrive ainsi que des collectivités paysannes voient leurs droits d'accès aux biens alimentaires fondre comme neige au soleil, simplement parce que la production locale est affectée par la sécheresse, alors que le pays n'enregistre aucune pénurie notable. Les victimes ne disposent d'aucune solution de rechange pour leur approvisionnement, n'ayant rien à vendre pour se constituer un revenu, après la perte de leurs cultures. D'autres groupes, dont les revenus proviennent d'activités non agricoles, peuvent traverser la crise en trouvant de nouveaux canaux d'approvisionnement. L'Éthiopie, en 1973, a connu une situation de ce type. Les couches pauvres de la province du Wollo ont alors été dans l'incapacité d'acheter de quoi se nourrir, alors que les prix alimentaires à Dessie, la capitale du Wollo, n'étaient pas plus élevés qu'à Addis Abeba ou à Asmara. On sait même que des stocks de vivres ont quitté le Wollo, à destination de provinces plus prospères, où le revenu des habitants n'avait pas connu de fluctuations.

Comme je l'ai évoqué plus haut, la flambée des prix alimentaires peut aussi être provoquée par l'augmentation du pouvoir d'achat de certaines couches sociales. La famine survient alors sans aucune baisse préalable de la production alimentaire. Elle résulte d'une augmentation inégale de la demande et non d'une contraction de l'offre totale. Ce mécanisme est à l'origine de la famine de 1943, au Bengale, que j'ai décrite précédemment, lorsque les populations urbaines ont profité du « boom de la guerre » – pour arrêter l'avance japonaise, les villes du Bengale, y compris Calcutta s'étaient momentanément reconverties dans les activités de défense. Le prix du riz commença à grimper, la panique et la spéculation accélérèrent le mouvement et, très vite, le Bengale rural fut dans l'incapacité de se procurer sa subsistance [10]. Ce fut alors le sauve-qui-peut [11].

Une autre configuration explosive peut se mettre en place quand les activités d'une partie de la population active disparaissent, par suite de mutations économiques ou de délocalisations. Cela s'est produit, par exemple, en Afrique subsaharienne, avec la modification de l'environnement et des conditions climatiques. Des secteurs entiers de la population se retrouvent alors sans travail, sans ressources et, en l'absence de système de protection sociale, sont acculés à la pauvreté.

Il se peut aussi que la disparition d'activités traditionnelles corresponde à de simples fluctuations de conjoncture. Elle n'en reste pas moins alors un dangereux détonateur. Lors de la famine de 1974 au Bangladesh, par exemple, les premiers symptômes de la catastrophe ont frappé la main-d'œuvre rurale, après les inondations de l'été, qui ont empêché les activités saisonnières de repiquage du riz. Les ouvriers agricoles, dont l'horizon économique reste cantonné à la subsistance quotidienne, ont été réduits à la famine par la perte de leurs revenus et le phénomène s'est installé bien avant que les cultures affectées par les inondations n'aient été mises sur le marché [12].

Les famines n'ont qu'un trait commun : leur diversité. Toute tentative de les comprendre en termes de disponibilité alimentaire par habitant ne peut mener qu'à une impasse. Il est bien rare qu'une crise de ce type affecte plus de 5 à 10 % de la population totale. On connaît, il est vrai, des comptes rendus décrivant des pays entiers frappés par le fléau. Mais la plupart de ces récits mériteraient un examen critique. Dans sa onzième édition, la vénérable *Encyclopaedia Britannica*, décrivant la famine indienne de 1344-1345, note que « même l'empereur moghol n'était plus en mesure d'assurer la subsistance de sa cour [13] ». Mais cette description soulève plusieurs problèmes. En premier lieu, la fondation de l'empire moghol, en Inde, date de 1526. Plus important encore, l'empereur Tughlak qui régnait en 1344-1345 – Mohamed Bin Tughlak – non seulement n'a rencontré aucune difficulté pour assurer la subsistance de sa cour, mais il disposait d'une cassette personnelle si bien remplie qu'il put mettre sur pied l'un des programmes de secours aux victimes parmi les plus remarquables de l'Histoire [14]. À y regarder de près, les famines ne frappent pas sans discrimination, le sort s'aligne sur la fortune.

La prévention de la famine

Les crises étant initiées par la perte des droits d'accès aux ressources alimentaires d'une ou de plusieurs couches sociales, dans des régions déterminées, il est nécessaire, pour enrayer la famine de recréer, de manière systématique, un niveau minimal de revenus et de restaurer les droits d'accès de tous ceux que la tourmente économique a frappés. Les masses en jeu, bien que conséquentes en chiffres absolus, représentent, le plus souvent, des fractions réduites de la population totale, si bien que des sommes restreintes peuvent suffire à rétablir leur pouvoir d'achat et à éradiquer la faim. L'action publique est donc en mesure de prévenir la famine, même avec des moyens modestes, qui restent à la portée des pays pauvres. Son efficacité dépend moins de l'ampleur des coûts que du contrôle de leur affectation et du moment choisi.

On peut se représenter les grandeurs en jeu, en partant de l'hypothèse selon laquelle une famine potentielle frapperait 10 % de la population d'un pays donné (en pratique, la proportion de la population touchée est moindre). Puisqu'il s'agit des couches les plus pauvres, leur part dans le revenu national n'excède pas, en temps normal, 3 % du produit national brut. De la même manière, leur consommation alimentaire ne dépasse pas 4 à 5 % de la consommation nationale. Les ressources qu'il faudrait injecter pour recréer l'*intégralité* de leur revenu ou pour restaurer leur capacité normale de consommation alimentaire, si elle tombait à zéro, ne seraient pas démesurées, à condition de mettre en œuvre des mesures préventives efficaces. Il va de soi que les victimes des famines tendent à sauvegarder un minimum de ressources (ainsi leurs droits d'accès ne doivent pas être restaurés à partir de zéro), ce qui diminue d'autant les ressources *nettes* nécessaires pour combattre la famine.

Par ailleurs, une part significative de la mortalité liée à la famine résulte de maladies dues à à des causes diverses telles que l'affaiblissement physique, la détérioration des conditions sanitaires, les mouvements de population ou des épisodes infectieux de maladies endémiques propres à la région [15]. Là encore, une action publique bien ciblée peut obtenir des résultats considérables à peu de frais.

Dans une large mesure, la prévention des famines dépend des dispositions politiques existantes en faveur de la protection des droits d'accès. Dans les pays riches, la lutte contre la pauvreté ou les subventions allouées aux chômeurs répondent à cette exigence. La plupart du temps, les pays en voie de développement sont dépourvus de systèmes d'assurance-chômage, mais plusieurs d'entre eux ont déjà recouru à des programmes publics de créations massives d'emplois d'urgence pendant les périodes de crises, que celles-ci soient consécutives à des désastres naturels ou non. L'affectation d'une partie du budget de l'État à la création d'emplois peut se révéler très efficace pour éviter la famine. En Inde, c'est par ce biais que les famines potentielles ont été étouffées dans l'œuf depuis l'Indépendance. En 1973, par exemple, dans l'État du Maharashtra, la baisse d'activité due à la sécheresse a été compensée par la création de cinq millions d'emplois temporaires, chiffre colossal, surtout si l'on prend en compte les familles des salariés secourus. Les résultats ont été extraordinaires puisqu'on n'a enregistré aucune hausse du taux de mortalité, ni même d'augmentation du nombre de personnes souffrant de malnutrition, malgré une chute spectaculaire (70 % et plus dans certaines zones) de la production agricole dans une grande partie de l'État.

Famine et aliénation

L'économie politique de la famine, l'action sur ses causes et sa prévention mettent en jeu les institutions ainsi qu'un ensemble d'organisations ; elle dépend aussi de la perception et de la compréhension qui accompagnent l'exercice du pouvoir et de l'autorité. Ici intervient l'aliénation des dirigeants à l'égard de ceux qu'ils dirigent. Même quand cette relation n'est pas à l'origine de la famine, la distance politique et sociale entre les deux pôles peut jouer un rôle capital dans la non-prévention de la crise.

À cet égard, les famines successives de la décennie 1840, en Irlande, qui ont causé la mort d'une proportion plus importante de la population totale que tout autre phénomène similaire dans l'Histoire, sont riches d'enseignement [16]. Ces crises devaient changer la nature même du pays. Elles ont provoqué une vague d'immigration sans précédent, en dépit de conditions de transfert redoutables [17]. À ce jour, l'Irlande est loin d'avoir retrouvé un niveau de population comparable à celui de 1845, année où la famine a surgi.

Quelle fut la source de cette calamité ? Dans l'ouvrage de George Bernard Shaw intitulé *Man and Superman*, Mr. Malone, un riche Irlando-Américain, refuse de parler de « famine » à propos de la situation irlandaise. Il raconte à Violet, sa belle-fille anglaise, que « son père est mort affamé, en 47, l'année noire ». Quand Violet évoque la famine, Malone réplique : « Non, affamé. Quand la nourriture abonde au point que le pays en exporte, on ne saurait parler de famine. »

Le jugement définitif de Malone appelle plusieurs rectifications. Il est indéniable que les exportations alimentaires n'ont jamais été interrompues entre la famélique Irlande et la prospère Angleterre, mais affirmer que « la nourriture abondait » est inexact. (De fait, la combinaison de pénurie et d'exportations alimentaires caractérise de nombreuses famines.) Par ailleurs, si l'on peut utiliser le mot affamer au sens actif de priver les gens de subsistance jusqu'à ce que mort s'ensuive, il est un peu cavalier de nier l'existence d'une famine, dans l'acception commune du terme, quand on veut décrire la situation de l'Irlande au cours de cette période.

Cependant, Malone a autre chose en tête. Il vise, au-delà de l'effet littéraire, à porter un jugement de valeur. La question qu'il soulève concerne le facteur humain dans les origines et le développement de la famine. Si l'on admet que les moyens existaient d'éviter les famines irlandaises et que les autorités disposaient de ces moyens, alors l'accusation portée contre les affameurs retrouve son sens. Le doigt accusateur pointe dans la direction des politiques publiques et de leurs initiateurs, ceux qui ont le pouvoir de prévenir – ou non – le fléau, et il désigne aussi les influences politiques, sociales et culturelles qui déterminent leurs positions. Ici, les politiques publiques sont soumises à un examen d'intentions, qui scrute leurs omissions autant que leurs actions. Et puisque les famines continuent de survenir en différents endroits du globe, malgré le niveau de prospérité sans précédent atteint par l'humanité, les interrogations concernant les politiques publiques et leur efficacité demeurent aussi pertinentes aujourd'hui qu'elles pouvaient l'être voici cent cinquante ans.

Si l'on veut maintenant identifier les causes immédiates des famines irlandaises, on doit s'arrêter, en premier lieu, sur une baisse de la production alimentaire due, avant tout, à la crise de la pomme de terre. Toutefois, on peut attribuer un rôle plus ou moins important aux stocks alimentaires dans le déclenchement de la famine, selon les statistiques alimentaires que l'on prend en compte. Tout dépend des ensembles géographiques que l'on choisit de considérer. Comme l'a fait remarquer Cormac O'Grada, si l'on se fonde sur la production et l'offre alimentaire de l'ensemble du Royaume-Uni, on ne décèle pas le moindre indice de contraction, à l'inverse de la situation spécifique de l'Irlande [18].

Aucun obstacle majeur ne s'opposait à un transfert alimentaire à destination de l'Irlande, sinon que les Irlandais n'avaient pas les moyens de payer. Rien ne se passa, ce qui reflète la pauvreté des Irlandais et les privations économiques qu'ils subissaient. L'écrivain Terry Eagleton décrit la situation avec précision dans son récit littéraire de la famine : « En ce sens, on peut raisonnablement affirmer que les Irlandais ne mouraient pas simplement du manque de nourriture, mais surtout du manque de liquidités qui leur interdisait de se procurer les vivres, pourtant abondants dans l'ensemble du royaume, quoiqu'ils ne parvinssent pas jusqu'à eux [19]. »

Lorsqu'on analyse les causes des famines, il est important d'étudier la prévalence de la pauvreté dans la région ou le pays concerné. Dans le cas de l'Irlande, la pauvreté des habitants et la modestie des biens qu'ils possédaient les rendaient facilement vulnérables à la récession apparue avec la crise de la pomme de terre [20].

Dans ce contexte, il ne suffit pas de se focaliser sur la pauvreté endémique de la population étudiée, mais aussi sur ses maillons les plus faibles, c'est-à-dire sur les secteurs qui disposent des droits d'accès les plus fragiles et les plus susceptibles d'être balayés en période de tourmente économique [21]. Le manque de défense des plus pauvres, combiné aux désagréments qu'ils doivent subir lors des revers de conjoncture, engendre les victimes de la faim. Les petits producteurs de pomme de terre ont été les premiers affectés par la crise, vite suivis par les autres couches modestes, dès que les prix alimentaires ont flambé.

Si l'on en revient au problème des approvisionnements, on ne constate aucun mouvement d'importations systématiques destiné à résorber la crise ; on enregistre au contraire, comme je l'ai déjà mentionné, un accroissement du flux d'exportation à destination de l'Angleterre (concernant surtout des biens alimentaires de qualité). Un tel « contre-mouvement » est caractéristique d'un certain type de famines – les famines d'effondrement – qui accompagnent un effondrement général de l'économie et

à l'occasion duquel le pouvoir d'achat des consommateurs s'affaisse et les stocks alimentaires, aussi réduits
soient-ils, sont dirigés vers des marchés où les cours sont
plus élevés. On a assisté à ce phénomène de contre-flux,
pendant la famine de 1973, dans la province éthiopienne
du Wollo. Les habitants de la province n'avaient plus les
moyens d'acheter leur subsistance, dont les prix n'étaient
pourtant pas plus élevés – ils étaient même souvent plus
bas – que dans les provinces voisines. Il a d'ailleurs été
établi que des produits alimentaires quittaient le Wollo,
à destination de régions plus prospères, où les habitants
avaient conservé leur pouvoir d'achat [22].

Le même phénomène s'est déroulé sur une large échelle
dans l'Irlande des années 1840, lorsqu'une véritable noria
de navires – chargés de blé, d'avoine, d'ovins, de porcs,
d'œufs et de beurre – remontait l'estuaire de la Shannon
et quittaient l'Irlande affamée pour les ports de la riche
Angleterre. Ces exportations de vivres, aux plus sombres
périodes de la famine, ont suscité une profonde amertume
chez les Irlandais et continuent à peser sur les relations
complexes et toujours marquées par la défiance entre les
deux pays.

Bien entendu, aucun grand mystère économique ne préside à ce flux d'exportations. Les forces du marché encouragent, à tout moment, les mouvements de marchandises
vers les places où les consommateurs sont prêts à payer
le meilleur prix. L'Anglais prospère pouvait s'offrir, sans
sourciller, des biens devenus hors de portée pour
l'Irlandais appauvri. Tout comme, en 1973, les habitants
d'Addis Abeba étaient en mesure de payer une subsistance
beaucoup trop chère pour les miséreux du Wollo.

Ce constat établi, il serait erroné d'en tirer la conclusion que le gel des transactions sur le marché fournirait un
moyen légitime d'enrayer la famine. Il existe, certes, des
cas de figure dans lesquels ce gel peut remplir un objectif
limité (un frein mis au contre-flux de vivres à destination
de l'Angleterre aurait bénéficié aux Irlandais), mais, de
manière générale, une mesure de cet ordre ne modifie en
rien le problème de fond, c'est-à-dire l'appauvrissement des

victimes de la famine. Il faut, pour y remédier, mettre en œuvre des mesures plus constructives qu'une simple interdiction des échanges. De fait, une politique positive de compensation des revenus pour les nécessiteux (grâce à des programmes d'emplois publics) a pour conséquence de réduire ou d'interrompre le contre-flux alimentaire, dans la mesure où les consommateurs sur le marché local reconstituent, au moins partiellement, leur pouvoir d'achat.

Nous savons que le gouvernement du Royaume-Uni n'a contribué qu'avec parcimonie à soulager la pauvreté et à lutter contre la famine en Irlande. Un même dédain a souvent régi la résolution des crises dans l'empire. Mais l'Irlande se distingue des autres colonies, au moins par une particularité géographique : elle est l'une des îles britanniques. C'est en ce sens que l'on peut parler d'aliénation culturelle, notion plus précise dans ce cas que celle d'antagonisme politique, même si, comme il va de soi, l'aliénation culturelle appartient au domaine « politique » dans l'acception la plus large du terme.

Rappelons-nous que, dans ces années 1840, un système déjà sophistiqué d'assistance aux pauvres fonctionnait en Grande-Bretagne. L'Angleterre connaissait aussi des poches de pauvreté et, même au cœur de l'empire, la vie quotidienne des ouvriers était marquée par une austérité pesante. C'est d'ailleurs en 1845, l'année où commence la série de famines en Irlande que Friedrich Engels a publié son réquisitoire contre le capitalisme anglais et la misère économique du prolétariat britannique : *La Situation de la classe laborieuse en Angleterre*. Malgré la véracité de ce sombre tableau, le pouvoir politique se sentait investi de la responsabilité, au moins tacite, d'empêcher que ne se développent les manifestations les plus cruelles ou les plus visibles de la pauvreté, y compris la famine. Cette responsabilité n'existait pas à l'égard de l'empire, pas même à l'égard de l'Irlande. Il suffit, pour l'établir, de comparer les droits que conféraient aux indigents les lois sur les pauvres (*Poor Laws*) édictées en Angleterre à leur équivalent brouillon institué en Irlande.

« L'Irlande était considérée par la Grande-Bretagne comme une nation étrangère et même hostile », a écrit Joel Mokyr [23]. Cette altérité est sensible dans presque tous les aspects des relations irlando-britaniques. Comme le note le même auteur, elle a découragé les investissements anglais en Irlande. Dans le contexte qui nous intéresse ici, elle explique la relative indifférence à la famine et aux souffrances et le peu de motivations à combattre la crise dans la colonie. Richard Ned Lebow a bien montré les différences de perception entre les deux situations : en Angleterre, la pauvreté était perçue comme une conséquence des mutations économiques et des fluctuations de la conjoncture ; en Irlande, on l'attribuait à une indolence native, à l'inertie et à l'inaptitude au progrès, si bien que la « mission britannique » visait non à « soulager la détresse irlandaise, mais à civiliser les habitants, les amener à ressentir et agir comme des êtres humains [24] ». Ce jugement pourrait être quelque peu exagéré, mais on imagine mal qu'une crise similaire à la famine irlandaise de la décennie 1840 ait pu, en Grande-Bretagne, se développer sans réaction des autorités.

Si l'on pousse l'analyse au-delà des facteurs sociaux et culturels qui structurent les politiques publiques et qui, dans ce cas, expliquent le laisser-faire britannique, on rencontre inévitablement le sentiment de supériorité qui gouverne l'attitude britannique à l'égard des Irlandais. On peut alors faire remonter les racines culturelles de la famine irlandaise au livre d'Edmund Spenser, publié en 1590 et intitulé *La Reine des fées*, et même en deçà. La propension à accuser les victimes de leurs propres malheurs, si prégnante dans l'ouvrage de Spenser, a été ravivée pendant les crises de la décennie 1840, avec, cette fois, une nouvelle clé explicative : la pomme de terre et le goût immodéré des Irlandais à son endroit étant, sans discussion, à l'origine des calamités qu'ils avaient appelées sur eux-mêmes.

Le sentiment d'une supériorité culturelle inébranlable accompagne souvent la domination politique [25]. Lorsque éclata la famine de 1943, au Bengale – dernière du genre dans l'Inde coloniale et dans l'histoire de l'Inde –, Winston Churchill, dans une remarque restée célèbre, en attribuait la cause à la fâcheuse habitude des indigènes de « se reproduire comme des lapins ». Sa contribution personnelle à la longue tradition consistant à stigmatiser le peu d'humanité des sujets de la couronne impériale ou de ses adversaires ne s'arrête pas là. Il devait aussi confier sa certitude que « le peuple indien était le plus bestial du monde, juste après les Allemands [26] ».

Comment ne pas éprouver la plus vive compassion pour ce pauvre Winston Churchill menacé, d'un côté, par la bestialité allemande, acharnée à renverser son gouvernement, et, de l'autre, par la bestialité indienne, exigeant d'autres méthodes de gouvernement.

Charles Edward Trevelyan, ministre du Trésor pendant la famine en Irlande, qui ne décelait aucune erreur dans la politique coloniale britannique dont il était l'instigateur, stigmatisait, lui aussi, les coutumes irlandaises, censés être à l'origine de la crise. Au premier rang de celles-ci, il plaçait la déplorable habitude des pauvres de se nourrir de pommes de terre, qui les mettait dans une situation de complète dépendance à l'égard de cette tubercule capricieuse. Le ministre perspicace n'hésitait pas à prolonger son jugement d'une analyse de la gastronomie irlandaise : « Dans tout l'ouest du pays, il est bien rare que le savoir-faire culinaire d'une femme de la classe paysanne outrepasse la capacité à faire bouillir quelques patates [27]. »

La remarque garde toute sa saveur, non seulement parce qu'il est exceptionnel qu'un Anglais trouve une occasion pertinente de contribuer à la critique gastronomique internationale, mais aussi parce que cette façon de pointer un doigt accusateur vers les carences du régime alimentaire irlandais illustre à merveille le penchant à blâmer les victimes. Lesquelles, selon cette forte analyse, auraient foncé tête baissée vers le désastre, en dépit des louables efforts de l'administration anglaise pour y parer.

L'aliénation culturelle, tout comme l'absence d'incitations politiques (voir chapitre VI) expliquent la passivité anglaise durant la disette en Irlande. La prévention des famines met en jeu des mesures si faciles que la véritable énigme tient à ce qu'elles continuent à sévir[28]. La distance cultivée par les gouvernants à l'égard de ceux qu'ils gouvernent – le gouffre maintenu entre « nous » et « eux » – est l'une des clés d'explication les plus constantes du phénomène. Elle n'est pas moindre en Éthiopie, en Somalie ou au Soudan, aujourd'hui, qu'elle ne l'était dans l'Irlande ou l'Inde sous domination étrangère au siècle dernier.

Production, diversification et croissance

J'en reviens maintenant à la dimension économique de la prévention des famines. De ce point de vue, un fort taux de croissance constitue l'une des meilleures garanties contre les disettes. Avec l'expansion économique, la nécessité de protéger les droits d'accès s'amoindrit, tandis qu'augmentent les ressources disponibles qui favorisent cette protection. Ce mécanisme revêt une importance particulière pour l'Afrique subsaharienne, où le marasme économique persistant est l'une des causes essentielles des privations. La propension aux famines s'accroît en relation directe de l'appauvrissement de la population et de la diminution des fonds publics.

Il est indispensable de prendre en compte les diverses incitations susceptibles de favoriser la croissance de la production – agricole en particulier – et des revenus. Au-delà d'une politique des prix incitative, cette orientation passe par l'encouragement à l'innovation technique, l'aide à la formation et à l'amélioration de la productivité, dans l'agriculture comme dans les autres domaines[29].

Il n'est pas nécessaire de se focaliser sur la croissance de la production agricole, dans la mesure où les produits alimentaires sont disponibles sur le marché mondial. N'importe quel pays peut se fournir à l'extérieur, il suffit pour cela qu'il dispose des moyens de ses achats et la production industrielle, par exemple, peut remédier à ce problème. Si l'on compare la production alimentaire par habitant, pour les périodes 1979-1981 et 1993-1995, de divers pays d'Asie et d'Afrique, on constate une baisse de 1,7 % pour la Corée du Sud ; 12,4 % pour le Japon ; 33,5 % pour le Botswana et 58 % pour Singapour. À ces chiffres ne correspondent, bien entendu, aucune expansion de la malnutrition dans ces pays, puisqu'ils ont connu une forte croissance du revenu réel par habitant, due aux activités d'autres secteurs (industrie ou extraction minière) et qu'ils sont aujourd'hui plus riches qu'ils ne l'étaient alors. La répartition du revenu en progression a permis aux citoyens de ces pays un meilleur accès aux produits alimentaires, malgré la baisse de la production nationale. À l'inverse, même si l'on ne constate aucun déclin significatif de la production alimentaire dans des pays tels que le Soudan (avec une augmentation de 7,7 %) ou le Burkina Faso (augmentation de 29,4 %), la malnutrition et la disette y ont progressé, en conséquence de leur pauvreté structurelle et de la vulnérabilité des droits d'accès de secteurs entiers de la population. Il est donc essentiel de comprendre les processus grâce auxquels un individu ou une famille établit ses droits d'accès à sa subsistance.

À juste titre, la baisse de la production alimentaire par habitant dans les pays de la zone subsaharienne – réelle jusqu'à ces dernières années – a souvent été soulignée. On ne saurait nier le caractère problématique de ce déclin et ses implications pour les politiques publiques, qu'elles concernent la recherche agronomique ou le contrôle des naissances. Mais, comme nous venons de le voir, on enregistre la même baisse tendancielle par habitant dans d'autres zones de la planète [30].

Et ces autres régions n'ont pas eu, pour autant, à affronter des problèmes de famine, à la fois parce qu'elles ont atteint des taux de croissance relativement élevés dans d'autres secteurs de production, et parce que leur dépendance à l'égard de la production alimentaire comme source de revenus est bien plus faible que celle des pays de la zone subsaharienne.

Il existe une forte propension à considérer l'expansion

de la production agricole comme le seul moyen de résoudre le problème alimentaire. Bien qu'il ne manque pas de logique, ce point de vue ignore divers paramètres, en particulier, l'existence d'autres options économiques pour le développement ou encore la réalité des échanges internationaux. Puisqu'on se heurte ici à la faiblesse de la croissance, le handicap dont souffre l'Afrique subsaharienne ne se restreint pas au domaine spécifique de la production alimentaire, mais il concerne l'anémie *générale* de la croissance. L'impératif de diversification des structures de production est criant en Afrique subsaharienne, en raison, d'une part, des incertitudes climatiques et, d'autre part, des possibilités de développement dans d'autres secteurs d'activité. La stratégie d'expansion prioritaire de l'agriculture – et des cultures vivrières, en premier lieu – a de nombreux avocats, mais elle revient à mettre tous ses œufs dans le même panier, et cette attitude est pleine de périls.

Il est peu probable que la dépendance alimentaire de l'Afrique sub-saharienne puisse être réduite dans des proportions notables, à moyen terme. Mais une telle appréciation ne devrait pas, pour autant, repousser les tentatives de diversification. Tout progrès dans ce domaine, même s'il concerne un nombre réduit de produits alimentaires, peut améliorer la sécurité des revenus. À plus long terme, les chances de l'Afrique sub-saharienne de se raccrocher au processus d'expansion économique que connaissent la plupart des autres régions du monde, passent par une diversification des sources de croissance et de revenus, au-delà de la production alimentaire et même de l'agriculture.

La création d'emplois et la fonction d'agent

Même en faisant abstraction des transactions qui s'effectuent sur le marché international, la façon dont sont réparties les ressources alimentaires entre différents groupes sur le marché intérieur est d'une importance cruciale. On peut éviter les famines en restaurant les revenus perdus des victimes potentielles (par exemple, au moyen de la création d'emplois salariés temporaires dans des projets publics ad hoc), en leur donnant la possibilité d'accéder au marché alimentaire, ou encore, en organisant de manière plus égalitaire la répartition des ressources disponibles. Dans la plupart des situations qui ont débouché sur une famine, cette dernière solution aurait éloigné la crise (bien que l'augmentation de l'offre alimentaire soit, en toutes circonstances, une solution préférable). La création d'emplois, qu'elle s'accompagne ou non d'une augmentation de l'offre a été mise en œuvre avec succès dans de nombreux pays, parmi lesquels l'Inde, le Botswana et le Zimbabwe [31].

Cette dernière méthode offre des avantages supplémentaires : elle encourage les échanges et le commerce et elle évite de bouleverser les habitudes économiques et sociales des familles. Les personnes assistées peuvent, en général, rester dans leurs foyers, à proximité de leur activité principale (l'agriculture, par exemple) et poursuivre celle-ci. De même, la vie de famille continue sur le mode habituel, sans le déracinement douloureux que produit le rassemblement dans des camps d'urgence. Favoriser la continuité sociale réduit aussi le danger de contagion des maladies infectieuses, fléau trop fréquent dans les camps surpeuplés. D'une manière générale, la méthode du soutien par l'emploi permet de considérer les victimes potentielles comme des acteurs impliqués et non comme les destinataires passifs de l'aide gouvernementale [32].

La perspective couverte par ce livre nous incite à souligner ici combien il est intéressant de combiner l'action de structures hétérogènes dans le processus de prévention. La politique publique doit s'efforcer de faire converger des dispositions de nature différente.

1) L'aide de l'État à la création de revenus et d'emplois.

2) L'action du marché privé pour les vivres et la main-d'œuvre.

3) Le maintien des opérations habituelles du *commerce* et des *entreprises*.

L'harmonisation des différentes structures – publiques et privées – est essentielle à la mise en œuvre d'une approche suffisamment large pour prévenir les famines, tout comme elle l'est au développement en général.

Démocratie et prévention des famines

J'ai évoqué précédemment le rôle de la démocratie, en soulignant à quel point l'existence d'élections, le multipartisme et l'indépendance des médias créaient des incitations politiques à la prévention des famines. J'ai aussi rappelé une vérité d'évidence : jamais une famine n'est survenue dans un pays respectant les règles démocratiques et le multipartisme.

Il me reste maintenant à examiner si cette concomitance, vérifiée par l'histoire, est d'ordre accidentel ou si elle résulte d'une relation de cause à effet. On ne saurait éliminer la première hypothèse d'un simple revers de main : l'existence d'une « corrélation biaisée » paraît en effet plausible, dans la mesure où l'instauration de la démocratie accompagne, en général, un certain niveau de développement et concerne des pays que des facteurs économiques ou autres auraient pu « immuniser » contre la famine. Toutefois, on voit bien que cette immunité vaut aussi pour les pays à la fois démocratiques et pauvres, tels que l'Inde, le Botswana ou le Zimbabwe.

De plus, il arrive que ces pays démocratiques et pauvres connaissent parfois une baisse de la production et de l'offre alimentaire de très loin supérieure à celle de nombreux pays non démocratiques. Et il en va de même en ce qui concerne la baisse du pouvoir d'achat pour des secteurs significatifs de la population. Pourtant, des famines de grande ampleur se sont développées dans plusieurs pays soumis à des régimes dictatoriaux, alors que les pays démocratiques, même confrontés à des situations alimentaires défavorables, les ont évitées. Ainsi, pour les périodes 1979-1981 et 1983-1984, le Botswana a dû faire face à une baisse de sa production alimentaire de 17 % et le Zimbabwe de 38 %, tandis qu'au Soudan et en Éthiopie, la baisse ne dépassait pas le seuil, plus modeste, de 11 à 12 %. Mais alors que le Soudan et l'Éthiopie, malgré leurs handicaps comparativement moindres connaissaient des famines de masse, le Botswana et le Zimbabwe y échappaient, conséquence, pour une bonne part, de mesures de prévention précoces, déployées à grande échelle [33].

Si les gouvernements de ces deux pays n'avaient pas mis sur pied cette politique de prévention, les pressions de l'opposition et la critique serrée des médias auraient ouvert une crise politique majeure. De leur côté, les gouvernements soudanais ou éthiopien n'avaient pas à prendre en compte ces facteurs, pas plus que les autres incitations politiques engendrées par les institutions démocratiques. Au Soudan, en Éthiopie et dans beaucoup d'autres pays d'Afrique subsaharienne, force est de constater que les famines se nourrissent de l'immunité politique dont jouissent les gouvernements autoritaires. Le même constat vaut d'ailleurs aujourd'hui pour la Corée du Nord.

Il est très facile d'empêcher les famines en restaurant le pouvoir d'achat des secteurs de la population les plus touchés, et cet objectif peut être atteint par des méthodes diverses, telles que la création d'emplois d'urgence dans des projets publics à court terme, ainsi que nous l'avons déjà indiqué. L'Inde indépendante a connu plusieurs phases de baisse de sa production alimentaire ou de rétraction de la solvabilité économique de larges couches de la population. Néanmoins, les famines ont toujours été évitées, en procurant aux groupes les plus menacés des « droits d'accès » aux ressources alimentaires, grâce à des revenus salariaux liés à des projets publics ou par d'autres moyens.

À l'évidence, introduire des vivres dans les régions frappées par la disette aide à soulager les victimes. Encore faut-il que celles-ci puissent payer ces ressources. La création de revenus pour les dépossédés, c'est-à-dire tous ceux dont les activités ont disparu ou sont réduites est une initiative cruciale. Mais même en l'absence de transferts de nourriture, la création de revenus permet un accès mieux partagé aux vivres disponibles [34].

Lors de la sécheresse de 1973, au Maharashtra, la production alimentaire s'effondra. À tel point qu'elle était deux fois moindre par habitant que dans les pays d'Afrique subsaharienne. Mais cette crise ne déboucha pas pour autant sur une famine (rappelons que 5 millions d'emplois furent créés dans des programmes publics d'urgence), à l'inverse de ce qui advint, pendant la même période, en Afrique subsaharienne [35]. Au-delà de la comparaison des modes de prévention, ou de leur absence, qui éclaire le rôle de protection fourni par la démocratie, cet exemple met en évidence les résultats obtenus grâce à la transition vers la démocratie. L'Inde, par exemple, a subi des famines jusqu'à son indépendance. La dernière en date, l'une des plus graves, a eu lieu au Bengale, pendant le printemps et l'été 1943. Alors âgé de neuf ans, j'ai assisté à ce fléau qui a entraîné, selon la plupart des estimations, la mort de deux à trois millions de personnes. Après 1947 et l'instauration d'une démocratie pluraliste, aucune disette significative n'est survenue, en dépit de catastrophes climatiques ayant eu pour conséquence la perte de récoltes entières et la chute du pouvoir d'achat des populations affectées, par exemple, en 1968, 1973, 1979 et 1987.

Incitation, information et prévention des famines

La relation de cause à effet entre démocratie et éloignement de la famine n'est pas difficile à mettre en évidence. La faim tue des millions d'êtres humains, un peu partout sur la planète, mais elle épargne les gouvernants. Les rois et les présidents, les bureaucrates et les patrons, les généraux et leurs état-majors ne connaissent pas la disette. Et si n'existent ni élections, ni partis d'opposition, ni canaux d'expression pour la critique publique, alors la passivité ou l'incurie des détenteurs de l'autorité ne s'accompagne d'aucune remise en cause. Dans un système démocratique, en revanche, l'onde de choc de la famine ébranle jusqu'aux dirigeants politiques et à l'élite au pouvoir. Et cette menace virtuelle les incite à essayer de prévenir toute disette grave, phénomène qui, comme nous l'avons vu, peut être étouffé dans l'œuf par des moyens simples.

Le second aspect concerne l'information. Une presse libre et le fonctionnement démocratique contribuent largement à la diffusion de l'information et celle-ci joue un rôle majeur dans les politiques de prévention, en rendant compte, par exemple, d'un début de sécheresse ou d'une inondation et de l'impact de ces phénomènes sur l'emploi. Des médias dynamiques restent la source d'informations la plus directe, lorsqu'un risque de famine se précise dans une région éloignée, en particulier lorsque existe une incitation – ce qui est le cas en régime démocratique – à exposer des faits susceptibles d'être gênants pour les gouvernements et que des régimes autoritaires auraient la tentation de censurer. À mes yeux, il ne fait aucun doute que l'existence d'une presse libre et d'une opposition politique active constituent le meilleur système d'alerte dont puisse rêver un pays menacé par la famine.

En matière de prévention, rien n'illustre mieux les connexions entre droits politiques et besoins économiques que les famines catastrophiques qui ont frappé la Chine entre 1958 et 1961. Si l'on regarde la plupart des indicateurs de développement, la comparaison entre l'Inde et la Chine tournait à l'avantage de cette dernière et cela, bien avant les réformes des années 1980. C'était le cas, par exemple, en ce qui concerne l'espérance de vie moyenne qui, suivant une courbe ascendante, atteignait déjà des chiffres proches de ceux enregistrés aujourd'hui (presque soixante-dix ans à la naissance). Cela n'empêcha pas la Chine de montrer une faiblesse colossale : son incapacité à éviter la famine. On estime aujourd'hui que la catastrophe des années 1958-1961 a causé la mort de près de trente millions de personnes, soit dix fois plus que le gigantesque fléau de 1943, dans le Bengale colonial [36].

Le prétendu « Grand Bond en avant » avait engendré cet échec retentissant, mais les autorités refusaient de l'admettre et elles poursuivirent, avec un dogmatisme iné-branlable, la même politique désastreuse pendant encore trois années. On imagine mal qu'une telle situation coexiste avec des échéances électorales et une presse libre. En Chine, aussi longtemps que dura cette sinistre crise, le gouvernement ne subit aucune mise en question de la part des médias, tous sous contrôle étatique, ni des partis d'opposition, puisqu'il n'en existait pas.

Le contrôle sévère sur la circulation de l'information fut d'ailleurs une véritable nuisance pour les dirigeants, intoxiqués par leur propre propagande et par les rapports enthousiastes qui remontaient des structures régionales du parti, avides de gagner les bonnes grâces de Pékin. Comme on le sait aujourd'hui, au moment où la famine atteignait sa plus grande ampleur, les statistiques officielles surestimaient les réserves en céréales de cent millions de tonnes [37].

On doit d'ailleurs noter que le président Mao, après avoir impulsé les orientations radicales du Grand Bond en avant et montré un tel acharnement à poursuivre dans cette voie, finit par évoquer lui-même le rôle d'information de la démocratie. Peu après la reconnaissance fort tardive du terrible échec, en 1962, alors que des millions de victimes venaient de disparaître, il exposa ses propres observations devant un parterre de sept milles cadres du parti :

« Sans démocratie, vous n'avez aucun moyen de comprendre ce qui se passe à la base, la situation reste obscure, vous êtes incapables de rassembler les opinions de tous bords, il n'existe pas de communication entre le bas et le haut, les organes de direction s'appuient sur des données partiales et incorrectes pour prendre leurs décisions et il vous est difficile d'éviter le subjectivisme, il vous est impossible d'atteindre l'unité de compréhension et l'unité d'action, impossible de réaliser le véritable centralisme [38]. »

Les arguments en faveur de la démocratie sont certes limités. Mao ne s'attache qu'à son aspect informationnel

– ignorant son rôle d'incitation ou son importance intrinsèque et constitutive [39].

Il reconnaît néammoins, en termes explicites, que le bilan désastreux de la politique officielle tient à l'absence de relais d'informations. Ils existent dans les régimes plus démocratiques et ils empêchent que surviennent des catastrophes aussi gigantesques que celle subie alors par la Chine.

Le rôle protecteur de la démocratie

Ces questions gardent toute leur actualité, partout, même dans la Chine transfigurée par ses performances économiques. Depuis les réformes de 1979, chaque déclaration officielle insiste sur la reconnaissance des incitations économiques, mais continue à ignorer le rôle des incitations politiques. Aussi longtemps que le contexte général reste favorable, cet avantage de la démocratie peut passer inaperçu, mais pour peu que des orientations aventureuses se dessinent, son absence se fait cruellement sentir. L'importance du mouvement démocratique dans la Chine contemporaine devrait être apprécié à la lumière de cette règle.

Dans la même veine, l'Afrique subsaharienne nous fournit d'autres exemples. Si l'on veut tirer des enseignements des famines à répétition qui ont sévi dans ces pays depuis le début des années 1970, on identifiera sans mal toute une série de facteurs, depuis la détérioration climatique – qui accroît l'incertitude quant aux récoltes – jusqu'aux sombres conséquences des conflits incessants ou des crises politiques violentes. Mais les régimes autoritaires qui détiennent le pouvoir dans la plupart des pays de la zone ont une large responsabilité dans la récurrence du phénomène [40].

Nés dans la lutte anticoloniale, les mouvements nationalistes de la région se sont rarement encombrés du respect de la démocratie. Au cours de ses dernières années seulement, les proclamations de principe dans ce domaine ont acquis quelque respectabilité, après une inflexion résultant de la fin de la guerre froide. L'Ouest, et les États-Unis en particulier, accordaient auparavant leur soutien à tout régime, démocratique ou non, pour autant qu'il fût assez anticommuniste, tout comme l'URSS et la Chine s'alliaient à tout gouvernement prêts à accepter leur « amitié » sans aucun souci pour le caractère égalitariste de leur politique intérieure. Les réactions diplomatiques des uns ou des autres, en réaction au bannissement de partis d'opposition ou à l'interdiction de journaux n'ont jamais été remarquées pour leur vigueur.

Il est indéniable que plusieurs gouvernements africains, y compris des tenants de régimes de parti unique, ont fait preuve d'une authentique motivation dans la lutte pour la prévention de la famine ou d'autre catastrophes. Cela a été le cas du Cap-Vert ou de la Tanzanie. Mais, le plus souvent, l'absence de pressions politiques et de critiques, venues de l'opposition ou de la presse, ont conféré au pouvoir une protection absolue qui s'est manifestée par une attitude insensible et brutale. Les famines ont souvent été considérées comme un mal inévitable, dû à l'injustice du climat ou à la perfidie des pays voisins. À bien des égards, la Somalie, le Soudan, l'Éthiopie et d'autres pays de la zone sahélienne fournissent un contre-exemple, hélas très éclairant, des inconvénients qui résultent de l'absence de partis d'opposition et d'une presse libre.

Certes, les famines sont apparues, dans ces pays, à la suite de catastrophes climatiques affectant les récoltes. Des événements de cette ampleur ne détruisent pas seulement la production vivrière, ils balayent aussi sur leur passage les activités et les ressources des familles. Mais l'incidence et la vigueur des crises agricoles dépendent, pour une bonne part, des orientations politiques, que ce soit à travers la fixation des prix, les investissements dédiés à l'irrigation et aux infrastrutures d'un côté, ou à la recherche agronomique de l'autre. Et même au moment où la chute de la production agricole est manifeste, des mesures pertinentes de redistribution, telles que la

création d'emplois publics, suffisent à éviter la disette.
L'Inde, le Botswana ou le Zimbabwe, tous dotés de
régimes démocratiques, ont toujours atteint cet objectif.
Même dans des situations d'effondrement de la production agricole, ils se sont efforcés de restaurer les droits
d'accès des habitants, quand d'autres pays non démocratiques ont subi des famine récurrentes, en dépit d'une
situation alimentaire plus favorable. Il est donc sensé de
conclure à une influence positive de la démocratie dans la
prévention des famines.

Transparence, sécurité et crises économiques asiatiques

Ce rôle de prévention inhérent à la démocratie répond
à l'exigence de « sécurité protectrice », ainsi que nous
l'avons définie en établissant notre typologie des libertés
instrumentales. En régime démocratique, quand fonctionnent le multipartisme, les scrutins électoraux et la liberté
de la presse, il est probable que les dispositions élémentaires seront mises en place pour garantir, quand nécessaire, la sécurité protectrice. De ce point de vue, la
menace de famine n'est que l'un des exemples de protection potentielle offerte par la démocratie. Le rôle positif
des droits et des libertés s'étend à la prévention de toutes
les crises économiques et sociales.

Encore une fois, dans les situations de routine, ce rôle
instrumental échappe à la perception. Mais il remplit à
nouveau son rôle, dès que la conjoncture, pour une raison
ou une autre, se détériore. L'aiguillon politique, qui
accompagne les régimes démocratiques, prend alors toute
sa valeur. On peut en tirer les leçons sur le terrain économique aussi bien que politique. Généralement, les experts
économiques et les technocrates recommandent le plein
usage des incitations économiques (émanant du marché)
mais négligent les incitations politiques (que garantissent les institutions démocratiques). Mais pour toute leur
importance, les premières ne sauraient se substituer aux
secondes et l'absence d'un sytème adéquat d'incitations

politiques constitue une lacune que ne peuvent combler les mesures les plus sophistiquées de motivation économique.

La question n'est pas simplement formelle. L'insécurité, qu'elle naisse des mutations de l'économie, d'orientations politiques aventureuses ou d'autres circonstances ne peut être ignorée, même quand tous les indicateurs économiques incitent à l'optimisme. Les problèmes rencontrés récemment par les pays d'Asie du Sud et du Sud-Est ont révélé, entre autres aspects, les handicaps propres aux régimes non démocratiques. Ils apparaissent à deux niveaux, chacun pointant vers l'une des libertés instrumentales que nous avons définies plus haut, c'est-à-dire la « sécurité protectrice » et la « garantie de transparence », qui influe sur la sécurité et les incitations aux agents économiques et politiques.

Notons, en premier lieu, que l'irruption de la crise financière, dans plusieurs de ces pays, entretient un lien étroit avec le manque de transparence dans les affaires, que reflète l'absence totale de contrôle sur la stratégie des décideurs ou sur leurs méthodes. Aucun forum démocratique, aucun débat public n'a pu mettre un frein à cette course en avant, interrompue par un échec retentissant. Des procédures démocratiques restreignant la mainmise des grandes familles ou des groupes sur les orientations stratégiques auraient pu éviter ce résultat.

Les réformes financières et les exigences de discipline que le Fonds monétaire international tente d'imposer à ces pays en crise donnent un aperçu des usages qui y prévalent : liens d'affaires occultes, absence totale de scrupules, obscurité des opérations... Quand le client d'une banque dépose son argent sur un compte, il tient pour acquis que ses fonds seront investis dans des projets dont le risque aura été évalué et dont la nature pourrait être publiquement exposée. Cette confiance implicite a souvent été violée et cela seul justifierait les réformes. Je n'engage pas ici le débat sur la validité des orientations préconisées par le FMI, ni sur la pertinence du calendrier des réformes, imposées avant que la confiance financière n'ait été restaurée [41].

Indépendamment des jugements sur la conjoncture la plus favorable aux réajustements, il est difficile d'ignorer le rôle de la liberté de transparence – et en l'occurrence, de son absence – dans le développement de la crise asiatique.

La dérive financière n'aurait sans doute pas atteint ce niveau, si des critiques avaient pu être formulées dans ce domaine, que ce soit en Indonésie ou en Corée du Sud. Ni l'un ni l'autre de ces deux pays ne s'est doté des structures démocratiques susceptibles de servir de canaux à ces revendications. Le pouvoir sans contrôle, dans la sphère politique, a trouvé son prolongement dans les mœurs économiques, dominées par la totale impunité des décideurs et leur refus de la transparence, et ces similitudes ont été facilitées par les liens familiaux entre les responsables gouvernementaux et les milieux d'affaires.

Dans un deuxième temps, lorsque la crise financière provoqua une récession économique généralisée, les facultés de protection de la démocratie – celles qui contribuent à la prévention des famines – n'ont pu intervenir. Le sort de pans entiers de la population, frappée par les turbulences, n'a fait l'objet d'aucune mesure de soutien [42].

Une chute de 10 % du PNB, consécutive à une longue période de croissance de 5 à 10 % par an, peut sembler modérée, elle affecte pourtant la vie quotidienne de millions de gens et les projette aux limites de la misère, dès lors que la crise n'est pas supportée par tous, et qu'elle pèse sur ceux dont les conditions de vie sont les plus précaires. Les couches vulnérables de la population indonésienne ont pu se satisfaire de leur situation, aussi longtemps que l'économie prospérait, mais il a suffi que la crise éclate pour qu'elles constatent que leurs voix restaient sans portée. Le rôle de protection de la démocratie fait cruellement défaut, au moment précis où sa mise en œuvre serait nécessaire.

Quelques remarques pour conclure

Le développement doit répondre à deux exigences simultanées : l'élimination des privations endémiques et la prévention des crises les plus graves pour les populations. Dans chacune de ces orientations, le rôle des institutions et les politiques diffèrent et les succès remportés d'un côté ne garantissent pas les progrès de l'autre. Si l'on compare les avancées de la Chine et de l'Inde au cours du demi-siècle écoulé, la première a, sans conteste, remporté le plus de succès dans l'allongement de l'espérance de vie et la réduction de la mortalité. Et cela bien avant les réformes économiques de 1979. Pourtant, la Chine a aussi connu la plus grande famine de l'Histoire, qui a causé la mort de trente millions de personnes, dans le sillage du Grand Bond en avant, entre 1958 et 1961. De son côté l'Inde a su éviter les famines depuis l'accès à l'Indépendance, en 1947. La prévention des catastrophes de ce type et l'amélioration de l'espérance de vie relèvent d'approches différentes.

L'inégalité est un facteur important à l'origine des famines ou d'autres crises majeures. De fait, l'absence de démocratie constitue, en tant que telle, une inégalité sur le terrain des droits et des pouvoirs politiques. Nous avons constaté que toutes ces grandes catastrophes se nourrissent d'inégalités aiguës, parfois soudainement creusées. Il arrive que les famines apparaissent sans contraction spectaculaire – voire sans aucune contraction – de l'offre alimentaire, mais à la suite d'une chute du pouvoir d'achat de certains groupes, due, par exemple, à une perte d'emplois soudaine et massive, source d'une nouvelle inégalité [43].

On se retrouve en face d'une problématique similaire lorsqu'on tente de comprendre la nature des crises économiques, telles que celle essuyée récemment par les pays d'Asie du Sud-Est. On le constate en Indonésie, en Thaïlande et même en Corée du Sud, un peu plus tôt. Il est tout de même étonnant qu'une chute de 5 à 10 % du PNB, en un an, ait des effets aussi désastreux, pour des pays qui ont enregistré un taux de croissance de 5 à 10 % par an, *pendant plusieurs décennies*. Mais, dès lors que le déclin n'est pas réparti sur l'ensemble de la population et que la charge en est supportée par les couches les plus vulnérables, celles-ci voient leurs revenus fondre comme neige au soleil, qu'elles qu'aient pu être les performances économiques du passé. Quand des crises de cette ampleur se déclenchent, y compris les famines, un seul impératif prévaut : le sauve-qui-peut général. Mais tout le monde ne peut pas être épargné. C'est en partie pourquoi les dispositions qui contribuent à la « sécurité protectrice » sous la forme de filets de sécurité constituent une liberté instrumentale si importante, comme nous l'avons vu au chapitre II et c'est aussi pourquoi les libertés politiques sous la forme de possibilités de participation, tout comme les droits civiques, ont une fonction cruciale, y compris pour les droits économiques et pour la survie (comme nous l'avons vu au chapitre VI et au début de celui-ci).

Il va de soi que les inégalités sont une des causes majeures de la pauvreté endémique et de son maintien. Mais il importe de noter, ici encore, que la nature des inégalités et leur influence diffèrent selon que l'on s'attache aux privations persistantes ou à un appauvrissement soudain. Ainsi, tous les observateurs s'accordent à reconnaître que la Corée du Sud a connu une longue période de croissance économique, associée à une distribution relativement équilibrée des revenus [44].

Lorsqu'une crise survient et en l'absence d'orientations démocratiques, cet état de fait ne garantit en rien que des mesures seront prises pour en répartir les effets. Dans l'exemple choisi, la Corée du Sud n'a pas mis en place de filets de sécurité généralisés, ni d'autre système de protection, tels que des moyens d'indemnisation. L'irruption de la crise, dans ce climat de laisser-faire a engendré des inégalités nouvelles et l'appauvrissement de certaines couches de la population succède à une longue période de

« croisssance dans l'équité », pour reprendre une dénomination souvent utilisée.

Je me suis attaché, au cours de ce chapitre, à décrire les problèmes liés à la prévention des famines et d'autres catastrophes. Il s'agit d'une dimension importante du développement comme liberté, parce qu'elle concerne la promotion de la sécurité et de la protection en faveur des personnes. En premier lieu, la protection contre la faim, les épidémies et l'irruption de crises majeures constitue, en soi, une amélioration des possibilités de s'assurer de bonnes conditions d'existence. De ce point de vue, la prévention des catastrophes appartient sans conteste à la catégorie des libertés que les gens ont raison de souhaiter. Par ailleurs, nous avons constaté que le processus de prévention est facilité par le recours aux libertés instrumentales, telles que la libre discussion, le contrôle public, les scrutins électoraux et la liberté de la presse. Ainsi, l'expression d'oppositions organisées dans les pays démocratiques exerce une pression sur les gouvernements et les induit à prendre, en temps voulu, des mesures effectives de prévention des famines. Comme nous l'avons vu, les gouvernements autoritaires n'ont pas pris de telles dispositions, que ce soit en Chine, au Cambodge, en Éthiopie ou en Somalie, ou encore en Corée du Nord ou, plus récemment, au Soudan. Le développement a de multiples aspects, chacun exige des analyses particulières.

CHAPITRE VIII

Le rôle actif des femmes
et le changement social

L'ouvrage classique de Mary Wollstonecraft, *A Vindica-tion of the Rights of Women*, publié en 1792, distinguait plusieurs catégories de revendications, à l'intérieur d'un programme général de « défense » des femmes. Au-delà de droits concernant leur bien-être, elle établissait l'impor-tance des droits destinés à faciliter leurs initiatives. En d'autres termes, elle leur conférait un rôle d'agent du changement.

Le mouvements féministes contemporains ont repris les deux versants de ce programme, mais il me paraît indis-cutable que ce « côté actif » commence seulement à capter l'attention qu'ils mérite, après qu'on se soit focalisé de façon presque exclusive sur le bien-être. Il n'y a pas long-temps encore, les objectifs prioritaires des féministes concernaient l'amélioration de la condition des femmes, l'acquisition d'un statut équitable. Ces ajustements étaient nécessaires. Toutefois, on note une évolution et un élar-gissement des préoccupations : des revendications « wel-faristes », on est passé à la prise en compte de leur rôle actif. Le changement de perception est notable : elles ne sont plus les destinataires passives d'une réforme affec-tant leur statut, mais les actrices du changement, les ini-tiatrices dynamiques de transformations sociales, visant à modifier l'existence des hommes aussi bien que la leur[1].

Bien-être et fonction d'agent

Cette réorientation a souvent échappé à l'analyse. Cela n'a rien de surprenant dans la mesure où les deux approches tendent à se chevaucher. Il serait d'ailleurs invraisemblable que leur capacité de proposition se manifeste aux dépens de la lutte indispensable contre les nombreuses inégalités qui minent leur bien-être et les maintiennent dans un statut d'infériorité. Le rôle d'agent implique aussi la prise en compte de leur bien-être. Réciproquement, toute tentative sérieuse pour promouvoir le bien-être des femmes rencontre, en un point ou un autre de sa réalisation, leur capacité d'initiatives. Ainsi, il existe un large espace d'intersection entre le versant bien-être et le versant « agent » des mouvements féministes. Cependant, il importe de les distinguer, d'un point de vue théorique, puisque le rôle d'un individu en tant qu'« agent » diffère par nature (même s'il n'est pas indépendant) de son rôle en tant que « patient » [2]. Le fait que l'agent soit amené à se considérer en tant que patient ne réduit en rien les modalités et les responsabilités spécifiques, associées à ce statut d'agent.

Définir les individus par leur seule relation au bien-être – celui dont ils bénéficient ou qu'il acquièrent – est une étape indispensable, mais s'en tenir à cette approche restrictive serait manquer une dimension essentielle de la personnalité humaine. C'est en saisissant leur capacité d'initiative que l'on reconnaît les individus comme êtres responsables : nous ne sommes pas seulement en bonne santé ou malades ; nous sommes aussi engagés dans des actions ou en position de refus vis-à-vis d'une action, et nous choisissons d'atteindre un objectif fixé par une voie ou par une autre. Ainsi nous sommes amenés – femmes ou hommes – à prendre nos responsabilités pour accomplir ou non une action. C'est là une distinction importante que nous devons garder présente à l'esprit et qui, bien qu'élémentaire dans son principe, doit être respectée dans toute sa rigueur, si l'on veut en tirer toutes les implications, et elles sont considérables, que ce soit dans l'analyse ou dans la pratique.

L'évolution des préoccupations dans le mouvement féministe constitue, de ce point de vue, un *complément* essentiel à sa problématique antérieure et non un abandon de celle-ci. Le souci exclusif du bien-être des femmes, ou plus exactement de leur « mal-être », avait, comme il va de soi, une forte légitimité. Leurs privations relatives marquaient – et marquent encore – le monde dans lequel nous vivons et revêtent une importance capitale, en termes de justice sociale et, en particulier, de justice à l'égard des femmes. Par exemple, la « mortalité excessive » des femmes en Asie et en Afrique du Nord, inexplicable par des critères biologiques, et qui est à l'origine du phénomène des « femmes manquantes » résulte, selon toutes les enquêtes, d'une discrimination par le sexe de la répartition des soins de santé et de la satisfaction des besoins élémentaires (à ce sujet, voir mon article « Missing Women », *in British Medical Journal*, mars 1992) [3].

Indiscutablement, il s'agit d'une question brûlante concernant le bien-être des femmes et d'une cruelle illustration de leur statut d'infériorité. Et l'on connaît, à travers le monde, toutes sortes d'atteintes aux droits des femmes qui sont fondées sur des justifications culturelles. Dénoncer ces privations et les éliminer reste une nécessité de l'heure.

Mais nous devons aussi constater que les limites imposées aux femmes, dans leur rôle de sujet actif, affectent dans des proportions considérables la vie de tous – femmes et hommes, enfant ou adultes. Tout incite aujourd'hui à maintenir les préoccupations concernant le bien-être des femmes et à combattre les privations et les souffrances qu'elles endurent. Néanmoins, les avancées du mouvement des femmes devraient désormais dépendre de la prise en considération de leur fonction d'agent.

L'argument le plus immédiat en faveur de cette réorientation tient, précisément, aux avantages que présente cette fonction dans la lutte contre les inégalités qui sapent le bien-être des femmes. Toutes les études empiriques réalisées au cours des années récentes mettent en évidence à quel point le respect pour leur bien-être est influencé par des variables telles que leur capacité à gagner un revenu propre, à trouver un emploi hors du foyer, à jouir du droit de propriété, à bénéficier de l'alphabétisation et à participer, de façon informée, aux décisions prises à l'intérieur, comme en dehors, du cercle familial. On constate même que leur handicap comparatif en termes de survie s'amenuise dans des proportions considérables – voire disparaît – en relation directe avec les progrès de leur fonction d'agent [4].

À première vue, une grande hétérogénéité marque les variables que nous avons retenues. Mais la capacité à se constituer un revenu, le rôle économique à l'extérieur de la famille, l'accès à l'éducation, les droits de propriété ou d'autres encore ont au moins un trait commun : ils contribuent à rendre audible la voix des femmes, ils leur confèrent une certaine indépendance. Leur émancipation accroît leur rôle d'agent. Il ne fait aucun doute, par exemple, que travailler hors du foyer et s'assurer un revenu propre a un impact sur le statut social des femmes, chez elles comme à l'extérieur. Leur participation à la prospérité familiale devient d'emblée plus visible et, dès qu'elles sont moins dépendantes, leur voix pèse d'un autre poids. De plus, une activité professionnelle a aussi des implications en termes d'« éducation », les relations nouées avec le monde extérieur contribuant à rendre leur rôle d'agent plus effectif. De la même manière, l'éducation des femmes renforce ce rôle en développant leur information et leurs compétences. L'accès à la propriété accroît leur pouvoir dans les décisions familiales.

Nous avons identifié le trait commun à ces diverses variables : toutes favorisent la reconnaissance et l'autonomie et nous savons que l'indépendance économique tout comme l'émancipation sociale des femmes créent une dynamique qui remet en cause les principes gouvernant les divisions, au sein de la famille et dans l'ensemble de la société, et influence tout ce qui est implicitement reconnu comme étant leurs « droits »[5].

La coopération conflictuelle

Pour comprendre ce processus, nous adopterons le point de départ suivant : dans leur vie de famille, hommes et femmes ont des intérêts convergents et d'autres qui sont conflictuels. Au sein de la cellule familiale, la prise de décision tend à prendre la forme d'une recherche de coopération, jusqu'à la décision négociée – et le plus souvent implicite – des divergences. La « coopération conflictuelle » gouverne les relations à l'intérieur de groupes très divers et l'analyse de ce type de mécanisme peut nous aider à comprendre les paramètres qui déterminent les « accords » entre hommes et femmes et les concessions obtenues par ces dernières. Les deux parties tendent à défendre leurs intérêts et à obtenir des avantages en respectant des règles implicites. Mais l'attitude qu'ils adoptent et les objectifs qu'ils se fixent modifient la teneur de l'accord final, et les avantages respectifs qui en découlent. Le choix d'une configuration coopérative particulière, parmi toutes celles possibles, va aboutir à une distribution particulière des avantages respectifs[6].

Les règles implicites et les modèles de comportement auxquels se conforment les parties dans les conflits d'intérêts familiaux ne répondent pas nécessairement à un impératif égalitaire. La nature même de la vie de famille – partager un foyer et une vie commune – suppose que les sujets de conflit ne soient pas exacerbés (des tensions permanentes seront perçues comme une menace grave sur l'avenir) ; il n'est pas rare qu'une femme ne soit pas en mesure de définir clairement la nature ou l'étendue des privations qu'elle subit. De la même manière, des questions telles que : qui assume telle ou telle quantité de travail « productif », qui « contribue » et pour quelle part à la prospérité familiale, ont souvent une place importante dans les conflits, même si aucune définition consensuelle de la « productivité » ou de la « contribution » n'a fait l'objet d'un débat préalable.

La perception des prérogatives

La façon dont sont perçues les contributions individuelles et les prérogatives légitimes des hommes et des femmes joue un rôle primordial dans la répartition des avantages collectifs d'une famille[7]. Ainsi, toutes les données circonstantielles qui influencent cette perception (par exemple : la faculté qu'a une femme de s'assurer un revenu indépendant, de travailler en dehors du foyer, de bénéficier d'une formation, de détenir des droits de propriété, etc.) sont autant de clés d'explication pour comprendre comment s'opère cette répartition. Le rôle d'agent indépendant des femmes, à mesure qu'il est reconnu et qu'il se développe, tend aussi à corriger les iniquités qui pèsent sur leur vie et qui affectent leur bien-être. Si la fonction d'agent permet aux femmes de sauver des vies, c'est d'abord de la leur qu'il s'agit[8].

Mais pas seulement. D'autres vies sont en jeu : celles des hommes et des enfants. Même au sein de la famille, les enfants sont parfois les premiers concernés, puisque comme on le sait aujourd'hui, la reconnaissance des droits des femmes s'accompagne, dans bien des cas, d'une réduction significative de la mortalité infantile. Au-delà, l'action des femmes, l'audience que reçoit leurs voix, en relation directe avec leur accès à l'éducation et au marché du travail, influencent l'orientation des débat publics, sur un ensemble de sujets, depuis les taux de fertilité acceptables (pour l'ensemble de la société, pas pour les seules femmes impliquées dans le débat) jusqu'aux questions d'environnement.

Une autre question importante concerne les divisions intrafamiliales – pour la nourriture, la santé et les autres postes. Ici, les critères varient pour répartir les moyens économiques dont dispose la famille, en fonction des intérêts de ses membres : hommes et femmes, garçons et filles, enfants et adultes, jeunes et anciens [9].

Les règles de la répartition reposent, dans une large mesure, sur des conventions établies, mais elles évoluent aussi en fonction d'autres facteurs, tels que le rôle économique et la reconnaissance des droits des femmes, ou le sytème de valeurs de la collectivité [10]. L'évolution du système de valeurs et des conventions intrafamiliales dépend souvent de l'éducation des femmes, de leur accès au marché du travail ou à la propriété, c'est-à-dire de caractéristiques « sociales », déterminantes aussi pour la prospérité (et le bien-être ou la liberté) de chacun des membres de la famille [11].

Dans la perspective suivie ici, il convient de s'arrêter un instant sur cette relation. À propos de la famine, nous avons vu que la meilleure approche consiste à la comprendre en termes de perte de droits d'accès, c'est-à-dire comme une restriction majeure à la liberté substantielle de se procurer de la nourriture. Il en résulte une diminution considérable de la quantité de nourriture qu'une famille peut acheter et consommer. Si les problèmes de répartition au sein de la famille s'aiguisent quand frappe la famine, ils déterminent aussi le niveau de malnutrition des différents membres d'une famille dans une situation de pauvreté structurelle, considérée comme « normale » à certains endroits. L'inégalité maintenue dans la répartition de la nourriture – et, peut-être plus encore, dans l'accès aux soins – reflète le plus crûment les discriminations sexuelles dans les sociétés marquées par des préjugés antiféminins.

Une relation de réciprocité existe entre ces préjugés et le statut social – ou la place économique – des femmes. La position dominante des hommes repose sur un certain nombre de facteurs, en particulier leur fonction de « gagne-pain », clé de leur pouvoir économique et supposée commander le respect, même au sein de la famille [12]. À l'inverse, tout montre que les femmes qui peuvent accéder à un revenu extérieur tendent alors à améliorer leur position relative, y compris en ce qui concerne la répartition à l'intérieur du foyer.

Parce qu'il n'entraîne aucune rémunération, le travail quotidien des femmes à la maison est souvent négligé dans le décompte des contributions respectives de chacun à la prospérité familiale [13]. Dès lors qu'elles travaillent à l'extérieur et rapportent un salaire, leur participation gagne en visibilité. Et, parce qu'elle gagne en indépendance, leur voix devient plus audible. L'évolution de leur statut modifie aussi, semble-t-il, les idées reçues sur leur fonction de génitrice. Ainsi, la liberté de rechercher et d'occuper un emploi hors du foyer peut contribuer à la réduction des privations – relatives ou absolues – subies par les femmes. La liberté acquise dans un domaine – travailler à l'extérieur – favorise les autres – à l'égard de la faim, de la maladie et d'autres privations.

Il est aussi établi que le taux de fertilité baisse à mesure qu'évolue le statut des femmes. Cela n'a rien de surprenant : les jeunes femmes étant les plus handicapées par les grossesses à répétition et les soins à donner aux jeunes enfants, tout ce qui favorise leur autonomie, leur capacité d'expression et de décision tend à espacer les naissances. Une étude comparative, menée dans trois cents districts indiens a ainsi montré que la réduction du taux de fertilité dépendait, en premier lieu, de deux facteurs : l'éducation et l'emploi des femmes [14]. Au-delà, tous les éléments qui ont une incidence sur l'émancipation des femmes contribuent à la baisse du taux de fertilité. Je reviendrai sur ce point, en discutant de la nature et de la gravité du problème de la « surpopulation » mondiale. Toutes les atteintes à l'environnement liées à la pression démographique, qui affectent la vie des hommes aussi bien que des femmes, sont en relation étroite avec la question spécifique de la liberté des femmes à l'égard de leur rôle de génitrices, dans un contexte où, rappelons-le encore, les grossesses à répétition handicapent d'innombrables jeunes femmes dans les pays en développement.

Survie infantile et fonction d'agent des femmes

On sait que l'alphabétisation et l'éducation des femmes ont aussi une incidence positive sur la mortalité infantile. La relation de cause à effet met en jeu divers canaux, mais la raison la plus élémentaire tient, de toute évidence, à l'importance que les mères accordent au bien-être des enfants et aux possibilités qui leur sont offertes – pour autant que leur rôle d'agent soit respecté et développé – d'influencer en ce sens les décisions familiales. Il a aussi été montré que la reconnaissance de ce rôle réduit le désavantage relatif des femmes à l'égard de la survie (en particulier des petites filles).

Les pays dans lesquels les préjugés antiféminins sont les plus fortement enracinés – l'Inde, le Pakistan, le Bangladesh, la Chine, l'Iran, les États d'Afrique du Nord, etc.) – connaissent une situation de surmortalité féminine dans les classes d'âge les plus jeunes, à l'inverse de l'Europe, de l'Amérique et de l'Afrique subsaharienne, régions dans lesquelles les filles bénéficient d'un avantage significatif, en termes de survie. En Inde, dans la classe d'âge 0-4 ans, le taux de mortalité est aujourd'hui équivalent pour les garçons et les filles, en moyenne nationale, mais les filles souffrent encore d'un désavantage notable dans les régions marquées par de fortes inégalités sexuelles, en particulier dans la plupart des États du Nord [15].

L'une des études les plus convaincantes sur cette question – incluse dans un considérable travail statistique réalisé par Mamta Murthi, Anne-Catherine Guio et Jean Drèze – prend en compte les chiffres de 296 districts indiens, issus du recensement de 1981 [16]. Mamta Murthi et Jean Drèze ont poursuivi ce travail, en exploitant les chiffres du recensement de 1991 et ont ainsi obtenu confirmation de leurs principales conclusions [17].

Ils ont soumis à l'examen un ensemble de relations de cause à effet, diverses mais interdépendantes. Les variables étudiées, dans la comparaion interdistrict, incluent le taux de fertilité, le taux de mortalité infantile et le désavantage par sexe concernant la survie en bas âge (reflétant la surmortalité féminine dans la classe d'âge 0-4 ans). Les chiffres obtenus sont mis en relation avec un ensemble d'autres variables susceptibles de les éclairer, telles que le taux d'alphabétisation des femmes, leur insertion dans les emplois, l'incidence de la pauvreté (et les niveaux de revenu), le degré d'urbanisation du district, les structures de santé, et la place des groupes sociaux le plus déshérités (intouchables et groupes tribaux) dans l'ensemble de la population considérée [18].

Comme tout portait à le croire, l'étude établit une forte corrélation entre la survie infantile et la mortalité, d'une part, et les variables qui reflètent le plus la fonction d'agent des femmes, de l'autre, en particulier leur place sur le marché du travail et leur taux d'alphabétisation.

Notons toutefois, concernant leur insertion dans le travail, que les analyses économiques et sociales négligent souvent des facteurs dont les effets sont pourtant contradictoires. En premier lieu, l'implication dans une activité professionnelle a des effets positifs quant à la fonction d'agent des femmes, et s'acompagne, le plus souvent, d'un plus grand souci apporté à l'éducation des enfants et d'une plus grande capacité à accorder la priorité à cette question dans les décisions familiales. Mais par ailleurs, du fait des réticences des hommes à partager les tâches domestiques, la priorité accordée aux enfants n'est pas toujours aisée à mettre en œuvre, pour une femme devant assumer une double journée de travail – professionnelle et familiale. Il est donc difficile de déterminer de quel côté pèse le résultat net. Dans l'étude citée, l'analyse des données par district ne livre aucune conclusion définitive ou certaine, concernant la relation entre l'emploi des femmes et la survie des enfants [19].

En revanche, l'impact de l'alphabétisation des femmes sur la réduction statistique de la mortalité des moins de cinq ans, ne prête à aucune ambiguïté, même une fois prise en compte l'alphabétisation masculine. Ce résultat confirme d'autres travaux qui ont mis en évidence la relation étroite existant entre l'alphabétisation des femmes et la survie infantile, que ce soit à l'occasion d'études par pays, ou de comparaisons entre pays [20]. Dans ce domaine, le développement de la fonction d'agent des femmes n'est pas entravé par l'attitude inflexible des hommes à l'égard des tâches domestiques ou du suivi des enfants.

Il reste maintenant à examiner les conséquences de la *discrimination sexuelle* dans la survie infantile (par comparaison avec la survie infantile *totale*). Sur cette question, il résulte de l'étude que le taux de participation des femmes à la force de travail, aussi bien que le taux d'alphabétisation ont des effets positifs qui contrebalancent le désavantage féminin. Les chiffres montrent une relation inversement proportionnelle entre l'accroissement des taux d'alphabétisation et d'emploi, d'une part, et la réduction du désavantage féminin de l'autre. À l'inverse, les variables qui expriment le niveau général de développement et de modernisation, ou bien n'ont pas d'effets statistiques significatifs, ou encore suggèrent que la modernisation (lorsqu'elle ne s'accompagne pas d'un développement du rôle d'agent des femmes) tend à renforcer – et non à affaiblir – le désavantage relatif des femmes en matière de survie infantile. Cette conclusion reflète l'observation de données telles que l'urbanisation, l'alphabétisation masculine, la disponibilité de services médicaux et le niveau de pauvreté (les niveaux les plus élevés de pauvreté sont associés à un rapport femmes/hommes plus élevé). En Inde, pour autant qu'une relation positive existe entre niveau de développement et réduction du désavantage comparatif des femmes en matière de survie, il semble qu'il faille l'imputer aux seules variables reflétant directement le rôle d'agent des femmes, telles que l'alphabétisation et l'entrée sur le marché du travail.

Le développement du rôle d'agent des femmes grâce à l'éducation mérite encore un commentaire. Les analyses statistiques dues à Mamta Murthi, Anne-Catherine Guio et Jean Drèze montrent l'ampleur des conséquences, en termes quantitatifs, de l'alphabétisation féminine. Ce facteur est absolument prééminent sur les variations de la mortalité infantile. Par exemple, toutes autres variables égales par ailleurs, une augmentation du taux d'alphabétisation des femmes de 22 % (chiffre enregistré par l'Inde au recensement de 1981) à 75 % réduit la mortalité prévisible des moins de cinq ans (garçons et filles confondus), de 156 pour mille (chiffre du recensement de 1981) à 110 pour mille.

L'efficacité de ce seul facteur dans la réduction de la mortalité infantile contraste vivement avec le rôle diffus que l'étude attribue à l'alphabétisation masculine ou à la réduction de la pauvreté. Une augmentation équivalente de l'alphabétisation masculine (de 22 à 75 %) réduirait la mortalité, dans la même classe d'âge, de 169 pour mille à 141 pour mille. Une réduction de 50 % de l'incidence de la pauvreté (à partir du niveau de 1981) devrait réduire la valeur prévisible de la mortalité infantile de 156 pour mille à 153 pour mille.

Quel message tirer de ces chiffres, sinon que les variables en prise directe avec la fonction d'agent des femmes (dans ce cas précis, leur alphabétisation) jouent souvent, dans la promotion du bien-être social (en particulier, dans la survie infantile), un rôle autrement déterminant que les variables reflétant le seul niveau d'opulence générale de la société ? De ces observations découlent des implications pratiques importantes [21]. L'action publique peut exercer une influence notable sur ces deux ensembles de variables, mais chacun relève de procédures adaptées.

Fonction d'agent, émancipation
et réduction de la fertilité

Le rôle d'agent des femmes intervient aussi, de façon prééminente, dans la réduction du taux de fertilité. Lorsque celui-ci se maintient à un niveau élevé, on compte, au nombre de ses effets négatifs, un empiétement

sur les libertés substantielles des femmes, dû aux grossesses à répétition et à leur investissement quasi exclusif
dans les soins portés à leurs enfants. Cet état de fait est
manifeste dans de nombreuses régions, en particulier, en
Asie et en Afrique. Dans ce domaine aussi, les évolutions
impliquent une interconnexion entre bien-être et fonction d'agent des femmes, et l'on constate d'ailleurs que la
baisse du taux de fertilité, là où elle est effective, est la
conséquence d'une amélioration du statut des femmes et
de leurs droits.

Revenons-en à l'étude de Mamta Murthi, Anne-Catherine Guio et Jean Drèze qui analyse, pour l'Inde, les variations du taux de fertilité par district. De toutes les
variables observées, deux seulement ont une incidence
significative, d'un point de vue statistique, sur la fertilité :
il s'agit de l'alphabétisation et de l'insertion au travail. Ici
encore, l'importance de la fonction d'agent des femmes
apparaît avec force, surtout par comparaison avec le peu
de conséquences des variables reflétant le progrès économique général. Mais surtout, l'étude confirme, en termes
chiffrés, le lien étroit entre élévation du niveau d'alphabétisation et baisse de la fertilité [22], constaté dans d'autres
pays, à l'occasion d'analyses de terrain. Il va de soi que la
relation de cause à effet tient au refus, exprimé par les
femmes ayant bénéficié d'une forme ou d'une autre d'éducation, de se voir réduites à leur rôle de génitrice. L'instruction a élargi leur horizon, les a mises au contact de
quelques notions, au moins, de planning familial et les a
dotées d'une plus grande latitude pour exercer leur rôle
d'agent dans les décisions familiales, y compris en matière
de fertilité et de naissances.

Il convient de s'arrêter un instant sur la situation du
Kérala. L'État indien le plus avancé socialement est aussi
celui qui enregistre la plus forte réduction de la fertilité,
liée à la reconnaissance de la fonction d'agent des
femmes. Alors que le taux de fertilité reste supérieur à 3,
pour l'ensemble de l'Inde, il se situe à 1,7 au Kérala, un
chiffre inférieur au « seuil de remplacement » (que l'on
situe à 2, et qui correspond, en termes simples, à deux

enfants par couple), inférieur aussi au taux de 1,9 que connaît la Chine. L'accès généralisé des femmes à l'éducation, jusqu'à un haut niveau, explique pour une bonne part cette baisse, intervenue à un rythme soutenu. Notons encore que la fonction d'agent des femmes et leur alphabétisation ayant aussi des effets sur le taux de mortalité, cela constitue une autre voie d'explication, moins directe, il est vrai, de la baisse de la natalité, dans la mesure où la réduction du taux de mortalité – et de la mortalité infantile en particulier – exerce, comme on le sait, une influence sur le taux de fertilité. D'autres caractéristiques propres à l'État du Kérala ont aussi favorisé la prise en compte des droits des femmes et leur rôle d'agent, tels que la reconnaissance du droit de propriété pour une partie considérable d'entre elles [23].

Nous aurons l'ocasion de revenir sur l'examen de ces interconnexions et de quelques autres au cours du prochain chapitre.

Rôles politique, économique et social des femmes

Comme l'illustrent de nombreux exemples, aussitôt que les femmes accèdent aux domaines que les hommes s'étaient réservés et qu'elles en exploitent les possibilités, elles obtiennent des résultat en tout point comparables. Dans la plupart des pays en développement, leur ascension jusqu'aux plus hauts niveaux des responsabilités politiques, n'a été possible qu'à la faveur de circonstances exceptionnelles, souvent en prenant la succession d'un mari ou d'un père, mais invariablement, elles ont saisi leur chance avec courage. On connaît la trajectoire des quelques figures propulsées ainsi à la tête de l'État, que ce soit au Sri Lanka, en Inde, au Bangladesh, au Pakistan, aux Philippines, en Birmanie ou en Indonésie. On s'est moins intéressé, en revanche, aux initiatives de nombreuses autres femmes, sur le terrain politique ou social [24].

Pourtant, sur ce terrain aussi, la présence des femmes

est riche de conséquences, parfois reconnues ou commençant à l'être (ainsi de l'influence de l'éducation sur le taux
de fertilité, que nous venons de rappeler). D'autres interdépendances, cependant, n'ont pas encore reçu toute
l'attention qu'elles méritaient, comme, par exemple,
l'hypothèse d'une relation entre la prééminence masculine et le crime. Il est à peu près reconnu que les crimes
violents sont, dans une vaste proportion, perpétrés par les
hommes, mais ce phénomène met en jeu un réseau de
relations de causes à effets encore mal établi.

Les résultats d'une enquête statistique, fondée sur des
comparaisons par district, en Inde, mettent en évidence
l'existence d'une relation – statistiquement significative –
entre le ratio femmes/hommes dans la population et la
rareté des crimes violents. De fait, la relation inverse
– entre taux de criminalité et ratio femmes/hommes dans
la population – a été établie par de nombreuses enquêtes
et a suscité des explications diverses [25]. Pour certains,
l'incidence de la criminalité déterminerait une préférence
pour les garçons (supposés mieux préparés à affronter un
environnement violent), pour d'autres, au contraire, une
présence plus marquée des femmes – moins enclines à
la violence – serait à l'origine d'un taux de criminalité plus
bas [26]. On peut supposer que d'autres facteurs encore
expliquent la relation entre criminalité et prévalence des
hommes. Toutes ces questions mériteraient un examen
plus approfondi, mais quelle que soit la conclusion
retenue, elle met en jeu le poids relatif des femmes et
l'exercice de leur fonction d'agent.

Les femmes ne bénéficient souvent que d'un accès
limité aux ressources économiques, ce qui explique leur
faible participation dans ce domaine. Un peu partout, les
lois sur la succession tendent à avantager les héritiers
mâles en matière de propriété foncière comme de déten-
tion de capitaux. En conséquence, elles affrontent toutes
sortes de difficultés pour initier un projet d'entreprise,
même modeste, et pour rassembler les financements
nécessaires.

Et cependant, l'expérience montre que, chaque fois que

des dispositions spécifiques battent en brèche cette norme quasi universelle, les femmes multiplient les initiatives et obtiennent des succès indiscutables. Si leur implication dans la sphère économique est la source de nouveaux revenus dont elles tirent partie, la promotion sociale et l'indépendance qu'elles y gagnent (et qui tend à miner la discrimination sexuelle dans les décisions familiale) a aussi d'autres conséquences positives, telles que la réduction de la fertilité et de la mortalité, que nous avons précédemment observées.

Le succès considérable de la Grameen Bank, au Bangladesh, en fournit un bon exemple. Cette initiative novatrice, impulsée par Mohamed Yunus, a développé le microcrédit auprès des femmes, victimes de discriminations dans l'accès au crédit rural traditionnel. Avec une énorme majorité de clientes, la Grameen Bank affiche un taux de remboursement exceptionnellement élevé (proche de 98 %, selon les chiffres connus) qui reflète l'attitude des femmes à l'égard des nouvelles possibilités ouvertes par cette formule et leur détermination à assurer la pérennité de la formule [27]. Au Bangladesh, encore, le BRAC, une association créée par un autre visionnaire, Fazle Hassan, s'efforce de promouvoir la participation des femmes [28], au même titre que la Grameen Bank et que toute une série d'initiatives sur le terrain économique et social. Elles contribuent à élargir le champ des possibilités ouvertes aux femmes et à améliorer leur statut et, dans le même mouvement, en développant leur fonction d'agent, elles sont à l'origine d'évolutions sociales de première importance. Ainsi, la baisse notable du taux de fertilité qu'a connue le Bangladesh au cour des dernière années semble pouvoir s'expliquer, pour une bonne part, par l'implication de plus en plus marquée des femmes dans la sphère économique, ainsi que par la diffusion de l'information sur le planning familial, y compris dans les zones rurales [29].

L'agriculture est un autre domaine où la participation des femmes aux responsabilités économiques peut être très variable, en relation avec la législation régissant la propriété foncière. Là encore, l'ouverture de nouvelles possibilités a souvent une influence déterminante sur le fonctionnement de l'économie et, au-delà, sur l'ensemble de la configuration sociale. « Un champ pour soi-même », selon l'expression de Bina Agarwal, suffit souvent à démultiplier la capacité d'initiatives et à modifier substantiellement l'équilibre du pouvoir économique et social entre hommes et femmes [30]. La compréhension du rôle des femmes dans les questions d'environnement, en particulier pour ce qui concerne la préservation des ressources naturelles, telles que les arbres, recoupe d'ailleurs la même problématique [31].

Soulignons que, pour un grand nombre de pays, aujourd'hui, le processus de développement passe par une question centrale : les droits des femmes et leur reconnaissance. Celle-ci met en jeu l'éducation, le droit de propriété, l'accès au travail [32].

Au-delà de ces variables « classiques », cette reconnaissance dépend aussi de la nature des relations professionnelles, des attitudes au sein de la famille et de la société envers les activités économiques des femmes et des dynamiques sociales qui encouragent ces attitudes ou qui s'y opposent [33]. Comme l'a montré de façon magistrale Naila Kabeer, dans son étude sur l'insertion économique et professionnelle des femmes bengalis à Dakha et à Londres, le maintien ou la remise en cause des représentations sociales traditionnelles dépendent, pour l'essentiel, de l'ensemble des relations sociales et économiques qui prévalent en un lieu donné [34]. Le rôle d'agent des femmes est l'une des médiations capitales du changement social. Son impulsion et les conséquences qu'il entraîne, entretiennent des rapports étroits avec la plupart des aspects essentiels du processus de développement [35].

Une remarque pour conclure

Le rôle d'agent des femmes contribue à l'amélioration de leur bien-être mais ses conséquences se déploient bien au-delà. Dans ce chapitre, je me suis efforcé d'établir les distinctions et les interrelations entre fonction d'agent et bien-être, avant d'illustrer la portée et la force de la fonction d'agent des femmes, principalement dans deux domaines : la survie infantile et la réduction du taux de fertilité. L'importance de ces deux sujets dans le processus de développement dépasse de beaucoup le seul bien-être des femmes, mais, comme nous l'avons vu, cette question elle-même remplit un rôle crucial de médiation qui favorise ces objectifs.

Le mêmes considérations valent pour d'autres facettes de l'action économique, politique et sociale, qu'il s'agisse du crédit rural, d'autres activités économiques et même de la mobilisation politique ou du débat social [36]. La fonction d'agent des femmes a une vaste portée, c'est pourtant l'un des domaines les plus négligés dans les études sur le développement et sans aucun doute celui qui mériterait le plus de retenir l'attention. Je ne vois, à l'examen, aucune priorité aussi brûlante pour l'économie politique du développement qu'une reconnaissance pleine et entière de la participation et du leadership féminins dans les domaines politique, économique et social. C'est un aspect crucial du « développement comme liberté ».

CHAPITRE IX

Population, ressources alimentaires et liberté

L'époque n'est pas avare de catastrophes, mais la persistance de la faim sur une grande échelle, alors que le monde connaît une prospérité sans précédent, est sans doute l'une des pires. Les famines frappent certains pays avec une cruauté surprenante – « féroces comme dix furies, terribles comme l'enfer » – pourrait-on dire, en reprenant les termes de John Milton. Dans de vastes zones de la planète, la malnutrition endémique accompagne la pauvreté, elle affaiblit des centaines de millions de personnes, pour certaines jusqu'à l'extinction, opérant un prélèvement qui obéit à une implacable rigueur statistique. Nous en sommes venus à accepter cette sinistre réalité et à la percevoir comme une donnée quasiment intangible du monde moderne, une tragédie – au sens où les Grecs entendaient ce mot – inévitable.

J'ai expliqué précédemment les raisons pour lesquelles on ne pouvait aborder les problèmes de faim, de malnutrition ou de famine, estimer leur nature et leur sévérité par la seule analyse de la production alimentaire. Il va de soi que celle-ci reste l'une des variables déterminantes, puisqu'elle affecte jusqu'au prix des biens alimentaires. De plus, lorsque nous considérons le problème alimentaire au niveau mondial (et non seulement local ou national) nous ne pouvons plus faire jouer la variable des importations. Ce point de vue nous amène à examiner l'opinion, souvent

évoquée, selon laquelle la production alimentaire par
habitant serait en baisse continue.

Y a-t-il une crise alimentaire mondiale ?

Cette peur est-elle fondée ? La production alimentaire
mondiale est-elle « distancée » par la croissance de la
population dans une sorte de course épuisante entre deux
concurrents ? Cette représentation s'est imposée pour le
présent et l'avenir proche, malgré le peu d'éléments qui
en vérifient la validité. Malthus anticipait déjà, voilà deux
siècles, cette défaite certaine et les désastres qui devaient
résulter du déséquilibre qu'il décrivait comme « le rapport entre la croissance naturelle de la population et la
prodution alimentaire ». Il était intimement convaincu
que son monde, celui de la fin du XVIIIᵉ siècle « était déjà
entré depuis longtemps dans le temps où le nombre
d'hommes surpasse les moyens de subsistance à leur disposition [1] ». Et cependant, depuis la première publication
par Thomas Malthus, en 1798, de son fameux *Essai sur
la population*, celle-ci a été multipliée par six tandis que
la production alimentaire et la consommation par habitant ont atteint des chiffres incomparablement plus élevés
qu'alors, et que le niveau de vie moyen a connu une croissance sans précédent.

Bien entendu, la grossière erreur de diagnostic commise
par l'auteur, à une époque où la population mondiale
n'avait pas atteint le milliard d'habitants, aussi bien que le
démenti infligé par l'Histoire à son pronostic ne sauraient suffire à frapper d'inanité, pour le reste des temps,
les craintes nées de la croissance démographique. Qu'en
est-il pour la période présente ? La production alimentaire
perd-elle du terrain dans sa course contre la démographie ? Le tableau 9.1 présente les indices de la production
alimentaire par habitant (tirés des statistiques de la FAO,
organisation des Nations-Unies) pour le monde et pour les
régions les plus importantes. Ces indices représentent une
moyenne de trois ans (afin de corriger les fluctuations

TABLEAU 9.1 : *Indices de la production alimentaire
par habitant et par région*

Région	1974-1976	1979-1981	1984-1986	1994-1996	1996-1997
Monde	97,4	100	104,4	108,4	111
Afrique	104,9	100	95,4	98,4	96
Asie	94,7	100	111,6	138,7	144,3
Inde	96,5	100	110,7	128,7	130,5
Chine	90,1	100	120,7	177,7	192,3
Europe	94,7	100	107,2	102,3	105
Amérique du Nord et Amérique centrale	90,1	100	99,1	99,4	100
États-Unis	89,8	100	99,3	102,5	103,9
Amérique du Sud	94	100	102,8	114	117,2

Note : En adoptant la moyenne triennale 1979-1981 pour base, les moyennes triennales 1984-1986, 1994-1996 et 1996-1997 proviennent des Nations-Unies (1995-1998), tableau 4. Les moyennes triennales antérieures (1974-1976) sont fondées sur les chiffres des Nations-Unies (1984), tableau 1. Une légère différence des poids relatifs est possible entre les deux sources et la comparaison, d'un côté ou de l'autre, de la moyenne 1979-1981 pourrait ne pas être entièrement valide. La différence quantitative serait toutefois minime.

Source : Nations-Unies, *FAO Quarterly Bulletin of Statistics*, 1995 et 1998 et *FAO Monthly Bulletin of Statistics*, août 1984.

annuelles), la moyenne 1979-1981 sert de base (100) et ils couvrent jusqu'à la période 1996-1997 (les chiffres de 1998 ne modifieraient guère les résultats). On constate, non seulement, une hausse de la production par habitant au niveau mondial, mais on relève encore que celle-ci est plus marquée dans les zones de plus fortes densités de population du Tiers-Monde (l'Inde, la Chine et le reste de l'Asie, en partiulier).

Seule la production alimentaire de l'Afrique a baissé (j'ai commenté précédemment ce cas), ce qui, associé à la prévalence de la pauvreté, met ce continent dans une situation de grande vulnérabilité. Toutefois, comme je l'ai expliqué au cours du chapitre VII, les problèmes de l'Afrique subsaharienne reflètent avant tout une profonde crise – sociale et politique, autant qu'économique – et ne résultent pas, en premier lieu, d'une « crise de la production alimentaire ». Cette donnée s'inscrit dans une situation plus large qui mérite un examen particulier.

Nous ne décelons donc, pour la période actuelle, aucune crise de la production alimentaire mondiale. Le rythme d'expansion de celle-ci fluctue sans aucun doute et il arrive même qu'une mauvaise conjoncture climatique entraîne une baisse passagère, redonnant un éphémère crédit aux alarmistes, mais la *tendance* est clairement à la hausse.

Incitations économiques et production alimentaire

Il est important de souligner que cette croissance, ainsi que le montre le tableau 9.2, qui couvre une période de plus de quarante-cinq ans, de 1950-1952 à 1995-1997, correspond à une période de baisse forte et continue des prix alimentaires en termes réels. En conséquence, les incitations économiques dans ce domaine sont de plus en plus évanescentes, quelles que soient les grandes régions agro-alimentaires considérées, y compris l'Amérique du Nord.

Les prix considérés fluctuent sur le court terme et l'on a connu, à plusieurs reprises, des réactions de panique, après des flambées conjoncturelles, au cours de la décennie 1990 en particulier. Mais aucune de ces flambées n'a inversé la tendance massive à la baisse, enregistrée depuis 1970 (voir figure 9.1). De fait, la baisse tendantielle se poursuit aujourd'hui, et personne n'identifie le moindre signe de renversement. En 1998, les prix mondiaux du blé et des céréales brutes ont connu une nouvelle baisse de 20 % et 14 % respectivement [2].

En toute logique, notre analyse économique doit prendre en compte l'effet dissuasif que la baisse des prix exerce sur la production alimentaire. Cependant, force est de constater que la production mondiale a poursuivi sa

TABLEAU 9.2 : *Prix alimentaires en dollars constants de 1990, de 1950-1952 à 1995-1997*

Produit	1950-1952	1995-1997	Évolution en %
Blé	427,6	159,3	– 62,7 %
Riz	789,7	282,3	– 64,2 %
Sorgho	328,7	110,9	– 66,2 %
Maïs	372	119,1	– 68 %

Note : Tous les chiffres sont donnés en dollars constants (1990) par tonne, corrigés par l'indice MUV (Manufacturing Unit Value).

Source : Banque mondiale, *Commodity Markets and the Developping Countries*, novembre 1998, tableau A1 (Washington D.C.) ; Banque mondiale, *Price Prospects for Major Primary Commodities*, vol. 2, tableaux A5, A10, A15 (Washington D.C., 1993).

croissance, creusant même l'écart avec celle de la population mondiale. La production aurait-elle atteint des sommets plus élevés (ce qui n'aurait en rien amélioré les revenus des populations affamées dans le monde), que son absorption par le marché aurait été encore plus problématique (la baisse des prix traduisant l'ampleur actuelle du problème). Pour des raisons compréhensibles, on note que les taux de croissance les plus forts concernent des pays tels que la Chine ou l'Inde, où le marché national est relativement protégé du marché mondial et, donc, moins sensible à la caractéristique principale de ce dernier : la tendance des cours à la baisse.

Il est capital de définir la production alimentaire comme un résultat de la fonction d'agent des êtres humains et de comprendre quelles incitations influencent leurs décisions et leurs actions. Comme d'autres activités économiques, la production alimentaire commerciale dépend des marchés et des prix. Aujourd'hui, la production mondiale est freinée par la faiblesse de la demande et le bas niveau des prix ; en retour, cette situation traduit le niveau de pauvreté des populations touchées par la malnutrition. Toutes les études techniques consacrées à un hypothétique accroissement de la production (lié à une

FIGURE 9.1 : *Prix alimentaires
en dollars constants de 1990*

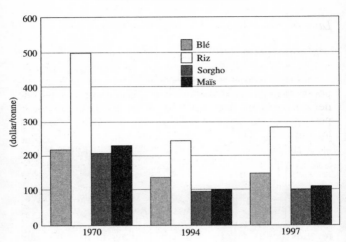

Note : les chiffres sont donnés en dollars constants de 1990, corrigés
par l'index MUV (Manufacturing Index Value).

Source : Banque mondiale, *Commodity Markets and Developping
Countries* (Washington D.C., Banque mondiale 1998) tableau A1.

reprise de la demande) concluent à l'existence d'un fort
potentiel de développement rapide de la production par
habitant. Notons que la production à l'hectare a continué
d'augmenter dans toutes les parties du globe. En moyenne
mondiale, elle s'est accrue de 42,6 kilogrammes par hectare et par an, sur la période 1981-1993 [3]. Pour les
céréales, 94 % de l'augmentation de la production, de
1970 à 1990, est due à une amélioration de la productivité à l'hectare et seulement 6 % à un accroissement des
surfaces cultivées [4]. Dans l'hypothèse d'une demande plus
forte, tout montre que l'intensification des cultures se
poursuivrait, d'autant que les différences de productivité à

l'hectare restent considérables entre les différentes parties du monde.

La production alimentaire par habitant n'est pas tout

Aucun de ces chiffres ne saurait remettre en cause la maîtrise nécessaire de la croissance démographique mondiale. Les questions liées à la population et à la sur-population s'inscrivent dans une problématique environnementale beaucoup plus large. Mais ils désamorcent le pessimisme traditionnel et les projections selon lesquelles la production alimentaire serait bientôt « rattrapée » par la démographie. Cette vision réductrice, focalisée sur la production et ignorant les droits – les droits d'accès à l'alimentation, en particulier – n'aboutit à aucun résultat constructif. Au contraire : si les politiques publiques devaient se fonder exclusivement sur les chiffres de la production alimentaire mondiale, elles seraient condamnées à ignorer les situations de malnutrition, voire les menaces de famine.

Lors de la famine du Bengale, en 1943, par exemple, les administrateurs coloniaux, s'en tenant à ces données – qui ne reflétaient, comme nous l'avons vu plus haut, aucune baisse significative de la production – furent incapables d'anticiper la famine et refusèrent même d'admettre son existence pendant plusieurs mois, alors que la catastrophe frappait le pays avec une sévérité inouïe [5]. Si le « pessimisme malthusien » est un piètre instrument de prédiction en matière de situation alimentaire, l'« optimisme malthusien », son contraire, peut abandonner à un sort funeste des millions d'affamés, quand les responsables se laissent aveugler par les chiffres de production, sans déceler aucun des signes avant-coureurs du désastre. Des théories mal bâties peuvent tuer et l'obsession malthusienne d'un ratio nourriture/population a beaucoup de sang sur les mains.

La croissance démographique
et les partisans de la contrainte

Si les craintes traditionnelles des malthusiens et leur obsession de la production alimentaire sont, comme nous l'avons montré, sans fondements, au moins pour notre époque, le rythme de croissance de la population mondiale reste néanmoins un réel sujet d'inquiétude. Au cours du siècle écoulé, l'accélération de la démographie a été phénoménale. Il a fallu plusieurs millions d'années à l'espèce humaine pour franchir le seuil du milliard d'individus, puis cent vingt-trois ans pour atteindre le deuxième milliard, trente-trois ans pour le troisième, quatorze ans pour le quatrième, treize ans pour le cinquième et les projections des Nations-Unies estiment qu'il ne faudra pas plus de onze ans avant le sixième millard [6]. De 1980 à 1990, le nombre d'habitants s'est accru de 923 millions, soit un chiffre comparable à celui de la population mondiale totale, à l'époque de Malthus. La décennie 1990 devrait enregistrer une expansion comparable.

Si ce rythme devait se poursuivre, il est indiscutable que la surpopulation deviendrait un problème majeur avant la fin du XXIe siècle. Mais, parce qu'on note de nombreux signes de ralentissement, la question la plus pertinente consiste à se demander si les facteurs qui gouvernent cet infléchissement ont de bonnes raisons de se renforcer et, dans l'affirmative, selon quel rythme. Dans la même perspective, nous devons nous interroger sur les politiques publiques susceptibles de favoriser ce ralentissement.

Le sujet a suscité de nombreuses controverses. Les plus nourries sont nées en réaction à l'école de pensée qui défend, de manière plus ou moins implicite, une approche coercitive du problème et qui a trouvé sa traduction pratique, au cours des dernières années, à l'occasion de plusieurs expériences. Le cas chinois et l'ensemble des mesures mises en œuvre, dès 1979, dans ce pays, ont été les plus débattus. L'approche coercitive soulève trois questions principales :

1) Par principe, la contrainte est-elle acceptable dans ce domaine ?

2) À défaut de mesures contraignantes, la croissance démographique suivra-t-elle un rythme insoutenable ?

3) La coercition est-elle susceptible de produire des résultats satisfaisants sans entraîner d'effets secondaires trop importants ?

Coercition et droits liés à la procréation

La contrainte et son acceptabilité, en matière de décisions familiales, se heurtent à des questions extrêmement sensibles. Elles rencontrent deux types d'opposition : celle des partisans d'une priorité à la famille, pour toutes les décisions concernant le nombre d'enfants désirable ainsi que celle des promoteurs d'une préséance accordée aux femmes et aux futures mères de famille, en particulier, pour l'avortement et les autres questions mettant en jeu le corps des femmes. Il est clair que cette seconde attitude s'est élaborée dans le contexte de la défense du droit à l'avortement et du contrôle des naissances, en général, mais elle est tout à fait cohérente avec la défense du droit des femmes de *ne pas* recourir à l'avortement, si tel est leur choix, quand bien même celui-ci contreviendrait aux orientations de l'État. On voit donc que le statut et la signification des droits liés à la procréation recoupent des questions essentielles [7].

La notion de droits légitimes est omniprésente dans la réthorique politique contemporaine. Mais une ambiguïté persiste dans la plupart de ces débats : parle-t-on de droits formalisés au niveau institutionnel et protégés par un appareil juridique ou de normes légitimes dotées d'une force prescriptive, qu'elles soient ou non codifiées par la loi ? Les deux acceptions ne sont pas exclusives mais il est raisonnable de s'interroger sur cette distinction et de se demander si les droits ont une valeur normative intrinsèque, indépendamment de leur importance instrumentale dans un contexte légal.

Plusieurs courants de la philosophie politique, parmi lesquels les utilitaristes, refusent de reconnaître une quelconque valeur intrinsèque et, de ce fait, prélégale aux droits. On sait que Jeremy Bentham considérait l'idée de droits naturels comme un « non-sens » et le concept de « droits naturels et imprescriptibles » comme un « non-sens sur pilotis », expression décrivant, me semble-t-il, un non-sens bénéficiant d'une élévation et d'une visibilité artificielles. L'auteur considérait les droits en termes strictement instrumentaux et jugeait leur rôle institutionnel en rapport exclusif avec les objectifs poursuivis (y compris la promotion de l'utilité agrégée).

Ici réside une différence notable entre deux approches. Si l'on adopte le point de vue de Jeremy Bentham, l'acceptabilité de la contrainte dépend uniquement des conséquences qu'elle entraîne, en termes d'utilité en particulier, et le processus ne réclame aucun examen de légitimité, aucune discussion sur la satisfaction ou la violation des droits eux-mêmes. Selon l'acception inverse, si les droits sont perçus à raison de leur importance intrinsèque, on ne saurait les conditionner à leurs conséquences ou à un quelconque facteur externe. C'est d'ailleurs ainsi que les libertariens conçoivent les droits inaliénables, quelles que soient leurs conséquences. Ce sont des composantes légitimes d'une société donnée, indépendamment de leurs conséquences.

J'ai eu l'occasion d'expliquer ailleurs pourquoi je refusais toute prise de position exclusive par rapport à cette dichotomie et j'ai exposé mes arguments en faveur d'un système conséquentialiste qui prenne en compte, parmi d'autres objectifs, la satisfaction des droits [8]. Cette perspective recoupe l'approche utilitariste par son souci conséquentialiste (quoique ne se limitant pas aux seules conséquences d'utilité) et la démarche des libertariens en reconnaissant l'importance intrinsèque des droits (mais en conditionnant la priorité qui leur est accordée à l'examen de leurs conséquences). J'ai aussi discuté la portée et les nombreux avantages d'un tel système d'« objectifs-droits », susceptible de répondre à des situations très diverses [9].

Je ne me consacrerai pas ici à une défense exhaustive de cette approche par les objectifs et les droits (je m'étendrai toutefois un peu plus sur le sujet au cours du chapitre suivant). Mais puisque j'ai établi une comparaison avec l'utilitarisme, il me paraît nécessaire de souligner que mon soutien aux droits de toutes sortes (y compris les droits à la vie privée, à l'autonomie et à la liberté) ne se justifie pas exclusivement par leurs conséquences en termes d'utilité. Comme on le sait, les droits des minorités doivent souvent être défendus contre les intrusions d'une majorité qui, du point de vue de l'utilité, a beaucoup à y gagner. Même un grand utilitariste comme John Stuart Mill le relevait : il arrive qu'on ne puisse poser aucune « parité » entre l'utilité découlant d'activités hétérogènes, telles que, pour citer le penseur : « Les sentiments d'une personne à l'égard de sa propre opinion et ceux d'une autre personne que l'expression de cette opinion offense [10]. » Dans le contexte qui nous intéresse, l'absence de parité est manifeste entre, d'une part, l'importance que les parents attachent au nombre d'enfants qu'ils désirent et, d'autre part, l'importance que d'autres, *y compris* les potentats qui gouvernent le pays, accordent à cette question. Il est bien rare que l'on échappe à la question de la valeur intrinsèque de l'autonomie et de la liberté, qui se heurte, en général, à la maximisation rationnelle des conséquences de l'utilité (pour peu que l'on prenne en compte le processus de formation des utilités) [11].

Vouloir confiner l'analyse des conséquences aux seules utilités tient donc de la gageure. On voit mal, en particulier, comment il serait possible d'ignorer le respect ou la violation des droits liés à l'autonomie et à la liberté. Pour autant, rien ne justifie de considérer ces droits, ainsi que le postulent les libertariens, en toute indépendance de leurs conséquences, aussi démesurées que ces dernières puissent être. Dans le cas qui nous occupe ici et malgré la valeur que nous lui reconnaissons, le droit d'engendrer des enfants ne nous paraît pas devoir bénéficier d'un respect inconditionnel, qui s'appliquerait même dans les situations où il aurait pour conséquence des désastres majeurs, la misère à grande échelle et la faim. En dernière analyse, l'exercice d'un droit doit, d'une façon ou d'une autre, être estimé à raison de son acceptabilité.

En examinant les conséquences de la croissance démographique sur les ressources alimentaires et la malnutrition, nous avons pu établir que l'alarmisme, à ce jour, n'était pas de mise. Mais si la croissance de la population mondiale devait se poursuivre à son rythme actuel, il ne fait aucun doute que nous aurions à affronter de grandes difficultés, y compris dans le domaine des ressources alimentaires. Il va de soi que l'explosion démographique engendre d'autres problèmes, les plus notables ayant trait à l'urbanisation sauvage et aux atteintes à l'environnement, et cela, à l'échelle locale aussi bien que planétaire [12]. Nous voici ainsi conduits à rechercher les moyens possibles d'une baisse de rythme de la croissance démographique ; conduits, en d'autres termes, à apporter des réponses à la deuxième de nos trois questions.

L'analyse malthusienne

On crédite Malthus d'avoir, le premier, formulé l'hypothèse selon laquelle la population pourrait augmenter audelà d'un point critique. Avant lui, pourtant, le mathématicien Condorcet, l'un des grands penseurs des Lumières en France, avait émis l'idée que la croissance démographique pourrait conduire à « une diminution continue du bonheur » et avait posé les fondements du « scénario » malthusien, en envisageant une « augmentation du nombre des hommes surpassant leurs moyens de subsistance » dont résulterait « ou bien une diminution continue du bonheur et de la population, dans un mouvement vraiment rétrograde ou, au moins, une sorte d'oscillation entre le bien et le mal » [13].

Emballé par l'analyse de Condorcet, Malthus reconnut sa dette en citant son inspirateur, dans son célèbre essai sur la population. Une divergence notable existe toutefois entre les deux penseurs : elle concerne leur appréciation du comportement humain à propos de la fertilité. Condorcet, qui avait anticipé une réduction volontaire du taux de fertilité, pressentait l'émergence de nouvelles normes et une réduction d'échelle de la famille, fondée sur « le progrès de la raison ». Il voyait venir une ère dans laquelle les individus « sauront que, s'ils ont un devoir à l'égard de ceux qui ne sont pas encore nés, ce devoir n'est pas de leur donner la vie, mais de leur apporter le bonheur ». Ce principe, reposant sur la généralisation de l'éducation et spécialement celle des femmes, dont il fut l'un des plus ardents promoteurs, entraînerait une baisse de la fertilité et une préférence pour les familles peu nombreuses, résultat d'un choix volontaire « plutôt que d'encombrer le monde d'êtres inutiles et misérables » [14]. Après avoir identifié le problème, Condorcet envisageait la solution la plus probable.

Sur ce terrain, Malthus n'était pas prêt à le suivre. L'idée que des décisions rationnelles, élaborées par les personnes concernées, puissent résoudre les problèmes, contrevenait à son scepticisme. Réfléchissant aux effets de la croissance démographique et n'imaginant aucune flexibilité de la production, rien n'aurait pu ébranler ses convictions, quant au caractère inévitable d'un déséquilibre croissant entre population et ressources alimentaires. Et, pour en revenir à la problématique qui nous intéresse ici, la perspective d'une réduction volontaire des naissances laissait Malthus dubitatif. Bien qu'il mentionne la « retenue morale » comme un moyen possible de réduire la pression démographique, cause de misère et de mortalité élevée, il ne croyait guère qu'elle puisse faire l'objet d'une adhésion volontaire.

Au cours des années, le point de vue de Malthus et l'inévitabilité de son diagnostic connurent des amendements et il en vint à défendre sa thèse avec moins de certitude. Toutes les études récentes consacrées à l'auteur tendent à mettre l'accent sur son « évolution » et il est d'ailleurs légitime de distinguer un jeune et un vieux Malthus. Mais il n'abdiqua jamais sa défiance fondamentale à l'égard du pouvoir de la raison, pas plus qu'il ne renonça à se soumettre à la contrainte économique, spécialement sur la question de la réduction volontaire des naissances. Ainsi, dans la conclusion de l'un de ses derniers ouvrages, publié en 1830 (il devait mourir quatre ans plus tard), il affirme avec insistance : « Rien ne nous permet de supposer que la moindre raison, hormis la difficulté de se procurer en quantité suffisante la subsistance nécessaire à la vie, saurait retenir le plus grand nombre de se marier précocement ni le dissuader d'élever autant d'enfants que la santé de ces derniers le permettra [15]. »

Le peu de crédit qu'avait aux yeux de Malthus toute perspective volontaire l'incita à poser la nécessité d'une réduction *forcée* du taux de croissance démographique qui résulterait, selon lui, de la contrainte naturelle. La chute du niveau de vie liée à la croissance de la population ne devait pas seulement multiplier la mortalité dans des proportions spectaculaires (ce que Malthus qualifiait de « contrôles positifs ») mais allait aussi imposer, sous la pression de la pénurie, une réduction de la taille des familles. Toute son argumentation repose sur sa conviction intime – et c'est là le point essentiel – que rien ne saurait infléchir l'évolution démographique « hormis la *difficulté* de se procurer en quantité suffisante la subsistance nécessaire à la vie [16] ». L'opposition de Malthus aux lois sur les pauvres et à l'aide charitable destinée aux indigents s'explique par sa conviction qu'un lien causal existe entre pauvreté et faible croissance démographique.

Depuis que Condorcet et Malthus ont successivement formulé leurs positions antagoniques, l'histoire du monde n'a guère étayé le point de vue du second. La baisse de la fertilité a accompagné le développement économique et social. Après l'Europe et l'Amérique du Nord, le même phénomène est à l'œuvre dans une majorité des pays d'Asie et, dans une large mesure, en Amérique latine. Les taux de fertilité se situent encore à un niveau élevé

– quoique stable – dans les pays les plus défavorisés –
l'Afrique subsaharienne en particulier – qui demeurent les
laissés-pour-compte du développement économique et
social, caractérisés par la pauvreté et par le retard en
matière d'éducation élémentaire, d'accès à la santé et
d'espérance de vie [17].

On peut expliquer la chute généralisée du taux de fertilité de différentes manières. « Le développement est le
meilleur moyen de contraception », affirme ainsi une formule peu élégante, supposée résumer l'association positive entre les deux termes. Pour n'être pas entièrement
dépourvue de vérité, cette formulation trop simpliste ne
rend pas compte des principaux facteurs du développement qui se sont combinés dans l'histoire occidentale, tels
que l'augmentation du revenu par habitant, la diffusion
de l'éducation, la progressive émancipation économique
des femmes, la réduction du taux de mortalité et la généralisation des possibilités de planning familial, soit, pour
une bonne part, ce qu'on appelle le développement social.
Tout cela réclame un examen plus détaillé.

Développement économique ou développement social

Des diverses théories qui se sont appliquées à éclairer
les causes de la baisse de la fertilité, l'une d'entre elles,
a exercé une grande influence. Avec son modèle de détermination de la fertilité, Gary Becker prétend prolonger
l'analyse de Malthus. Il est indéniable qu'il s'en réapproprie certaines caractéristiques, telles que la définition de
la famille comme centre de décision *univoque*, sans divergences internes. Mais alors que, pour Malthus, la prospérité contribue à l'accroissement de la population, Becker
en arrive à une conclusion opposée. Selon son analyse,
le développement économique accroît les investissements
destinés à améliorer la « qualité » des enfants, dans l'éducation par exemple [18].

Adoptant un autre point de vue, les théories *sociales*
expliquent la baisse de la fertilité par le déplacement des

préférences qui résultent du développement social, telles que la généralisation de l'éducation, celle des femmes en particulier [19]. On retrouve donc ici une des interconnexions que Condorcet soulignait déjà. Toutefois, il reste à savoir s'il faut attribuer la modification du nombre d'enfants désirés par une famille à l'influence des coûts et des bénéfices, sans modification des préférences ou bien au changement social, à la modification des normes communes acceptables et à un poids relatif plus important des intérêts des femmes dans les objectifs agrégés de la famille. Ici, Becker s'oppose à Condorcet.

Un problème élémentaire doit aussi être pris en compte : la disponibilité des moyens de contrôle des naissances, du point de vue de la diffusion de l'information ou de celui des technologies. Bien que le scepticisme ait longtemps prévalu dans ce domaine, il est aujourd'hui raisonnablement établi que l'information et l'accès aux moyens de contrôle influencent le comportement des couples et réduisent la fertilité dans les pays à forte natalité, même là où les services médicaux spécialisés sont rares [20]. Il est clair, par exemple, que la forte baisse de la fertilité que connaît le Bangladesh est due aux informations et aux services que proposent les dynamiques promoteurs du planning familial. Sur quinze ans, de 1980 à 1996, le taux de fertilité est ainsi passé de 6,1 à 3,4 [21] et ce résultat contredit l'idée selon laquelle les habitants des pays les moins développés ne sont pas prêts à engager une démarche volontaire vis-à-vis du planning familial Toutefois, le Bangladesh a encore un long chemin à parcourir avant de parvenir au niveau de remplacement, que l'on estime à un taux de fertilité total de 2 ou de 2,1 et un tel objectif nécessite des mesures d'une autre ampleur que l'information élémentaire sur le contrôle des naissances.

Reconnaissance de responsabilité des jeunes femmes

L'une des perspectives les plus intéressantes apparues au cours des dernières années accorde à l'émancipation et à la responsabilisation des femmes un rôle central dans les décisions familiales et dans la fixation de normes communes. J'ai eu l'occasion d'aborder cette problématique dans les chapitres précédents. Toutefois, dans la mesure où les différents facteurs tendent à évoluer de manière concomitante, l'analyse du passé nous renseigne assez mal sur les rôles respectifs du développement économique et du changement social (les statisticiens parlent à ce propos de « multicolinéarité »). Je m'efforcerai toutefois de maintenir la distinction entre les deux notions grâce à des comparaisons transversales plutôt que temporelles. Mais, pour l'avoir solidement établi, je ne reviendrai pas sur le postulat que le choix de familles à taille réduite dépend de facteurs autres que la seule « difficulté de se procurer en quantité suffisante la subsistance nécessaire à la vie ». Aucune raison valable ne saurait empêcher un quelconque pays en développement dont le taux de fertilité reste élevé de suivre l'exemple des pays qui ont déjà réduit celui-ci, en combinant développement économique et développement social (sans tenir compte, encore, de la part de chacun de ces deux aspects).

Il apparaît très clairement que certains paramètres ont une influence primordiale sur la fertilité. Les données statistiques à peu près exhaustives que l'on possède aujourd'hui et qui résultent d'études comparatives entre pays ou entre régions établissent une relation entre l'éducation des femmes (y compris l'alphabétisation) et la baisse de la fertilité [22]. Elles mettent aussi en évidence d'autres facteurs concernant les femmes, tels que l'activité hors du foyer, la possibilité de s'assurer un revenu indépendant, le droit de propriété et le statut général dans la société. J'ai développé précédemment ces différents aspects, mais il me paraît nécessaire d'y revenir à ce stade de mon exposé.

L'influence de ces facteurs a été observée dans des comparaisons de pays à pays mais aussi dans des études comparatives à l'intérieur d'un même pays, en Inde, par exemple. Au chapitre VIII, nous avons déjà tiré des enseignements du travail le plus récent et le plus complet à ce sujet, conduit par Mamtha Murti, Anne-Catherine Guio et Jean Drèze[23]. Comme nous l'avons vu alors, de toutes les variables observées, deux seulement ont une influence statistique significative sur la fertilité : l'alphabétisation des femmes et leur insertion dans le monde du travail. L'importance du rôle d'agent des femmes émerge avec force de cette analyse, surtout si l'on établit une comparaison avec le peu d'influence des variables reflétant le développement économique général.

La thèse du « développement économique, meilleur moyen de contraception » perd une bonne part de son crédit dans cette analyse et toute l'efficacité se trouve transférée du côté du développement social, à commencer par l'éducation et le travail des femmes. Ainsi, certains districts indiens, parmi les plus riches, dans les États du Panjab ou de l'Haryana affichent des taux de fertilité très supérieurs à ceux de districts des États du Sud, dans lesquels le revenu par habitant est moins élevé mais où l'éducation et le marché du travail sont ouverts plus largement aux femmes. De fait, la comparaison de près de trois cents districts indiens montre que le niveau du revenu réel par habitant est quasiment dépourvu d'impact au regard de la différence suscitée par la scolarisation et l'indépendance économique des femmes. Alors que le travail des trois auteurs s'appuyait sur les chiffres du recensement de 1981, l'analyse du recensement de 1991 par Jean Drèze et Mamta Murthi a confirmé les conclusions.

Externalité, valeurs et communication

La forte présomption mise en lumière par cette corrélation statistique doit être distinguée des rôles culturel et social joués par ces mêmes facteurs, y compris de l'influence, soulignée précédemment, sur l'autonomie des femmes et sur leur poids dans les décisions, de leur éducation et de leur entrée sur le marché du travail. De fait, la scolarisation contribue à améliorer la capacité de décision d'une jeune fille au sein de la famille par des biais très divers, qui concernent son statut social, son indépendance potentielle, sa capacité à formuler ses intérêts ou à influencer le choix de groupes, son ouverture sur le monde extérieur, etc.

Un certain nombre de travaux ont défendu un point de vue antagonique au nôtre. Ils remettent en cause l'idée selon laquelle la scolarisation favoriserait l'autonomie des femmes ainsi que l'influence de l'ensemble de ce processus sur la baisse de la fertilité. Bien que ces conclusions se fondent sur des comparaisons interfamiliales [24] et sur des échantillons relativement restreints (sans commune mesure avec l'étude d'ampleur de Mamta Murthi, Jean Drèze et Anne-Catherine Guio), on ne saurait les balayer d'un simple revers de main.

Il me paraît important, toutefois, de bien identifier l'objet de l'analyse. Si l'on part de l'idée que l'influence des femmes s'accroît à mesure du niveau général de scolarisation dans une *région* donnée (par l'intermédiaire du débat social informé et de la formation des valeurs), alors l'examen des différences *interfamiliales* ne nous informera en rien sur cette influence. Les comparaisons *de district à district*, établies par Murthi, Guio et Drèze, analysent des relations « externes » à la famille mais « internes » à la région, par exemple les communications entre différentes familles à l'intérieur d'une région [25]. L'importance de la discussion publique et des échanges est l'un des thèmes essentiels de cet ouvrage.

La contrainte est-elle efficace ?

Quelles comparaisons peut-on établir entre ces influences et les résultats obtenus par des politiques coercitives, du type de celles mises en œuvre en Chine ? Des mesures telles que la « famille à enfant unique » ont été appliquées dans de grandes zones du pays depuis les réformes de 1979. Par ailleurs, l'administration refuse dans la plupart des cas de pourvoir au logement des familles nombreuses ou de leur allouer toutes sortes d'avantages, pénalisant ainsi les enfants, autant que les parents « déviants ». Le taux de fertilité pour l'ensemble de la Chine (qui mesure le nombre moyen de naissances par femme) est aujourd'hui de 1,9, très inférieur au taux de 3,1 qu'enregistre l'Inde et au taux de 5 qui prévaut dans l'ensemble des autres pays à bas revenus [26].

L'exemple chinois paraît séduire tous les observateurs que la « bombe démographique » inquiète et que les solutions expéditives satisfont. Si l'on cherche à estimer l'acceptabilité de cette voie, on doit, en premier lieu, retenir, dans le coût de ce processus, les empiétements qu'il implique sur un certain nombre de droits possédant une valeur intrinsèque. Pendant certaines périodes, la mise en œuvre de la politique familiale s'est accompagnée de mesures très répressives. Un article récent du *New York Times* relate ainsi :

« Les villageois de Tongmuchong n'ont pas eu besoin de longs discours pour être convaincus. Ce jour-là, Madame Liao, la représentante du planning familial a tout simplement menacé de faire sauter leurs maisons. L'année précédente, à Xiaoxi, dans les environs, un homme du nom de Huang Fuqu a été expulsé de son domicile avec sa femme et ses trois enfants. Tout le village, sidéré, a assisté au dynamitage de la maison. Suite à l'opération, les agents du gouvernement ont peint un avertissement sur une façade proche : "Quiconque n'obéira pas à la politique du planning familial perdra tous ses biens" [27]. »

Les organisations de défense des droits de l'homme et les groupes féministes ont souvent dénoncé les atteintes aux libertés causées par cette politique [28]. Cependant, la question fondamentale des libertés – la liberté de procréer, parmi d'autres – n'est pas la seule à prendre en compte quand on veut évaluer le contrôle des naissances obligatoire. Sur le plan social, la contrainte exercée sur des populations réticentes peut avoir des conséquences terribles et quasiment inévitables. En Chine, par exemple, les abandons de nouveau-nés se sont multipliés, entraînant une augmentation de la mortalité infantile. Et, du fait de la préférence traditionnelle pour les enfants de sexe masculin – caractéristique que la Chine partage avec l'Inde et de nombreux pays d'Asie et d'Afrique du Nord – la politique de l'enfant unique a des implications particulièrement négatives et parfois fatales pour les filles.

De plus, l'évolution des comportements dans ce domaine, lorsqu'elle résulte de la contrainte, n'est pas nécessairement stable. Un porte-parole de la commission d'État du planning familial déclarait en 1999 à des journalistes : « Aujourd'hui, les taux de natalité chinois ne sont pas stables. Et cela, parce que le concept de naissance, pour les larges masses, n'a pas changé, sur le fond [29]. »

Ensuite, il n'existe aucun moyen de mesurer la *part relative* de la politique coercitive dans la baisse de la fertilité en Chine. Personne ne remet en cause l'apport des programmes sociaux et économiques de long terme dans la réduction de la fertilité, en particulier les mesures de généralisation de l'éducation (pour les deux sexes), de diffusion de la santé, d'accès des femmes au travail et, plus récemment, les mesures de stimulation de la croissance économique. Tous ces facteurs exercent une influence favorable sur la baisse du taux de natalité et il est difficile d'identifier la part complémentaire qui peut être attribuée à la contrainte. En l'absence de toute contrainte, on peut raisonnablement supposer que le taux de fertilité serait beaucoup plus faible qu'en Inde, en conséquence des avantages relatifs de la Chine en matière d'éducation, de santé, d'emploi des femmes et des autres ingrédients du développement social.

Si l'on veut estimer le poids réel de cet ensemble de variables sociales et celui de la contrainte, on peut tenter de restreindre la comparaison aux États indiens les plus avancés dans le développement social. Essayons par exemple de nous en tenir au Kérala qui, pour la diffusion de l'éducation élémentaire, de la santé, etc., connaît une situation légèrement plus favorable que la moyenne chinoise [30]. Le Kérala se distingue aussi par le statut des femmes, par la prise en compte de leur rôle d'agent, y compris dans la tradition juridique, qui admet, de longue date, le droit de propriété aux femmes de certaines couches significatives et influentes [31].

Venons-en maintenant aux résultats. Le Kérala connaît un taux de natalité de 18 ‰, contre 19 ‰ en Chine, et cela sans aucune forme de contrainte imposée par l'État. Le taux de fertilité y est de 1,7 contre 1,9 en Chine, au milieu de la décennie 1990. Ces chiffres confirment donc notre hypothèse sur le rôle des facteurs sociaux qui favorisent une réduction volontaire du taux de fertilité [32].

Effets secondaires et rythme de la baisse de fertilité

Un autre élément doit être souligné dans cette comparaison : la baisse de la fertilité résultant d'un changement volontaire des attitudes, on ne décèle, au Kérala, aucun des traits négatifs qui marquent la situation chinoise, tels que l'augmentation de la mortalité infantile des petites filles ou les interruptions de grossesses liées au sexe du fœtus. Notons que la mortalité infantile était similaire dans les deux régions en 1979, lorsque la politique de l'enfant unique commença à être appliquée en Chine [33]. Aujourd'hui, la mortalité infantile est de 16 pour les filles et de 17 pour les garçons au Kérala, alors qu'elle est de 33 pour les filles et de 28 pour les garçons en Chine.

Nous devons aussi examiner un autre argument : selon leurs défenseurs, les politiques coercitives permettraient

un rythme de baisse de la fertilité beaucoup plus soutenu que la réduction volontaire des naissances. Encore
une fois, le cas du Kérala, où le taux de natalité est passé
de 44 ‰ dans les années 1950 à 18 ‰, en 1991, suivant
une courbe similaire à celle de la Chine, infirme cette
opinion.

Il reste à savoir si l'analyse de cette longue période nous
renseigne sur l'efficacité de la politique de l'enfant unique
et sur l'ensemble des mesures contraignantes introduites à
partir de 1979. En d'autres termes, il serait plus équitable
de reprendre notre comparaison, à partir de cette année
pivot. En 1979, donc, le taux de fertilité était *plus élevé*
au Kérala qu'en Chine : 3 contre 2,8. En 1991, l'écart est
le même, mais les deux régions ont *inversé* leur position :
1,8 pour le Kérala ; 2 pour la Chine. Malgré « l'atout »
supplémentaire de la politique de l'enfant unique et des
autres mesures de contrainte, le rythme de baisse de la
fertilité a été moins soutenu en Chine.

Sur la même période (1979-1991), un autre État indien,
le Tamil Nadu, a connu une baisse comparable du taux
de fertilité – de 3,5 à 2,2 – grâce à un programme de planning familial dynamique et fondé sur la coopération, qui
le place dans les tous premiers rangs de l'Inde pour les
avancées sociales : il affiche ainsi un des taux d'alphabétisation les plus élevés, une forte insertion des femmes
dans le travail et une mortalité infantile relativement
faible. Pas plus que le Kérala, le Tamil Nadu n'a recouru
à des mesures de coercition et les deux États enregistrent néanmoins une baisse de la fertilité plus rapide que
la Chine.

Au sein de la confédération indienne, d'autres comparaisons entre États sont riches d'enseignements. Les
« États continentaux du Nord », ainsi qu'on les nomme, et
principalement l'Uttar Pradesh, le Bihar, le Madhya Pradesh, le Rajasthan ont un moindre niveau d'éducation (en
particulier pour les filles) ou de santé publique. Dans tous
ces États, le taux de fertilté reste élevé : entre 4,4 et 5,1 [34].
Et cela malgré une propension partagée à recourir à des
méthodes autoritaires de planning familial, allant jusqu'à

la coercition (à l'inverse de l'approche volontaire privilégiée par le Kérala et le Tamil Nadu) [35]. Les contrastes
régionaux, en Inde même, plaident en faveur des politiques volontaires, fondées, entre autres, sur l'éducation et
la participation des femmes.

Tentations autoritaires

L'Inde, comparée à la Chine, a fait preuve de retenue,
mais l'option d'un contrôle contraignant des naissances
a pourtant été envisagée et l'on sait, à de nombreux
indices, qu'elle a les faveurs de certains dirigeants politiques. Pendant la décennie 1970, le gouvernement du
pays devait introduire une bonne dose d'autoritarisme
dans ce domaine. Indira Gandhi, à la tête du gouvernement s'appuyait sur l'attirail légal, élaboré dans le cadre
de l'État d'urgence qu'elle avait proclamé et qui avait déjà
pour conséquence la suspension d'un certain nombre de
droits civiques et personnels. Par ailleurs, les États du
Nord, ainsi que je l'ai déjà souligné, ont instauré des
règlements et des conventions qui rendent obligatoires les
mesures de contrôle familial, y compris sous la forme
irréversible de la stérilisation, pratiquée, le plus souvent,
sur les femmes [36].

Même quand la contrainte n'est pas officielle, les proclamations insistantes des autorités pour « atteindre les
objectifs du planning familial » influencent la conduite
des fonctionnaires et des personnels de santé. À proprement parler, les pressions de toutes sortes qu'ils déploient
ne diffèrent guère de la coercition [37]. Selon la période ou
la région, ces arguties tactiques revêtent différentes
formes : menaces verbales, au contenu vague mais
exprimées fermement, chantage à la stérilisation présentée comme la condition nécessaire pour bénéficier des
programmes d'aide, refus des allocations de maternité aux
mères de plus de deux enfants, accès de certains services
de santé réservé aux femmes ayant subi une stérilisation
et interdiction aux personnes ayant plus de deux enfants

de contester les résultats des élections locales (les *panchayats*) [38].

Cette dernière mesure, introduite voici quelques années dans les États du Rajasthan et de l'Haryana a reçu l'approbation de certains cercles, bien qu'il ne fasse aucun doute que ce déni constitue une violation majeure des droits démocratiques. Un autre projet de loi, présenté au Parlement mais qui n'a pas recueilli la majorité des voix, prévoyait d'interdire l'exercice de tout mandat électif, local ou national, à un parent de plus de deux enfants.

Selon certains commentateurs, la coercition, dès lors qu'elle s'exerce dans un pays pauvre ne devrait susciter aucune inquiétude, au double prétexte que les pauvres ne souffrent guère de la contrainte et que le débat sur son acceptabilité est un luxe que seuls les pays riches peuvent s'offrir. Sur quels arguments s'appuie ce jugement ? Bien malin qui pourrait le dire ! Partout où elle existe, la coercition pèse sur les plus pauvres et les moins privilégiés, brutalement sommés d'adopter des conduites qu'ils réprouvent. Sa mise en œuvre passe par des mesures vexatoires et répressives, en particulier à l'égard des femmes, quand il s'agit d'empiéter sur leur libre droit à la procréation. Dans les régions rurales du nord de l'Inde, par exemple, il est arrivé à plusieurs reprises que les autorités rassemblent de force les femmes les plus pauvres dans des camps, afin de remplir, en temps voulu, les « objectifs de stérilisation ».

Remarquons, encore une fois, que le seul moyen de juger de l'acceptabilité de la coercition par les populations pauvres serait d'organiser une confrontation démocratique sur le sujet, éventualité que les gouvernements autoritaires dénient à leurs citoyens. Cette mise à l'épreuve n'a pas eu lieu en Chine. En Inde, toutefois, il n'en alla pas de même, pendant les années 1970, lorsque le gouvernement de Mme Gandhi décréta une « période d'urgence », suspendit les libertés civiles et imposa le contrôle obligatoire des naissances. La politique de coercition, qui empiétait, parmi d'autres domaines, sur la liberté de procréation, subit une défaite retentissante lors des élections générales qui suivirent. L'électorat indien, avec tous ses indigents, mit à profit le scrutin pour en finir avec les violations des droits civiques, politiques et des droits de procréation, tout comme il s'efforce d'exprimer, par le vote, une protestation contre les inégalités économiques et sociales. De la même manière, le dynamisme de nombreux mouvements politiques contemporains, en Asie ou en Afrique, illustre l'intérêt pour la liberté et pour les droits élémentaires.

On connaît une autre forme de réaction populaire à la coercition : le vote avec les pieds. Ainsi que l'ont noté les spécialistes indiens du planning familial, les programmes de contrôle volontaire des naissances ont longtemps pâti de la brève période de stérilisation forcée, la population refusant les contacts avec les agents d'un organisme dont elle avait appris à se défier. Hormis son faible impact immédiat sur le taux de fertilité, les mesures contraignantes appliquées dans certaines régions pendant la période d'urgence ont ouvert une longue phase de *stagnation* de la natalité, qui ne s'est achevée qu'au milieu de la décennie 1980 [39].

Une remarque pour conclure

Le débat sur la population se prête aisément aux interprétations catastrophistes. L'ampleur réelle du problème justifie que l'on recherche, dans la plupart des pays en voie de développement, les voies et les moyens de réduire le taux de fertilité. Une approche mérite de retenir l'attention : elle met en jeu la relation étroite entre les politiques publiques qui favorisent l'égalité des sexes et la liberté des femmes, d'une part (en particulier pour l'éducation, la santé et l'accès au travail), et la responsabilité individuelle au sein de la famille, d'autre part (à travers la capacité de décision des parents potentiels et avant tout des mères) [40]. L'efficacité de cette voie tient à ce qu'elle prend en considération le bien-être des femmes autant que leur rôle d'agent.

Ce cadre général devrait pouvoir s'appliquer à l'ensemble des pays en voie de développement. Aucune raison ne s'y oppose. Bien que toute une série d'arguments tentent d'établir que les plus pauvres n'ont que faire de la liberté en général et de la liberté de procréer en particulier, des exemples divers infirment cette thèse. Les gens privilégient *tout autant* – et ont raison de privilégier – d'autres considérations, telles que le bien-être et la sécurité, mais cela ne les rend pas indifférents à leurs droits civiques et politiques ou à leur droit à la procréation.

Dans le domaine qui nous préoccupe ici, rien ne permet d'affirmer, de façon tangible, que la coercition aboutit à des résultats plus rapides que le changement social volontaire et le développement. Le planning familial, quand il s'exerce par la contrainte, peut avoir de graves effets négatifs. Au-delà même de la violation du droit de procréer, il est susceptible de conséquences néfastes sur la mortalité infantile (qui frappe spécialement les petites filles dans les pays marqués par une forte discrimination sexuelle). Aucun pays ne peut fournir d'exemple qui justifierait la transgression du droit élémentaire à la procréation, au nom des objectifs du développement.

L'analyse des politiques publiques, fondée sur les comparaisons de pays à pays ou de région à région, montre que l'émancipation des femmes (à travers la scolarisation, l'accès à l'emploi, la reconnaissance du droit de propriété) et d'autres facteurs de changement social (tels que la baisse du taux de mortalité) ont des effets considérables sur la réduction du taux de fertilité. Les leçons implicites que l'on peut en tirer sont difficiles à ignorer. Le fait que ces évolutions sont souhaitables *aussi* pour d'autres raisons (telles que la réduction des inégalités liées au sexe) les placent au centre de l'analyse du développement. De plus, les mœurs sociales – ce qu'on considère comme les « comportements standard » – dépendent elles aussi de la compréhension et de l'appréciation de ce problème et de sa nature. Dans ce domaine, le débat public peut avoir des conséquences considérables.

La réduction de la fertilité ne concerne pas seulement la prospérité économique. On sait qu'un taux de fertilité élevé empiète sur la liberté des individus de vivre le type de vie qu'ils souhaitent. Et sur celle des jeunes femmes, en particulier, que les grossesses à répétition et l'attention exclusive portée aux enfants, cantonnent, encore aujourd'hui, au statut de machine à reproduction, dans de nombreux pays. Cet état de fait persiste, pour une bonne part, en conséquence du faible pouvoir de décision accordé aux femmes – surtout quand elles sont jeunes – dans la cellule familiale, mais à cause, aussi, du poids de traditions jamais remises en question, qui les condamnent à cette fonction (traditions qui prévalaient même en Europe, jusqu'au siècle dernier), sans que personne n'y décèle le moindre soupçon d'injustice. La promotion de l'éducation des femmes, leur accès au travail et le débat libre, ouvert et informé sont les facteurs d'un changement radical dans l'appréhension des notions de justice et d'injustice.

La perspective du « développement comme liberté » s'appuie sur ces connexions empiriques, dans la mesure où, comme je l'ai montré ici, la solution au problème de la croissance démographique (ou à quantité d'autres problèmes économiques et sociaux) dépend de l'expansion des libertés des personnes dont les intérêts sont le plus directement affectés par les grossesses à répétition et par l'attention exclusive qu'elles doivent consacrer à leurs enfants, c'est-à-dire les jeunes femmes. La solution au problème de la population exige un élargissement des libertés, et non leur restriction.

CHAPITRE X

Culture et droits de l'homme

La notion de droits de l'homme s'est imposée au cours de la période récente, au point d'acquérir un statut quasi officiel dans les discours des instances internationales. Commissions et sous-commissions se réunissent régulièrement pour débattre de leur respect ou de leur violation dans un pays après l'autre. La rhétorique des droits de l'homme s'est généralisée aujourd'hui à un niveau sans équivalent dans le passé, au moins dans le langage politique national et international. Leur invocation, devenue obligatoire, reflète un changement des priorités, quand on la compare à la dialectique qui dominait les discours voici quelques décennies. Cette même thématique s'est imposée dans la littérature consacrée au développement.

Pourtant, cette victoire apparente des droits de l'homme en théorie comme en pratique coexiste avec un réel scepticisme dans des cercles très exigeants, qui s'interrogent sur la pertinence et la cohérence de cette approche. Ils décèlent une trop grande simplicité dans toute la structure conceptuelle qui sous-tend les incantations en faveur des droits de l'homme.

Trois critiques

Où se trouve, précisément, le problème ? Il me semble possible de distinguer trois questions autour desquelles se polarisent les critiques formulées contre l'édifice intellectuel des droits de l'homme. La première concerne l'acception précise de la notion de droits de l'homme. Que recouvre-t-elle ? Parle-t-on de droits bien définis, octroyés aux individus en conséquence d'un système légal, ou de principes prélégaux qui ne s'accompagnent d'aucun droit spécifique devant la justice ? Formulée autrement, cette interrogation vise la légitimité des droits de l'homme et de leur revendication : quel statut peuvent avoir ces derniers, en dehors d'une codification reconnue par l'État, ultime autorité légale ? Pas plus qu'ils ne naissent tout habillés, les humains, par nature, ne naissent dotés de droits. Ceux-ci ne peuvent leur être conférés que par la légalité, tout comme les vêtements sont disponibles grâce à l'industrie textile : il n'y a pas plus de droits sans législation, qu'il n'y a d'habits sans tailleurs. Les assauts de ce premier front relèvent de ce que j'appellerai la *critique de légitimité*.

La deuxième ligne d'attaque vise la *forme* que revêt l'éthique et la politique des droits de l'homme. Dans cette perspective, les droits sont concédés en échange de devoirs. Si un individu A a un droit sur une entité *x*, alors un individu B remplit une fonction d'agent et a le devoir de fournir ce *x* à A. Sans reconnaissance de ce devoir, les prétendus droits ne sauraient avoir de fondement. Selon cette vue, reconnaître les droits de l'homme comme des droits pose un problème insurmontable : prétendre que tout être humain à le droit de se nourrir ou de recevoir des soins médicaux relève certes d'une bonne intention, mais aussi longtemps que des devoirs afférents n'ont pas été définis, la signification de ces droits reste indéterminée. Ici, on veut bien admettre que la notion de droits de l'homme repose sur les meilleurs sentiments, mais elle se heurte à un problème de cohérence. Ce qui ne peut être défini comme droit appartient, au mieux, à l'univers de la compassion. C'est ce que j'appelle la *critique de cohérence*.

Le troisième angle d'attaque des sceptiques ne s'exprime pas dans une problématique légale ou institutionnelle, mais conçoit les droits de l'homme comme une affaire d'éthique sociale. L'autorité morale de ceux-ci dépend de la nature de l'éthique acceptable. Mais existe-t-il une éthique réellement universelle ? Certaines cultures n'accordent qu'une valeur toute relative aux droits et préfèrent se guider sur d'autres vertus ou d'autres qualités. Doivent-elles être condamnées pour autant ? Les controverses sur la portée des droits de l'homme ont souvent été formulées dans le cadre de ce débat d'ordre culturel, la plus fameuse de ces controverses concernant les valeurs asiatiques et leur réticence supposée à l'égard des droits de l'homme. Ces derniers, par définition, sont universels, or il n'existe aucune valeur universelle, voilà l'argument. C'est ce que j'appelle la *critique culturelle*.

La critique de légitimité

La critique de légitimité a une longue histoire. Elle a été exprimée, sous des formulations différentes, par tous les adversaires des problématiques éthiques fondées sur les droits. On dénote toutes sortes de similitudes intéressantes, aussi bien que de grandes divergences, entre les variantes de cette tradition critique. Rappelons, d'un côté, les trésors de conviction que déploie Karl Marx pour expliquer que les droits ne sauraient en aucun cas précéder l'instauration de l'État, thèse qu'il développe dans son vigoureux pamphlet intitulé *Sur la question juive*. On trouve encore, d'un autre côté, les raisons avancées par Jeremy Bentham pour qualifier les « droits naturels » (que nous avons rencontrés plus haut) de « non-sens » et le concept de « droits naturels et imprescriptibles » de « non-sens sur pilotis ». Commune à ces deux critiques, et à bien d'autres encore s'inscrivant dans la même veine, est l'insistance à définir les droits comme instruments émanant des institutions et non comme des prérogatives fondées sur une légitimité éthique. Dans cette veine, l'opposition à la notion de droits humains universels est radicale.

En toute logique, si on les définit comme de futures entités légales en formation, on peut difficilement traduire les impératifs moraux en droits de justice devant une cour ou devant d'autres institutions légales. Mais cette critique ne répond pas à la problématique fondamentale. L'exigence de légalité n'est rien de plus, justement, qu'une exigence – un impératif – qui répond au besoin moral de reconnaître que certains droits sont des prérogatives légitimes de tous les êtres humains. En ce sens, les droits de l'homme peuvent avoir le statut de revendications, de pouvoirs ou d'immunités (ou de toute autre forme de garantie associée au concept de droit) fondés sur des jugements éthiques, qui accordent une importance intrinsèque à de tels droits.

De fait, il arrive que les droits de l'homme soient associés à des droits légaux *réels* et non seulement *potentiels*. Un droit de ce type peut être invoqué dans des situations où son application légale serait hors de propos. Le droit moral d'une femme de participer sans restrictions aux décisions importantes concernant sa famille – aussi sexiste que soit son mari, par ailleurs – peut tout à fait être reconnu par ceux-là mêmes qui n'accepteraient en aucun cas que cette exigence soit codifiée et son application confiée à la police. Le « droit de respecter » est un autre cas pour lequel les possibilités de légalisation et d'application seraient largement problématiques.

La meilleure approche consiste à concevoir les droits de l'homme comme un ensemble de revendications morales, qu'il n'est nul besoin d'identifier avec des droits légaux codifiés. Mais cette interprétation normative ne doit pas conduire à sous-estimer l'idée de droits de l'homme dans les contextes dans lesquels ils sont, en général, invoqués. Le véritable débat doit se focaliser sur les libertés associées à des droits spécifiques. Il faut juger la plausibilité des droits de l'homme comme système de raisonnement moral et comme fondation de revendications politiques.

La critique de cohérence

Venons-en maintenant à la deuxième critique. Est-il cohérent de parler de droits sans spécifier qui a le devoir de garantir leur respect ? Dans le sens le plus général, la définition des droits n'a de sens qu'en corrélation avec un certain nombre de devoirs. Le droit d'une personne sur telle ou telle chose n'a alors de sens que combiné avec le devoir d'un autre agent de lui procurer cette chose. Les tenants de cette conception binaire jugent quelque peu incantatoire la notion de droits telle qu'elle est invoquée dans les droits de l'homme, parce qu'elle n'identifie pas les agents tenus à l'obligation de satisfaire ces droits. La revendication des droits de l'homme est tenue dans cette perspective pour purement proclamatoire.

Ce scepticisme manifeste pourrait se résumer à la question suivante : quelles garanties avons-nous que de tels droits sont possibles si ne sont pas spécifiées des obligations correspondantes ? Aucun droit ne saurait être établi, sans la contrepartie que Kant appelait une « obligation parfaite », c'est-à-dire le devoir précis d'un agent particulier en vue de la réalisation de ce droit [1].

Mais faut-il adhérer à cette vue selon laquelle le bien-fondé des droits repose nécessairement sur des obligations correspondantes ? Sur le terrain légal, cette exigence a sa raison d'être, mais dans la discussion normative, les droits sont le plus souvent approchés en tant que possibilités, pouvoirs ou immunités, susceptibles de bénéficier aux individus. Les droits de l'homme apparaissent alors comme des droits partagés par tous – sans considération d'appareil légal national –, des droits dont chacun *devrait* avoir la jouissance. Et si personne en particulier ne se voit attribuer le rôle de s'assurer que la jouissance de ces droits est effective, l'exigence demeure cependant à un niveau général et elle est supposée s'imposer à tous ceux qui sont en position d'y veiller. Kant lui-même définissait ainsi les « obligations imparfaites » et établissait leur

pertinence pour la vie en sociéte. Leur exigence s'impose
à toute personne concernée, sans que quiconque, en particulier, ne soit responsable de les satisfaire.

Il va de soi que les droits ainsi définis ne sauraient être
toujours satisfaits. Mais il n'y a guère de difficultés à
saisir la distinction entre un droit reconnu à une personne
et qui n'est pas satisfait et un droit que cette personne n'a
pas. En dernière analyse l'affirmation éthique d'un droit
outrepasse la valeur de la liberté qui lui correspond, dans
la seule mesure où celui-ci implique une exigence envers
les personnes susceptibles d'apporter leur aide. Bien que
le débat puisse le plus souvent se contenter de la notion
de libertés, plutôt que de celle de droits (c'est d'ailleurs
celle-ci que j'ai invoquée au cours de cet ouvrage), il existe
parfois de bonnes raisons de suggérer – ou de demander –
que des personnes en aident d'autres à accéder à telle ou
telle liberté. Ainsi, le langage des droits peut compléter
celui des libertés.

La critique culturelle et les valeurs asiatiques

La troisième série de critiques a polarisé l'attention, ne
serait-ce que pour la raison qu'elle présente une argumentation plus solide. La notion de droits de l'homme est-
elle   vraiment   universelle ?   N'entre-t-elle   pas   en
contradiction avec d'autres constructions morales – celle
des cultures confucéennes, par exemple – qui donnent le
pas à la discipline et à la loyauté sur les droits ? Parce que
les droits de l'homme s'accompagnent d'une exigence de
liberté politique et de reconnaissance des droits civiques,
certains penseurs, en Asie, en particulier, ont cru pouvoir
déceler une telle contradiction.

La spécificité des valeurs asiatiques a souvent été invoquée, au cours des années récentes, pour donner une
assise théorique aux orientations de gouvernements autoritaires. Remarquons que, le plus souvent, ces justifications proviennent, non d'historiens indépendants, mais de
représentants gouvernementaux ou de leurs porte-parole

plus ou moins officiels et, dans tous les cas, de person-
nalités proches des cercles du pouvoir. Ces points de vue
ont, de toute évidence, une influence sur les décisions du
pouvoir et sur les relations internationales.

Mais que sont donc ces valeurs asiatiques qui s'opposent aux droits politiques élémentaires – ou tout au moins
les ignorent ? Sur quels fondements repose un jugement
aussi catégorique et aussi général ? Si l'on considère les
dimensions de l'Asie, on a quelques scrupules à formuler
des jugements généraux. Ce continent abrite 60% de la
population mondiale. Quelles valeurs pourraient être
communes à un ensemble aussi vaste, marqué par une
grande diversité ? De fait, aucune valeur essentielle n'est
partagée par cette population immense et hétérogène,
aucune ne la fédère en un ensemble distinct du reste du
monde.

Certains défenseurs des valeurs asiatiques restreignent
parfois à l'Asie de l'Est, la région pertinente pour leurs
thèses. La grande opposition entre l'Occident et l'Orient
se concentrerait sur les pays à l'est de la Thaïlande, bien
que des théoriciens plus ambitieux affirment que le reste
de l'Asie partage des valeurs « similaires ». Lee Kwan Yew
souligne, par exemple, des « différences fondamentales
entre l'Asie de l'Est et l'Occident quant aux conceptions
de la société et du gouvernement et, ajoute-t-il, par Asie
de l'Est, j'entends la Corée, le Japon, la Chine et le
Vietnam, par opposition à l'Asie duSud-Est, mélange de
culture indienne et chinoise, quoique la culture indienne,
de son côté, mette en avant des valeurs similaires [2] ».

En réalité, l'Asie de l'Est, elle-même, est très diverse,
et les différences abondent dans l'ensemble constitué par
la Chine, le Japon, la Corée et les autres pays. À travers
l'histoire, toutes sortes d'influences culturelles, nées dans
la région ou adoptées de l'extérieur, ont laissé des traces
notables dans la vie des habitants de ce territoire étendu.
Ces influences subsistent sous des formes multiples.
N'importe quel dictionnaire encyclopédique signale, par
exemple, que sur les 124 millions de Japonais, 112 millions sont shintoïstes et 93 millions bouddhistes [3].

Aujourd'hui encore, l'identité culturelle des Japonais recouvre toutes sortes de nuances, puisqu'ils peuvent se reconnaître dans une religion ou dans l'autre et parfois dans les deux.

Les strates culturelles et les traditions se recouvrent inégalement à travers toute l'Asie de l'Est et au sein même de l'ensemble chinois, japonais ou coréen. Toute tentative de généralisation sous la dénomination de « valeurs asiatiques » (lesquelles ont des implications considérables, par des voies parfois brutales, sur la vie de centaines de millions d'habitants, aux convictions et aux modes de vie très divers) est donc réductrice à l'extrême. Même les 2,8 millions de Singapouriens sont issus de traditions historiques et culturelles multiples. D'ailleurs Singapour reste avant tout remarquable pour la coexistence harmonieuse qui règne entre ses communautés.

L'Occident contemporain peut-il revendiquer une spécificité ?

Les tentatives de rationalisation de l'autoritarisme en Asie – ou dans d'autres régions « non occidentales » – reçoivent souvent un soutien indirect de l'Ouest, conséquence d'un certain mode de pensée. En Amérique comme en Europe, on tend à voir dans la priorité accordée à la liberté politique et à la démocratie, une spécificité fondamentale et, par ailleurs, fort ancienne de la civilisation occidentale, n'ayant pas sa contrepartie en Asie. L'autoritarisme que l'on prête au confucianisme s'opposerait donc historiquement au respect des libertés individuelles et de l'autonomie, enracinées dans la tradition libérale de l'Occident. Les partisans de la diffusion des libertés politiques et individuelles assimilent eux-mêmes la perspective qu'ils défendent à un transfert des valeurs occidentales vers l'Asie et l'Afrique. Le monde est invité à rejoindre le club des « démocraties occidentales » et à adhérer à ses valeurs traditionnelles, tout en manifestant son admiration.

Cette attitude repose sur une fâcheuse tendance à juger le passé par le présent. On ne saurait réellement considérer les valeurs que les Lumières ou d'autres développements relativement récents ont imposées et diffusées, comme le fruit d'un long héritage, superposable à l'histoire plurimillénaire de l'Europe [4]. Il est incontestable que nous pouvons trouver chez quelques auteurs antiques, comme Aristote, par exemple, la légitimation de certaines notions particulières sur lesquelles s'appuie la conception moderne de la liberté politique. Mais on trouvera, de la même manière, la légitimation de ces éléments ou d'autres encore, dans la tradition asiatique.

Pour illustrer ce point, appuyons-nous sur l'exemple suivant : la liberté individuelle pour tous est nécessaire dans une bonne société. Cette affirmation associe deux notions. D'abord la valeur de la liberté individuelle : celle-ci, parce qu'elle est importante, devrait être garantie à toute personne « digne de ce nom » dans une société acceptable. Ensuite, l'égalité de la liberté : chacun est digne de la liberté et elle doit être garantie à tous. Aristote s'est beaucoup exprimé en faveur de la première notion, mais en excluant les femmes et les esclaves du bénéfice de la liberté, il négligeait la seconde. De fait, la revendication de l'égalité sous cette forme est d'origine relativement récente. À l'instar de la conception grecque et de son intérêt pour la liberté des hommes libres, il n'est pas rare que des sociétés stratifiées en classes ou en castes aient accordé une grande valeur à la liberté, dont pouvaient bénéficier mandarins et brahmanes ou autres privilégiés.

Une distinction du même ordre existe entre la tolérance, c'est-à-dire l'acceptation de la diversité des croyances, des engagements ou des actions des uns et des autres et la tolérance égale, c'est-à-dire la reconnaissance qu'il est raisonnable d'accorder à tous (à l'exclusion de ceux qui, tolérés, manifesteraient leur intolérance) la tolérance offerte à certains. Dans ce cas encore, on peut trouver une défense de la tolérance chez les auteurs classiques, sans qu'elle s'accompagne d'un impératif d'égalité.

Dans la généalogie des idées démocratiques et libérales contemporaines, on retrouve certes plusieurs composants dès les époques éloignées, mais sûrement pas le système.

En tentant une analyse comparative, nous devons nous demander si ces éléments constitutifs, apparaissent de la même manière dans les écrits des auteurs asiatiques. Leur occurrence n'est en rien exclusive de l'existence de théories opposées, c'est-à-dire d'idées et de doctrines qui ne défendent pas la liberté et la tolérance. Les champions de l'ordre et de la discipline abondent aussi dans la pensée occidentale. J'aurais, en ce qui me concerne, bien du mal à départager, du point de vue de l'autoritarisme, Confucius de Platon ou de saint Augustin. Toutefois, la question qui nous importe n'est pas de savoir si les thèses contraires à la liberté existent dans les traditions asiatiques, mais si la perspective de la liberté en est absente.

C'est ici que la diversité des systèmes de valeurs en Asie – qui incluent mais dépassent la diversité régionale – devient cruciale. Prenons l'exemple du bouddhisme et de son rôle dans la pensée. La tradition bouddhiste attache une grande importance à la liberté et sa genèse puise d'ailleurs dans une veine de la philosophie indienne centrée sur la volonté et le libre arbitre. Une conduite noble ne peut être atteinte que grâce à la libération (*moksha*). La présence de cet élément dans la pensée bouddhiste ne remet pas en cause la prégnance en Asie de la discipline et de l'ordre prônée par le confucianisme, mais on aurait tort de tenir ce dernier pour l'unique source d'inspiration philosophique et cela, même en Chine. Dans la mesure où l'interprétation autoritaire soutenue par la notion de valeurs asiatiques se réfère au confucianisme, cette diversité mérite d'être soulignée.

Les interprétations de Confucius

De fait, l'interprétation de Confucius qui s'est imposée parmi les tenants de l'autoritarisme oriental s'en tient à une lecture univoque des enseignements du maître[5]. Confucius ne préconisait pas une allégeance aveugle à l'État[6]. Lorsque Zilu lui demande « comment servir un prince », Confucius lui répond : « Dis-lui la vérité, même si cela doit l'offenser[7]. » On peut douter que les responsables de la censure, à Singapour ou à Pékin, suivent ce précepte. Le moraliste recommande une attitude prudente et pleine de tact, mais il ne renonce pas à un impératif d'opposition au mauvais gouvernement : « Quand la (bonne) voie prévaut dans la conduite de l'État, sois hardi en paroles et en actes. Quand l'État perd la voie, sois hardi dans tes actes et réservé en paroles[8]. »

Deux notions servent de piliers à l'édifice des valeurs asiatiques : la loyauté à la famille et l'obéissance à l'État. Pour les défenseurs modernes de ces valeurs et de leur cohérence, le rôle de l'État prolonge celui de la famille, alors que le moraliste souligne les tensions qui apparaissent parfois entre les deux entités. Le gouverneur de She dit à Confucius : « Parmi mon peuple, vit un homme d'une intégrité inattaquable : lorsque son père vola un mouton, il le dénonça. » À quoi Confucius répond : « Parmi mon peuple, les hommes intègres agissent autrement : le père ne dénonce pas le fils, le fils ne dénonce pas le père, et en cela, ils sont intègres[9]. »

Ashoka et Kautilya

Les quelques maximes qu'on ânonne aujourd'hui ne rendent pas justice à la pensée de Confucius, plus complexe et plus sophistiquée qu'il n'y paraît. Notons par ailleurs qu'il existe une fâcheuse tendance à négliger les autres penseurs, tout aussi représentatifs de la culture chinoise et à ignorer sans autre forme de procès les autres cultures orientales. Il suffit pourtant de se tourner vers la tradition indienne pour découvrir un riche corpus d'œuvres, reflétant une profonde réflexion sur la liberté, la tolérance et l'égalité. À bien des égards, la pensée la plus élaborée, celle qui fonde la nécessité de la tolérance sur une approche égalitaire émane des écrits de l'empereur Ashoka, qui, au IIIᵉ siècle av. J.-C., régnait sur un empire plus vaste que n'importe quel roi indien de l'histoire, y compris les empereurs moghols et même la couronne britannique, si l'on en exclut les États indigènes auxquels l'Angleterre laissa leur indépendance. Il décida de consacrer sa réflexion à la morale publique et à la politique, en conséquence de l'horreur que lui inspira le carnage du royaume de Kalinga (l'actuel État de l'Orissa), au cours d'une guerre qu'il devait remporter. Converti au bouddhisme, il contribua à sa diffusion, en envoyant ses émissaires à l'ouest comme à l'est et il couvrit son royaume d'inscriptions, gravées dans la pierre, qui décrivaient les formes de vie juste et la nature d'un bon gouvernement.

Ces inscriptions insistent sur la tolérance. Par exemple, l'édit d'Erragudi (aujourd'hui connu sous le numéro XII) pose le problème ainsi :

« [...] un homme ne doit pas manifester sa révérence pour son propre culte, ni blasphémer celui d'un autre sans raison. Il faut réserver le dénigrement à des circonstances très spéciales, car les croyances méritent toutes le respect, pour une raison ou une autre.

En obéissant à ce principe, un homme rend hommage à ses croyances et, du même mouvement, il sert les croyances des autres. En agissant autrement, il attente à ses propres croyances et nuit à celles des autres. Celui qui exprime sa révérence pour son propre culte et qui, sous prétexte de fidélité au sien, voire, pour en magnifier la splendeur, blasphème les cultes des autres, inflige par sa conduite la plus profonde blessure à son culte [10]. »

L'importance de la tolérance, telle qu'elle est soulignée dans ces édits du IIIe siècle av. J.-C., vaut à la fois pour la marche du gouvernement et comme règle de conduite des citoyens entre eux.

Ashoka défendait un point de vue universaliste et sa conception de la tolérance s'appliquait à tous, y compris à ceux qu'il appelait les « peuples de la forêt », c'est-à-dire les tribus vivant d'une économie de chasse et de cueillette. Bien que l'élaboration d'un principe de tolérance universel et égalitaire puisse paraître « déplacé » à certains commentateurs, la philosophie de l'empereur puise dans une tradition déjà bien établie, au cours des siècles précédents, dans les cercles intellectuels indiens.

Dans ce contexte, on doit citer un autre penseur indien, auteur d'un traité de gouvernement et d'économie politique qui a exercé une influence déterminante sur son époque. Je veux parler de Kautilya et de son *Arthashastra*, titre que l'on pourrait traduire par « la science économique », bien qu'il soit autant question, dans cet ouvrage, de pragmatisme politique que de principes économiques. Contemporain d'Aristote, Kautilya a vécu au IVe siècle av. J.-C. et occupait la fonction de ministre de l'empereur Chandragupta Maurya, grand-père d'Ashoka et fondateur de l'empire Maurya sur une large part du sous-continent.

Les écrits de Kautilya sont souvent cités afin de démontrer le peu de valeur que la tradition classique indienne accordait à la liberté et à la tolérance. Ce diagnostic s'apuis sur deux des traits principaux de son *Arthashastra* – un exposé d'économie et de politique fourmillant de détails. En premier lieu, Kautilya est un conséquentialiste, mais dans l'acception la plus étroite. Si la promotion du bonheur des sujets du royaume et le maintien de l'ordre apparaissent comme des objectifs prioritaires, étayés par un luxe de conseils circonstanciés, le roi est décrit comme un autocrate bienveillant, dont le pouvoir, par définition au service du bien, doit être maximisé par une bonne organisation. Ainsi, l'*Arthashastra* fourmille d'idées pénétrantes et de conseils sur des sujets aussi

pratiques que la prévention des famines et l'efficacité de
l'administration qui gardent toute leur valeur aujourd'hui
(soit plus de deux millénaires après leur formulation) [11] et,
dans le même temps, l'auteur indique à son souverain le
meilleur moyen de parvenir à ses fins, en violant, si nécessaire, les libertés de ses opposants ou de ses adversaires.

En second lieu, Kautilya semble attacher peu d'importance à l'égalité économique et politique et sa vision d'une
bonne société se conforme aux stratifications en classes et
en castes. Bien que tous doivent tendre vers l'objectif de
la promotion du bonheur, placée au sommet de la hiérarchie des valeurs, ses autres objectifs sont, sans discussion, inégalitaires, par leur forme et leur contenu. Ainsi
de l'obligation de soutenir les sujets les plus déshérités,
afin qu'ils échappent à la misère et puissent jouir de la
vie. Kautilya range au nombre des devoirs royaux « l'aide
à la subsistance des orphelins, des vieillards, des infirmes,
des indigents et des plus vulnérables » ainsi que « l'assistance aux femmes nécessiteuses quand elles sont gra-
vides et à leurs nouveau-nés, quand elles relèvent de
couches » [12]. Mais pour louable qu'il soit, cet impératif de
charité ne reconnaît en rien à ces personnes la liberté de
décider comment ils entendent vivre, il ne manifeste pas
de tolérance pour l'hétérodoxie.

Que pouvons-nous en conclure ? Kautilya n'est certes
pas un démocrate, ni un égalitariste, ni le héraut des
libertés individuelles. Toutefois, lorsqu'il décrit les avantages dont les couches les plus favorisées devraient jouir,
la liberté apparaît au tout premier rang. Selon ses vues,
bafouer les libertés individuelles des classes supérieures
(celles que l'on nomme l'Arya) est inacceptable. Un véritable code est explicitement dressé pour punir – et les
peines peuvent être lourdes – le travail non rétribué des
adultes ou des enfants libres, quand bien même le travail servile des esclaves est considéré comme acceptable [13]. Rien, dans Kautilya n'équivaut à la démonstration
limpide élaborée par Aristote pour étayer l'importance du
libre exercice des capacités. Et pourtant, on trouve chez
le premier, aussi longtemps qu'il se préoccupe des classes

supérieures, une réflexion sur les libertés et leur prééminence. Il distingue cet impératif des devoirs de l'État à l'égard des classes inférieures, qui revêtent des formes paternalistes d'assistance et de secours public, destinées à circonvenir la misère ou les privations trop criantes. Mais là où émerge une notion de « bonne vie », celle-ci s'appuie sur un système éthique donnant la priorité aux libertés. Et que ces valeurs soient circonscrites aux couches privilégiées de la société ne diffère pas radicalement de la problématique grecque opposant les hommes libres aux esclaves et aux femmes. On pourrait hésiter à associer l'œuvre de Kautilya à celle de l'universaliste Ashoka, mais il soutient la comparaison avec le particulariste Aristote.

La tolérance islamique

Je me suis efforcé d'exposer avec quelque précision les principes politiques et la philosophie pratique de deux auteurs indiens des IVᵉ et IIIᵉ siècles av. J.-C., parce que leurs vues ont exercé une grande influence sur les penseurs indiens qui leur ont succédé. De nombreux penseurs remarquables mériteraient tout autant d'être retenus. Au nombre des défenseurs, en théorie comme en pratique, de la tolérance et de la diversité en Inde, on doit compter le grand empereur moghol Akbar, qui régna entre 1556 et 1605. À nouveau, il ne s'agit pas d'un démocrate, mais d'un puissant souverain qui toléra et, mieux encore, défendit la diversité des conduites religieuses ou sociales et un certain nombre de droits de l'homme, tels que la liberté de culte, qui restaient encore difficilement acceptables dans l'Europe de la même époque.

L'approche de l'an mil du calendrier musulman de l'Hégire (1591-1592 du calendrier chrétien) par exemple, suscita une sorte de fièvre millénariste à Delhi ou à Agra et Akbar saisit ce moment exceptionnel pour promulguer plusieurs édits, certains, dont le suivant, portant sur la tolérance religieuse : « Aucun homme ne devrait être empêché de pratiquer sa religion et chacun doit être autorisé à embrasser les croyances qu'il favorise.

Si un Hindou, pendant son enfance ou en d'autres circonstances a été converti à l'Islam contre sa volonté, il sera autorisé, si tel est son souhait, à revenir à la religion de ses pères [14]. »

Soulignons, ici encore, que la tolérance de l'empereur, manifeste à l'égard de la religion, ne se prolongeait pas dans d'autres domaines, que ce soit celui des relations entre les sexes ou entre les plus jeunes et les plus âgés. Le même édit, envisageant la possibilité que de jeunes femmes hindous vivent avec leur amant musulman contre le gré de leur père, préconisait qu'elles soient ramenées au foyer de celui-ci par la contrainte. Ayant à se prononcer entre un jeune amant fougueux et musulman et un vénérable père hindou, le vieil Akbar, obéissant à ses sympathies naturelles plutôt qu'à son sens de la justice, privilégiait le second. Mais comprendre comment il s'arrangeait de ses propres contradictions compte moins que sa remarquable promotion d'un principe général de tolérance et d'égalité, même restreint, dans son application, à la sphère religieuse. Il n'est d'ailleurs pas inutile de rappeler, face aux défenseurs à tout crin du « libéralisme occidental », que l'empereur Akbar promulguait ses édits de tolérance au moment même où l'Inquisition avait tout pouvoir sur la surveillance des esprits et des âmes en Europe.

Du fait des conflits politiques contemporains, et particulèrement de la situation au Moyen-Orient, on associe souvent la civilisation islamique à l'intolérance et au refus des libertés individuelles. Cette tradition est pourtant marquée par une grande diversité. En Inde, Akbar et la plupart des empereurs moghols sont des exemples de tolérance politique et religieuse, en théorie comme en pratique. D'autres pans de l'héritage islamique aussi : les empereurs ottomans ont plus souvent fait preuve de tolérance que leurs équivalents européens. L'histoire du Caire, celle de Bagdad en gardent la trace. Souvenons-nous qu'un grand intellectuel comme Maïmonide, au XIIᵉ siècle,

dut fuir l'Europe où il était né et les persécutions antisé-
mites et qu'il trouva refuge au Caire sous la protection du
sultan Saladin.

De même, Alberouni, le mathématicien iranien qui
rédigea la première somme générale sur l'Inde au début
du XIe siècle (après avoir traduit en arabe les traités
mathématiques indiens) peut être compté au nombre des
tout premiers théoriciens de l'anthropologie. Il écrivit
– pour s'en plaindre : « On déprécie partout les
étrangers... c'est un trait commun de toutes les nations à
l'égard des autres. » Il prônait la tolérance et consacra sa
vie à tenter d'améliorer la compréhension mutuelle.

On multiplierait sans difficulté les exemples. Mais il est
déjà évident que les défenseurs des « valeurs asiatiques »
et de leur soi-disant autoritarisme se fondent sur une lecture très partielle de la tradition, ignorent de grands
auteurs et s'accrochent à des interprétations très discu-
tables. La promotion de la liberté n'est pas le patrimoine
d'une civilisation particulière, les traditions occidentales
ne sont pas les seules à avoir préparé les mentalités à une
approche des problèmes sociaux fondée sur les libertés.

La mondialisation : économie, culture et droits

Le débat sur la démocratie est aujourd'hui lié à un problème culturel de plus en plus exacerbé : il s'agit de l'écra-
sante hégémonie de la culture et des modes de vie
occidentaux qui sapent les mœurs et les coutumes traditionnelles. Quiconque prête la moindre attention à la
valeur des traditions et à la diversité des cultures est à
même de saisir cette menace sérieuse.

L'Ouest domine le monde et la disparition des grands
empires coloniaux n'a pas affaibli son hégémonie : à bien
des égards, et dans la sphère culturelle, en premier lieu,
celle-ci n'a même jamais été aussi affirmée. Le soleil ne se
couche jamais sur l'empire de Coca-Cola, pas plus que sur
l'empire de MTV.

À l'âge de la mondialisation, aucune culture n'échappe

à la menace. Mais personne ne peut prétendre sérieusement y riposter en gelant le processus d'internationalisa-
tion du commerce et de l'économie : les échanges et la
division du travail se déploient à l'échelle de la planète,
une dynamique irrésistible, nourrie par des avancées technologiques à grande diffusion, aiguise la concurrence.

Il s'agit d'un problème. Mais pas seulement. La mondialisation des échanges – comme Adam Smith l'envisageait
déjà – peut aussi favoriser la prospérité économique. Rien
n'indique pourtant qu'elle se répartisse également entre
les nations. Même si les totaux nets reflètent une indiscutable croissance, tous les pays ne sont pas gagnants. En
tenant compte des avantages et des handicaps économiques existants, la réponse la plus appropriée au problème passe par la recherche des moyens susceptibles
d'amortir les effets destructeurs de la mondialisation sur
l'emploi et les modes de vie traditionnels et de permettre une transition graduelle. Dans ce processus, il est
aussi nécessaire d'offrir aux personnes concernées des
possibilités de reconversion et de formation aux nouvelles
compétences, tout comme il est indispensable de mettre
en place des filets de sécurité sociaux pour ceux dont les
intérêts sont affectés – au moins à court terme – par les
mutations.

Dans une certaine mesure, des réponses de ce type peuvent aussi valoir dans la sphère culturelle. La diffusion
de l'informatique et la maîtrise d'Internet ont transformé
non seulement les habitudes économiques mais aussi la
vie des gens et leurs relations. Et tous les aspects de ce
phénomène ne sont pas négatifs. Deux problèmes, toutefois, n'ont pas trouvé de solutions. L'un se situe sur le
terrain économique, l'autre est d'un ordre tout différent [15].

En premier lieu, pour accéder au monde de la communication et des échanges, il faut avoir reçu une éducation de base et une formation pratique. Si un certain
nombre de pays en voie de développement ont accompli
des progrès notables dans ce domaine (l'Asie de l'Est et
du Sud-Est en fournissent l'exemple), d'autres (l'Asie du
Sud ou l'Afrique) n'ont pas comblé leur retard. L'égalité

des chances est déterminante à l'époque de la mondialisation et le défi vaut sur le terrain culturel aussi bien qu'économique.

Le second problème est d'une autre nature. Plus moyen, ici, de solidariser la question culturelle et les difficultés économiques. Lorsqu'une mutation économique est à l'œuvre, elle détruit des méthodes de production périmées et des technologies essoufflées. Et personne ne songerait à verser une larme, même si des mécaniques complexes et élégantes – montres anciennes ou machines à vapeur – peuvent susciter une vague nostalgie. Il n'en va pas de même avec la destruction de traditions culturelles. La dissolution des modes de vie usuels est source d'angoisses et de frustrations. La perte est comparable à ce que peut représenter l'extinction d'une espèce animale, condamnée à laisser sa niche écologique à une variété concurrente, mieux adaptée, et cette « amélioration », au sens darwinien, ne saurait d'aucune manière suffire à notre consolation [16].

On ne saurait traiter cette question à la légère, mais seules les sociétés concernées peuvent déterminer les moyens qu'elles veulent se donner – et qui peuvent être économiquement élevés – pour maintenir des modes de vie anciens. Leur préservation n'est jamais impossible, elle dépend avant tout de la volonté de la société et en second lieu de l'ajustement des coûts de l'opération en fonction de la valeur attachée aux modes de vie sauvegardés. Il va de soi qu'il n'existe aucune formule *a priori* de cette analyse coûts-bénéfices, le seul impératif à respecter pour établir de façon rationnelle un choix de cet ordre consiste à impliquer la population dans la discussion publique. Cette question nous ramène, une fois encore, à la perspective des capacités : toutes les couches de la société – et pas seulement les plus favorisées, devraient participer aux décisions de cette nature. S'il n'existe aucune obligation de maintenir à tout prix chaque mode de vie en déclin, la justice sociale exige, en revanche, que les gens puissent prendre part à ces décisions, si tel est leur choix [17]. Voici encore une raison supplémentaire qui explique l'importance de capacités élémentaires telles que l'apprentissage de la lecture et de l'écriture (grâce à l'éducation), l'accès à l'information (à travers une presse libre) et la libre participation aux décisions (par les élections, les référendums et l'usage des droits civiques). Sur une question comme celle-ci, les droits de l'homme, au sens large, entrent en ligne de compte.

Échanges culturels et circulation des idées

Au-delà de ces principes élémentaires, venons-en maintenant à la communication interculturelle et à l'intérêt pour les autres civilisations. Oui, nous sommes doués de la faculté d'apprécier des œuvres ou des valeurs créées dans des contextes qui nous sont étrangers et l'étroite défiance du nationalisme cuturel fonde une approche peu généreuse de la vie. Le grand poète bengali Rabindranath Tagore s'est exprimé sur ce sujet :

> « Tout ce que nous parvenons à comprendre des productions humaines, d'où qu'elles proviennent, devient aussitôt un élément de notre patrimoine personnel. Je suis fier de mon humanité, chaque fois que je suis en mesure d'apprécier des poète et des artistes d'autres pays que le mien. Je veux éprouver encore, avec une joie sans mélange, que toutes les gloires de l'homme sont miennes [18]. »

Ignorer la spécificité des cultures n'est pas sans danger, mais rien ne sert, à l'inverse, de se réfugier derrière une forteresse : la circulation des idées et les emprunts culturels sont des données permanentes de l'histoire de l'humanité, largement sous-estimées par les tenants de l'isolationnisme, qui redoutent les effets néfastes de la subversion culturelle [19]. Selon leurs vues, les cultures sont des réalités fragiles et l'introduction d'éléments étrangers est une menace de déstabilisation. Tous les discours sur la « tradition nationale » tendent à négliger la réalité des influences extérieures. Le piment, par exemple, élément essentiel de la cuisine indienne, qui peut même en être considéré comme la « signature », était pourtant un ingrédient inconnu dans tout le sous-continent, avant son introduction par les Portugais, voici quelques siècles à peine (la cuisine traditionnelle utilisait le poivre, pas le piment, mais personne n'oserait prétendre que cet apport ait dénaturé le caractère national de la gastronomie indienne).

De même n'y a-t-il rien de particulièrement inquiétant dans le fait que – conséquence de la popularité de la cuisine indienne au Royaume-Uni – le bureau britannique du Tourisme décrive le curry comme « authentiquement britannique ». À Londres, voici quelques années, une de mes interlocutrices revendiquait son « anglitude » en se déclarant « aussi britannique que les jonquilles et le poulet tikka masala ».

Les proclamations d'autosuffisance culturelle et la défense de la pureté des traditions contre les pollutions extérieures ne résistent pas à l'analyse. En Inde, un courant nationaliste proteste contre l'usage d'une terminologie « occidentale » dans les programmes scolaires, en particulier, dans l'apprentissage des mathématiques. Mais les conditions historiques qui ont présidé à l'élaboration des théories mathématiques rendent extrêmement aventureuse toute tentative de départager les contributions des uns et des autres. La trigonométrie, par exemple, utilise le terme de sinus, importé en Inde par les Britanniques. Dans sa genèse le concept a pourtant une forte composante indienne. Aryabhata, le grand mathématicien indien du Ve siècle parle de cette notion dans ses travaux et la nomme, en sanskrit, *jya-ardha* (demi-accord). Puis, comme l'explique Howard Eves, le terme a suivi une étrange migration :

> « Aryabhata l'a appelé *ardha-jya* (demi-accord) ou encore *jya-ardha* (accord de moitié), avant d'abréger le terme en *jya* (accord). De là, les Arabes ont forgé, par déformation phonétique *jiba*, qui, par une élision courante des voyelles, s'est bientôt écrit *jb*. Le terme *jiba* n'ayant aucune signification en arabe, les auteurs postérieurs, rencontrant l'abréviation *jb* en

dérivèrent *jaib*, soit le mot désignant usuellement la baie ou le golfe. Plus tard encore, vers 1150, le traducteur Gherardo de Crémone substitua à l'arabe *jaib* son équivalent latin, c'est-à-dire *sinus* [20]. »

Cette discussion ne vise pas à nier le caractère irremplaçable de chaque culture, mais voudrait inciter à une approche plus fine de la circulation des idées et des échanges culturels et souligner notre capacité à apprécier les œuvres et les représentations conçues par d'autres civilisations. Il serait fâcheux que la défense d'un patrimoine culturel ou d'un autre se fasse au détriment de la compréhension mutuelle ou de la curiosité intellectuelle et esthétique.

Présomptions universalistes

Avant de conclure ce chapitre, j'aborderai, toujours dans la perspective générale de cet ouvrage, une autre question liée au séparatisme culturel. Je défends dans ces pages, comme cela est maintenant clair, ma conviction en notre faculté de partager un certain nombre de valeurs communes et d'engagements, quelle que soit la culture à laquelle nous appartenons. De fait, la prééminence de la liberté, comme principe structurant de l'ensemble de ce travail suppose, de ma part, un certain parti pris universaliste.

J'ai déjà remis en cause l'affirmation selon laquelle les « valeurs asiatiques » ignorent les libertés, ou encore l'idée que la culture « occidentale » et elle seule leur accorde de l'importance. J'en viens maintenant à un autre jugement : l'hétérodoxie, et particulièrement en matière religieuse serait un phénomène propre à la civilisation occidentale. J'ai critiqué récemment l'interprétation autoritaire des « valeurs asiatiques » dans un article publié par un magazine américain (*The New Republic*, « Human Rights and Asian Values », 14 et 21 juillet 1997) qui m'a

valu un certain nombre de réactions. La plupart d'entre
elles exprimaient leur soutien à la remise en cause que
j'opérais de la spécificité des valeurs asiatiques, ou tout au
moins de leur caractère autoritaire, mais elles se poursui-
vaient généralement par une défense de la spécificité des
valeurs occidentales, du point de vue de la tolérance.

Mes correspondants soulignaient que la tolérance à
l'égard du scepticisme *religieux* et de l'hétérodoxie constituait une vertu propre à l'Occident. Dans les termes de
l'un d'entre eux, la spécificité de la tradition occidentale
tenait à son « acceptation de la différence religieuse à un
niveau suffisant pour que même l'athéisme soit admis-
sible en tant que rejet légitime des croyances ». Mon
commentateur avait tout à fait raison de considérer que la
tolérance en matière religieuse – jusqu'au scepticisme et
à l'athéisme – est un aspect central de la liberté sociale,
ce que John Stuart Mill s'était déjà efforcé d'établir [21]. Il
poursuivait en écrivant : « Dans quel recoin de l'histoire
de l'Asie, peut-on se demander, Amartya Sen trouverait-il
une manifestation équivalente de cette tolérance à l'égard
du scepticisme, de l'athéisme ou de la libre pensée [22] ? »

À cette question pertinente, la réponse est aisée. Le seul
embarras tient à la profusion des exemples, tant on peut
puiser dans des strates différentes de l'histoire asiatique
pour fournir une réponse. Si l'on veut se restreindre à
l'Inde, il suffit de rappeler l'importance du courant
athéiste de Carvaka et de Lokayata, qui prit forme bien
avant la naissance du christianisme et exerça une
influence durable à travers son abondante production littéraire [23]. Mais l'hétérodoxie n'est pas le fait des seuls courants de pensée indépendants. Même le *Ramayana*,
épopée sainte du dieu Rama et œuvre sans cesse invoquée
par les activistes politiques hindous, laisse s'exprimer des
opinions dissonantes. Il relate, par exemple, la rencontre
de Rama avec un pundit, du nom de Javali, très attaché
aux biens terrestres et qui le met en garde contre l'illusion religieuse : « Ô Rama, montre ta sagesse, il n'existe
d'autre monde que celui-ci, sois-en certain ! Jouis de ce
qui t'entoure et rejette tout ce qui est déplaisant [24]. »

Il n'est pas non plus indifférent que la seule religion qui professe un agnosticisme radical, c'est-à-dire le bouddhisme, soit originaire d'Asie. Elle est née en Inde, au VIe siècle av. Jésus-Christ, dans une période où les écrits des écoles de Carvaka et de Lokayata connaissaient une large diffusion. Même les Upanishads (un des éléments fondamentaux du corpus religieux hindou, d'une rédaction quelque peu antérieure et auxquelles j'ai eu l'occasion de me référer en citant la question posée par Maitreyee) soumettent à l'examen, avec un grand respect, l'idée que la pensée et l'intelligence pourraient résulter des conditions matérielles et être intimement liées à l'existence du corps et « quand celui-ci est détruit », c'est-à-dire « après la mort », « nulle intelligence ne demeure »[25]. À travers les siècles, le scepticisme a survécu dans les cercles intellectuels et nourri diverses écoles de pensée. Au XIVe siècle encore, Madhava Acarya – lui-même hindou vaishnavite et dévot – consacre tout le premier chapitre de son ouvrage classique appelé *Sarvadarsanasamgraha* (Recueil de toutes les philosophies) à une présentation scrupuleuse des arguments élaborés par les divers courants ahéistes indiens. Le scepticisme religieux et la tolérance ne sont pas des phénomènes proprement occidentaux.

J'ai évoqué plus haut de nombreuses occurrences de la tolérance dans les civilisations orientales, en Chine, en Inde, dans le monde arabe et, comme les exemples ci-dessus le montrent, la tolérance religieuse en est un des aspects. Les violations – souvent extrêmes – de cette tolérance ne sont pas rares et cela dans toutes les civilisations, de la très sainte Inquisition jusqu'aux camps de concentration, des massacres religieux jusqu'au régime d'oppression des Talibans. Mais, dans chaque civilisation et à chaque époque, d'une manière ou d'une autre, des voix se sont élevées en défense des libertés. Si la présomption universaliste qui s'attache à ce livre, en particulier dans la valeur qu'il confère à la liberté, doit être rejetée, alors le réquisitoire doit se fonder sur d'autres raisons.

Une remarque pour conclure

La légitimité des libertés élémentaires et de leur traduction en termes de droits repose sur :

1) leur importance *intrinsèque* ;

2) leurs *conséquences*, par lesquelles elles fournissent des incitations politiques pour garantir la sécurité économique ;

3) leur rôle *constructif* dans l'élaboration des valeurs et des priorités.

En Asie, comme partout ailleurs, leurs fonctions sont équivalentes et nous avons vu que la remise en cause de leur légitimité au nom de la nature spécifique des valeurs asiatiques ne résiste pas à l'examen critique [26].

L'idée que les valeurs asiatiques seraient, par essence, autoritaires, est issue, presque exclusivement, de cercles proches des pouvoirs en place. Mais cette position est parfois renforcée par des déclarations prononcées à l'Ouest, et qui exigent que ces pays adoptent des valeurs décrites comme « libérales et occidentales ». Pourtant, les représentants gouvernementaux, pas plus que les ministres des Affaires étrangères, ou les leaders religieux ne détiennent de codes secrets, qui leur permettraient de décrypter mieux que quiconque des cultures et des valeurs qui leur sont étrangères. Des voix dissidentes s'expriment dans toutes les sociétés. Il est impératif de leur prêter attention [27]. Aung San Suu Kyi n'est pas une interprète moins autorisée des aspirations du peuple birman que ne le sont les dirigeants militaires du pays. Tout au contraire. Comment expliquer, sinon, qu'elle ait battu les candidats représentant la junte militaire lors des élections, avant d'être emprisonnée par les généraux prêts à tout pour s'accrocher au pouvoir ?

La diversité existe dans toutes les cultures : cette réalité doit être admise [28]. Mais méfions-nous des tentatives de réduire les spécificités locales à quelques généralisations simplistes, telles que la « civilisation occidentale »,

les « valeurs asiatiques », les « cultures africaines » ou
d'autres notions aussi vagues. Cette relecture de l'histoire n'est pas seulement superficielle, elle tend aussi à
rendre insurmontable l'hétérogénéité effective de notre
monde. Aucune civilisation n'est monolithique : dès que
la possibilité existe, des oppositions s'expriment. Et l'existence de ces voix dissidentes remet en cause tout jugement définitif sur la « vraie nature » des valeurs d'un pays.
Or, les dissidents existent partout et souvent en nombre.
Ils sont prêts à prendre des risques considérables dans
leur combat. C'est d'ailleurs à cause de leur ténacité que
les pouvoirs autoritaires sont acculés à déployer toutes
sortes de moyens répressifs pour défendre leurs vues intolérantes. L'activité des dissidents *pousse* les pouvoirs en
place à légitimer l'autoritarisme au nom de spécificités
culturelles, mais la simple existence de dissidences *remet
en cause* une interprétation ausi univoque des particula-
rismes locaux [29].

À l'Ouest, quand on débat de la situation de ces pays,
on accorde souvent un crédit démesuré au point de vue
des autorités – gouverneurs, ministres, juntes militaires,
chefs religieux. Pour une bonne part, ces vues biaisées
s'expliquent par le fait que, dans les réunions internationales, les représentants et des porte-parole officiels des
pays occidentaux tendent à accepter les vues de leurs
homologues, sans véritables critiques. On ne saurait
concevoir le développement à partir des perspectives
fixées par les autorités. Il est nécessaire d'adopter un
point de vue plus large : l'impératif d'une participation
de tous n'est pas un mot d'ordre creux mais une exigence
concrète. De fait, l'idée du développement ne saurait en
être dissociée.

En ce qui concerne la conception autoritaire des
« valeurs asiatiques », un rapide retour sur l'histoire
montre que des systèmes de valeurs de toutes sortes
ont été élaborés, discutés et acceptés à travers le continent [30]. À bien des égards, l'histoire des idées suit les
mêmes motifs et les mêmes successions en Orient et en

Occident. Réinterpréter le passé de l'Asie avec pour seule clé d'explication les valeurs autoritaires ne rend pas justice à la richesse intellectuelle de ses traditions. Les reconstructions douteuses du passé ne sauraient suffire à justifier des orientations politiques elles aussi douteuses.

CHAPITRE XI

Choix social et comportement individuel

De tout temps, des hommes se sont efforcés de fonder en raison leur définition d'une société meilleure et plus acceptable. Aristote admettait, avec Agathon, que les dieux eux-mêmes n'avaient pas le pouvoir de modifier le passé. Mais il pensait aussi que les hommes avaient la faculté de modeler l'avenir à condition d'exercer leur capacité de choix rationnel[1]. Pour ce faire, nous avons besoin d'un cadre d'évaluation approprié, d'institutions qui favorisent les fins que nous poursuivons et les valeurs auxquelles nous nous référons et, enfin, de normes de comportements et de raisonnements qui nous permettent d'atteindre les objectifs que nous avons définis.

Je n'ignore pas que l'idée de progrès raisonné provoque un certain scepticisme et il me paraît indispensable, en préalable à cet exposé, d'examiner sur quels arguments reposent ces préventions. S'ils devaient m'apparaître irréfutables, alors l'approche suivie tout au long de ce livre serait réduite à néant. On ne bâtit pas une structure ambitieuse sur du sable.

Parmi ces lignes d'attaque, trois fronts principaux me semblent mériter une attention particulière. Le premier part du constat suivant : les préférences et les valeurs reflètent la diversité des individus, elles sont donc, par nature, hétérogènes, même dans une société donnée. En conséquence, il est impossible de définir un cadre cohérent qui permettrait de procéder à une évaluation sociale rationnelle. Le célèbre « théorème d'impossibilité » de Kenneth Arrow est parfois invoqué à l'appui de cette thèse [2]. On interprète alors cette construction remarquable, dans le sens le plus pessimiste, comme une preuve qu'il est impossible d'extrapoler rationnellement un choix social à partir des préférences individuelles. Le contenu analytique de ce théorème, aussi bien que ses interprétations concrètes méritent un examen approfondi. La notion de « base d'informations » que nous avons rencontrée au chapitre III a une importance cruciale dans ce contexte.

La deuxième critique, d'ordre méthodologique, concerne nos *intentions*. Elle s'interroge sur la possibilité que nous obtenions ce que nous avons envisagé d'obtenir, en constatant que les conséquences non prévues dominent l'histoire réelle. Plusieurs auteurs ont mis en lumière l'importance de telles conséquences, parmi lesquels Adam Smith, Carl Menger et Friedrich Hayek [3]. Si la plupart des événements notables qui se produisent ne résultent pas d'actions intentionnellement mises en œuvre pour réaliser des prévisions, alors nos tentatives de définir rationnellement des objectifs perdent à peu près toute pertinence. Nous verrons quelles implications précises découlent de ces vues.

Enfin, la *portée* même des valeurs humaines et des normes de comportement suscitent des doutes chez beaucoup. Est-il possible d'assigner d'autres buts à nos comportements que la satisfaction d'intérêts personnels et immédiats ? Si la réponse est négative, aucune structure sociale fondée sur un impératif moral n'a la moindre validité, seul le marché a une raison d'être, puisqu'il lui suffit de mettre en jeu l'intérêt individuel. Dans cette perspective, le projet d'un changement social raisonné ne peut donc viser que le fonctionnement du marché, au risque d'affecter son efficacité, d'introduire plus d'inégalité ou de pauvreté. Toute autre exigence relève de l'utopie.

Ce chapitre vise à estimer la véritable place des valeurs et du raisonnement dans la promotion des libertés, en vue du dévelopement. Je procéderai, en premier lieu, à l'examen de ces trois critiques.

Impossibilité et base d'informations

La signification du théorème d'impossibilité d'Arrow a fait l'objet de nombreux contresens. En effet, ce qu'il établit n'est pas l'impossibilité d'un choix social rationnel, mais l'impossibilité qui résulte d'un choix social fondé sur une classe d'informations trop restreintes. Au risque d'une simplification abusive, voici comment il faut comprendre ce théorème.

Prenons l'exemple connu du « paradoxe du vote » auquel se sont intéressés les mathématiciens français du XVIIIe siècle, tels que Condorcet ou Jean-Charles Borda. Si une personne 1 préfère le choix x au choix y et y à z, alors qu'une personne 2 préfère y à z et z à x, et qu'une personne 3 préfère z à x et x à y, alors la règle de la majorité conduit à une impasse. Dans ce cas, en effet, x a une majorité sur y, qui a une majorité sur z, qui a une majorité sur x. Le théorème d'Arrow démontre, entre autres, que la règle majoritaire, mais aussi *tous* les mécanismes de décision qui reposent sur la même base d'informations, c'est-à-dire le classement individuel des choix possibles, mènent à une contradiction logique ou à une frustration, sauf à admettre la solution dictatoriale, dans laquelle l'ordre des préférences d'un seul vaut pour tous.

Ce théorème élégant est l'une des contributions analytiques les plus remarquables dans le champ des sciences sociales. Mais il n'invalide en rien les mécanismes de décision qui reposent sur des bases d'informations plus larges ou différentes de celles nécessaires aux règles de vote. Et, lorsqu'il s'agit de prendre des décisions économiques sur des questions sociales, il est tout à fait naturel de recourir à un autre type d'informations.

Sans même considérer sa cohérence logique, la règle de la majorité n'a d'ailleurs pas vocation à résoudre les différends économiques. Imaginons que l'on partage un gâteau entre trois personnes – appelons-les 1, 2 et 3 – en présupposant que chacune d'entre elles vote de façon à maximiser uniquement sa propre part (ce présupposé simple rend l'exemple plus explicite, mais on pourrait tout aussi bien lui substituer une préférence d'un autre ordre). On peut toujours tenter d'« optimiser la majorité » en prenant sur la part de l'un (celle de la personne 1, par exemple) et en redistribuant ce reliquat entre les personnes 2 et 3. Cette manière d'« améliorer » le résultat social fonctionne – dans la mesure où la règle de la majorité gouverne le jugement social – même dans le cas où la personne spoliée (c'est-à-dire 1) se trouve par ailleurs être la plus pauvre des trois. De fait, on peut répéter l'opération – prendre au plus pauvre et redistribuer aux deux autres – en respectant toujours la règle majoritaire. Ce processus d'« amélioration » ne cessera qu'avec la redistribution intégrale de la part de la personne 1 et constituera un remarquable enchaînement de progrès social, *dans la perspective majoritaire*.

Des règles de ce type reposent sur une base d'informations restreinte au classement des préférences individuelles et ne prennent pas en compte d'autres données, telles que la pauvreté relative des uns et des autres, les gains (ou les pertes) relatifs aux modifications dans la distribution des revenus, ou encore les moyens par lesquels les uns et les autres assurent leurs revenus, etc. La base d'informations, pour cette classe de règles dont la procédure de décision majoritaire représente un exemple éminent, est donc des plus limitées et ne saurait servir de façon adéquate à former des jugements informés sur des problèmes économiques de bien-être. D'abord, parce qu'il en résulte des incohérences (et le théorème d'Arrow formalise cet aspect), mais surtout, parce qu'il n'est pas possible de formuler un jugement social avec si peu d'informations.

Justice sociale et abondance de l'information

Une véritable estimation du partage de notre gâteau devrait s'appuyer sur d'autres règles sociales. Pour être acceptables, celles-ci devraient prendre en compte toutes sortes de faits pertinents de nature diverse : qui est plus pauvre que qui, quels avantages, en termes de bien-être ou de biens essentiels, sont liés au partage choisi, par quels moyens le gâteau est-il « gagné » ou « accaparé », etc. *A contrario*, ériger en principe la restriction des informations (ou décider que les informations supplémentaires ne doivent pas entrer en ligne de compte en vue du partage dudit gâteau) réduit l'intérêt des règles dans un processus de décision économique. Le fait que surgisse *aussi* un problème d'incohérence, dès que l'on veut diviser le gâteau en fonction d'un vote, apparaît moins comme un problème que comme une heureuse remise en cause de l'obsession logique propre aux procédures fondées sur une base d'informations étroite, butale et obtuse.

Revenons-en un instant à l'exemple exposé au début du chapitre III. Aucune des informations prises en considération pour embaucher l'un des trois candidats à l'emploi de jardinier ne serait utilisable dans la base d'informations d'Arrow. Dinu était le plus pauvre des trois, Bishanno le plus malheureux et Rogini était malade : trois faits annexes, indépendants de la base d'informations nécessaire au classement des préférences des trois personnes (en respectant les conditions posées par Kenneth Arrow). En général, lorsque nous élaborons des jugements économiques, nous avons tendance à utiliser un champ d'informations beaucoup plus vaste que celui autorisé par le type de mécanismes compatibles avec le cadre défini par Kenneth Arrow.

À mes yeux, la notion usuelle d'impossibilité n'éclaire en rien la compréhension du théorème d'impossibilité d'Arrow [4]. Son auteur fournit une approche générale des décisions sociales fondées sur les conditions individuelles.

Dans ce cadre, son théorème, tout comme la série de résultats qui découlent de ses travaux novateurs, montrent que ce qui est possible ou non dépend, pour une large part, des informations prises en compte dans le processus de décision sociale. On voit ainsi qu'en élargissant la base d'informations, on parvient à obtenir des critères logiques et cohérents pour une évaluation économique et sociale. Toute la littérature consacrée au « choix social » (ainsi qu'on nomme ce champ d'analyse) dans la lignée de Kenneth Arrow explore des possibilités autant que des impossibilités conditionnelles [5].

Interaction sociale et accord partiel

Cette réflexion en induit une autre, qui concerne la politique du consensus social. Notons que celle-ci devrait répondre à une double exigence : être définie en fonction des préférences individuelles *données*, mais aussi viser, dans sa mise en œuvre, à *développer* les préférences individuelles et les normes. À ce niveau, l'importance de principe accordée à la discussion publique prend tout son sens, parce qu'elle est le moyen de favoriser l'émergence de valeurs communes et d'engagements [6]. Nous réagissons aux arguments présentés dans la discussion publique en fonction de nos préconceptions quant à la justice – ce qui est juste et ce qui ne l'est pas. Les échanges de vue conduisent parfois à un compromis, voire à un accord, d'autres fois à une impasse. La formation de la préférence à travers les interactions sociales est un des centres d'intérêt primordiaux de ce livre, j'y reviendrai donc, au cours de ce chapitre et du suivant.

Par ailleurs, nous devons aussi convenir qu'il n'est pas indispensable d'opérer une « mise en ordre » unique, c'est-à-dire un classement complet de tous les choix sociaux possibles. Un accord partiel suffit à identifier les options acceptables (et à éliminer les solutions inacceptables) et l'on peut s'accommoder, pour mettre en œuvre une solution fonctionnelle, de dispositions particulières et contingentes, sans avoir atteint une totale unanimité sociale [7].

On pourrait aussi faire valoir que des jugements concernant la « justice sociale » n'exigent pas une précision millimétrique : faudrait-il s'arrêter, par exemple, à l'affirmation selon laquelle un taux d'imposition de 39 % serait juste et un taux de 39,5 % injuste (ou encore que le premier serait « plus juste » que le second) ? L'essentiel est d'obtenir un accord fonctionnel sur un ensemble de sujets facilement identifiables par l'injustice manifeste qu'ils reflètent.

En matière de justice sociale, insister sur la nécessité de prises de position sur l'ensemble des choix possibles ne contrevient pas seulement à l'action. Cette attitude trahit aussi une mécompréhension de la nature même de la justice. Prenons un exemple extrême : si nous convenons qu'il est socialement injuste qu'une famine survienne alors qu'elle était prévisible, nous ne cherchons pas pour autant à établir un consensus sur les méthodes de répartition de l'aide alimentaire ou le type de rations qui serait le « plus juste ». Lorsque des injustices patentes sont reconnues, par suite de privations évitables, qu'il s'agisse de la faim, de taux de morbidité excessifs, de mortalité prématurée, de pauvreté criante, de traitement inégal en défaveur des petites filles, ou d'autres phénomènes comparables, il n'est pas nécessaire d'établir une mise en ordre complète des choix, qui impliquerait de traiter les causes des contrariétés les plus bénignes. Le concept de justice doit s'appliquer aux terribles privations et aux injustices criantes, caractéristiques du monde dans lequel nous vivons. Il n'est pas nécessaire de l'invoquer à tout propos. La justice est une pièce d'artillerie et, comme dit un proverbe bengali, elle est inappropriée contre un moustique.

Le changement : intentions et conséquences

J'en viens maintenant à la seconde critique formulée contre la notion de progrès raisonné. Le plus souvent, nos actes entraînent des conséquences non prévues. Ce constat suffit à nourrir le scepticisme quant à la possibilité de changements intentionnels. Il est indéniable que quelques-unes des transformations majeures que notre monde a connues sont des conséquences inattendues de nos actions. Tout ne se passe pas toujours conformément à nos plans. Nous n'avons parfois qu'à nous féliciter du tour pris par les événements : pensons à la découverte de la pénicilline, liée à une boîte de Petri abandonnée, par mégarde, aux moisissures ou encore à la destruction de l'organisation nazie due à l'excès de confiance d'Hitler en ses propres capacités militaires. Depuis ses origines, la science historique s'est fait une raison : les conséquences sont rarement conformes aux intentions.

Et pourtant, ce constat ne contredit en rien l'approche rationaliste suivie ici. Notre démarche exige-t-elle l'inexistence d'effets non prévus ? En aucun cas. Plus simplement, elle présuppose que les tentatives de maîtriser raisonnablement le changement social produisent, dans des circonstances normales, des résultats favorables. Les exemples de réformes économiques ou sociales issues de programmes clairement formulés et dont le bilan est positif ne manquent pas. En Europe et aux États-Unis, au Japon et dans d'autres pays d'Asie, la diffusion généralisée de l'éducation, entreprise de façon conséquente, a réussi. La variole ou d'autres maladies épidémiques ont été éradiquées ou circonscrites. La création de la Sécurité sociale, dans les pays européens, a procuré une couverture médicale à l'immense majorité des habitants, à un niveau jamais connu auparavant. Au bout du compte, il n'est pas si rare que les événements s'enchaînent comme prévu, que les causes produisent les effets attendus et que les acteurs du changement aient quelques bonnes raisons d'être satisfaits des résultats obtenus. Les échecs manifestes, les réussites en demi-teintes et les effets pervers existent aussi, mais on peut toujours tirer le bilan de ses erreurs, ne serait-ce que pour éviter de les répéter. Apprendre de l'expérience : voilà une maxime qui devrait présider à toute réforme d'inspiration rationaliste.

Ce constat établi, que reste-t-il de la thèse dont on prête la paternité à Adam Smith et que Carl Menger et Friedrich Hayek ont défendue ? Est-il vrai que nombre – voire la plupart – des situations bénéfiques sont les résultats imprévus de nos actions ? Une « philosophie générale » sous-tend cette vénération des conséquences non intentionnelles, elle mérite l'examen. Je commencerai ici avec Adam Smith, d'une part parce qu'on lui prête la paternité de cette théorie et d'autre part, parce que ce livre mérite, à bien des égards, le qualificatif de « smithien ».

Notons en premier lieu qu'Adam Smith manifestait une grande défiance à l'égard de la morale des possédants – aucun autre auteur, pas même Karl Marx, n'a critiqué de manière aussi sévère les motivations économiques des classes aisées. Ainsi qu'il l'explique dans sa *Théorie des sentiments moraux*, publiée en 1759 (soit dix-sept ans plus tôt que *La Richesse des nations*), beaucoup de riches propriétaires obéissent, conformément à « leur égoïsme et à leur rapacité naturelle », à leurs seuls « désirs vains et insatiables »[8]. Et cependant, dans de nombreuses circonstances, des pans entiers de la société tirent avantage de cette conduite, pour la raison que les actions de divers individus peuvent se compléter de façon productive. L'idée que les riches puissent agir consciemment pour le bien des autres était étrangère à Adam Smith. La thèse des conséquences non intentionnelles n'est qu'un prolongement logique de son point de vue sur cette question. Il faut « une main invisible » pour mener les égoïstes et les rapaces à « promouvoir les intérêts de la société » et cela « sans qu'ils ne l'envisagent, sans même qu'ils le sachent ». De ces quelques citations – et du secours que devaient leur apporter Menger et Hayek – allait naître la théorie des conséquences non intentionnelles.

Dans *La Richesse des nations* et dans un contexte similaire, Adam Smith soulignait son point de vue très contro-
versé – et que nous avons déjà rencontré – concernant les
mérites de l'échange économique :

> « Ce n'est pas de la bienveillance du boucher, du brasseur
> ou du boulanger que nous attendons notre dîner, mais du
> souci qu'ils ont de leur propre intérêt. Nous nous adressons,
> non à leur humanité, mais à leur égoïsme [9]. »

Le boulanger vend son pain, non pour promouvoir le
bien-être de son client, mais parce qu'il veut gagner sa
vie. De la même manière, le brasseur et le boucher, parce
qu'ils poursuivent leurs intérêts respectifs, rendent service aux autres. De son côté, le consommateur ne vise pas
à promouvoir les intérêts de l'un ou l'autre de ces
commerçants : en achetant son pain, sa bière ou sa
viande, il satisfait ses propres intérêts. Toutefois, tous
trois tirent avantage des besoins du consommateur. Ainsi,
l'individu, selon Adam Smith, est « conduit, par une main
invisible, à promouvoir une fin qui n'était nullement dans
ses intentions [10] ».

Les fondations étaient modestes. Elles suffirent toutefois aux hérauts des conséquences non intentionnelle.
Carl Menger vit là une des propositions clés de la science
économique (imparfaitement énoncée, selon lui, par
Adam Smith). Après lui, Friedrich Hayek développa cette
théorie, qu'il décrivit comme une « intuition des plus
perspicaces de ce qui constitue l'objet de toute théorie
sociale [11] ».

Jusqu'où peut nous conduire ce constat élémentaire que
des conséquences majeures d'une action n'avaient pas été,
dans un premier temps, envisagées ? Toute action
entraîne une multitude de conséquences. Seules, quel-
ques-une d'entre elles relèvent d'une intention. Je sors de
chez moi, un matin, pour poster une lettre. Un témoin
m'aperçoit. Il n'a jamais été dans mes intentions d'être vu
par lui dans la rue (j'envisageais seulement de poster mon
courrier) ; c'est pourtant l'un des résultats de ma sortie

matinale, une conséquence non intentionnelle de mon action. Prenons un autre exemple : la présence d'une nombreuse assistance dans une pièce tend à faire monter la température, facteur important, alors qu'une fête se déroule dans cette pièce. Aucun des participants ne s'était fixé pour intention de surchauffer cette salle, mais tous ensemble, ils ont créé cette conséquence.

Faut-il une grande sagacité pour remarquer ce phénomène ? Peut-être pas. Parmi toutes les conséquences d'une action, beaucoup sont inattendues : voilà un jugement d'ordre général qui manque singulièrement de profondeur [12] ! Malgré mon admiration pour Friedrich Hayek et pour ses idées (il a contribué, plus que quiconque, sans doute, à notre compréhension de la constitutionnalité, de la pertinence des droits, de l'importance des processus sociaux et à l'élaboration de nombreux concepts primordiaux dans les domaines social et économique), j'avoue que cette modeste conclusion ne m'apparaît pas comme un monument de la pensée. S'il s'agit là, comme le soutient Hayek, d'une intuition des plus perspicaces, autant manquer d'acuité dans l'intuition.

Mais on peut aborder la question sous un autre angle et peut-être est-ce cet aspect que Friedrich Hayek souhaitait éclairer. Que certaines conséquences échappent aux intentions compte alors moins que le fait suivant : par l'analyse des causes, les conséquences non intentionnelles peuvent devenir raisonnablement prévisibles. Le boucher peut ainsi concevoir, quand il échange de la viande pour de l'argent, que son client bénéficie, tout comme lui, de la transaction, et il peut donc envisager que cette relation avantageuse pour les deux parties se prolonge. De la même manière, le brasseur, le boulanger et leurs clients peuvent tabler sur des relations économiques durables. Pour ne pas être *intentionnelle*, une conséquence n'est pas nécessairement *imprévisible*. Dans ce cas précis, la confiance des parties dans la continuité de la relation repose spécifiquement sur sur de telles présomptions, explicites ou non.

Dans cette acception, la notion de conséquences non

intentionnelles (non intentionnelles, mais toutefois anticipées) ne contredit en rien la possibilité de réformes rationnelles. Au contraire : le raisonnement économique ou social est à même de prendre en considération des conséquences qui, bien que non intentionnelles, résultent néanmoins d'une configuration institutionnelle donnée et la réflexion sur les évolutions institutionnelles a tout à gagner à envisager les diverses conséquences non intentionnelles possibles.

L'exemple chinois et les leçons à en tirer

Il arrive que surviennent des conséquences qui n'étaient ni intentionnelles ni même anticipées. Des exemples de cet ordre montrent qu'une marge d'incertitude accompagne toutes les espérances humaines. Par ailleurs, l'analyse d'exemples de cette nature devrait profiter à l'élaboration des politiques publiques. L'histoire récente de la Chine va nous permettre d'illustrer cette question.

La mise en œuvre des réformes économiques, à partir de 1979, et leur impact négatif sur plusieurs objectifs sociaux de première importance a suscité de nombreuses interrogations. Les auteurs des réformes n'avaient pas envisagé ces conséquences. Néanmoins, elles se sont produites. Dans l'agriculture, par exemple, la substitution, aux vieilles structures coopératives, d'un « système de responsabilité » a inauguré une phase de croissance de la production sans précédent, mais elle a aussi été à l'origine de difficultés inconnues jusque-là dans le financement des services de santé publique, difficultés qui ont été constatées dans toutes les zones rurales. Jusque-là, les coopératives effectuaient les prélèvements obligatoires destinés à financer le système de santé. Les mentalités paysannes ont eu le plus grand mal à s'adapter au nouveau dispositif, qui accompagnait l'introduction des réformes et reposait sur un système d'assurances médicales volontaires. C'est, semble-t-il, la raison pour laquelle la santé publique a connu de graves dysfonctionnements dans la période qui a suivi et, pour autant qu'on peut le comprendre, les initiateurs des réformes furent alors pris au dépourvu. Si tel est bien le cas, il est indiscutable que ces effets auraient pu être mieux anticipés, ne serait-ce qu'en analysant avec précision les mécanismes de financement de la santé en Chine et ailleurs dans le monde.

Observons maintenant un deuxième exemple. Celui des mesures contraignantes de planning familial (parmi lesquelles la politique de « l'enfant unique ») appliquées dès 1979 pour réduire la natalité. Comme nous l'avons vu au chapitre IX, elles semblent avoir eu un effet négatif sur la réduction de la mortalité infantile, en particulier pour les filles. Dans une certaine mesure, on constate même une augmentation de la mortalité en bas âge pour les filles (sinon même de l'infanticide) et, sans l'ombre d'un doute, un accroissement des avortements en fonction du sexe du fœtus. Ces effets reflètent l'obligation des familles de se conformer à la politique antinataliste du gouvernement, tout en s'efforçant de satisfaire leur préférence traditionnelle pour les enfants de sexe masculin. Les initiateurs des réformes sociales et du planning familial coercitif n'avaient pas pour objectif d'accroître la mortalité infantile en général (ou celle des filles en particulier), ni d'encourager les avortements en fonction du sexe du fœtus. Leur seul but consistait à réduire le taux de fertilité. Mais ces conséquences regrettables sont néanmoins survenues. On ne saurait ignorer un fait de cette nature qui exige qu'on y remédie.

Était-il possible de prévoir ces effets pervers ? D'*anticiper* ces conséquences non intentionnelles ? La mise en œuvre des réformes économiques et sociales en Chine a pâti d'un manque de réflexion sur les conséquences éventuelles du changement, y compris les conséquences non intentionnelles. Que des effets contraires n'aient pas été souhaités ne signifie pas qu'ils n'auraient pu être prévus. Une meilleure prévision de ces conséquences aurait pu conduire à une meilleure appréhension des facteurs en jeu dans les mutations et peut-être même à l'élaboration de mesures de prévention ou de correction.

Avec les deux exemples tirés de l'expérience chinoise, nous avons affaire à des effets indésirables sur le terrain social. Rappelons-nous que, de leur côté, Adam Smith, Carl Menger et Friedrich Hayek évoquaient dans leurs exemples, des conséquences, certes non intentionnelles, mais néanmoins favorables. Dans un cas comme dans l'autre, on retrouve toutefois un fonctionnement similaire, indépendamment de la nature des conséquences.

Sur le terrain économique, l'expérience chinoise nous fournit d'autres exemples, plus conformes au mécanisme envisagé par nos trois auteurs. Les innombrables études consacrées au récent décollage économique de l'Asie de l'Est et du Sud-Est partagent au moins le constat suivant : l'ouverture des marchés nationaux aux échanges économiques ne suffit pas à expliquer le rythme soutenu du développement. Celui-ci tient aussi à d'autres préconditions sociales : réforme foncière, généralisation de l'éducation, amélioration du système de santé. Dans ce cas précis, personne ne remet sérieusement en doute l'enchaînement causal : ce sont bien les réformes sociales qui ont produit des conséquences économiques favorables et non le contraire. Le marché prospère sur les fondations du développement social. Quand cette strate est fragile, et comme l'Inde s'est enfin résignée à l'admettre, la dynamique du développement économique est singulièrement anémiée.

Mais comment et dans quelle période ces avancées sociales ont-elles pris place en Chine ? Pour l'essentiel, elles précèdent les réformes de 1979. Elles remontent même, dans de nombreux cas, aux années d'apogée du maoïsme. Mao avait-il pour *intention* de bâtir les fondations sociales nécessaires à l'économie de marché et à l'expansion capitaliste (ce qu'il a réalisé avec un indéniable succès) ? L'hypothèse est difficile à soutenir. Et cependant la politique maoïste de réforme foncière, d'alphabétisation, de diffusion de la santé a eu des effets bénéfiques sur la croissance économique après 1979. La dette de la Chine actuelle à l'égard de la période maoïste mériterait d'être mieux prise en compte [14]. Les conséquences positives non intentionnelles pèsent ici de tout leur poids.

À l'évidence, l'éventualité que la Chine accouche d'une économie de marché trépidante n'a jamais effleuré l'esprit du président Mao. Il n'a donc jamais envisagé – et nous n'en sommes pas surpris – que les programmes sociaux appliqués de son vivant allaient conditionner de façon aussi favorable la transition vers le marché. Et pourtant, nous pouvons identifier ici une interconnexion importante. Elle nous recentre sur la problématique des capacités qui nous guide tout au long de ce livre. Les changements sociaux évoqués dans cet exemple (alphabétisation, santé, réforme foncière) améliorent la capacité des individus de mener l'existence qu'ils souhaitent, en étant moins vulnérables. Mais on associe aussi ces capacités à l'amélioration de la productivité et de l'employabilité des personnes qui en bénéficient (en d'autres termes, on renforce ce qu'on appelle leur « capital humain »). Les interrelations entre capacités humaines en général et capital humain en particulier sont d'un ordre raisonnablement prévisible. Bien qu'il n'ait jamais été dans les intentions de Mao de faciliter la tâche de ses successeurs dans l'attente du jour où ils prendraient l'initiative de la transition vers l'économie de marché, un observateur, doté des outils d'analyse sociale idoines, aurait pu – même alors – appréhender la relation de cause à effet. Anticiper ces connexions et leur fonctionnement nous aide à réfléchir de façon sensée sur les organisations sociales et sur les véritables lignes de force qui orientent le changement et les évolutions.

Anticiper les conséquences non intentionnelles est donc un élément constitutif – et non une invalidation – de l'approche rationaliste du changement social. Adam Smith, puis Carl Menger et Friedrich Hayek n'ont pas ouvert en vain cette perspective. En attirant l'attention sur les conséquences non intentionnelles, ils nous ont contraints, à leur suite, à les analyser. Mais, reconnaître l'existence de ces effets imprévus ne remet pas en cause la nécessité d'un examen rationnel de toutes les conséquences – intentionnelles ou non. Au contraire, l'impératif reste le même : il faut s'efforcer d'anticiper toutes les conséquences éventuelles de toutes les politiques alternatives et fonder les décisions sur un examen rationnel des différents scénarios possibles.

Valeurs sociales et intérêt public

J'en arrive maintenant au troisième argument. Que vaut l'affirmation selon laquelle nous serions exclusivement guidés par des intérêts personnels et immédiats ? La notion que les valeurs sociales puissent être inspirées par la générosité peut-elle survivre aux critiques des sceptiques ? L'exercice des libertés peut-il dépasser une problématique individuelle et s'inscrire dans la perspective d'un progrès social raisonné, ou bien l'idée même de l'action publique est-elle illusoire ?

À mes yeux, rien ne justifie un tel scepticisme. L'intérêt individuel représente, sans aucun doute, une des grandes motivations de nos actions, parfois sous-estimée par les théories sociales. Cependant, nombre d'actions, y compris dans la vie courante, sont inspirées par des valeurs très éloignées de l'égoïsme le plus étroit, des valeurs dont la dimension sociale est évidente. L'émergence de normes sociales peut être facilitée à la fois par l'échange raisonné et par la sélection de modes de comportements, dans un processus évolutionniste. Une littérature conséquente existe sur ce sujet, je n'aurai donc pas besoin d'entrer dans une discussion trop détaillée [15].

Le recours au raisonnement socialement responsable et aux idées de justice découle d'une conception dans laquelle la liberté individuelle occupe une place centrale. Cela ne signifie pas que les individus devraient, en toute occasion, invoquer leur notion de la justice ou recourir à leurs capacités de débattre des questions sociales, pour décider de la manière d'exercer leur liberté. Mais le sens de la justice compte néanmoins au nombre des motivations prédominantes pour les individus et il n'est pas rare qu'ils aient à l'invoquer. Les valeurs sociales peuvent être – et ont souvent été – une clé d'explication dans la réussite de diverses formes d'organisation, et il en va ainsi, par exemple, pour le mécanisme de marché, la démocratie, les droits civiques et politiques, les services publics ou la reconnaissance du droit à la contestation.

Chaque individu est en droit de défendre sa propre conception des notions morales, y compris de la justice sociale, ou d'exprimer ses doutes à ce sujet. Mais la simple notion de justice est propre à tous les êtres humains. S'ils ont le souci de leurs intérêts immédiats, ils sont aussi capables de tenir compte du sort de leurs proches ou de leur entourage, de leurs compatriotes ou d'étrangers lointains. La superbe construction théorique du « spectateur impartial », élaborée par Adam Smith (et initiée par la question : comment réagirait un spectateur impartial ?), formalise une intuition assez répandue pour que nous l'ayons – chacun d'entre nous – expérimentée. Il n'est nullement nécessaire de créer un espace artificiel dans l'esprit humain, par le conditionnement moral ou la harangue, afin d'y loger l'idée de justice ou celle d'équité. Cet espace existe déjà. Le véritable pas en avant consiste à faire un usage cohérent, systématique et efficace des questions auxquelles tout le monde s'efforce d'apporter les meilleures réponses possibles.

Le rôle des valeurs dans le capitalisme

On perçoit souvent le capitalisme comme un système dont la dynamique met en jeu exclusivement l'avidité des individus, alors qu'en vérité, l'économie capitaliste repose sur un système fortement charpenté de valeurs et de normes. Vouloir le réduire à une combinaison de comportements intéressés revient à sous-estimer considérablement l'éthique du capitalisme, laquelle constitue l'un des fondements de ses succès impressionnants.

Le recours à des modèles économiques formalisés, penchant habituel de la théorie économique, pour comprendre le fonctionnement du marché est une arme à double tranchant. Le modèle fournit sans doute, un aperçu explicite des mécanismes à l'œuvre dans le monde réel [16]. Mais l'élaboration d'une telle structure tend aussi à estomper des présupposés implicites qui jouent pourtant un rôle considérable dans les relations que le modèle veut mettre en lumière. Le fonctionnement du marché ne met pas seulement en œuvre des échanges « autorisés », il dépend aussi de solides fondations institutionnelles (les dispositions légales qui reconnaissent et protègent les droits issus de contrats) et d'une éthique de comportement (un contrat est reconnu par accord tacite, sans nécessité de procès permanents pour en faire respecter les termes). La confiance en la parole donnée est un ingrédient primordial du bon fonctionnement du marché.

Ses premiers partisans avaient conscience que l'émergence et le développement du capitalisme ne se résumaient pas à une cupidité débridée. Les libéraux de Manchester ne se battaient pas pour la victoire de la rapacité et de l'égoïsme satisfait. Leur notion de l'humanité s'appuyait sur un ensemble de valeurs plus positives. Si leur optimisme, quant aux motivations des êtres humains laissés à eux-mêmes, étaient parfois teinté de naïveté, ils n'avaient pas tort de postuler l'existence d'un altruisme spontané et de croire que les individus pouvaient cultiver des attitudes mutuellement avantageuses, non sous la pression de l'État, mais par la compréhension rationnelle de leur nécessité.

Adam Smith, qui s'inscrit dans une tradition similaire, notait que tout un éventail de valeurs entre en jeu dans les relations politiques, sociales et économiques. Même les tout premiers commentateurs, tels que Montesquieu ou James Stuart, pour lesquels le capitalisme se traduisait en premier lieu par la substitution de l'« intérêt » aux « passions », remarquaient que la poursuite de l'intérêt, assise sur une réflexion rationnelle, constituait un progrès notable sur le fanatisme, l'envie ou les propensions tyranniques. James Stuart, par exemple, voyait dans l'intérêt « la meilleure bride contre les folies du despotisme ».

Albert Hirschman, qui a analysé avec perspicacité l'évolution des mentalités liée à l'émergence de l'éthique du capitalisme écrit ainsi : « Elle allait favoriser l'expression de tendances humaines bénignes, aux dépens de tendances malignes [17]. »

Si elle s'est montrée opératoire, l'éthique capitaliste a aussi révélé ses limites, qu'il s'agisse des inégalités économiques, de la protection de l'environnement ou de la nécessité de formes de coopération en dehors du marché. Mais, sur son terrain de prédilection, le capitalisme fonctionne grâce à un système de valeurs qui procure à ses agents la mesure de confiance nécessaire pour opérer avec efficacité sur le marché et au sein des institutions qui en dépendent.

Éthique des affaires, confiance et contrats

La bonne marche d'une économie d'échanges repose sur la confiance mutuelle et sur le recours à un ensemble de normes explicites et implicites [18]. Là où ces comportements sont généralisés, on tend à ignorer leur rôle. Mais quand ils doivent être acquis, leur absence peut représenter un sérieux handicap à la réussite économique. Nombre d'économies précapitalistes se sont heurtées au problème du manque de vertus capitalistes. Le capitalisme met en jeu des structures de motivations plus complexes que la seule maximisation du profit. Cette réalité a été reconnue, sous une forme ou une autre, par des analystes aussi divers que Marx, Weber ou Tawney [19]. Je n'innoverai pas en affirmant que des motivations autres que celles liées au profit jouent un rôle dans le succcès du capitalisme, mais je constate, en le déplorant, que cette réalité, malgré l'abondance d'exemples historiques et la richesse de l'argumentation conceptuelle, est trop souvent négligée par les économistes contemporains [20].

Tout code élémentaire régissant les relations d'affaires joue le même rôle que l'oxygène : on remarque son importance quand il commence à manquer. Adam Smith notait déjà le fait dans son *Histoire de l'astronomie* :

> « Un objet qui nous est familier, que nous avons chaque jour sous les yeux ne produit, quels que soient son intérêt et sa beauté, que peu d'effet sur nous, parce que notre admiration n'est portée ni par l'émerveillement ni par la surprise [21]. »

Une réalité qui ne suscite ni émerveillement ni surprise à Londres, à Zurich ou à Paris, peut être un sujet d'insurmontables difficultés au Caire, à Bombay, à Lagos ou à Moscou, là où l'instauration des normes et des institutions d'une économie de marché fonctionnelle reste un défi incertain. Même la corruption économique et politique en Italie, qui a occupé l'actualité du pays et bouleversé son équilibre institutionnel au cours des années récentes, reflète, pour une bonne part, la nature dualiste de l'économie italienne, associant des éléments de « sous-développement » au capitalisme le plus dynamique.

De toutes les difficultés rencontrées par l'Union soviétique et les pays de l'Est, les plus importantes tiennent sans doute à l'absence de structures institutionnelles et de règles de comportement adaptées au fonctionnement du capitalisme. Les codes et les institutions, dotés de leur logique propre et admis par tous, sont devenus la norme dans les économies développées mais, bien que nécessaire, ils sont difficiles à mettre en place sur les vestiges d'une « économie planifiée ». Il faut du temps avant que le nouveau système ne fonctionne et que les comportements adéquats ne soient acquis. L'ex-Union soviétique et les pays de l'Est en font aujourd'hui la douloureuse expérience, après avoir sous-estimé la véritable dimension de ces problèmes. Plus personne ne croit, après la vague d'enthousiasme initial, à l'avènement quasi magique des processus de marché.

Les structures ne peuvent fonctionner qu'en relation directe avec des codes de conduite partagés : la légitimité des institutions repose sur des accords interpersonnels et une compréhension commune, qui exige à son tour le respect des comportements attendus et une certaine mesure de confiance mutuelle. Parce que l'adhésion à un code de conduite partagé est, le plus souvent, implicite, on tend à sous-estimer son importance dans des situations où cette confiance est acquise. Mais il arrive aussi qu'on la sous-estime là où elle n'existe pas. Et les résultats peuvent alors confiner au désastre. On s'est beaucoup inquiété, ces derniers temps, de l'émergence de structures mafieuses dans l'ex-Union soviétique. On ne saurait pourtant remédier à ce problème sans prendre en compte l'histoire des conduites qui ont prévalu ou qui continuent de prévaloir dans le pays. Dans d'autres circonstances, Adam Smith avait déjà saisi la portée considérable des « règles de conduite établies ».

Variété des normes et des institutions au sein de l'économie de marché

Même au sein des économies développées, les codes de conduite connaissent des variations, en conséquence, leur efficacité dans la promotion des performances économiques n'est pas partout égale. Le capitalisme a permis une démultiplication de la production et de la productivité, mais au-delà de ce trait général, chaque pays se caractérise par des développements particuliers. L'exemple des pays d'Asie de l'Est, au cours de décennies récentes et du Japon, sur une période plus longue, soulève toute une série de questions qui contredisent largement les théories économiques traditionnelles. Réduire le capitalisme à un mécanisme de maximisation du profit, fondé sur la propriété individuelle des moyens de production, c'est négliger de nombreux facteurs qui contribuent à l'efficacité du système, c'est-à-dire à la croissance de la production et à la création de revenus.

Le Japon apparaît souvent comme le meilleur exemple de développement capitaliste. La tourmente financière et la longue période de de récession qu'il traverse aujourd'hui ne semblent pas devoir remettre en cause ce diagnostic. Toutefois, la conduite des affaires y obéit à un ensemble de motivations beaucoup plus large que la seule maximisation du profit. Les analystes ont privilégié un trait ou un autre de ces motivations. Parmi bien d'autres, Michio Morishima a étudié la généalogie de « l'éthos japonais » dans l'histoire du pays et le tropisme national en faveur de conduites fondées sur des règles [22]. Ronald Dore et Robert Wade ont souligné l'influence de l'« éthique confucéenne [23] ». Masahiko Aoki a analysé la coopération et les codes de conduite à travers une grille de lecture inspirée par le raisonnement stratégique [24]. Kotaro Suzumura a mis en lumière la combinaison particulière de la concurrence, du sens des responsabilités et du rôle actif de l'État [25]. Eiko Ikegami a relevé la continuité qui existe entre le Japon contemporain et la culture samouraï [26].

De fait, même le jugement plutôt cavalier du *Wall Street Journal*, affirmant que le Japon est « la seule nation communiste en état de marche » contient une part de vérité [27]. Cela dénote l'importance des motivations non liées au profit qui sous-tendent bon nombre d'activités économiques. Quelle que soit l'interprétation à laquelle on se range, il est indéniable que la prospérité de l'une des économies capitalistes les plus florissantes est liée à des structures de motivations qui, à bien des égards, s'écarte de la simple poursuite d'intérêts privés, laquelle est supposée constituer le fondement même du capitalisme.

D'autres pays que le Japon cultivent une éthique des affaires spécifique et pourtant compatible avec le développement capitaliste. Le dévouement professionnel et l'adhésion aux objectifs de l'entreprise ont été des facteurs d'augmentation de la productivité dans de nombreux pays et, même parmi les nations industrielles, on note une grande hétérogénéité dans les codes de conduite.

Les institutions, les normes de conduite et la mafia

Pour conclure cette discussion à propos des valeurs, de leur rôle et de leurs différents aspects dans le développement du capitalisme, rappelons que le système éthique qui sous-tend le capitalisme ne se limite en aucune manière à une apologie de la cupidité. Source d'une augmentation de la prospérité mondiale, le capitalisme repose sur des règles morales et des codes de conduite qui ont favorisé les transactions marchandes et garanti leur efficacité. S'ils veulent tirer le meilleur parti du mécanisme de marché et faciliter les échanges et les transactions, les pays en développement ne sauraient se limiter aux seules vertus de la prudence. Ils doivent aussi combattre la généralisation de la corruption, cultiver des valeurs fondamentales, telles que la confiance, et faire en sorte que la garantie de la parole donnée s'impose sans nécessité, sauf cas d'exception, de recours aux sanctions légales. Sur ce socle élémentaire, l'histoire du capitalisme n'est pas avare de diversité, ici et là, les réalisations diffèrent et l'on peut tirer de nombreuses leçons de ces expériences disparates.

Dans le monde contemporain, le capitalisme doit répondre à plusieurs grands défis : la question de l'inégalité (et, avant tout, l'existence d'une extrême pauvreté, dans le contexte d'une prospérité sans précédent), ou encore celle des « biens communs » (c'est-à-dire des biens partagés par tous, tels que l'environnement). La solution de ces problèmes exigera sans aucun doute la mise en place d'institutions extérieures à l'économie capitaliste de marché. Mais, dans une large mesure, les règles éthiques nécessaires à la prise en compte de ces problèmes ne condamneront pas le marché, ni son développement. La compatibilité du mécanisme de marché avec un large éventail de valeurs morales est une question importante, que l'on peut apprécier, bien au-delà des simples limites du mécanisme de marché en observant la création de dispositions institutionnelles nouvelles.

De tous les problèmes relevant des codes de conduite, la corruption économique et ses relations avec le crime organisé est sans aucun doute celui qui a reçu la plus grande attention dans les débats récents. En Italie, on en est venu à invoquer la notion de « codes de déontologie », qui seraient destinés à combattre les procédures illégales ou inéquitables viciant les politiques publiques. Un remède de cette nature pourrait même, espère-t-on, servir à réduire l'emprise de la mafia sur l'action du gouvernement [28].

Une organisation telle que la mafia remplit un certain nombre de fonctions sociales dans des secteurs encore primitifs de l'économie en soutenant des transactions mutuellement bénéfiques. La place prise par une organisation de ce type dépend pour une large part des modes de comportements dominants dans l'économie légale ou parallèle. Stefano Zamagni et d'autres auteurs ont montré, par exemple, comment la mafia servait à garantir contrats et transactions [29]. Sur le marché, des accords sont nécessaires, ils servent de garantie de bonne fin et doivent éviter qu'une des parties contractantes n'échappe à ses engagements. Leur caractère contraignant dépend soit de la loi et de son application, soit de la confiance mutuelle et d'un sens implicite de l'obligation [30]. L'efficacité réelle des gouvernements sur ce terrain étant souvent limitée et lente, la plupart des transactions reposent sur la confiance et l'honneur.

Toutefois, aussi longtemps que les normes de l'éthique de marché manquent de solidité, que la confiance en affaires n'est pas considérée comme acquise, le caractère contraignant des obligations réciproques reconnues par contrat reste incertain. Dans ces circonstances, une organisation extérieure qui veille aux ruptures de contrats en exerçant les pressions nécessaires fournit un service socialement apprécié. La mafia remplit, à ce niveau, un rôle fonctionnel et recherché dans des économies précapitalistes en transition. Le « bras armé » des relations contractuelles sert les intérêts de toutes les parties, même quand la plupart d'entre elles n'ont aucun intérêt particulier dans la corruption ou le crime. Chacune a cependant besoin d'une « assurance » quant au comportement des autres agents économiques [31].

En réduisant la nécessité d'une contrainte extérieure pour obtenir le respect des accords, les codes de conduite adéquats fondés sur la confiance, réduiraient aussi la place des organisations extralégales et des services d'« assurances » qu'elles fournissent. On remarque ainsi qu'une étroite complémentarité existe entre normes de comportement et réformes institutionnelles [32]. On doit garder à l'esprit ces relations lorsque l'on souhaite remettre en cause la mainmise d'organisations de type mafieux, en particulier dans les pays où l'économie accuse un retard certain.

La mafia est une organisation détestable. Il est pourtant nécessaire de comprendre le fondement économique de son influence : par le crime et la violence, elle remplit une fonction nécessaire à la bonne marche de l'économie. Pour peu que des formes légales de contrôle des contrats et des comportements fondés sur la confiance mutuelle viennent remplir cette fonction, elle perd sa raison d'être. On voit donc qu'il existe une relaton entre la ténuité des normes régissant les affaires et l'emprise de la mafia sur l'économie.

Environnement, réglementations et valeurs

Les questions liées à la protection de l'environnement ont montré l'impossibilité de s'en tenir aux règles du marché. De nouvelles réglementations gouvernementales – pour certaines restées à l'état de projet – ont été élaborées, des subventions prévues pour encourager de nouvelles attitudes ou des impôts créés pour taxer les pollueurs. Mais la question des normes respectueuses de l'environnment se pose aussi en termes d'éthique de comportement. Nous sommes ici en terrain connu. À bien des égards, cette problématique rejoint, en effet, l'analyse que développe Adam Smith, dans sa *Théorie des sentiments moraux*, même si, comme il va de soi, l'auteur, à l'image de son époque, ne se souciait pas spécifiquement de la défense de l'environnement.

Nous retrouvons aussi la préoccupation d'Adam Smith, que nous avons déjà évoquée au chapitre V, à propos du gâchis que créent sur leur passage les « prodigues et les imprudents ». Adam Smith souhaitait réduire l'influence de ces investissements néfastes grâce au contrôle des taux d'intérêt. En effet, des taux d'intérêt élevés étaient, selon lui, l'unique « bienfait » que des investisseurs de cette trempe étaient susceptibles d'offrir [33]. L'interventionnisme d'Adam Smith se limitait à la question des taux d'intérêt et, comme on l'a vu, cette initiative lui valut les foudres de Jeremy Bentham [34].

Vis-à-vis des « prodigues et imprudents » d'aujourd'hui, qui polluent l'air et l'eau, l'analyse d'Adam Smith conserve toute sa pertinence, pour autant que l'on veuille comprendre la nature des problèmes et des difficultés en jeu et les voies possibles pour y remédier. Dans ce contexte, on doit tenir compte du rôle de la réglementation et de la modification des comportements. Le défi environnemental n'est qu'une facette d'un problème plus général : celui de l'allocation des ressources, et des « biens publics » en particulier, c'est-à-dire de ces biens qui ne sont pas consommés individuellement mais qui font l'objet d'un usage commun. L'offre des biens publics ne repose pas sur la seule action de l'État ou d'organismes sociaux, il faut aussi prendre en compte le rôle que pourrait jouer le développement des valeurs sociales et du sens des responsabilités. Le respect d'une éthique de l'environnement vaut bien des réglementations contraignantes.

Prudence, sympathie et engagement

Il arrive que l'on utilise, dans les sciences économiques et les sciences politiques – et plus rarement en philosophie –, la notion de « choix rationnel », qui désigne, avec une étonnante désinvolture, une méthode de choix fondée exclusivement sur l'avantage personnel. Si l'on doit entendre ce dernier dans une acception étroite, alors il ne faut pas attendre de cette modélisation « rationnelle » qu'elle donne une large part dans la conduite de nos choix et de nos actions à des considérations morales, à la justice ou à l'intérêt des générations futures.

La rationalité doit-elle s'arrêter là ? Si un comportement rationnel est compatible avec le recours à la duplicité pour atteindre les objectifs que nous nous fixons, alors, tout aussi bien, l'expression de la sympathie, quand elle sert nos intérêts, ou l'invocation de la notion de justice, par simple ruse tactique, sont des choix rationnels. Distinguons tout de suite deux voies qui nous permettent de rompre avec le carcan étroit de l'intérêt personnel : la « sympathie » et l'« engagement » [35]. En premier lieu, le souci d'autrui n'est pas nécessairement contradictoire avec l'intérêt personnel et, à ce titre, le bien-être d'une personne, défini au sens large, peut inclure la sympathie. Par ailleurs, au-delà même de cette définition du bien-être ou de l'intérêt personnel, nous pouvons être prêts à consentir des sacrifices, au nom d'autres valeurs : la justice sociale, le nationalisme, le bien-être commun. Cette deuxième voie, qui implique un *engagement*, et pas seulement de la *sympathie* – fait appel à des valeurs autres que le bien-être individuel ou l'intérêt personnel (même cette forme d'intérêt personnel qui consiste à aider les intérêtts de ceux envers lesquels s'exerce la sympathie).

Un exemple me servira à illustrer la différence. Si vous aidez une personne dans le besoin, parce que sa condition vous heurte, votre réaction est guidée par la sympathie. Si, par ailleurs, l'existence de gens dans le besoin ne vous heurte pas, mais qu'elle fait naître chez vous une détermination à changer un système que vous jugez injuste (ou plus généralement, si votre résolution ne se fonde pas uniquement sur la contrariété que provoque en vous l'existence de gens dans le besoin), alors votre conduite est guidée par l'engagement.

On réagit en fonction de ses sympathies sans consentir de sacrifice, sans empiéter sur son intérêt personnel ou son bien-être. Aider un pauvre concourra à notre bien-être si sa souffrance est aussi une souffrance pour nous-même. À l'inverse, une conduite dictée par l'engagement peut impliquer des sacrifices, puisque notre action sera motivée par notre sens de l'injustice et non par le désir, inspiré par la sympathie, de supprimer une souffrance. Une dimension personnelle s'attache néanmoins à l'engagement : chacun a les siens. Notons encore un autre trait important : qu'une conduite dictée par l'engagement favorise ou non l'avantage personnel (ou le bien-être), elle reste fondée sur la volonté et la raison [36].

Adam Smith a abordé ces deux perspectives. « Les actions les plus humaines, explique-t-il, n'exigent aucune abnégation, aucun effort sur soi » puisqu'elles se conforment à ce que « notre sympathie, de son propre accord, nous inviterait à faire » [37]. Mais, poursuit l'auteur, « il en va autrement avec la générosité ». Et ici intervient la nécessité de valeurs plus larges, telles que la justice, qui contraint l'individu à refréner son intérêt personnel et « pousse le spectateur impartial à considérer les principes de sa conduite » et peut aussi impliquer une « affirmation plus ferme de l'esprit public » [38].

Pour Adam Smith, la notion de « propriété de l'humanité et de la justice » suppose « la concorde entre les affections de l'agent et celle des spectateurs » [39]. Dans sa conception de la rationalité, les individus existent en relation les uns avec les autres, au milieu de la société à laquelle ils appartiennent. Les valeurs auxquelles une personne adhère, tout comme ses actions supposent la présence des autres, l'individu ne peut être dissocié du « public ».

Ce bref rappel suffit à invalider une idée reçue : Adam Smith, le père de l'économie moderne, n'est pas, comme on le décrit si souvent, le prophète obsessionnel de l'intérêt personnel. Ce préjugé s'est imposé même chez les économistes : dans le monde rationnel, Adam Smith n'aurait perçu que l'intérêt personnel et il s'en serait satisfait. On corrobore ce jugement en choisissant de courts extraits de ses nombreux écrits, qui se limitent, le plus souvent, au sempiternel exemple du boulanger, brasseur, boucher. L'économiste George Stigler, d'habitude plus inspiré, résume cette vision fallacieuse en une courte formule : « L'intérêt personnel domine la majorité des hommes [40]. »

Dans ce court passage si fréquemment cité, parfois même hors de contexte, Adam Smith explique, en effet, qu'il est inutile d'en appeler à la notion de « bienveillance » si l'on veut comprendre pourquoi le boucher, le brasseur ou le boulanger *veulent* nous vendre leur production ou pourquoi nous *voulons* les acheter [41]. Il souligne, avec raison, que ces échanges mutuellement avantageux sont motivés par le souci de l'intérêt particulier. L'échange occupe une place centrale dans l'analyse économique, il est donc nécessaire d'en fournir une définition. Mais lorsqu'il aborde d'autres problèmes – la distribution, l'équité, les règles susceptibles d'améliorer l'efficacité productive – Adam Smith met l'accent sur des motivations plus larges. Et si la prudence reste toujours « de toutes les vertus, la plus nécessaire aux individus », il explique pourquoi « l'humanité, la générosité et l'esprit public sont les qualités les plus utiles » dans nos relations avec autrui [42]. Chez Adam Smith, la grande richesse d'analyse des comportements humains s'accommode de la multiplicité des motivations légitimes. La figure du penseur n'a plus rien de commun avec la silhouette austère dessinée par George Stigler et moins encore avec la caricature le représentant en apôtre de l'intérêt personnel. Selon Shakespeare, certains hommes naissent petits et d'autres parviennent à la petitesse ; Adam Smith, lui, a connu un

autre sort : on a voulu le réduire à une taille bien inférieure à la sienne [43].

Une notion est au cœur de cette discussion, celle que
le grand philosophe contemporain John Rawls a nommée
les « facultés morales » que nous partageons tous : « le
sens de la justice et la capacité à concevoir le bien ».
Selon John Rawls, la « tradition de la pensée démocratique » présuppose nécessairement ces facultés partagées, ainsi que les « facultés de la raison (faculté de
juger, de penser et leurs inférences) » [44]. Les valeurs
jouent un rôle prééminent dans les conduites humaines.
Dénier cette réalité revient à rompre avec la tradition de
la pensée démocratique mais aussi à imposer des limites
à notre rationalité. C'est par la raison que nous sommes
capables de prendre en considération nos obligations et
nos idéaux, tout autant que nos intérêts et nos avantages. Dénier cette liberté de mouvement à la pensée
serait rogner la portée de notre rationalité.

Choix des motivations et modèle évolutionniste

L'étude du comportement rationnel ne saurait se cantonner aux seuls choix immédiats, visant des objectifs
isolés. Au-delà, il est nécessaire de comprendre comment
certains objectifs s'imposent et perdurent dans un véritable processus de survie. Plusieurs travaux récents sur
la formation des préférences et le rôle de l'évolution dans
cette formation ont renouvelé la théorie du choix
rationnel [45]. Même si, *en dernière analyse*, personne n'a de
raison directe de se soucier de justice et de morale, il n'en
reste pas moins que ces notions peuvent revêtir une
grande importance instrumentale et favoriser la réussite
économique. Cet avantage contribuerait à expliquer leur
survie, aux dépens d'autres règles sociales de conduite.

Ce type de raisonnement « dérivé » s'oppose à un autre
processus : l'adhésion délibérée à un ensemble de règles,
répondant par un examen éthique à la question : que
dois-je faire (une voie explorée, comme on le sait, par

Kant puis par Adam Smith) [46]. Les raisons éthiques qui gouvernent une préoccupation « directe » – et non pas dérivée – pour la justice et l'altruisme, ont gardé, selon des orientations diverses, leur actualité dans la philosophie morale contemporaine. L'éthique du comportement fait appel, au-delà de la morale, à des notions sociales et psychologiques et travaille sur des normes et des usages d'une relative complexité [47].

Les considérations sur la justice trouvent leur place aussi bien dans nos délibérations concernant les raisons « directes » que dans celles s'attachant aux raisons « dérivées », qui ne doivent pas être perçues comme exclusives les unes des autres. Que les normes de conduite émergent sur des fondements éthiques, sociaux ou psychologiques, leur survie à long terme est liée, pour une bonne part, à leurs conséquences et aux processus de survie par l'évolution qui entrent en jeu. En observant ces processus, on ne doit pas pour autant cantonner les attitudes guidées par d'autres motivations que l'intérêt personnel dans le seul cadre évolutionniste, en leur déniant tout rôle indépendant dans la délibération rationnelle. Rien ne nous interdit de combiner la sélection par la délibération et par l'évolution des conduites d'engagement dans un même cadre [48].

L'émergence des valeurs qui nous influencent suit des voies diverses. En premier lieu, elles peuvent s'imposer par *la réflexion et l'analyse*. La réflexion peut être en lien direct avec nos préoccupations et nos responsabilités (perspective privilégiée par Kant et par Adam Smith), ou en relation indirecte avec les effets d'une bonne conduite (par exemple, l'avantage que constitue une bonne réputation qui encourage la confiance). En deuxième lieu, elles peuvent naître de notre volonté de nous *conformer aux conventions*, en pensant et en agissant ainsi que le suggèrent les usages établis [49]. Ce type de « conduite concordante » étend la portée du raisonnement au-delà des limites de l'évaluation critique individuelle, puisque nous pouvons nous inspirer des raisons d'agir établies par d'autres [50].

Troisièmement, *la discussion publique* exerce une forte influence sur la formation des valeurs. Comme le notait Frank Knight – le grand économiste de l'école de Chicago –, les valeurs « sont établies ou validées et reconnues par la discussion, une activité qui est à la fois sociale, intellectuelle et créative [51] ». À propos des choix publics, James Buchanan soulignait : « La définition de la démocratie comme "gouvernement par la discussion" implique que les valeurs individuelles peuvent évoluer et – de fait – évoluent, au cours du processus de décision [52]. »

Quatrièmement, la *sélection par l'évolution* joue un rôle crucial. Certains types de comportement perdurent et s'imposent parce qu'ils sont les mieux adaptés. Chacune de ces catégories de choix de comportement (choix réflexif, conduite concordante, discussion publique, sélection par l'évolution) réclame notre attention. Toute tentative de conceptualiser les conduites humaines devrait tenir compte de leurs possibles combinaisons. Seul ce large cadre permet d'appréhender le rôle des valeurs dans les comportements sociaux.

Valeurs morales et politiques publiques

Il est temps maintenant de recentrer notre discussion sur les valeurs qui entrent en ligne de compte dans la définition des politiques publiques. Deux raisons – distinctes quoique interdépendantes – justifient que les instances qui ont la charge de ces orientations se préoccupent des valeurs de justice sociale. En premier lieu – et c'est la raison la plus immédiate – les buts poursuivis par les politiques publiques ont une relation évidente avec la notion de justice, tout comme les choix concernant les instruments les plus appropriés pour atteindre ces objectifs. La cohérence et la portée des politiques publiques dépend pour une bonnne part de la notion de justice, sous la forme, en particulier, des bases d'informations pertinentes selon les approches particulières de la justice que j'ai exposées au chapitre III.

La deuxième raison – plus indirecte – tient à ce que les politiques publiques dépendent aussi des comportements sociaux des individus et des groupes. La compréhension et l'interprétation des exigences de l'éthique sociale influencent ces comportements. Dans le choix de leurs objectifs et de leurs priorités, les politiques publiques doivent non seulement prendre en compte les exigences de justice et la portée des valeurs, mais elles doivent aussi tenir compte des valeurs auxquelles adhèrent les gens, y compris de leur sens de la justice.

Ce second rôle, plus complexe, ayant été peu analysé, il me paraît utile de montrer par quelles médiations les normes et les notion liées à la justice déterminent les comportements et les conduites et comment ce processus peut influencer les orientations des politiques publiques. Nous avons déjà rencontré ce phénomène, quand, aux chapitres VIII et IX, à propos de la fertilité, nous avons mentionné les normes et les comportements susceptibles de l'influencer. Je poursuivrai maintenant en abordant un autre exemple : le phénomène de la corruption.

Corruption, incitations et éthique des affaires

Toutes les analyses concordent : dans de nombreux pays, en Asie et en Afrique, en particulier, la corruption est l'un des principaux écueils au progrès économique. Pour peu qu'elle atteigne un certain niveau, elle émousse l'efficacité des politiques publiques et détourne les investissements et les activités des secteurs productifs vers de fructueuses zones grises. Elle favorise aussi, comme nous l'avons vu plus haut, la puissance d'organisations criminelles, sur le modèle de la mafia.

Ce phénomène n'est pas nouveau, pas plus que les solutions proposées pour y remédier. La corruption et les opérations illégales sur une grande échelle sont attestées même dans les civilisations antiques. Une littérature considérable, exposant les façons circonstanciées d'y mettre fin, jusqu'aux plus hauts niveaux de l'État, est parvenue jusqu'à nous. Certaines de ces propositions pourraient aujourd'hui encore inspirer la lutte contre la corruption.

Comment peut-on définir un comportement « corrompu » ? La corruption suppose la violation des règles établies en vue d'un profit personnel. De toute évidence, on ne saurait y mettre fin en incitant les gens à cultiver *plus* encore leur intérêt personnel. Mais la solution simpliste qui consisterait à demander aux gens de *moins* cultiver leur intérêt personnel serait tout aussi bien vouée à l'echec. Il faut de solides raisons pour sacrifier un possible bénéfice.

Des réformes organisationnelles peuvent, dans une certaine mesure, modifier l'équilibre des gains et des pertes qui résultent des comportements motivés par la corruption. Tout d'abord, des corps d'inspection, un arsenal de sanctions et d'amendes ont été, dans l'Histoire, au premier rang des mesures destinées à prévenir la corruption. En Inde, par exemple, au IVe siècle av. J.-C., Kautilya, le penseur politique, distinguait quarante tentations auxquelles étaient susceptibles de succomber les fonctionnaires. Pour parer à ces éventualités, il préconisait la mise sur pied d'un système de contrôle de terrain, distribuant primes et amendes [53]. L'existence d'une réglementation claire, comprenant des menaces de sanctions et appliquée avec rigueur exerce une influence indiscutable sur les comportements.

Ensuite, certains types de régimes fortement administrés encouragent la corruption en donnant des pouvoirs discrétionnaires à leurs agents, qui sont alors en position de consentir des faveurs à quiconque est prêt à les payer – pour les milieux d'affaires, ces transactions, bien que coûteuses, peuvent être un passage obligé en vue de profits conséquents. Le contrôle tâtillon de l'État sur l'économie crée des conditions idéales au développement de la corruption, ainsi que l'illustre l'expérience des pays d'Asie du Sud (en particulier l'exemple du *License Raj*, en Inde). Plusieurs autres symptômes révèlent l'inefficacité des régimes de ce type, mais le coût social de la corruption suffirait à invalider leurs méthodes.

Un troisième facteur doit être pris en compte : la tentation est d'autant plus grande que les fonctionnaires disposent – à la fois – d'un large pouvoir et de revenus relativement faibles. Quand des administrations pléthoriques contrôlent de près l'économie, on retrouve systématiquement cette situation. La corruption envahit alors tout l'édifice bureaucratique, du sommet de la hiérarchie jusqu'aux plus bas échelons. Pour faire face à ce problème, la Chine impériale offrait à de nombreux bureaucrates le *yang-lien*, une allocation anticorruption, qui devait les inciter à rester honnêtes et respectueux de la loi [54].

Des mesures de ce type ont fait leurs preuves. Toutefois, les incitations financières n'ont jamais suffi à éradiquer le phénomène et chacune des trois voies évoquées ci-dessus a ses limites. Premièrement, on n'attrape pas toujours les voleurs : tout système de surveillance et d'inspection a ses failles. La méthode exige, de plus, de savants dosages, si l'on veut payer au juste prix la chasse aux corrompus et éviter que les chasseurs-inspecteurs ne soient, à leur tour, achetés. Ensuite, tout gouvernement est contraint de déléguer une part de ses prérogatives à ses fonctionnaires dont les décisions n'échappent pas toujours aux influences de groupes d'intérêt. Même en imaginant que l'on réduise la marge d'initatives de l'administration, tout pouvoir de décision est, par définition, ouvert aux abus. Troisièmement, même des fonctionnaires disposant de revenus confortables essayent souvent d'arrondir leurs fins de mois, quels que soient les riques qu'ils encourent. Les « affaires » innombrables, dans différents pays, en apportent la preuve.

Ces limites ne devraient pas nous dissuader d'entreprendre tout ce qui peut l'être pour aboutir à de véritables changements organisationnels, mais il faut toutefois garder à l'esprit que les incitations fondées sur les bénéfices personnels ne sauraient suffire à éliminer la corruption. On note d'ailleurs que les sociétés dans lesquelles les comportements de corruption, sous leurs formes habituelles, sont exceptionnels, ont des codes de conduite largement respectés et en contrepartie peu de mécanismes d'incitations financières. C'est là un autre indice de l'importance des normes et des codes de conduite qui prévalent dans telle ou telle société.

Platon explique déjà, dans *Les Lois*, que le sens du devoir aide à prévenir la corruption. Mais, note-t-il toutefois, avec une grande sagesse, la tâche reste, en toutes circonstances, ardue. Le sens du devoir doit s'entendre, ici, comme attitude à l'égard des règles et comme respect de la conformité, c'est-à-dire sous tous les aspects qui ont une relation directe avec la corruption, toutes notions qu'Adam Smith regroupe sous la dénomination de « propriété », au sens de ce qui est approprié. Donner la priorité aux règles de conduite conformes à l'honnêteté et à la franchise constitue un impératif que toute personne peut respecter. Et l'exemple de nombreux pays l'illustre. De fait, dans le monde contemporain, peu de domaines offrent autant de variations interculturelles que celui des règles de conduite. Pour prendre la mesure de cette diversité, il suffit de comparer les comportements en affaires de l'Europe de l'Ouest avec ceux qui prévalent en Asie du Sud ou du Sud-Est, ou même, au sein de l'Europe de l'Ouest, de comparer la Suisse et certaines régions italiennes.

Notons, toutefois, que les modes de comportements ne sont pas immuables. Les individus règlent souvent leurs attitudes sur celle des autres, ou, du moins, sur ce qu'ils en perçoivent. L'interprétation des normes établies joue un rôle considérable. Et, tout autant, le « sens de la justice », dans son acception relative, à l'égard de groupes de références (en général, d'autres personnes, dans une situation comparable à celle de l'observateur). Rappelons-nous que parmi les « raisons » les plus fréquemment invoquées pour justifier la corruption, dans l'enquête menée par le Parlement italien, en 1993, et qui visait à éclairer les liens entre la corruption et la mafia, figurait l'argument selon lequel « les autres font pareil [55] ».

L'importance de l'imitation – et du respect des « conventions » établies – a été souligné par tous les commentateurs qui ont vu un intérêt à étudier la portée des « sentiments moraux » dans la vie économique, politique et sociale. Adam Smith notait ainsi :

> « Beaucoup d'hommes qui se conduisent très décemment et qui, tout au long de leur vie évitent les blâmes, n'ont, peut-être, jamais éprouvé le sentiment sur la propriété duquel se fonde notre approbation de leur conduite, mais *ont agi simplement par respect pour ce qu'ils regardaient être les règles établies du comportement* [56]. »

Dès que l'on s'attache à l'interprétation des « règles établies du comportement », il est capital d'observer la conduite des individus en position de pouvoir ou disposant d'une autorité. L'attitude des hauts fonctionnaires, en particulier, joue un rôle essentiel dans l'instauration des normes de conduite. Déjà, en Chine, en 122 av. J.-C., les auteurs du *Hui-nan Tzu* exposaient le problème de la façon suivante :

> « Si l'instrument de mesure est vrai, alors le bois sera considéré droit, non pas en raison de l'effort particulier consenti par quelqu'un, mais parce que ce qui a servi à le mesurer le rend ainsi. De même, si le souverain est sincère et droit, alors des dignitaires honnêtes serviront dans son gouvernement et les malandrins se cacheront, mais si le souverain n'est pas droit, alors la voie sera ouverte aux malfaisants et les hommes loyaux choisiront la réclusion [57]. »

Cette très ancienne expression de la sagesse garde tout son sens. Les conduites corrompues en « haut lieu » ont, non seulement, des conséquences directes, mais aussi un effet de propagation. Il est donc légitime de vouloir modifier la situation en commençant par le sommet.

Je ne cherche pas ici à proposer un « algorithme » pour éliminer la corruption. Il me paraît toutefois nécessaire d'ouvrir quelques champs de réflexion. Le premier concerne la possibilité de modifier l'équilibre des gains et des pertes grâce à des réformes organisationnelles, dans la perspective que j'ai abordée plus haut. Une autre dimension doit être prise en compte : celle des normes et des modes de comportement, que j'ai évoquée sous la forme de l'imitation et du sens de la « justice relative ». Le code de justice des voleurs semblera très éloigné de la « justice » au sens où on l'entend communément (tout comme le « code de l'honneur » des voleurs passera difficilement pour honorable), il en a pourtant les fonctions et les apparences pour les protagonistes.

La corruption représente un véritable défi. Pour y répondre, nous devons nous débarrasser de deux présupposés. Selon le premier, seuls les bénéfices personnels pousseraient les gens à agir, selon le second, les valeurs et les normes n'auraient qu'une incidence négligeable sur les attitudes. La variété des modes de comportement dans différentes sociétés montre au contraire à quel point elles comptent. Le changement est possible, il peut même s'accumuler et se diffuser. La corruption se nourrit d'émulation : en réduisant son emprise, on encourage d'autres comportements. Lorsqu'on vise à modifier ces derniers, on doit garder à l'esprit cette vérité rassérénante : pour peu que l'on inverse la tendance, chaque cercle vicieux peut donner naissance à un cercle vertueux.

Quelques remarques pour conclure

L'idée de progrès social raisonné est essentielle à l'approche présentée dans ce livre. Elle a pourtant de nombreux contradicteurs. Dans ce chapitre, j'ai examiné leurs arguments. Le premier d'entre eux met en doute la possibilité d'un choix social raisonné et invoque, à cette fin, le célèbre « théorème d'impossibilité » de Kenneth Arrow. Pourtant, ce théorème n'invalide pas la possibilité du choix, il met en lumière la nécessité d'établir une base d'informations adéquates pour formuler des jugements sociaux et en tirer des décisions. La question est essentielle, la réponse n'incite aucunement au pessimisme. Les bases d'informations occupent une fonction centrale, elles avaient déjà retenu notre attention, j'avais discuté ce point en détail au chapitre III et les conclusions auxquelles j'étais alors arrivé nous ont été utiles pour aborder la question rencontrée ici : celle de l'adéquation.

La deuxième ligne de critiques se focalise sur les effets de nos actions : l'importance des conséquences non prévues devrait justifier un scepticisme radical à l'égard des conséquences intentionnelles. On ne saurait écarter ce scepticisme sans autre forme de procès. Mais il existe de solides raisons de le tempérer. De fait, l'évaluation des choix sociaux ne se trouve pas remise en cause, car pour être non intentionnelles, ses conséquences n'en sont pas moins prévisibles. On peut tirer deux leçons de ce débat : la première est de ne pas se soumettre à la toute-puissance de l'intention, la seconde de ne pas ignorer les effets secondaires de l'action. Les exemples choisis pour illustrer ce propos – issus pour plusieurs d'entre eux de l'expérience chinoise – montrent que les échecs ne résultent pas de l'impossibilité qu'il y aurait à maîtriser les enchaînements de cause à effets, mais du refus délibéré d'envisager des conséquences non conformes aux objectifs fixés *a priori*. Nous ne sommes pas ici sur le terrain qui nous intéresse : celui du choix raisonné.

La troisième discussion concerne les motivations. Les critiques postulent que les êtres humains sont exclusivement guidés par l'intérêt personnel, présupposé qui sert parfois à établir que le seul système susceptible de fonctionner est l'économie de marché capitaliste. Si, d'une part, l'observation empirique contredit ces vues, il est, par ailleurs, simpliste d'attribuer les succès du capitalisme, comme système économique, aux comportements guidés par l'intérêt personnel, alors qu'il met en jeu un système de valeurs complexe et sophistiqué, parmi lesquelles la confiance, le respect des engagements, l'honnêteté en affaires, jouent un rôle considérable. Tout système économique repose sur un code de conduite moral, le capitalisme ne fait pas exception à la règle. Et les valeurs communes influencent profondément les comportements individuels.

Si j'insiste sur le rôle des valeurs et des normes dans les comportements individuels, je ne prétends pour autant que le sens de la justice prévaut sur d'autres motivations, telles que la prudence ou les préocccupations matérielles. Toute prévision concernant les comportements – qu'il s'agisse d'attitudes individuelles, de relations d'affaires ou de services publics – doit éviter de prêter aux individus un penchant trop marqué pour la vertu ou une soif inextinguible de justice. Dans l'histoire récente, les exemples ne manquent pas de prévisionnistes trop bien intentionnés qui ont découvert avec amertume qu'ils avaient eu tort d'accorder la prépondérance à l'altruisme. En donnant toute leur place aux valeurs, nous reconnaissons le rôle de l'intelligence constructive, tout autant que celui de la cupidité.

L'examen des comportements exige un sens certain du dosage. L'existence de « sentiments moraux élevés » ne fournit pas un présupposé opératoire. Son négatif, le postulat de la « bassesse morale », non plus. Nombre d'économistes érigent pourtant ce deuxième constat en principe, ce qui leur permet d'évacuer, sans autre forme de procès, l'influence des valeurs et de réduire les motivations à de simples considérations de bénéfices personnels [58].

Dès que nous recourons à des notions telles que l'« éthique du travail », ou la « moralité en affaires », la « corruption », la « responsabilité publique », les « valeurs environnementales », l'« égalité entre les sexes » ou encore le « nombre d'enfants souhaitable pour une famille », il est important de prendre en considération les variations et les changements dans les priorités et les normes. Dans l'analyse de l'efficacité ou de l'équité, dans la réflexion axée sur la lutte contre la pauvreté, le rôle des valeurs est, à l'évidence, prééminent.

Si j'ai évoqué ensuite la corruption (comme je m'étais arrêté, auparavant, sur la relation entre comportements et fertilité), mon propos n'était pas simplement d'apporter des réponses sur le terrain empirique, mais aussi d'illustrer l'incidence des normes et des valeurs sur des comportements que la définition des politiques publiques ne saurait ignorer. Par ailleurs, ces exemples mettent en lumière l'interférence du public dans la formation des valeurs et des notions liées à la justice. L'élaboration des politiques publiques nécessite la prise en compte de la fonction d'agent du « public » et cela sous plusieurs aspects. Les interconnexions, sur le terrain empirique, montrent mieux la véritable portée des concepts de justice et de moralité, tels qu'ils sont communément admis, elle montre aussi comment la formation des valeurs est un processus social qui met en jeu des interactions publiques.

La création des meilleures conditions possibles pour favoriser le débat public informé et organisé appelle toute notre attention. Pour les politiques publiques, cette exigence a des traductions diverses, la liberté de pensée et d'action accordée aux jeunes femmes est l'une d'elles. Elle suppose le développement de l'alphabétisation et de la scolarisation, la promotion de l'emploi des femmes et leur responsabilisation économique (comme nous l'avons vu aux chapitres VIII et IX). La liberté de la presse joue aussi un rôle important, ne serait-ce que par sa capacité à nourrir les débats en rendant compte de ces sujets.

La fonction cruciale de la discussion publique est parfois sous-estimée. La presse chinoise, par exemple, pourtant soumise à un étroit contrôle, a largement rendu compte du débat sur la famille et sur le nombre d'enfants souhaitable. Les mêmes considérations pourraient s'appliquer à tous les domaines : d'une manière générale, le changement économique et social a beaucoup à gagner d'un débat libre et ouvert. Dans l'exemple choisi, la permissivité, restreinte au débat sur la famille, reflète les priorités de l'État chinois, les dirigeants escomptant que la confrontation d'opinions conduirait à l'émergence de nouvelles normes partagées. À ce jour, la situation est encore marquée par des contradictions non résolues, comme le montrent les résultats obtenus. En effet, la réduction du taux de fertilité, en Chine, va de pair avec une accentuation de la discrimination sexuelle dans la mortalité infantile et une augmentation considérable du recours à l'avortement en fonction du sexe du fœtus. Le même objectif, poursuivi sans recours à la contrainte, mais fondé sur une meilleure acceptation de l'égalité entre les sexes (en favorisant, entre autres, la liberté des femmes de ne pas être soumises aux grossesses à répétition), ne susciterait pas des tensions de cet ordre.

Les politiques publiques doivent mettre en œuvre les priorités qui correspondent aux valeurs sociales. Mais elles doivent aussi faciliter et garantir le débat public. Toute une série de mesures peuvent favoriser cet objectif : la liberté et l'indépendance de la presse (y compris l'absence de censure), la diffusion de la scolarisation et de l'éducation (pour les femmes en particulier), la promotion de l'indépendance économique (par l'emploi et, ici, encore, celui des femmes, en particulier) et d'autres avancées économiques et sociales qui contribuent à la participation des individus. Selon cette approche, le public doit être perçu comme un participant actif du changement et non comme le récepteur docile des instructions émises par le sommet, le destinataire passif de l'assistance qu'il dispense.

CHAPITRE XII

La liberté individuelle
comme engagement social

Quelqu'un demandait un jour à Bertrand Russell, athée convaincu, comment il réagirait s'il rencontrait Dieu, après sa mort. Le philosophe aurait alors répondu : « Je lui dirai : Dieu tout-puissant, pourquoi nous donnez-vous si peu de preuves de votre existence [1] ? » Qui oserait affirmer, en effet, que le monde brutal dans lequel nous vivons est, en réalité, gouverné par la bienveillance universelle ? Il est difficile de comprendre comment un ordre du monde fondé sur la compréhension mutuelle peut laisser place à un tel niveau de misère, de malnutrition et de désespoir, et comment des millions d'enfants, chaque année, sont condamnés à mourir par manque de nourriture, de soins médicaux ou d'aide sociale.

Les théologiens eux-mêmes se sont affrontés sur ce sujet qui hante les esprits depuis fort longtemps. Certains ont invoqué l'idée que Dieu aurait de bonnes raisons de nous soumettre aux épreuves et de nous laisser l'initiative. Je n'ai aucun titre à me prononcer sur les mérites théologiques de cette réponse. D'un point de vue intellectuel, elle me paraît toutefois satisfaisante, parce qu'elle stipule qu'il revient aux individus de prendre en charge le développement et les changements du monde dans lequel ils vivent. C'est un principe que l'on peut accepter, quelles que soient les opinions religieuses que l'on professe. Nous vivons ensemble et nous partageons, au sens le plus général, le même sort : comment échapper alors à l'idée que les situations terribles que nous voyons autour de nous sont toutes, par définition, notre problème. Tout ce qui se produit est de notre responsabilité, quand bien même des responsabilités particulières peuvent être définies plus précisément.

Il en va de notre identité d'êtres humains de nous confronter aux réalités, de nous prononcer sur le cours des choses et de définir les tâches à accomplir. Doués de raison, nous avons la faculté de prendre en considération la vie d'autrui. Notre sens des responsabilités nous permet de reconnaître nos torts (ce qui n'est pas rien), mais il nous pousse aussi à nous sentir concernés par les malheurs qui nous entourent et sur lesquels nos interventions peuvent avoir un effet. D'autres considérations entrent certes en ligne de compte, mais cette réalité est une dimension essentielle de notre existence sociale. Il ne s'agit pas, ici, du respect de règles définies qui guideraient notre comportement, mais de notre humanité commune et de sa prise en compte dans nos processus de décision [2].

Liberté et responsabilité : leurs interdépendances

Le problème de la responsabilité en appelle un autre. Chaque personne ne devrait-elle pas être intégralement responsable de ce qui lui arrive ? Pourquoi d'autres devraient-elles engager leurs responsabilité pour influencer l'existence de celle-ci ? De nombreux dirigeants politiques se sont fait, sous une forme ou une autre, les porte-parole de cette opinion et notre époque privilégie la notion d'autonomie individuelle. Selon certains, il faut aller encore plus loin : la dépendance à l'égard des autres n'est pas seulement condamnable d'un point de vue éthique, c'est aussi une véritable atteinte à l'esprit d'initiative et à l'effort individuel, voire une négation de l'estime de soi. Qui mieux que moi-même pourrait prendre soin de mes problèmes et défendre mes intérêts ?

Ce raisonnement s'appuie sur des préoccupations qu'on

ne saurait négliger. Un partage des responsabilités qui aboutirait à confier à une personne les intérêts d'une autre retirerait à cette dernière une dimension irremplaçable de son être sous forme de motivation, d'implication et de connaissance de soi. Il n'existe pas de substitut à la responsabilité individuelle. Vouloir la remplacer par la responsabilité sociale ne peut être, à un degré ou à un autre, que contreproductif.

Sa primauté étant admise, la portée de la responsabilité individuelle reste toutefois sujette à discussion. L'exercice d'un certain nombre de libertés substantielles suppose l'affirmation de notre responsabilité, or, celle-ci dépend d'un ensemble de circonstances personnelles, sociales et environnementales. Un enfant qui n'a accès à aucune forme de scolarisation subit une privation qui perdure tout au long de son existence (les activités, même les plus élémentaires, qui supposent que l'on sache lire, écrire et compter lui seront interdites). Un adulte qui, par manque de moyens, ne peut avoir accès aux soins que réclame son état de santé est non seulement vulnérable à la morbidité évitable, voire à la mortalité évitable, mais il se voit encore dénier la liberté d'accomplir certaines activités – servant son intérêt ou celui d'autres personnes – qu'il pourrait souhaiter accomplir, en tant qu'être humain responsable. Le manœuvre maintenu dans un état de semi-esclavage, la petite fille condamnée à un statut d'infériorité par une société oppressive, le paysan sans terre dépourvu des moyens de s'assurer un revenu sont tous des déshérités, non seulement en termes de bien-être, mais aussi parce qu'ils sont privés de la faculté de mener leur vie de façon responsable, la responsabilité dépendant de la jouissance d'un certain nombre de libertés. La responsabilité *exige* la liberté.

L'aide sociale, quand elle sert à développer la liberté des personnes peut, de ce fait, être conçue comme un instrument au service de la responsabilité individuelle et non comme un obstacle à celle-ci. Entre liberté et responsabilité, la relation fonctionne dans les deux sens. Sans la liberté substantielle, sans la capacité d'entreprendre une

action, une personnne ne peut être tenue pour responsable de cette action, hors de sa portée. En revanche, jouir
de la capacité, de la liberté d'accomplir quelque chose,
impose à l'individu le devoir de considérer s'il doit ou non
passer à l'acte et cela met en jeu sa responsabilité individuelle. En ce sens, la liberté est la condition nécessaire et
suffisante de la responsabilité.

Rien ne justifie que l'on envisage le problème de la responsabilité dans les termes d'une alternative exclusive
entre deux pôles : responsabilité individuelle contre
« État-nourrice ». Confier au bon vouloir d'un État protec-
teur les choix individuels n'est pas la même chose que de
lui assigner pour tâche la création des conditions susceptibles de faciliter les choix et les décisions des individus,
qui peuvent, dès lors, agir de façon responsable. Comme
il va de soi, l'engagement social en faveur de la liberté
ne devrait pas être seulement l'affaire de l'État. D'autres
institutions peuvent en être partie prenante : les organisations politiques et sociales, les institutions locales, les
organisations non gouvernementales, les médias et tous
les moyens servant à la communication publique, ainsi
que les structures qui permettent le fonctionnement du
marché et les relations contractuelles. L'acception étroite
de la responsabilité individuelle – qui revient à concevoir
l'individu comme un atome isolé, sans relations bénéfiques ou néfastes avec quiconque – doit être élargie, non
seulement en reconnaissant le rôle de l'État, mais aussi
en identifiant les fonctions d'autres agents et d'autres
institutions.

Justice, liberté et responsabilité

Pour répondre aux défis que nous pose le monde
contemporain, il est indispensable de répondre à la question suivante : quelle notion avons-nous d'une société
acceptable ? Cette première question en entraîne d'autres :
pourquoi certaines dispositions sociales sont-elles si peu
attractives ? Comment pouvons-nous œuvrer à rendre la

société plus tolérable ? Ces questions simples sont à la source des théories de l'évaluation et de la justice sociale. Je ne souhaite pas, ici, entamer un exposé détaillé des diverses théories de la justice, exercice auquel je me suis livré en d'autres occasions [3]. J'ai toutefois utilisé, tout au long de ce livre, des notions liées à l'évaluation (que j'ai brièvement expliquées dans les trois premiers chapitres) impliquant des définitions de la justice et certaines exigences, en termes d'informations. Il me paraît utile d'éclaircir maintenant les relations entre ces notions et les sujets abordés dans les autres chapitres.

En premier lieu, j'ai défendu l'idée que l'on doit partir des libertés substantielles, c'est-à-dire leur accorder la prééminence, lorsqu'on veut juger des avantages individuels et évaluer les réussites et les échecs sociaux. Ma principale préoccupation concerne notre capacité de vivre le type de vie que nous avons raison de souhaiter [4]. Cette perspective nous offre une vision du développement très éloignée des schémas habituels, qui privilégient le PNB, le progrès technique ou l'industrialisation. Quelle que soit l'importance que l'on accorde à ces indices contingents et conditionnels, ils ne sont pas les critères essentiels du développement [5].

Dans un deuxième temps, nous avons vu que la perspective des libertés n'était en rien univoque et qu'elle s'accommodait de nombreuses variations. Les libertés diffèrent les unes des autres, et nous avons pu, dès le premier chapitre, établir une distinction importante entre « l'aspect possibilité » et « l'aspect processus » de la liberté. Le plus souvent, les différents éléments constitutifs de la liberté sont associés, mais ce n'est pas toujours le cas et beaucoup dépend alors des poids relatifs placés sur les différents composants [6].

De plus, notre approche des libertés s'accommode d'une priorité relative accordée à l'efficacité ou bien à l'équité. Des divergences peuvent apparaître entre une première exigence revendiquant moins d'inégalité des libertés et une deuxième qui recherche autant de liberté qu'il est possible pour tous, quelles que soient les inégalités. Notre démarche commune permet de formuler diverses théories de la justice, appartenant toutes à une même grande classe et suivant des orientations similaires. Loin d'être propre à la perspective des libertés, la divergence entre « priorité à l'équité » et « priorité à l'efficacité » apparaît quelle que soit l'approche choisie pour juger l'avantage individuel (le bonheur ou les « utilités », ou encore les « ressources » et les « biens premiers » dont jouissent les individus). Le plus souvent, les théories de la justice proposent des formules particulières pour résoudre le conflit : pour l'utilitarisme, il s'agit de maximiser la somme totale des utilités indépendamment de leur distribution ; chez John Rawls, le principe de différence enjoint de maximiser l'avantage du plus mal loti, quelles que soient les conséquences sur les avantages de tous les autres [7].

Je ne me suis pas engagé dans cette voie. À la recherche d'une formule spécifique visant à « régler » cette question, j'ai préféré établir, autant qu'il est possible, la force et la légitimité des deux préoccupations : préoccupation agrégative et préoccupation distributive. Cette reconnaissance elle-même et l'attention portée à chacune des deux voies de l'alternative, recentre notre attention sur plusieurs questions essentielles, mais souvent négligées, liées aux politiques publiques. Toutes ont trait à la pauvreté, à l'inégalité et à la performance sociale, *vues dans la perspective de la liberté*. Comprendre que les jugements agrégatifs, tout comme les jugements distributifs sont nécessaires à l'estimation du processus de développement est l'une des clés du problème posé par le développement. Si nous ne sommes pas tenus, pour autant, de classer toutes les expériences de développement selon un ordre linéaire unique, il apparaît, en revanche, indispensable de parvenir à une définition adéquate de la base informationnelle en vue de l'évaluation, c'est-à-dire de circonscrire le type d'informations requises dans telle ou telle situation.

De fait, comme nous l'avons vu au chapitre III (et dans d'autres travaux [8]), si l'on en reste à l'énonciation d'une pure théorie de la justice, en s'enfermant trop tôt dans un système particulier pour « peser » les différents problèmes, on prend le risque de restreindre l'espace de la décision démocratique, pourtant crucial dans la résolution de ces problèmes (et crucial dans le « choix social », y compris à travers les divers processus qui mettent en jeu la participation). Les idées de la justice peuvent isoler des questions incontournables mais elles ne sauraient aboutir, comme je l'ai expliqué, au choix exclusif d'une formule détaillée de poids relatifs fournissant l'archétype unique de « la société juste [9] ».

Un exemple illustrera mon propos. Si une famine survient alors qu'elle était prévisible, il est clair que la société concernée est marquée par une forme grave d'injustice. Pour autant, il n'existe aucune raison de faire suivre ce diagnostic par l'élaboration d'un schéma particulier et unique de répartition des ressources alimentaires – ou des revenus ou des droits – entre tous les habitants du pays, au prétexte que ce schéma serait le plus juste. La véritable pertinence des idées de justice réside avant tout dans l'identification des *injustices patentes*, sur lesquelles un accord raisonnable est possible et non dans l'élaboration d'une formule générale supposée donner la clé d'une méthode de gouvernement universelle.

Troisièmement, lorsqu'on identifie des problèmes – y compris des cas d'injustice patente ou d'autres situations qui contreviennent aux principes fondamentaux de l'éthique –, il est souvent indispensable, si l'on veut parvenir à une reconnaissance commune à tous de l'« injustice », que soit menée une discussion ouverte sur les moyens et les fins susceptibles d'y remédier. Il n'est pas rare que des situations d'inégalité criante (raciale, sexuelle, ou de classe) se nourrissent de la conviction partagée qu'« il n'existe pas d'autre choix » (selon la formule rendue populaire par Margaret Thatcher, dans un contexte, qui, sur le fond, n'est pas si éloigné de notre propos). Dans les sociétés les plus oppressives à l'égard des femmes, par exemple, la simple notion que l'ordre des choses n'est pas immuable suppose aussi bien la diffusion d'un savoir empirique que la discussion d'arguments analytiques et même cette tâche préliminaire peut se révéler d'une grande complexité [10]. Le rôle de la discussion publique, comme instrument de remise en question des usages traditionnels, dans leurs aspects pratiques et dans leur légitimité, peut être essentielle à la reconnaissance des injustices.

Si l'on admet l'importance du débat public dans la formation et l'utilisation de nos valeurs sociales (y compris dans le choix de principes et des critères exclusifs les uns des autres) les droits civiques et les libertés politiques apparaissent indispensables à l'émergence des valeurs sociales. De fait, la liberté de participer à l'élaboration critique et au processus de formation des valeurs est l'une des libertés prééminentes de notre existence sociale. Il n'est pas imaginable que le choix des valeurs sociales soit réservé aux détenteurs de l'autorité, qui contrôlent les leviers gouvernementaux. J'en reviens à l'une des questions les plus fréquentes dans l'abondante littérature consacrée au développement : la démocratie et les droits politiques et civiques favorisent-ils le développement ? Comme nous l'avons vu dans l'introduction et dans le premier chapitre cette formulation est fondamentalement viciée, puisque, au contraire, l'émergence et la consolidation de ces droits devraient apparaître comme des éléments *constitutifs* du processus du développement.

Il est important de distinguer ce premier aspect de la fonction *instrumentale* de la démocratie et des avantages qui y sont liés, en termes de sécurité et de protection pour les groupes sociaux les plus vulnérables. L'exercice des droits politiques et civiques contraint, en effet, les États à adopter une attitude plus réactive à l'égard de ces groupes, ce qui contribue, comme l'a montré la pratique, à éviter les pires désastres économiques, par exemple, les famines. Au-delà, je le souligne à nouveau, la promotion des libertés civiles est essentielle au processus de développement lui-même. Cette exigence ne vaut pas seulement pour les pays économiquement arriérés, la démocratie signifie aussi la liberté d'agir en tant que citoyens impliqués dont la voix compte et non de se contenter d'un état de vassalité, rendu supportable par l'abondance de biens matériels.

Quatrièmement, une approche de la justice et du développement fondée sur les libertés substantielles privilégie le rôle d'agent et les jugements émis par les individus : on ne saurait les appréhender comme des « patients » auxquels seront administrés des bienfaits, grâce au processus de développement. Les adultes responsables doivent prendre en charge leur propre bien-être, il leur revient de décider à quelles fins ils souhaitent utiliser leurs capacités. Mais les capacités dont jouit en pratique un individu (et non celles qu'il peut envisager de mettre en œuvre théoriquement) dépendent de la réalité sociale et de la façon dont elle permet l'expression des libertés. De ce point de vue, l'État et la société ont des responsabilités à assumer.

Par exemple, là où persiste le travail servile, il est de la responsabilité de la société de mettre fin à cette situation et de créer des conditions dans lesquelles la main-d'œuvre puisse librement accepter un autre emploi. De la même manière, les politiques économiques devraient inclure au rang de leurs priorités la création d'emplois, sachant que les conditions d'existence élémentaires d'une immense majorité de citoyens en dépendent. Comme il va de soi, lorsque les emplois existent, les attitudes et les stratégies professionnelles de chacun relèvent alors de la responsabilité individuelle. Dans le même ordre d'idées, si l'impossibilité pour un enfant de bénéficier d'une éducation, ou pour une personne malade d'accéder à des soins mettent en cause des responsabilités sociales, la façon dont les individus tirent parti de leur formation scolaire ou de leur santé relève de leur propre choix.

Notons encore que la responsabilisation des femmes, à travers l'accès à l'éducation, au travail, au droit de propriété, etc., leur donne une plus grande liberté et, en conséquence, augmente leur influence dans toute une série de domaines, qu'il s'agisse de la répartition au sein du foyer (des soins médicaux, de la nourriture ou d'autres biens) ou du taux de fertilité. L'exercice de cette plus grande liberté est, là encore, du ressort de chacun. Que les évolutions réelles reflètent les prévisions statistiques (il est prévisible, par exemple, que l'accès des femmes à l'éducation et au travail à l'extérieur du foyer s'accompagne d'une baisse de la fertilité et de la fréquence des grossesses) ne contredit en rien l'initiative individuelle. Il s'agit seulement, en l'occurrence, d'une anticipation de l'exercice de la liberté par les femmes.

Pourquoi la primauté aux libertés ?

La perspective des libertés, telle que ce travail l'a définie, n'a pas pour vocation d'invalider l'abondante littérature consacrée au changement social et qui, au cours des siècles, a enrichi notre compréhension des processus humains. Dans la période récente, les travaux sur le développement ont porté, pour l'essentiel, sur des indicateurs fragmentaires du développement, tels que la croissance du PNB par habitant. Il va de soi que rien ne nous empêche de renouer avec une tradition aux vues moins limitées. Des voix autrement puissantes se sont fait entendre, à commencer par celle d'Aristote, dont les idées ont été une source d'inspiration pour ce livre. (Rappelons-nous le diagnostic du philosophe dans son *Éthique à Nicomaque* : « La richesse n'est évidemment pas le bien que nous recherchons, car elle est simplement utile à autre chose [11]. ») Cela s'applique aussi à d'autres pionniers de l'économie « moderne », comme William Petty, l'auteur de *Political Arithmetick* (1691), qui inventa la comptabilité du revenu national et multiplia les exposés excitants sur une multitude de sujets [12].

De fait, l'idée que la promotion des libertés est à la fois un puissant facteur du changement social et économique et un indicateur des évolutions n'est pas nouvelle. Adam Smith a exprimé son souci des libertés humaines [13]. Karl Marx aussi, dans de nombreux écrits, en particulier lorsqu'il soulignait l'importance qu'il y avait à « remplacer la domination des circonstances et du hasard sur les individus, par la domination des individus sur le hasard et les circonstances [14] ». Pour John Stuart Mill, que scandalisait le déni de libertés fait aux femmes, la protection et la promotion de la liberté allaient de pair avec la perspective utilitariste [15]. Friedrich Hayek, expliquant minutieusement qu'il était nécessaire de replacer les progrès économiques dans une formulation plus générale des libertés, écrivait : « Les considérations économiques sont simplement celles qui nous permettent de réconcilier et d'ajuster nos différentes perspectives, lesquelles ne sont, en dernier ressort, jamais de nature économique (sauf pour l'avare ou pour quiconque considère l'accumulation d'argent comme une fin en soi) [16]. »

Plusieurs économistes du développement ont aussi souligné l'importance de la liberté de choix comme critère du développement. Peter Bauer, par exemple, dont les avis jurent souvent avec ceux de ses pairs caractérise ainsi le développement :

> « Je considère l'extension de l'éventail des choix, c'est-à-dire l'augmentation du nombre effectif de possibilités ouvertes aux gens, comme l'objectif prioritaire et le critère principal du développement économique et j'estime toute mesure principalement par son effet probable sur l'éventail des choix ouverts aux individus [17]. »

W. A. Lewis juge aussi, dans son ouvrage célèbre, *The Theory of Economic Growth*, que le développement vise à augmenter « l'éventail du choix humain ». Toutefois, après avoir établi ce critère, l'auteur choisit de concentrer son analyse, plus simplement, sur « la croissance de la production par habitant », en voyant là la source d'un plus grand contrôle « par les hommes de leur environnement ce qui, partant, accroît leur liberté » [18]. Sans aucun doute, dans des circonstances données, la croissance de la production et du revenu étend l'éventail des choix humains, en particulier quant aux biens qu'ils peuvent acheter. Cependant, comme nous l'avons vu précédemment, les choix conséquents sur les sujets décisifs dépendent aussi de beaucoup d'autres facteurs.

Quels avantages offre la perspective des libertés ?

À ce point, on ne peut éviter la question suivante : y a-t-il une différence fondamentale dans l'analyse du développement, une divergence de fond fondamentale entre la focalisation sur « la croissance de la production par habitant » (ou sur d'autres indicateurs comme le PNB par habitant), préconisée par W. A. Lewis ou d'autres, et la concentration sur les libertés humaines et leur extension ? Comme W. A. Lewis a raison de le souligner, les interconnexions sont évidentes. Pourtant les deux approches ne convergent pas. Quel avantage avons-nous à privilégier les libertés ?

Deux raisons distinctes sont à l'origine des différences, liée, pour l'une, à l'« aspect processus », pour l'autre, à l'« aspect possibilités » de la liberté. En premier lieu, la liberté étant en relation avec *les processus de décision* et avec *les possibilités d'atteindre un résultat souhaité*, nous ne pouvons restreindre notre domaine d'intérêt aux seuls résultats qui expriment, sous une forme ou sous une autre, l'amélioration de la production ou du revenu ou la création de conditions favorables à une plus forte consommation (ou à toute autre variable exprimant la seule notion de croissance économique). On serait alors tenu, au mieux, de ramener des processus aussi importants que la participation aux décisions politiques et aux choix sociaux, au rang de *moyens* du développement (dans la mesure, par exemple, où ils contribuent à la croissance économique), alors qu'il est indispensable de les analyser comme constitutifs des *fins* du développppement.

Une seconde raison nourrit la différence entre le développement comme liberté et la perspective plus conventionnelle : elle est propre, cette fois, à *l'aspect possibilités*. En analysant le développement comme liberté, nous devons examiner – au-delà des libertés qui sont à l'œuvre dans les processus économiques, sociaux et politiques – dans quelle mesure les gens ont la possibilité d'atteindre les résultats qu'ils souhaitent et qu'ils ont raison de souhaiter. Le niveau de revenu n'est certes pas une donnée négligeable, il donne aux gens la possibilité d'acheter des biens et des services et de jouir du niveau de vie correspondant. Mais comme certaines des analyses empiriques présentées au cours des précédents chapitres l'ont montré, le niveau de revenus ne recoupe pas toujours d'autres données aussi importantes que la liberté de vivre longtemps, ou la capacité d'échapper à la morbidité évitable ou encore la possibilité d'occuper un emploi gratifiant ou de vivre dans un environnement paisible et sûr. Ces diverses variables n'ont pas de liens directs avec le niveau de revenus ou avec la prospérité économique et pourtant elles reflètent des possibilités qu'il est légitime de souhaiter.

Ainsi, sous ces deux aspects – processus et possibilités – il apparaît indispensable de dépasser la perspective traditionnelle du développement en termes de « croissance de la production par habitant ». Ajoutons encore une différence fondamentale, selon que l'on accorde à la liberté sa valeur en fonction *exclusive* de l'usage qui peut en être fait ou *au-delà* de cet aspect. Friedrich Hayek a souligné la distinction de façon quelque peu outrancière (un réflexe, chez lui, habituel) en expliquant : « L'importance que nous acordons à la liberté d'accomplir telle ou telle activité n'a rien à voir avec la question de savoir si quiconque parmi nous est susceptible un jour de mettre en œuvre cette possibilité [19]. » Cependant, il avait tout à fait raison de distinguer entre l'importance *dérivée* de la liberté (qui ne dépend que de son usage réel) et son importance intrinsèque (qui nous met en situation de choisir, y compris si nous ne sommes pas amenés à opérer ce choix).

Dans certaines situations, il est tout à fait sensé de rejeter une option possible. Ainsi, lorsque Mahatma Gandhi utilisait le jeûne comme arme politique contre la politique coloniale anglaise, il n'était pas simplement réduit à la famine, il rejetait la possibilité de manger (ce qui est précisément la définition du jeûne). Son action n'avait de sens que parce qu'il avait le choix de se nourrir et qu'il refusait cette option. Une victime de la famine ne peut pas utiliser cette arme politique [20].

Bien que je ne souhaite pas suivre Friedrich Hayek dans sa distinction absolue (en dissociant la liberté de son usage effectif), il me paraît essentiel d'insister sur les différentes facettes de la liberté. L'aspect *processus* diffère de son aspect *possibilité* et ce dernier doit être compris selon son importance *dérivée* autant que selon son importance *intrinsèque*. De plus, la liberté de participer aux discussions publiques et aux interactions sociales peut aussi avoir un rôle constructif dans la formation des valeurs et de la morale.

Capital humain, capacité humaine

J'en viens maintenant à une autre distinction qui exige, à son tour, un commentaire rapide. Elle concerne, d'une part, la notion, aujourd'hui entrée dans les usages, de « capital humain » et, d'autre part, le concept central à ce livre de « capacité humaine », vu comme expression de la liberté. Dans l'analyse économique contemporaine, la définition même d'accumulation du capital a évolué d'une approche principalement matérielle vers une autre qui intègre, au premier chef, les qualités productives des êtres humains. La formation, sous toutes ses formes, améliore la productivité, qui, à son tour, contribue à l'expansion économique [21]. Quantité de travaux récents, consacrés à la croissance économique (et souvent influencés par l'expérience japonaise, ou encore par celle de l'Asie de l'Est, de l'Europe et de l'Amérique du Nord) reflètent cet intérêt accru pour le « capital humain ».

Cette évolution recoupe-t-elle notre approche du développement comme liberté ? En particulier, quelle relation peut-on établir entre la notion de capital humain et notre intérêt pour la « capacité humaine » ? Les deux orientations placent l'humain au centre des préoccupations, mais est-ce assez pour déceler une forte convergence ? Au risque d'une simplification excessive, on pourrait dire que les tenants du « capital humain » tendent à privilégier la fonction d'agents des individus, pour autant que celle-ci favorise les possibilités productives. De son côté, notre perspective, celle des capacités met en avant la faculté – c'est-à-dire la liberté substantielle – qu'ont les gens de vivre la vie qu'ils souhaitent et qu'ils ont raison de souhaiter et l'amélioration des choix à leur disposition, pour y parvenir. Malgré un intérêt commun pour les compétences et les savoir-faire que les humains peuvent acquérir et d'autres similitudes évidentes, les critères de l'évaluation, dans un cas et dans l'autre, portent sur des objectifs différents.

En fonction de ses acquis personnels, de son environnement social et économique et d'autres facteurs, une personne à la possibilité de réaliser un certain nombre de projets qu'elle a raison d'élaborer. La valeur accordée par cette personne à ses projets peut être ou bien *directe* (le fonctionnement mis en œuvre contribue directement à enrichir son existence : par exemple, elle sera bien nourrie, jouira d'une bonne santé) ou encore *indirecte* (le fonctionnement contribue à une production ou crée une valeur d'échange sur le marché). En principe, et si on la définit dans son sens le plus large, la perspective du capital humain peut intégrer les deux formes d'évaluation, mais l'usage montre qu'elle concerne avant tout la valeur indirecte, c'est-à-dire les qualités humaines susceptibles d'être employées comme « capital », dans la *production* (sur le modèle des composants matériels du capital). Ainsi, on peut dire que la perspective plus étroite du capital humain ne couvre que l'un des versants de la problématique plus générale des capacités, qui prend en compte les conséquences directes et indirectes des facultés humaines.

Ici encore, un exemple illustrera mon propos. Si l'éducation améliore la productivité d'un individu, le « capital humain » s'en trouve indiscutablement amélioré, puisque la valeur de la production économique s'accroît, ainsi que les revenus de l'individu qui a bénéficié de cette éducation.

Considérons maintenant un autre individu qui a reçu la même éducation sans que ses revenus en soient accrus. Il tirera tout de même parti de cet avantage sous d'autres formes (par la lecture, la faculté de communiquer, d'argumenter, de s'informer, d'être pris au sérieux, etc.). Les bénéfices de l'éducation vont bien au-delà de leur apport au capital humain dans la production de biens. La perspective des capacités accorde toute leur place et toutes leur valeur à ces autres fonctions. On voit donc ce qui distingue ces deux perspectives, somme toute assez proches.

Au cours de la période récente, des transformations significatives ont accompagné la reconnaissance accordée au rôle du capital humain. Elles peuvent nous aider à comprendre la pertinence de notre perspective, celle des capacités. En effet, si un individu est en mesure d'améliorer sa productivité économique en bénéficiant d'une meilleure éducation, d'un meilleur accès aux services de santé, etc., on peut supposer, en toute légitimité, que les mêmes moyens, permettront aussi à cet individu d'atteindre d'autres objectifs et, d'abord, de choisir librement ses objectifs.

La perspective des capacités suppose que l'on en revienne à une approche plus intégrée du développement économique et social, telle que l'avait abordée, à son époque, Adam Smith (aussi bien dans *La Richesse des nations* que dans sa *Théorie des sentiments moraux*). En analysant les facteurs qui déterminent les possibilités de production, Adam Smith insistait sur le rôle de l'éducation, autant que sur la division du travail et sur l'apprentissage par l'exemple et par l'acquisition de compétences. Mais le développement de la capacité humaine, contribuant à l'intérêt de l'existence (autant qu'à l'amélioration de la productivité) est une donnée centrale dans l'analyse de ce qui constitue « la richesse des nations ».

Adam Smith professait une conviction inébranlable dans l'utilité de l'éducation et de l'apprentissage. Dans le débat de l'inné et de l'acquis, qui se poursuit aujourd'hui, Adam Smith était un partisan intransigeant – et parfois même dogmatique – de l'acquis, conformément à la confiance qu'il exprime dans les possibilités d'amélioration des capacités humaines.

Les dons entre les hommes diffèrent beaucoup moins qu'il n'y paraît ; et les talents qui les distinguent, selon leur profession, lorsqu'ils arrivent à maturité, ne sont, dans beaucoup d'occasions, pas tant la cause que l'effet de la division du travail. La différence entre les personnages les plus éloignés, un philosophe et un simple portefaix, par exemple, semble naître moins de la nature, que de l'usage, des coutumes et de l'éducation. L'un et l'autre, lorsqu'ils sont venus au monde et pendant les six à huit premières années de leur vie étaient très semblables, peut-être, et ni leurs parents, ni leurs camarades de jeux ne pouvaient alors percevoir de différences notables [22].

Je ne me livrerai pas, ici, à un examen des positions intransigeantes d'Adam Smith, mais je note avec intérêt qu'il lie les *facultés productives* et les *styles de vie* à l'éducation et aux apprentissages et qu'il défend l'idée d'une possible amélioration des deux ensembles [23]. Ce postulat vaut aussi pour les capacités et explique la portée de notre perspective [24].

Du point de vue de l'évaluation, il existe une différence essentielle entre la problématique du capital humain et celle des capacités, elle recoupe la distinction classique entre les moyens et les fins. Reconnaître le rôle des qualités humaines dans la croissance économique – et cette reconnaissance est cruciale – ne nous indique d'aucune manière *pourquoi* nous devons accorder tant d'importance à la croissance économique. En revanche, quand nos préoccupations portent, en dernière instance, sur la liberté de vivre le genre de vies que les gens ont raison de souhaiter, alors le rôle de la croissance économique – parce qu'elle contribue à la création de possibilités nouvelles – peut être intégrée à une compréhension plus fondamentale du développement comme processus d'expansion des capacités humaines de vivre des vies plus riches et plus libres [25].

La portée pratique de cette distinction concerne l'élaboration des politiques publiques. Il ne fait aucun doute que la prospérité économique contribue à améliorer les choix des gens et leur permet de mener une vie plus satisfaisante, mais on peut en dire autant de l'éducation, de la santé et d'autres facteurs qui influencent les libertés effectives dont jouissent les individus. Ces « développements sociaux » sont des composantes directes du « développement » qui nous aident à vivre plus longtemps, plus librement et de façon plus fructueuse, *en plus* du rôle qu'ils remplissent dans l'amélioration de la productivité, de la croissance économique ou des revenus individuels [26]. Le concept de capital humain, par sa prise en compte plus scrupuleuse des « resssources productives » représente sans doute une avancée significative. Mais il ne se suffit pas à lui-même. Et cela, parce qu'on ne saurait réduire les êtres humains à des moyens de production. Ils sont aussi la finalité.

De fait, au cours de la controverse qui l'opposait à David Hume, Adam Smith eut l'occasion de souligner que toute définition de l'être humain dans les seuls termes de son utilité productive amputait la nature même de notre humanité :

> « Il semble impossible que la vertu puisse relever d'une approbation semblable à celle que nous manifestons à l'égard d'un bâtiment bien conçu ou offrant de nombreuses commodités, ou que nous ne puissions trouver d'autres raisons d'apprécier un homme que celles pour lesquelles nous apprécions une commode à tiroirs [27]. »

Pour toute sa pertinence, le concept de capital humain ne suffit pas. Nous devons dépasser cette notion, envisager les êtres humains dans une perspective plus large (et sortir de l'analogie avec la commode). Et il s'agit bien ici d'un élargissement et non d'une perspective antagonique à celle du capital humain.

Notons encore que, dans leur fonction instrumentale, les capacités humaines et leur expansion sont des vecteurs du changement *social* (bien au-delà du changement *économique*). De fait, le rôle des humains, comme instruments du changement, dépasse de beaucoup la production économique (circonscrite par la perspective du capital humain) et inclut aussi le développement social et politique. Nous avons vu précédemment, par exemple, que la généralisation de la scolarisation des filles permettait de réduire les inégalités liées au sexe dans la répartition au sein de la famille, qu'elle contribuait à réduire les taux de fertilité et de mortalité infantile. La diffusion de l'éducation contribue aussi à améliorer la qualité du débat public. En dernier ressort, ces succès sont capitaux – mais ils ne se situent pas sur le terrain de la production de marchandises.

Une meilleure compréhension du rôle des capacités humaines nécessite de prendre en compte :

1) leur importance *directe* pour le bien-être et la liberté des gens ;

2) leur rôle *indirect* par l'influence qu'ils exercent sur le changement social et

3) leur rôle *indirect*, par l'influence qu'ils exercent sur la production économique.

La perspective des capacités prend en ligne de compte chacun de ces aspects, quand « l'école du capital humain » considère en priorité le troisième de ces rôles. Pour partie, le terrain est commun. Mais il est indispensable de dépasser cette acception restreinte du capital humain afin d'appréhender le développement comme liberté.

Remarque finale

Tout au long de ce livre, je me suis efforcé de présenter, d'analyser et de défendre une approche particulière du développement, conçu comme le processus d'expansion des libertés substantielles dont les gens disposent. J'ai utilisé la perspective des libertés, à la fois dans l'analyse évaluationnelle, comme moyen d'estimer les changements et dans l'analyse descriptive et prévisionnelle en percevant la liberté comme un facteur déterminant du changement.

J'ai discuté les conséquences de cette approche pour l'analyse des politiques publiques et pour la compréhension des interconnexions économiques, politiques et sociales. Les institutions les plus diverses – administrations, partis politiques, organisations non gouvernementales, médias, associations, structures législatives, judiciaires ou liées au fonctionnement du marché – contribuent au processus de développement, précisément par les effets qu'elles peuvent avoir sur la promotion ou la garantie des libertés. L'analyse du développement exige une approche inclusive, intégrant les rôles respectifs de ces diverses institutions et de leurs interactions. La formation des valeurs, l'émergence et l'évolution d'une éthique sociale sont aussi des composantes du processus de développement et requièrent, de ce fait, toute notre attention, au même titre que le fonctionnement des marchés ou d'autres institutions. Dans cette étude, je me suis efforcé de comprendre et de décrire cette structure complexe et d'en tirer des leçons dans la perspective du développement.

La liberté est polymorphe, chacun de ses aspects renvoie à des activités et à des institutions diverses. On ne saurait en extraire une vision du développement susceptible de se résumer à une « formule » unique, donnant les clés de l'accumulation du capital, de l'ouverture des marchés ou d'une planification économique efficace (même si chacun de ces aspects s'inscrit dans notre perspective). Une exigence permet toutefois d'organiser ce matériel hétérogène en un ensemble cohérent : la promotion des libertés individuelles et de l'engagement social pour favoriser le processus de développement. Ce principe unificateur est important, mais il ne doit pas nous faire perdre de vue que le concept de liberté recouvre, par définition, des aspects divers, certains, comme je l'ai longuement exposé, concernant les processus et d'autres des possibilités.

En aucun cas, nous ne devons déplorer cette diversité. Ou, pour le dire dans les termes de William Cowper :

« La liberté a mille charmes à montrer
Que les esclaves, même les plus satisfaits, ne connaîtront
jamais. »

Le développement est un engagement qui va de pair
avec celui de la liberté.

Notes

Notes du chapitre premier

1. Upanishad Brihadaranyaka 2.4, 2-3.

2. Aristote, *Éthique à Nicomaque*, I, 1-I,5c (traduction française de J. Tricot, Paris, Vrin, 1959).

3. Sur les différents aspects de l'évaluation sociale centrée sur les libertés, voir mes travaux antérieurs : « Equality of What ? », *Tanner Lectures on Human Values*, vol. 1 (Cambridge University Press, 1980) ; *Choice, Welfare and Measurement* (Oxford, Blackwell ; Cambridge, Mass., MIT Press, 1982, republié par Harvard University Press, 1997) ; *Resources, Values and Development*, Harvard University Press, 1984 ; « Well-Being, Agency and Freedom : The Dewey Lectures 1984 », *Journal of Philosophy* 82, avril 1985 ; *Inequality Reexamined* (Oxford, Clarendon Press ; Cambridge, Mass., Harvard University Press, 1992). Voir aussi *The Quality of Life* (Oxford, Clarendon Press, 1993) sous la direction de Martha Nusbaum et Amartya Sen.

4. Voir mes Kenneth Arrow Lectures, dans *Freedom, Rationality and Social Choice : Arrow Lectures and Other Essays* (Oxford, Clarendon Press, à paraître). Divers problèmes techniques liés à l'évaluation de la liberté sont examinés dans cette analyse.

5. Les raisons évaluationnelles et opérationnelles sont examinées plus à fond dans « Right and Agency », *Philosophy and Public Affairs II* (1982), repris dans *Consequentialism and Its Critics*, édité par Samuel Scheffler ; « Well-Being, Agency and Freedom » ; *On Ethics and Economics* (Oxford, Blackwell, 1987).

6. Ces composants correspondent respectivement à l'aspect processus et à l'aspect possibilité de la liberté, tels que je les ai analysé dans mes Kenneth Arrow Lectures, *Freedom, Rationality and Social Choice*, cité plus haut.

7. J'ai abordé la question du « ciblage » lors de mon allocution

devant la Conférence annuelle de la Banque mondiale sur le développement économique, en 1992. Le texte, « The Political Economy of Targeting », a été publié dans *Public Spending and the Poor : Theory and Evidence*, sous la direction de Dominique van de Walle et Kimberly Nead (Baltimore, Johns Hopkins University Press, 1995). Sur la question de la liberté politique comme facteur du développement, voir mon article « Freedom and Needs », *New Republic*, 10 et 17 janvier 1994.

8. J'ai exposé ce problème dans « Missing Women », *British Medical Journal* 304 (1992).

9. Ces comparaisons et quelques autres sont présentées dans mon article « The Economics of Life and Death », *Scientific American*, 266 (avril 1993), et dans « Demography and Welfare Economics », *Empirica*, 22 (1995).

10. Sur ce point voir les références médiclas citées dans « The Economics of Life and Death » *(supra)*. Voir aussi Jean Drèze et Amartya Sen, *Hunger and Public Action* (Oxford, Clarendon Press, 1989). On pourra aussi consulter M. F. Perutz, « Long Live the Queen's Subjects », *Philosophical Transactions of The Royal Society of London*, 352 (1997).

11. La comparaison se fonde sur les données utilisées pour le calcul de l'espérance de vie (pour 1990) par C.J.L. Murray, C.M. Michaud, M.T. McKenna et J. S. Marks, dans *US Patterns of Mortality by County and Race : 1965-1994* (Cambridge, Mass., Harvard Center for Population and Development Studies, 1998). Voir en particulier le tableau 6d.

12. Voir Colin McCord et Harold P. Freeman, « Excess Mortality in Harlem », *New England Journal of Medicine*, 322 (18 janvier 1990), voir aussi M.W. Owen, S. M. Teutsch, D.F. Williamson et J.S. Marks, « The Effects of Known Risk Factors on the Excess Mortality of Black Adults in the United States », *Journal of the American Medical Association*, 263, n° 6 (9 février 1990).

13. Voir *The Quality of Life* (Oxford, Clarendon Press, 1993) sous la direction de Martha Nusbaum et Amartya Sen.

14. Voir Martha Nussbaum, « Nature, Function and Capability : Aristotle on Political Distribution », *Oxford Studies in Ancient Philosophy* (1988, supplementary Volume), voir aussi *The Quality of Life (supra)*.

15. Voir Adam Smith, *Recherches sur la nature et les causes de la richesse des nations* (Flammarion, 1991), volume 2, livre 5, chapitre 2.

16. Sur ces problèmes, voir mon livre *The Standard of Living* (Cambridge University Press, 1987).

17. Lagrange élaborait alors la première analyse de ce qu'on

appelle aujourd'hui « la nouvelle approche de la consommation ». À ce sujet, voir mon *Standard of Living* (1987).

18. À l'exception de Robert Nozick, *Anarchie, État et Utopie* (PUF, 1988).

19. Ce contexte explique le soutien d'Adam Smith à la législation contre l'« usure » et sa volonté de voir contrôlés les troubles engendrés par une trop grande indulgence à l'égard des spéculateurs, ceux que l'économiste appelait « les prodigues et les projeteurs ». Voir *La Richesse des nations* (PUF, 1995) volume I, livre 2, chapitre 4. Le terme de « projeteur » est à entendre dans son sens de fraudeur, spéculateur (voir *The Shorter Oxford English Dictionary*). Giorgio Basevi a attiré mon attention sur l'emploi du mot par Jonathan Swift, dans *les Voyages de Gulliver*, publiés en 1726, cinquante ans avant *La Richesse des nations*.

20. Les divers contextes dans lesquels intervient la distinction entre « résultats agrégatifs » et « résultats compréhensifs » sont au centre de mon article « Maximization and the Act of Choice », *Econometrica* 65 (juillet 1997). Concernant la pertinence de cette distinction dans le cas spécifique du mécanisme de marché et de ses alternatives, voir mon mon article « Markets and Freedom », *Oxford Economic Papers* 45 (1993), ainsi que « Markets and the Freedom to Choose », *in The Ethical Foundations of the Market Economy*, édité par Horst Siebert (Tübingen, J.C.B. Mohr, 1994). Voir aussi le chapitre 4 du présent ouvrage.

21. J.R. Hicks, *Wealth and Welfare* (Oxford, Basil Blackwell, 1981), p. 138.

22. Robert W. Fogel et Stanley L. Engerman, *Tim on the Cross : The Economics of American Negro Slavery* (Boston, Little Brown, 1974), p. 125-126.

23. *Ibid.*, p. 237-238.

24. Différents aspects de cette question cruciale ont été examinés par Fernando Henrique Cardoso, *Capitalismo e Escravidao no Brasil Meridionel : O negro na sociadade escravocrata do Rio Grande do Sul* (Rio de Janeiro, Paz e Terra, 1977) ; Robin Blackburn, *The Overthrow of Colonial Slavery, 1776-1848* (Londres et New York, Verso, 1988) ; Tom Brass et Marcel van der Linden, éditeurs, *Free and Unfree Labour* (Berne, European Academic Publishers, 1997) ; Stanley L. Engerman, éditeur, *Terms of Labor : Slavery, Serfdom and Free Labor* (Stanford, Calif., Stanford University Press, 1998).

25. Karl Marx, *Le Capital*, chapitre 10, section 3. Voir aussi les *Grundrisse*.

26. V.K. Ramachandran, *Wage, Labour and Unfreedom in Agriculture : an Indian Case Study* (Oxford, Clarendon Press, 1990), p. 1-2.

27. On trouvera une remarquable étude empirique de cet aspect de la dépendance dans Sudipto Mundle, *Backwardness and Bondage :*

Agrarian Relations in a South Bihar District (New Delhi, Indian Institute of Public Administration, 1979).

28. Sur ce point, voir *Decent Work : The Report of the Director-General of the ILO* (Genève, OIT, 1999). C'est l'un des points auxquels le nouveau directeur général Juan Somavia accorde la priorité.

29. Ce point de vue est développé vigoureusement par Stephen M. Marglin et Frederique Appfel Marglin, éditeurs de *Dominating Knowledge* (Oxford, Clarendon Press, 1993). Pour une perspective anthropologique, voir aussi Veena Das, *Critical Events : An Anthropological Perspective on Contemporary India* (Delhi, Oxford University Press, 1995).

Notes du chapitre II

1. J'ai discuté cette antinomie dans un précédent article : « Development Thinking at the Beginning of the 21st Century », *in Economic and Social Development into the XX Century*, sous la direction de Louis Emmerij (Washington D.C., Inter-American Development Bank, diffusé par Johns Hopkins University Press, 1997). Voir aussi mon article : « Economic Policy and Equity : An Overview », *in Economic Policy and Equity*, sous la direction de Vito Tanzi, Ke-young Chu et Sanjeev Gupta (Washington D.C., Fonds monétaire international, 1999).

2. Ce chapitre a inspiré l'adresse que j'ai prononcée lors du Symposium sur la finance mondiale et le développement, organisé par la Banque mondiale, à Tokyo, les 1er et 2 mars 1999.

3. Voir Jean Drèze et Amartya Sen, *Hunger and Public Action* (Oxford, Clarendon Press, 1989).

4. Voir : Banque mondiale, *The East Asian Miracle : Economic Growth and Public Policy* (Oxford, Oxford University Press, 1993). Voir aussi *Vito Tanzi et al., Economic Policy and Equity* (1999).

5. Voir Hiromitsu Ishi, « Trends in the Allocation of Public Expenditure in Light of Human Resource Development – Overview in Japan », polycopié, Asian Development Bank, Manille, 1995. Voir aussi Carol Gluck, *Japan's Modern Myths : Ideology in the Late Meiji Period* (Princeton, Princeton University Press, 1985).

6. Voir Jean Drèze et Amartya Sen, *India : Economic Development and Social Opportunity* (Delhi, Oxford University Press, 1995), et *Public Report on Basic Education in India* (Delhi, Oxford University Press, 1999).

7. Sudhir Anand et Martin Ravallion, « Human Development in Poor Countries : On the Role of Private Incomes and Public Services », *Journal of Economic Perspectives* 7 (1993).

8. Sur ce point voir mon livre en collaboration avec Jean Drèze, *India : Economic Development and Social Opportunity* (1995).

9. Drèze et Sen, *Hunger and Public Action* (1989), en particulier le chapitre 10.

10. Le Kérala est un État, non un pays. Il compte néanmoins une population de quelque 30 millions d'habitants, plus importante que celle de la majorité des pays du monde, tel que le Canada, par exemple.

11. Voir mon article « From Income Inequality to Economic Inequality », publié dans *Southern Economic Journal* 64 (octobre 1997) et « Mortality as an Indicator of Economic Success and Failure » (Florence, Unicef, 1995) publié dans *Economic Journal* 108 (janvier 1998).

12. Voir aussi Richard A. Easterlin, « How Beneficent is the Market ? A look at the Modern History of Mortality », polycopié, University of Southern California, 1997.

13. À ce sujet, voir Drèze et Sen, *Hunger and Public Action* (1989).

14. Je reviendrai plus loin sur cette question, voir aussi Drèze et Sen, *India : Economic Development and Social Opportunity* (1995).

15. Mon livre, en collaboration avec Jean Drèze, *India : Economic Development and Social Opportunity* (1995) expose avec précisions la nécessité du soutien aux politiques publiques favorisant l'ouverture du marché et s'accompagnant d'une rapide expansion des infrastructures sociales (santé et éducation élémentaire).

16. Voir Robert W. Fogel, « Nutrition and the Decline in Mortality since 1700 : Some Additional Preliminary Findings », National Bureau of Economic Research, 1986 ; Samuel H. Preston, « Changing Relations Between Mortality and Level of Economic Development », *Population Studies* 29 (1975), et « American Longevity : Past, Present and Future », *Policy Brief* n° 7, Maxwell School of Citizenship and Public Affairs, Syracuse University, 1996. Voir aussi Lincoln C. Chen, Arthur Kleinman et Norma C. Ware, *Advancing Health in Developing Countries* (New York, Auburn House, 1992) ; Richard G. Wilkinson, *Unhealthy Societies : The Afflictions of Inequality* (New York, Routledge, 1996) ; Richard A. Easterlin, « How Benificent is the Market ? » (1997).

17. Voir J. M. Winter, *The Great War and the British People* (Londres, McMillan, 1986).

18. Voir R. M. Titmuss, *History of the Second World War : Problems of Social Policy* (Londres, HMSO, 1950).

19. Sur ce point, voir R. J. Hammond, *History of the Second World War : Food* (Londres, HMSO, 1951). Voir aussi R. M. Titmuss, *History of the Second World War : Problems of Social Policy* (1950).

20. Voir Winter, *Great War and the British People* (1986).

21. À défaut de chiffres pour l'ensemble de la Grande-Bretagne, nous avons utilisé les données de l'Angleterre et du Pays de Galles, soit l'immense majorité du pays.

22. Voir les ouvrages de R. J. Hammond, R. M. Titmuss et J. M. Winter, cités plus haut, ainsi que les travaux auxquels ils se réfèrent et, d'autre part, les commentaires et les références dans Drèze et Sen, *Hunger and Public Action* (1989), chapitre 10.

23. J'ai discuté cette question dans « Development : Which Way now ? », *Economic Journal* 92 (décembre 1982) et *Resources, Values and Development* (Cambridge, Mass., Harvard University Press, 1984) et, avec Jean Drèze, dans *Hunger and Public Action* (1989).

Notes du chapitre III

1. J'ai discuté le rôle de l'information exclue ou inclue dans « On Weights and Measures : Informational Constraints in Social Welfare Analysis », *Econometrica* 45 (octobre 1997), repris dans *Choice, Welfare and Measurement* (Oxford, Blackwell, Cambridge, Mass., MIT Press, 1982 ; republié Cambridge, Mass., Harvard University Press, 1997) ; voir aussi « Informational Analysis of Moral Principles », *Rational Action*, édité par Ross Harrison (Cambridge, Cambridge University Press, 1979).

2. Voir Jeremy Bentham, *An Introduction to the Principles of Morals and Legislation* (Londres, Payne, 1789 ; republié, Oxford, Clarendon Press, 1907).

3. On trouvera une critique informationnelle de l'utilitarisme dans mon « Utilitarianism and Welfarism », *Journal of Philosophy* 7 (septembre 1979) et dans mon « Well-Being, Agency and Freedom : The Dewey Lectures 1984 », *Journal of Philosophy* 82 (avril 1985).

4. Sur ces distinctions, voir J.C.B. Gosling, *Pleasure and Desire* (Oxford, Clarendon Press, 1969) ; John C. Harsanyi, *Esssays in Ethics, Social Behaviour, and Scientific Explanation* (Dodrecht, Reidel, 1977).

5. Sur les questions de méthodes en jeu, voir mon « On Weights and Measures » (1977) et « Informational Analysis of Moral Principles » (1979).

6. Lionel Robbins a particulièrement contribué à démontrer qu'il était impossible d'établir scientifiquement des comparaisons interpersonnelles de bonheur (« Interpersonal Comparisons of Utility », *Economic Journal* 48,1938), et entamé le crédit de l'utilitarisme, approche alors la plus suivie dans l'économie du bien-être.

7. Jeremy Bentham, *An Introduction to the Principles of Morals and Legislation* (1789) ; John Stuart Mill, *Utilitarianism* (1861, republié à Londres par Collins-Fontana, 1962) ; Henry Sidgwick, *The Methods of Ethics* (Londres, MacMillan, 1874) ; William Stanley Jevons, *The Theory of Political Economy* (Londres, MacMillan, 1871, 5e édition, 1957) ; Francis Edgeworth, *Mathematical Psychics : An Essay on the Application of Mathematics to the Moral Sciences*

(Londres, Kegan Paul, 1881) ; Alfred Marshall, *Principles of Economics* (Londres, MacMillan, 8ᵉ édition, 1920) ; A.C. Pigou, *The Economics of Welfare* (Londres, MacMillan, 1920).

8. Il s'agit de la version la plus simple de l'utilitarisme. Pour des approches plus complexes et moins directes, voir R. M. Hare, *Moral Thinking : Its Levels, Methods and Point* (Oxford, Clarendon Press, 1981) et James Griffin, *Well-Being : Its Meaning, Measurement and Moral Importance* (Oxford, Clarendon Press, 1986).

9. J'ai discuté ces aspects techniques et quelques problèmes liés à la définition de l'utilité dans le cadre d'un choix binaire dans mon *Choice, Welfare and Measurement* (1982) et, de façon moins formelle dans *On Ethics and Economics* (Oxford, Blackwell, 1987).

10. Voir, par exemple, Independant Commission on Population and Quality of Life, *Caring for the Future* (Oxford, Oxford University Press, 1996) ; voir aussi Marc Sagoff, *The Economy of the Earth* (Cambridge, Cambridge University Press, 1988) et Kjell Arne Brekke, *Economic Growth and Environment* (Cheltenham, GB, Edward Elgar, 1997), entre autres.

11. J'ai expliqué mes réserves vis-à-vis de l'utilitarisme dans *Collective Choice and Social Welfare* (San Francisco, Holden-Day, 1970, republié à Amsterdam par North-Holland, 1979), *On Economic Inequality* (Oxford, Clarendon Press, 1973), *Inequality Reexamined* (Oxford, Clarendon Press ; Cambridge, Mass., Harvard University Press, 1992). Pour les critiques les plus inspirées de l'utilitarisme, voir John Rawls, *Théorie de la justice* (Seuil, 1997) ; Bernard Williams, « A Critic of Utilitarianism », *in Utilitarianism, For and Against*, par J.J.C. Smart et B. Williams (Cambridge, Cambridge University Pres, 1973) ; Robert Nozick, *Anarchie, État et Utopie* (PUF, 1988) ; Ronald Dworkin, *Taking Rights Seriously* (Londres, Duckworth, 1978) ; Joseph Raz, *Ethics in the Public Domain* (Oxford, Clarendon Press, 1994, édition révisée, 1995), entre autres contributions.

12. Voir Sen, *Inequality Reexamined* (1992) et Martha Nussbaum, *Sex and Social Justice* (New York, Oxford University Press, 1999).

13. John Rawls, *Théorie de la justice*.

14. Robert Nozick, *Anarchie, État et Utopie*. À comparer avec sa position, plus récente et plus qualifiée dans *The Examined Life* (New York, Simon & Schuster, 1989).

15. John Rawls, *Théorie de la justice*. Voir aussi son *Libéralisme politique* (Seuil, 1997) et particulièrement la leçon 8.

16. H.L.A. Hart, « Rawls on Liberty and its Priority », *University of Chicago Law Review* 40 (printemps 1973), repris dans *Reading Rawls*, édité par Norman Daniels (New York, Basic Books, 1975) et John Rawls, *Libéralisme politique*, leçon 8.

17. Voir mon *Poverty and Famines : An Essay on Entitlement and Deprivation* (Oxford et New York, Oxford University Press, 1981) et

avec Jean Drèze, mon *Hunger and Public Action* (Oxford et New York, Oxford University Press, 1989). Voir aussi Jeffrey L. Coles et Peter J. Hammond, « Walrasian Equilibrium without Survival : Existence, Efficiency and Remedial Policy », *in Choice, Welfare and Development : A Festschrift in Honour of Amartya K. Sen*, édité par Kaushik Basu, Prasanta Pattanaik et Kotaro Suzumura (Oxford, Clarendon Press, 1995).

18. Pour des propositions concrètes de systèmes conséquentiels élargis incluant les droits, voir mon « Rights and Agency », *Philosophy and Public Affairs* 11 (1982), repris dans *Consequentialism and its Critics*, édité par Samuel Scheffler (Oxford, Oxford University Press, 1988) et « Well-Being, Agency and Freedom : The Dewey Lectures 1984 », *Journal of Philosophy* 82 (avril 1985). Voir aussi mon *Freedom, Rationality and Social Choice : Arrow Lectures and Other Essays* (Oxford, Clarendon Press, à paraître).

19. Robbins, « Interpersonal Comparisons of Utility » (1938), p. 636. Pour les critiques de cette position et, en particulier, la remise en cause, sur le fond, du statut scientifique des comparaisons interpersonnelles d'utilité, voir I.M.D. Little, *A Critic of Welfare Economics* (Oxford, Clarendon Press, 1950, 2ᵉ édition, 1957) ; B.M.S. Van Praag, *Individual Welfare Functions and Consumer Behaviour* (Amsterdam, North-Holland, 1968) ; Amartya Sen, « Interpersonal Comparisons of Welfare », *in Economics and Human Welfare*, édité par Michael Boskin (New York, Academic Press, 1980) et repris dans mon *Choice, Welfare and Measurement* (1982) et les contributions de Donald Davidson et Allan Gibbard, dans *Foundations of Social Choice Theory*, édité par Jon Elster et A. Hylland (Cambridge, Cambridge University Press, 1986) et Jon Elster et John Roemer éditeurs, *Interpersonal Comparisons of Well-Being* (Cambridge, Cambridge University Press, 1991).

20. John Harsanyi étend la définition du choix dans les comparaisons interpersonnelles d'utilité en considérant le choix *hypothétique*, dans lequel on imagine qu'une personne envisage d'en devenir une autre (« Cardinal Welfare, Individualist Ethics and Interpersonal Comparison of Utility », *Journal of Political Economy* 63, 1955, repris dans *Essays in Ethics, Social Behaviour and Scientific Explanation*, Dordrecht, Reidel, 1976). Dans son approche, John Harsanyi impute sa valeur à une configuration sociale si elle donne une chance égale d'être n'importe qui dans la société. C'est une construction théorique très utile, qui donne une forme précise à la perspective de l'équité, invoquée depuis longtemps par les spécialistes de l'éthique. En pratique, des choix aussi hypothétiques ne sont pas faciles à mettre en œuvre pour de réelles comparaisons de l'utilité et le principal mérite de cette approche est purement conceptuel.

21. Le contenu de l'ensemble des fonctions possibles d'utilité,

correspondant à un comportement de choix donné, dépend du type de mesurabilité présupposé (ordinal, cardinal, etc.). La comparaison interpersonnelle des utilités exige des « conditions d'invariance », imposées aux combinaisons des fonctions d'utilité de différentes personnes d'après le produit cartésien de leur ensemble respectif de fonctions d'utilité possibles. À ce sujet, voir mon « Interpersonnal Aggregation and Partial Comparability », *Econometrica* 38 (1970), repris dans mon *Choice, Welfare and Measurement* (1982) et *Collective Choice and Social Welfare* (1970). Voir aussi K.W.S. Roberts, « Interpersonal Comparisons and Social Choice Theory », *Review of Economic Sudies* 47 (1980). De telles « conditions d'invariance » ne peuvent découler de comportement de choix observé.

22. Sur cette question, voir Franklin M. Fischer et Karl Shell, *The Economic Theory of Price Indices* (New York, Academic Press, 1972). La question est aussi abordée dans la thèse de doctorat de Herb Gintis, « Alienation and Power : Toward a Radical Welfare Economics » (Harvard, 1969).

23. J'ai analysé les conclusions des travaux sur les comparaisons de revenus réels dans mon « The Welfare Basis of Real-Income Comparisons : A Survey », *Journal of Economic Litterature* 17 (1979), repris dans mon *Resources, Values and Development* (Cambridge, Mass., Harvard University Press, 1984, republié 1997).

24. La multiplicité des influences sur le bien-être personnel a été étudiée en profondeur dans les « Scandinavian Studies » sur les niveaux de vie, voir, par exemple, Robert Erikson et R. Aberg, *Welfare in Transition* (Oxford, Clarendon Press, 1987).

25. Voir, en particulier, Glen Loury, « A Dynamic Theory of Racial Income Differences », *in Women, Minorities and Employment Discrimination*, édité par P.A. Wallace et A. Lamond (Lexington, Mass., Lexington Books, 1977) et « Why Should We Care about Group Inequality ? », *Social Philosophy and Policy* 5 (1987) ; James S. Coleman, *Foundations of Social Theory* (Cambridge, Mass., Harvard University Press, 1990) ; Robert Putnam, R. Leonardi et R. Y. Nanetti, *Making Democracy Work : Civic Traditions in Modern Italy* (Princeton, Princeton University Press, 1993) ; Robert Putnam, « The Prosperous Community : Social Capital and Public Life », *American Prospect* 13 (1993) et « Bowling Alone : America's Declining Social Capital », *Journal of Democracies* 6 (1995).

26. Adam Smith, *La Richesse des nations* (1776). Voir aussi W. G. Runciman, *Relative Deprivation and Social Justice : A Study of Attitudes to Social Inequality in Twentieth Century England* (Londres, Routledge, 1966) et Peter Townsend, *Poverty in United Kingdom : A Survey of Household Resources and Standards of Living* (Harmondsworth, Penguin Books, 1979).

27. À ce sujet, voir mon « Gender and Cooperative Conflict », *in Persistent Inequalities : Women and World Development*, édité par Irene Tinker (New York, Oxford University Presss, 1990) et les références citées dans cet ouvrage.

28. De fait, dans certains contextes, tels que l'explication des famines (et l'analyse de leur prévention), la faiblesse du revenu des victimes (et la possibilité de le reconstituer) peut ocuper une place centrale. Voir mon *Poverty and Famines* (1981).

29. John Rawls, *Théorie de la justice* ; voir aussi, du même auteur *Le Libéralisme politique*.

30. Dans une perspective similaire, Ronald Dworkin propose « l'égalité des ressources », élargissant la notion rawlsienne des biens premiers pour y associer des possibilités d'assurance contre le « hasard brutal ». Voir son : « What is Equality ? Part 1 : Equality of Welfare » et « Part 2 : Equality of Ressources », *Philosophy and Public Affairs* 10 (1981).

31. Voir mon « Equality of What ? », *in Tanner Lectures on Human Values*, volume 1, édité par S. McMurrin (Cambridge, Cambridge University Press, 1980) et « Justice : Means versus Freedoms », *Philosophy and Public Affairs* 19 (1990). Une ambiguïté subsiste toutefois dans la notion de « biens premiers », telle que la définit John Rawls. Certains d'entre eux (le « revenu et la richesse » par exemple) ne sont rien de plus que des moyens pour des fins (comme le notait Aristote au début de son *Éthique à Nicomaque*). D'autres, comme « le fondement social du respect de soi » incluent des références à l'environnement social, bien qu'ils soient des moyens au sens large (dans le cas du « fondement social du respect de soi » un moyen pour atteindre le respect de soi). D'autres, encore (comme les « libertés »), sont susceptibles d'interprétations diverses : soit comme des moyens (les libertés nous permettent d'accomplir ce que nous souhaitons accomplir) ou comme la latitude d'obtenir certains résultats (c'est l'acception la plus courante dans les travaux consacrés au choix social, par exemple, dans mon *Collective Choice and Scoial Welfare*, 1970, chapitre 6). Mais la proposition de John Rawls d'utiliser les biens premiers pour juger l'avantage individuel, dans son « principe de différence » est motivée, avant tout, par sa tentative de définir les moyens au sens le plus général et, de ce point de vue, elle est sujette à des variations interpersonnelles, dans la conversion des moyens en libertés de poursuivre des fins.

32. Voir Alan Williams, « What is Wealth and Who Creates It ? », *in Dependency to Enterprise*, édité par John Hutton *et al.* (Londres, Routledge, 1991) ; A. J. Culyer et Adam Wagstaff, « Needs, Equality and Social Justice », note de discussion 90, Centre for Health Economics, University of York, 1991, Alan Williams, édité par A. J. Culyer (Cheltenham, GB, Edward Elgar, 1997). Voir aussi Paul

Farmer, *Infections and Inequalities : The Modern Plagues* (Berkeley, Calif., University of California Press, 1998) ; Michel Marmot, Martin Bobak et George Davey Smith, « Exploration for Social Inequalities in Health », *in Society and Health*, édité par B.C. Amick, S. Levine, A.R. Tarlov et D. Chapman Walsh (Londres, Oxford University Press, 1995) ; Richard G. Wilkinson, *Unealthy Societies : The Afflictions of Inequality* (New York, Routledge, 1996) ; James Smith, « Socioeconomic Status and Health », *American Economic Review* 88 (1998) et « Healthy Bodies and Thick Wallets : The Dual Relationship between Health and Socioeconomic Status », *Journal of Economic Perspectives* 13 (1999). On apprendra aussi beaucoup d'études spécifiques sur des problèmes de santé : voir, par exemple, Paul Farmer, Margaret Connors et Jeannie Simmons éditeurs, *Women Poverty and Aids : Sex, Drugs and Structural Violence* (Monroe, Maine, Common Courage Press, 1996) ; Alok Bhargava, « Modeling the Effects of Nutritional and Socioeconomic Factors on The Growth and Morbidity of Kenyan School Children », *American Journal of Human Biology* 11 (1999).

33. Voir A.C. Pigou, *The Economics of Welfare* (Londres, MacMillan, 1952). Voir aussi Pitambar Pant *et al.*, *Perspectives of Development : 1961-1976, Implications of Planning for a Minimal Level of Living* (New Delhi, Planning Commission of India, 1962) ; Irma Adelman et Cynthia T. Morrris, *Economic Growth and Social Equity in Developing Countries* (Stanford, Stanford University Press, 1973) ; Amartya Sen, « On the Development of Basic Income Indicators to Supplement the GNP Measure », *United Nations Economic Bulletin for Asia and The Far East* 24 (1973) ; Pranab Bardhan, « On Life and Death Questions », *Economic and Political Weekly* 9 (1974) ; Irma Adelman, « Development Economics – A Reassessment of Goals », *American Economic Review* (1975) ; A. O. Herrera *et al.*, *Catastrophe or New Society ? A Latin American World Model* (Ottawa, IDRC, 1976) ; Mahbub ul Haq, *The Poverty Curtain* (New York, Columbia University Press, 1976) ; Paul Streeten et S. Javed Burki, « Basic Needs : Some Issues », *World Development* 6 (1978) ; Keith Griffin, *International Inequality and National Poverty* (Londres, MacMillan, 1978) ; Morris D. Morris, *Measuring the Conditions of the World's Poor : The Physical Quality of Life Index* (Oxford, Pergamon Press, 1979) ; Graciela Chichilnisky, « Basic Needs and Global Models : Resources, Trade and Distribution », *Alternatives* 6 (1980) ; Paul Streeten, *Development Perspectives* (Londres, MacMillan, 1981) ; Paul Streeten, S. Javed Burki, Mahbub ul Haq, N. Hicks et Frances Stewart, *First Things First : Meeting Basic Needs in Developing Countries* (New York, Oxford University Press, 1981) ; Frances Stewart, *Basic Needs in Developing Countries* (Baltimore, Johns Hopkins University Press, 1985) ; D.H. Costa, R.H. Steckel, « Long-Term Trends

in Health, Welfare and Economic Growth in the United States », *Historical Working Paper* 76, National Bureau of Economic Research, 1995 ; R.C. Floud et B. Harris « Health, Height and Welfare : Britain 1700-1980 », *Historical Working Paper* 87, National Bureau of Economic Research, 1996 ; Nicholas F.R. Crafts, « Some Dimensions of the Quality of Life during the British Industrial Revolution », *Economic History Review* 4 (1997) ; Santosh Mehrotra et Richard Jolly, éditeurs, *Development with a Human Face : Experiences in Social Achievements and Economic Growth* (Oxford, Clarendon Press, 1997) ; A. P. Thirwall, *Growth and Development*, 6ᵉ édition (Londres, MacMillan, 1999) ; entre autres contributions.

34. *Rapport sur le développement humain* (à partir de 1990), Programme des Nations-Unies pour le développement. Mahbub ul Haq expose les postulats de ce travail dans *Reflections on Human Development* (New York, Oxford University Press, 1995). Voir aussi les applications, présentées de manière lumineuse par Nicholas F.R. Crafts, « The Human Development Index and Changes in the Standard of Living : Some Historical Comparisons », *Review of European Economic History* 1 (1997). Avec ses rapports annuels sur la vie des enfants, l'Unicef a ouvert la voie : voir, entre autres, *The State of the World's Children* (New York, Oxford University Press, 1987). Je dois aussi mentionner les *Rapports sur le développement mondial* de la Banque mondiale, qui, de plus en plus, s'efforcent d'intégrer les conditions de vie (en particulier, le rapport de 1993 sur la santé).

35. Aristote, *Éthique à Nicomaque*, livre 1 section 7. À ce sujet, voir Martha Nussbaum, « Nature, Function and Capability : Aristotle on Political Distribution », *Oxford Studies in Ancient Philosophy* (1988).

36. Adam Smith, *La Richesse des nations*, volume 2, livre 5, chapitre 2.

37. *Ibid.*

38. Voir mon « Equality of What ? », *in Tanner Lectures on Human Values*, volume 1, édité par S. McMurrin (Cambridge, Cambridge University Press, 1980), repris dans mon *Choice, Welfare and Measurement* (1980) ; voir aussi John Rawls *et al.*, *Liberty, Equality and Law*, édité par S. McMurrin (Cambridge, Cambridge University Press, 1987) et Stephen Darwall, éditeur, *Equal Freedoms : Selected Tanner Lectures on Human Values* (Ann Arbor, University of Michigan Press, 1995). Voir aussi mon « Public Action and the Quality of Life in Developing Countries », *Oxford Bulletin of Economics and Statistics* 43 (1981) ; en commun avec Jean Drèze, *Hunger and Public Action* (Oxford, Clarendon Press, 1989) et « Capability and Well Being », *in The Quality of Life*, édité par Martha Nussbaum et Amartya Sen (Oxford, Clarendon Press, 1993).

39. Sur la nature et l'ampleur de cette variabilité, voir mon

Commodities and Capabilities (1985) et *Inequality Reexamined* (1992). Sur l'intérêt qu'il peut y avoir à relever la disparité des besoins dans l'allocation de ressources, voir aussi mon *On Economic Inequality*, chapitre 1 ; L. Doyal et I. Gough, *A Theory of Human Need* (New York, Guilford Press, 1991) ; U. Ebert, « On Comparison of Income Distributions When Household Types are Different », *Economics Discussion Paper* V-86-92, University of Oldenberg, 1992 ; Dan W. Brock, *Life and Death : Philosophical Essays in Biomedical Ethics* (Cambridge University Press, 1993) ; Alessandro Balestrino, « Poverty and Functionning : Issues in Measurements and Public Action », *Giornale degli Economisti e Annali di Economia* 53 (1994) ; Enrica Chiappero Martinetti, « A New Approach to Evaluation of Well-Being and Poverty by Fuzzy Set Theory », *Giornale degli Economisti* 53 (1994) ; M. Fleurbaey, « On Fair Compensation », *Theory and Decision* 36 (1994) ; Elena Granaglia, « More or Less Equality ? A Misleading Question for Social Policy », *Giornale degli Economisti* 53 (1994) ; B. Nolan et C.T. Whelan, *Resources, Deprivation and Poverty* (Oxford, Clarendon Press, 1996) ; Alessandro Balestrino, « A Note on Functioning-Poverty in Affluent Societies », *Notizie di Politeia* (1996) ; Carmen Herrero, « Capabilities and Utilities », *Economic Design* 2 (1996) ; Santosh Mehrotra et Richard Jolly, éditeurs, *Development with a Human Face* (Oxford, Clarendon Press, 1997) ; Consumers International, *The Social Art of Economic Crisis : ... Our Rice Pots are Empty* (Penerz, Malopia, Consumers International, 1998), entre autres publications.

40. Voir mon « Equality of What ? » (1980), *Commodities and Capabilities* (1985) et *Inequalities Reexamined* (1992). Voir aussi Keith Griffin et John Knight, *Human Development and the International Development Strategies for the 1990's* (Londres, MacMillan 1990) ; David Crocker, « Functioning and Capability : The Foundations of Sen's and Nussbaum's Development Ethic », *Political Theory* 20 (1992) ; Nussbaum et Sen, *The Quality of Life* (1993) ; Martha Nussbaum et Jonathan Glover, *Women, Culture and Development* (Oxford, Clarendon Press, 1995) ; Meghnad Desai, *Poverty, Famine and Economic Development* (Aldershot, Edward Elgar, 1994) ; Kenneth Arrow, « A Note on Freedom and Flexibility » et Anthony B. Atkinson, « Capabilities, Exclusion and the Supply of Goods », *in Choice, Welfare and Development*, édité par K. Basu, B. Pattanaik et K. Suzumura (Oxford, Clarendon Press, 1995) ; Stefano Zamagni, « Amartya Sen on Social Choice, Utilitarianism and Liberty », *Italian Economic Papers* 2 (1995) ; Herrero, « Capabilities and Utilities » (1996) ; Nolan et Whelan, *Resources, Deprivation and Poverty* (1996) ; Franck Ackerman, David Kiron, Neva R. Goodwin, Jonathan Harris et Kevin Gallagher, éditeurs, *Human Well-Being and Economic Goals* (Island Press, 1997) ; J.-F. Laslier *et al.*, éditeurs,

Freedom in Economics (Londres, Routledge, 1998) ; Prasanta K. Pattanaik, « Cultural Indicators of Well-Being : Some Conceptual Issues », *in World Culture Report* (Paris, Unesco, 1998) ; Sabina Alkire, « Operationalizing Amartya Sen's Capability Approach to Human Development », thèse de doctorat, Oxford University, 1999.

41. Même des fonctionnements élémentaires – être bien nourri, par exemple – mettent en jeu un ensemble de données conceptuelles et empiriques. Voir à ce sujet, Nevin Scrimshaw, C.E. Taylor et J.E. Gopalan, *Interaction of Nutrition and Infection* (Genève, OMS, 1968) ; T. N. Srinivasan, « Malnutrition : Some Measurement and Policy Issues », *Journal of Devlopment Economics* 8 (1981) ; K. Blaxter et J.C. Waterlow, *Nutritional Adaptation in Man* (Londres, John Libbey, 1985) ; Partha Dasgupta et Debraj Ray, « Adapting to Undernutrition : Biologocal Evidence and its Implications » et S.R. Osmani, « Nutrition and the Economics of Food : Implication of Some Recent Controversies », *in The Political Economy of Hunger*, édité par Jean Drèze et Amartya Sen (Oxford, Clarendon Press, 1993) ; S.R. Osmani, *Nutrition and Poverty* (Oxford, Clarendon Press, 1993).

42. Sur ces questions, voir mon *The Standard of Living*, édité par Geoffrey Hawthorn (Cambridge, Cambridge University Press, 1987). Voir aussi Kaushik Basu, « Achievements, Capabilities and the Concept of Well-Being », *Social Choice and Welfare* 4 (1987) ; G.A. Cohen, « Equality of What ? On Welfare, Goods and Capabilities », *Recherches économiques de Louvain* 56 (1990) ; Norman Daniels, « Equality of What ? Welfare, Resources or Capabilities ? » *Philosophy of Phenomenological Research* 50, (1990) ; Crocker, « Functioning and Capability » (1992) ; Brock, *Life and Death* (1993) ; Mozaffar Qizilbash, « Capabilities, Well-Being and Human Development : a Survey », *Journal of Development Studies* 33 (1996) et « The Concept of Well-Being », *Economics and Philosophy* 14 (1998) ; Alkire, « Operationalizing Amartya Sen's Capability Approach to Human Development » (1999). Voir aussi les résultats du symposium sur l'approche par les capacités *in Giornale degli Economisti e Annali di Economia* 53 (1994) et *Notizie di Politeia* (1996), avec les contributions d'Alessandro Balestrino, Giovanni Andrea Cornia, Enrica Chiappero Martinetti, Elena Granaglia, Renata Targetti Lenti, Ian Carter, L. Casini et I. Bernetti, S. Razavi, etc. Voir aussi dans le *Journal of International Development* 9 (1997), édité par Des Gasper, les contributions de Des Gasper, Charles Gore, Mozaffar Qizilbash, Sabina Alkire et Rufus Black.

43. Quand la représentation numérique de chaque fonctionnement n'est pas possible, l'analyse doit procéder dans un cadre plus général. On appréhende alors les réalisations des fonctionnements comme un « fonctionnement n-tuple » et l'ensemble de capacité

comme un ensemble de tels n-tuples, dans l'espace approprié. Sur ce point, voir mon *Commodoties and Capabilities* (1985). Les travaux récents sur la « théorie de l'ensemble flou » peuvent être utiles pour analyser la valeur des vecteurs de fonctionnements et des ensembles de capacités. Voir Enrica Chiappero Martinetti, « A New Approach to Evaluation of Well-Being and Poverty by Fuzzy Set Theory », *Giornale degli Economisti* 53 (1994) et du même auteur « Standard of Living Evaluation Based on Sen's Approach : Some Methodological Suggestions », *Notizie di Politeia* 12 (1996). Voir aussi Kaushik Basu, « Axioms for Fuzzy Measures of Inequality » (1987) ; Flavio Delbono, « Povertà come incapacità : Premesse teoriche, identificazione e misurazione », *Rivista Internazionale di Scienze Sociali* 97 (1989) ; A. Cerioli et S. Zani, « A Fuzzy Approach to Measurement of Poverty », *in Income and Wealth Distribution, Inequality and Poverty*, édité par C. Dagum *et al.* (New York, Springer-Verlag, 1990) ; Balestrino, « Poverty and Functionings » (1994) ; E. Ok, « Fuzzy Measurements of Income Inequality : A Class of Fuzzy Inequality Measures », *Social Choice and Welfare* 12 (1995) ; L. Casini et I. Bernetti, « Environment, Sustainability, and Sen's Theory », *Notizie di Politeia* (1996), entre autres contributions.

44. Plusieurs thèses de doctorat soutenues à Harvard et que j'ai eu la chance de superviser ont, parmi d'autres travaux, exploré la pertinence de la perspective des capacités, dans des domaines divers. Entre autres, A. K. Shiva Kumar, « Maternal Capabilities and Child Survival in Low-Income Regions » (1992) ; Jonathan R. Cohen, « On Reasoned Choice » (1993) ; Stephan J. Klasen, « Gender, Inequality and Survival : Excess Female Mortality – Past and Present » (1994) ; Felicia Mary Knaul, « Young Workers, Street Life and Gender : The Effects of Education and Work Experience on Earnings in Colombia » (1995) ; Karl W. Lauterbach, « Justice and the Functions of Health Care » (1995) ; Remigius Henricus Oosterdorp, « Adam Smith, Social Norms and Economic Behavior » (1995) ; Anthony Simon Laden, « Constructing Shared Wills : deliberative Liberalism and the Politics of Identity » (1996) ; Douglas Hicks, « Inequality Matters » (1998), Jennifer Prah Ruger, « Aristotelician Justice and Health Policy : Capability and Incompletely Theorized Agreements » (1998) ; Sousan Abadian, « From Wasteland to Homeland : Trauma and the Renewal of Indigenous Peoples and Their Communities » (1999).

45. Il existe une vaste littérature sur ce sujet, citée en référence de mon *On Economic Inequality* (Oxford, Clarendon Press, 1997), voir en particulier l'annexe écrite par James Foster. Voir aussi, ci-dessus, les références données dans les notes 38-44, ainsi que Haidar A. Khan, *Technology, Development and Democracy* (Nothampton, Mass., Edward Elgar, 1998) ; Nancy Folbre, « A Time for Every

Purpose : Non-Market Work and the Production opf Human Capabilities », polycopié, University of Massachusetts, Amherst, 1997 ; Frank Ackerman *et al.*, *Human Well-Being and Economic Goals* ; Felton Earls and Maya Carlson, « Adolescents as Collaborators : In Search of Well-Being », polycopié, Harvard University, 1998 ; David Crocker et Toby Linden, éditeurs, *Ethics of Consumption* (New York, Rowman and Littlefeld, 1998) ; entre autres travaux.

46. Cette approche est appelée l'« évaluation élémentaire » de l'ensemble de capacités. J'ai discuté de sa nature et de sa portée dans mon *Commodities and Capabilities* (1985). Voir aussi G.A. Cohen, « On the Currency of Egalitarian Justice », *Ethics* 99 (1989) ; « Equality of What ? On Welfare, Goods and Capabilities » (1990) et *Self-Ownership, Freedom and Equality* (Cambridge, Cambridge University Press, 1995). Voir Richard Arneson, « Equality and Equality of Opportunity for Welfare », *Philosophical Studies* 56 (1989) et « Liberalism, Distributive Subjectivism and Equal Opportunity for Welfare », *Philosophy and Public Affairs* 19 (1990).

47. Les questions ont été examinées dans mon *Freedom, Rationality and Social Choice* (à paraître). Voir aussi Tjalling C. Koopmans, « On Flexibility of Future Preference », *in Human Judgments and Optimality*, édité par M.W. Shelley (New York, Wiley, 1964) ; David Kreps, « A Representation Theorem for "Preference for Flexibility" », *Economica* 47 (1979) ; Peter Jones et Robert Sugden, « Evaluating Choice », *International Review of Law and Economics* 2 (1982) ; James Foster, « Notes on Effective Freedom », polycopié, Vanderbilt University, présenté au Standford Workshop on Economic Theories of Inequality, avec le soutien de la Fondation MacArthur (11-13 mars 1993) ; Kenneth J. Arrow, « A note on Freedom and Flexibility », *in Choice, Welfare and Development*, édité par Basu, Pattanaik et Suzumura (1995) ; Robert Sugden, « The Metric of Opportunity », *Discussion Paper* 9610, Economics Research Center, University of East Anglia, 1996.

48. Sur ce sujet, voir mon *Commodities and Capabilities* (1985) et « Welfare, Preference and Freedom », *Journal of Econometrics* 50 (1991). Sur différentes estimations de l'étendue des libertés, voir aussi David Kreps, « A Representation Theorem for "Preference and Flexibility" » (1979) ; Patrick Suppes, « Maximizing Freedom of Decision : An Axiomatic Analysis », *in Arrow and the Foundations of Economic Policy*, édité par G.R. Feiwel (Londres, MacMillan, 1987) ; P.K. Pattanaik et Y. Xu, « On Ranking Opportunity Sets in Terms of Freedom of Choice », *Recherches économiques de Louvain* (1990) ; James Foster, « Notes on Effective Freedom » (1993) ; Kenneth J. Arrow, « A Note on Freedom and Flexibility », *in Choice, Welfare and Development*, édité par Basu, Pattanaik et Suzumura (1995) ; Carmen Herrero, « Capabilities and Utilities » ; Clemens Puppe,

« Freedom, Choice and Rational Decisions », *Social Choice and Welfare* 12 (1995), entre autres contributions.

49. Sur ces questions, voir mon *Commodities and Capabilities* (1985) ; *Inequality Reexamined* (1992) et « Capability and Well-Being » (1993).

50. Voir John Rawls, *Théorie de la justice* et *Le Libéralisme politique*. Dans le sillage du célèbre théorème d'impossibilité d'Arrow, de nombreux « théorèmes d'impossibilité » concernant l'existence d'indices satisfaisants des biens premiers ; voir Charles Plott, « Rawls'Theory of Justice : An Impossibility Result », *in Decision, Theory and Social Ethics*, édité par H.W. Gottinger et W. Leinfellner (Dordrecht, Reidel, 1978) ; Allan Gibbard, « Disparate Goods and Ralws' Difference Principle : A Social Choice Theoretic Treatment », *Theory and Decision* 11 (1979) ; Douglas H. Blair, « The Primary Goods Indexation Problem in Rawls'Theory of Justice », *Theory of Decision* 24 (1988). Les limites informationnelles jouent un rôle majeur dans la formulation de ces résultats (comme dans le cas du théorème d'Arrow). J'ai présenté les raisons s'opposant à la limitation des informations dans mon « On Indexing Primary Goods and Capabilities » (polycopié, Harvard University, 1991), qui réduisent la portée de ces « impossibilités », appliquées aux procédures de John Rawls.

51. Les correspondances analytiques entre l'étroitisation systématique de l'éventail des poids et l'extension monotone des classements partiels établis (assis sur l'intersection des classements possibles) ont été explorées dans mon « Interpersonal Aggregation and Partial Comparability » (1970) et dans *Collective Choice and Social Welfare* (1970), chapitres 7 et 7* ; et dans Charles Blackorby, « Degrees of Cardinality and Aggregate Parial Ordering », *Econometrica* 43 (1975) ; Ben Fine, « A Note on Interpersonal Aggregationn and Partial Comparability », *Econometrica* 43 (1975) ; Kaushik Basu, *Revealed Preference of Government* (Cambridge, Cambridge University Press, 1980) ; James Foster et Amartya Sen, « On Economic Inequality after a Quarter Century », *in On Economic Inequality* (1997). L'approche de l'intersection des classements partiels peut se combiner avec la représentation « floue » de la mesure des fonctionnements. À ce sujet, voir Chiappero Martinetti, « A New Approach to Evaluatoin of Well-Being and Poverty by Fuzzy Set Theory » (1994) et aussi son « Standard of Living Evaluation Based on Sen's Approach » (1996). Voir aussi L. Casini et I. Bernetti, « Environment, Sustainability and Sen's Theory », *Notizie de Politeia* 12 (1996) et Herrero, « Capabilities and Utilities » (1996). Même avec un classement incomplet, de nombreux problèmes de décisions peuvent être résolus et, à défaut, peuvent être simplifiés (par le rejet des options « dominées »).

52. Cette question et ses relations avec la théorie du choix social et la théorie du choix public sont discutées dans mon adresse à l'Association économique américaine, « Rationality and Social Choice », *American Economic Review* 85 (1995).

53. T.N. Srinivasan, « Human Development : A New Paradigm or Reinvention of the Wheel ? », *American Economic Review*, Papers and Proceedings 84 (1994), p. 239. Dans son argumentation, l'auteur cite Robert Sugden (« Welfare, Resources and Capabilities : A Review of *Inequality Reexamined* by Amartya Sen », *Journal of Economic Literature* 31, 1993), dont le scepticisme est nettement moins prononcé que chez Srinivasan (Sugden conclut ainsi : « Il reste à voir si une mesure analogue peut être développée pour l'approche des capacités », p. 1953).

54. Paul A. Samuelson, *Foundations of Economic Analysis* (Cambridge, Mass., Harvard University Press, 1947), p. 205.

55. Je me suis efforcé d'aborder cette question dans mon adresse à l'Association économique américaine, en 1995 et dans mon discours de réception du prix Nobel, en 1998 ; voir « Rationality and Social Choice », *American Economic Review* 85 (1995) et « The Possibility of Social Choice », *American Economic Review* 89 (1999).

56. Ces approches sont aussi abordées dans la nouvelle annexe (écrite en collaboration avec James Foster) de l'édition augmentée (1997) de mon *On Economic Inequality*.

57. On est toujours tenté de considérer les mesures de distribution dans différents espaces (revenu, longévité, alphabétisation, etc.) puis de les associer. Au risque de se fourvoyer. En effet, les résultats dépendent des relations entre ces différents variables dans un schéma interpersonnel (ce que l'on peut appeler la question de la « covariance »). Par exemple, si les gens aux revenus les plus faibles ont aussi de faibles niveaux d'éducation, alors les deux privations se renforcent. Il se peut aussi que l'on ne constate pas de relations directes entre ces deux variables (ou une relation « orthogonale ») et, enfin, si elles sont en relation d'opposition, la privation, dans les termes d'une variable, sera, dans une certaine mesure, améliorée par l'autre variable. Mais il n'est pas possible de connaître le cas de figure le plus probable, en observant séparément les indicateurs de distribution, il faut aussi examiner la colinéarité et la covariance.

58. Dans une étude sur la pauvreté en Italie, commandée par la Banque d'Italie et supervisée par Fabrizio Barca, c'est principalement cette approche qui a été utilisée et appliquée.

59. À ce sujet, voir Angus Deaton, *Microeconometric Analysis for Development Policy : An Approach from Household Surveys* (Baltimore, Johns Hopkins University Press for the World Bank, 1977). Voir aussi Angus Deaton et John Muellbauer, *Economics and Consumer Behaviour* (Cambridge, Cambridge University Press, 1980)

et « On Measuring Child Costs : With Applications to Poor Countries », *Journal of Political Economy* 94 (1986) ; Dale W. Jorgenson, *Welfare*, volume 2, *Measuring Social Welfare* (Cambridge, Mass., MIT Press, 1997).

60. Voir Hugh Dalton, « The Measurement of the Inequality of Incomes », *Economic Journal* 30 (1920) ; A. B. Atkinson, « On the Measurement of Inequality », *Journal of Economic Theory* 2 (1970).

61. En particulier, dans mon *Commodities and Capabilities* (1985) ; « Well-Being, Agency and Freedom » (1985) et *Inequality Reexamined* (1992).

62. J'ai développé plusieurs aspects plus techniques de l'évaluation de la liberté, dans mon *Freedom, Rationality and Social Choice : Arrow Lectures and Other Essays* (à paraître).

Notes du chapitre IV

1. Cette façon d'appréhender la pauvreté est développée dans mon *Poverty and Famines* (Oxford, Clarendon Press, 1981) et *Resources, Values and Development* (Cambridge, Mass., Harvard University Press, 1984), ainsi que dans Jean Drèze et Amartya Sen, *Hunger and Public Action* (Oxford, Clarendon Press, 1989) et dans Sudhir Anand et Amartya Sen, « Concepts of Human Development and Poverty : A Multidimensional Perspective », *in Human Development Papers* 1997 (New York, PNUD, 1997).

2. Ce point de vue et ses implications sont discutés en détail dans mon « Poverty as Capability Deprivation », polycopié, Rome, Banque d'Italie.

3. Par exemple, la faim et la malnutrition tiennent à la ration alimentaire et aussi à la capacité de faire un usage nutritif de cette ration. Cet aspect dépend énormément des conditions sanitaires générales (telles que la présence de maladies parasitaires) ce qui, à son tour, dépend des moyens collectifs affectés à la santé et de l'action publique dans ce domaine. Voir, à ce sujet, Drèze et Sen, *Hunger and Public Action* (1989) et S. R. Osmani, éditeur, *Nutrition and Poverty* (Oxford, Clarendon Press, 1993).

4. Voir, par exemple, James Smith, « Healthy Bodies and Thick Wallets : The Dual Relationship between Health and Socioeconomic Status », *Journal of Economic Perspectives* 13 (1999). Soulignons aussi un autre type de « couplage », entre malnutrition due à la pauvreté par le revenu et pauvreté par le revenu résultant de la privation de travail due à la malnutrition. Sur ces relations, voir Partha Dasgupta et Debraj Ray, « Ineqality as a Determinant of Malnutrition and Unemployment : Theory », *Economic Journal* 96 (1986) ; « Inequality as a Determinant of Malnutrition and Unemployment : Policy », *Economic Journal* 97 (1987) et « Adapting to Undernourishment :

Biological Evidence and its Implications », *in The Political Economy of Hunger*, édité par Jean Drèze et Amartya Sen (Oxford, Clarendon Press, 1990). Voir aussi Partha Dasgupta, *An Enquiry into Well-Being and Destitution* (Oxford, Clarendon Press, 1993) et Debraj Ray, *Development Economics* (Princeton, Princeton University Press, 1998).

5. La part prise par des handicaps de ce type dans la prévalence de la pauvreté par les revenus en Grande-Bretagne a été mise en évidence avec une grande acuité par les études empiriques sans précedent d'A. B. Atkinson, *Poverty in Britain and the Reform of Social Security* (Cambridge, Cambridge University Press, 1970). Dans ses travaux postérieurs, l'auteur a poursuivi dans la même voie, établissant les relations entre handicap par le revenu et privations d'autres types.

6. Sur la nature de ces handicaps fonctionnels, voir Dorothy Wedderburn, *The Aged in the Welfare State* (Londres, Bell, 1961) ; Peter Townsend, *Poverty in the United Kingdom : A Survey of Household Resources and Standards of Living* (Harmondsworth, Penguin Books, 1979) ; J. Palmer, T. Smeeding et B. Torrey, *The Vulnerable : America's Young and Old in the Industrial World* (Washington, D.C., Urban Institute Press, 1988), entre autres contributions.

7. J'ai tenté d'utiliser la perspective des privations de capacités pour analyser les inégalités entre les sexes dans *Resources, Values and Development* (1984 ; 1997) ; *Commodities and Capabilities* (Amsterdam, North-Holland, 1985) et « Missing Women », *British Medical Journal* 304 (mars 1992). Voir aussi Pranab Bardhan, « On Life and Death Questions », *Economic and Political Weekly* 9 (1974) ; Lincoln Chen, E. Huq et S. D'Souza, « Sex Bias in the Family Allocation of Food and Health Care in Rural Bangladesh », *Population and Development Review* 7 (1981) ; Jocelyn Kynch et Amartya Sen, « Indian Women : Well-Being and Survival », *Cambridge Journal of Economics* 7 (1983) ; Pranab Bardhan, *Land, Labor and Rutral Poverty* (New York, Columbia University Press, 1984) ; Drèze et Sen, *Hunger and Public Action* (1989) ; Barbara Hariss, « The Intrafamily Distribution of Hunger in South Asia », *in* Drèze et Sen, *The Political Economy of Hunger*, volume 1 (1990) ; Ravi Kanbur et L. Haddad, « How Serious Is the Neglect of Intrahousehold Inequality ? », *Economic Journal* 100 (1990), entre autres contributions.

8. Sur ce point, voir Programme des Nations-Unies pour le développement, *Rapport sur le développement* 1995.

9. Voir W. G. Runciman, *Relative Deprivation and Social Justice : A Study of Attitudes to Social Inequality in Twentieth-Century England* (Londres, Routledge, 1966) et Townsend, *Poverty in the United Kingdom* (1979).

10. Voir mon article « Poor, Relatively Speaking », *Oxford Economic*

Papers 35 (1983), repris dans *Resources, Values and Development* (1984).

11. J'ai analysé cette relation dans *Inequality Reexamined* (Oxford, Clarendon Press et Cambridge, Mass., Harvard University Press, 1992) chapitre 7.

12. Jean Drèze et Amartya Sen, *India : Economic Development and Social Opportunity* (Delhi, Oxford University Press, 1995).

13. Voir la collection d'articles dans Isher Judge Ahluwalia et I.M.D. Little, éditeurs, *India's Economic Reforms and Development : Essays for Manmohan Singh* (Delhi, Oxford University Press, 1998). Voir aussi Vijay Joshi et Ian Little, *Indian Economic Reforms, 1991-2001* (Delhi, Oxford University Press, 1996).

14. Pour un développement de ces arguments, voir Drèze et Sen, *India : Economic Development and Social Opportunity* (Delhi, Oxford University Press, 1995).

15. Voir G. Datt, *Poverty in India and Indian States : an Update* (Washington D.C., International Food Policy Research Institue, 1997). Voir aussi Banque mondiale : *India : Achievements and Challenges in Reducing Poverty*, rapport n° 16483 IN, 27 mai 1997 (en particulier le graphique 2.3).

16. Adam Smith, *The Theory of Moral Sentiments* (1759), chez Clarendon Press, 1976, *Théorie des sentiments moraux*, PUF, 1999.

17. John Rawls, *Théorie de la justice*. Voir aussi Stephen Darwall, éditeur, *Equal Freedom : Selected Tanner Lectures on Human Values* (Ann Arbor, University of Michigan Press, 1995), avec les contributions de G. A. Cohen, Ronald Dworkin, John Rawls, T. M. Scanlon, Amartya Sen et Quentin Skinner.

18. Thomas Scanlon, « Contractualism and Utilitarianism », *in Utilitarianism and Beyond*, édité par Amartya Sen et Bernard Williams (Cambridge, Cambridge University Press, 1982). Du même auteur, voir aussi *What We Owe Each Other* (Cambridge, Mass., Harvard University Press, 1998).

19. Voir, par exemple, James Mirrlees, « An Exploration in the Theory of Optimal Income Taxation », *Review of Economic Studies* 38 (1971) ; E. S. Phelps, *Economic Justice* (Hamondsworth, Penguin Books, 1973) ; Nicholas Stern, « On the Specification of Modes of Optimum Income taxation », *Journal of Public Economics* 6 (1976) ; A. B. Atkinson et Joseph Stiglitz, *Lectures on Public Economics* (Londres, McGraw-Hill, 1980) ; D.A. Starrett, *Foundations of Public Economics* (Cambridge, Cambridge University Press, 1988), entre autres contributions.

20. A. B. Atkinson, « On the Measurement of Inequality », *Journal of Economic Theory* 2 (1970) et *Social Justice and Public Policy* (Brighton, Wheatsheaf ; Cambridge, Mass., MIT Press, 1983). Voir aussi S. Ch. Kolm, « The Optimum Production of Social Justice », *in*

Public Economics (Londres, MacMillan, 1969) ; Amartya Sen, *On Economic Inequality* (Oxford, Clarendon Press, 1997) ; Charles Blackorby et David Donaldson, « A Theoretical Treatment of Indices of Absolute Inequality », *International Economic Review* 21 (1980) et « Ethically Significant Ordinal Indexes of Relative Inequality », *Advances in Econometrics*, volume 3 (Greenwich, Conn., JAI Press, 1984).

21. Dans mon article « Inequality, Unemployment and Contemporary Europe », présenté à la conférence sur l'Europe sociale, à Lisbonne, organisée par la fondation Calouste Gulbenkian (5-7 mai 1997, publié *in International Labour Review*, 1997), j'ai discuté de cette différence et de son importance pour l'élaboration des politiques publiques en Europe. La valeur que les chômeurs attachent eux-mêmes à la perte de liberté et de capacité qui résulte de leur situation est analysé de façon lumineuse par Eric Schokkaert et L. Van Ootegem (avec des données belges) dans « Sen's Concept of Living Standards Applied to the Belgian Unemployed », *Recherches économiques de Louvain* 56 (1990).

22. Voir les références données dans mon « Inequality, Unemployment and Contemporary Europe » (1997). Sur les dommages psychologiques et sociaux du chômage, voir Robert Solow, « Mass Unemployment as a Social Problem », *in Choice, Welfare and Development* (Oxford, Clarendon Press, 1995) et A. Goldsmith, J. R. Veum et W. Darity Jr, « The Psychological Impact of Unemployment and Joblessness », *Journal of Socio-Economics* 25 (1996). Concernant les textes relatifs à l'« exclusion sociale », on trouvera une bonne introduction dans Gerry Rodgers, Charles Gore et J. B. Figueiredo, *Social Exclusion : Rethoric, Reality, Responses* (Genève, Institut international pour les études sur le travail, 1995) ; Charles Gore *et al.*, *Social Exclusion and Anti-Poverty Policy* (Genève, Institut international pour les études sur le travail, 1997) ; Arjan de Haan et Simon Maxwell, « Poverty and Social Exclusion in North and South », *Institute of Development Studies Bulletin* 29 (janvier 1998).

23. A.B. Atkinson, Lee Rainwater et Timothy Smeeding, *Income Distribution in OECD Countries* (Paris, OCDE, 1996).

24. La nécessité de nouvelles initiatives est aujourd'hui criante. Voir Jean-Paul Fitoussi et R. Rosanvallon, *Le Nouvel Âge des inégalités* (Paris, Seuil, 1996) ; Edmund S. Phelps, *Rewarding Work : How to Restore Participation, and Self-Support to Free Enterprise* (Cambridge, Mass., Harvard University Press, 1997). Voir aussi Paul Krugman, *Technology, Trade and Factor Prices*, NBER n° 5355 (Cambridge, Mass., National Bureau of Economic Research, 1995) ; Stephen Nickell, « Unemployment and Labor Market Rigidities : Europe Versus North America », *Journal of Economic Perspectives* 11 (1997) ; Richard Layard, *Tackling Unemployment* (Londres, MacMillan,

1999) ; J.-P. Fitoussi, F. Giavezzi, A. Lindbeck, F. Modigliani, B. Moro, D. J. Snower, R. Solow et K. Zimmerman, « A Manifesto on Unemployment in the European Union », polycopié, 1998.

25. Données tirées de M. W. Owen, S. M. Teutsch, D. F. Williamson et J. S. Marks, « The Effects of Known Risk Factors on the Excess Mortality of Black Adults in the United States », *Journal of the American Medical Association* 263 (9 février 1990).

26. Voir mon *Commodities and Capabilities* (1985). Les *Rapports sur le développement humain* du PNUD fournissent des données et des estimations précieuses sur cette façon d'apprécier la pauvreté, en particulier dans le rapport de l'année 1997. Voir aussi Sudhir Anand et Amartya Sen, « Concepts of Human Development and Poverty : A Multidimensional Perspective » (1997).

27. Drèze et Sen, *India : Economic Development and Social Opportunity* (1995) ; Amartya Sen, « Hunger in the Modern World », Dr Rajendra Prasad Memorial Lecture, New Delhi, juin 1997 et « Entitlement Perspectives of Hunger », World Food Programme, 1997.

28. Sur ces données et d'autres citées dans cette section, voir Drèze et Sen, *India : Economic Development and Social Opportunity* (1995), chapitre 3 et appendice statistique. Nous nous sommes centrés sur l'année 1991, en fonction des données disponibles. On note toutefois une augmentation considérable de l'alphabétisation dans la dernière étude d'échantillons officielle, réalisée à l'échelle nationale. De plus, certains États, comme le Bengale de l'Ouest ou le Madhya Pradesh, ont pris des initiatives courageuses.

29. Voir C. J. L. Murray *et al.*, *US Patterns of Mortality by County and Race : 1965-1994* (Cambridge, Mass., Harvard Center for Population and Developmental Studies, 1998), Tableau 6d, p. 56.

30. L'absence de ressources et d'efforts consacrés au développement social par l'Inde et le sévère échec qui en résulte sont exposés, avec des arguments convaincants et parfois émouvants par S. Guhan, « An Unfulfilled Vision », *IASSI Quarterly* 12 (1993). Voir aussi le recueil d'essais qui lui est dédié : Barbara Harriss-White et S. Subramanian, éditeurs, *Illfare in India : Essay's on India's Social Sector in Honour of S. Guhan* (Delhi, Sage, 1999).

31. D'après le tableau 3.1, *in* Drèze et Sen, *India : Economic Development and Social Opportunity* (1995). Voir aussi Saraswati Raju, Peter J. Atkins, Naresh Kumas et Janet G. Townsend, *Atlas of Women and Men in India* (New Delhi, Kali for Women, 1999).

32. Voir aussi A.K. Shiva Kumar, « UNDP's Human Development Index : A Computation for Indian States », *Economic and Political Weekly*, octobre 12, 1991 et Rajah J. Chelliah et R. Sudarshan, éditeurs, *Indian Poverty and Beyond : Human Development in India* (New Delhi, Social Science Press, 1999).

33. Voir Banque mondiale, *World Development Report 1994* (Oxford, Oxford University Press, 1994), tableau 1, p. 163.

34. Voir la comparaison détaillée de Peter Svedberg, *Poverty and Undernutrition : Theory and Measurement* (Oxford, Clarendon Press, 1997). L'auteur examine aussi d'autres approches possibles de mesure de la malnutrition et tient compte des contradictions selon les sources statistiques ; il parvient néanmoins à des conclusions peu flatteuses pour l'Inde, par comparaison avec l'Afrique subsaharienne.

35. Voir Banque mondiale, *World Development Report, 1993* (Oxford, Oxford University Press, 1993), tableau A.3. Les taux de mortalité se sont encore détériorés avec l'épidémie de sida.

36. Voir Svedberg, *Poverty and Undernutrition* (1997). Voir aussi C. Gopalan, *Combating Undernutrition* (New Delhi, Nutrition Foundation in India, 1995).

37. Voir Nevin Scrimshaw, « The Lasting Damage of Early Malnutrition », *in* R.W. Fogel *et al.*, *Ending the Inheritance of Hunger* (Rome, World Food Programme, 1997). Voir aussi les articles de Robert W. Fogel, Cutberto Garza et Amartya Sen dans le même volume.

38. Même si l'on peut admettre que chacun des critères habituels de la malnutrition est sujet à discussion, les indices fondés sur la santé et l'état physique présentent toutefois des avantages sur les mesures qui ne reflètent que la ration alimentaire. On peut aussi se fonder sur les connaissances médicales et fonctionnelles pour améliorer les critères. Sur ces sujets, voir Dasgupta, *An Enquiry into Well-Being and Destitution* (1993) ; Osmani, éditeur, *Nutrition and Poverty* (1993) ; Scrimshaw, « The lasting Damage of Early Malnutrition » et Robert W. Fogel, « The Global Struggle to Escape from Chronic Malnutrition since 1700 », *in* Fogel *et al.*, *Ending the Inheritance of Hunger* (1997).

39. Voir Svedberg, *Poverty and Undernutrition* et les textes cités ci-dessus. Voir aussi le Programme de développement des Nations unies, *Human Development Report 1995*, New York, Oxford University Press, 1995.

40. L'Afrique souffre aussi d'une dette internationale beaucoup plus lourde. Celle-ci atteint aujourd'hui des proportions gigantesques. Autre différence, les pays africains ont connu nombre de régimes dictatoriaux, du fait, pour partie, de leur implication dans la guerre froide, l'Ouest et l'Union soviétique ayant été peu regardants sur la nature des régimes quand il s'agissait de soutenir leurs alliés. J'aborderai, dans les chapitres 6 et 7, la question des handicaps supplémentaires dus aux régimes dictatoriaux, c'est-à-dire le peu d'écoute reservé aux couches les plus faibles de la société ainsi que la non-transparence et la non-responsabilité. Les dictatures,

pour satisfaire leurs besoins militaires ou d'autres priorités sont, par ailleurs, enclines à creuser la dette nationale.

41. Les *rapports sur le développement humain* du PNUD, sous l'impulsion de Mahbub ul Haq fournissent des données détaillées sur la nature des privations dans les différentes régions du monde. Ils présentent aussi des mesures agrégées, en particulier l'indice du développement humain (IDH) et l'indice de pauvreté humaine (IPH). Ces deux instruments ont retenu l'attention aux dépens des informations empiriques, tableaux ou descriptions. Le PNUD souhaitait introduire auprès du grand public des indicateurs moins réducteurs mais d'une lecture aussi facile que le PNB par habitant. Avec la popularisation de son indice du développement humain, on peut considérer que l'objectif est atteint. De la même manière, l'indice de pauvreté humaine rivalise aujourd'hui avec les normes habituelles de mesure de la pauvreté par le revenu. Je n'entrerai pas ici dans le débat sur les mérites concurrentiels d'un indice ou de l'autre, dans la perspective d'une meilleure diffusion de l'information auprès du grand public (j'ai, par ailleurs, fourni mon assistance au PNUD, pour la conception de ces deux indices). Mais il me paraît toutefois important de souligner que la richesse documentaire des *Rapports sur le développement humain* outrepasse les aperçus quelque peu sommaires reflétés par ces deux indices.

42. Amartya Sen, « Missing Women » (1992).

43. Voir aussi mon *Resources, Values and Development* (1984) ; Barbara Harriss et E. Watson, « The Sex Ratio in South Asia », *in Geography of Gender in the Third World*, édité par J. H. Momson et J. Townsend (Londres, Butler & Tanner, 1987) ; Jocelyn Kynch, « How Many Women Are Enough ? Sex Ratios and theRight to Life », *Third World Affairs*, 1985 (Londres, Third World Foundation, 1985) ; Amartya Sen, « Women Survival as a Development Problem », *Bulletin of the American Academy of Arts and Sciences* 43 (1989), p. 14-29 ; Ansley Coale, « Excess Female Mortality and the Balances of Sexes in the Population : An Estimate of the Number of "Missing Females" », *Population and Development Review* 17, n° 3 (1991), p. 517-23 ; Stephan Klasen, « Missing Women Reconsidered », *World Development* 22 (1994).

44. Voir I. Waldron, « The Role of Genetic and Biological Factors in Sex Differences Mortality », *in Sex Differences in Mortality*, édité par A. D. Lopez et L. T. Ruzicka (Canberra, Department of Demography, Australian National University, 1983).

45. À ce sujet, voir mon « Women's Survival as a Development Problem », *Bulletin of the American Academy of Arts and Sciences* (novembre 1989), édition revue dans dans « More than a Hundred Million Women are Missing », *The New York Review of Books* (20 décembre 1990).

46. Voir Drèze et Sen, *Hunger and Public Action* (1989), tableau 4.1, p. 52. Voir aussi mon « Missing Women » (1992).

47. Coale, « Excess Female Mortality ».

48. Stephan Klasen, « Missing Women Reconsidered », *World Development* 22 (1994).

49. Chen, Huq et D'Souza, « Sex Bias in the Family Allocation of Food and Health Care in Rural Bangladesh » (1981), p. 7 ; Sen, *Commodities and Capabilities* (1985) et les ouvrages cités en référence (voir aussi Coale, « Excess Female Mortality »).

50. En particulier, Atkinson, *Social Justice and Public Policy* (1983) et son *Poverty and Social Security* (New York, Wheatsheaf, 1989).

51. Harry Frankfurt, « Equality as a Moral Ideal », *Ethics* 98 (1987), p. 21.

52. J'ai abordé différents aspects de cette distinction dans « From Income Inequality to Economic Inequality », *Southern Economic Journal* 64 (1997).

53. Voir mon « The Welfare Basis of Real Income Comparisons », *Journal of Economic Literature* 17 (1979), repris *in Resources, Values and Development* (1984).

Notes du chapitre V

1. J'ai présenté quelques tentatives d'un tel examen dans mon *On Ethics and Economics* (Oxford, Blackwell, 1987), puis dans « Markets and Freedoms », *Oxford Economic Papers* 45 (1993) ; « Markets and the Freedom to Choose », *in The Ethical Foundations of the Market Economy*, édité par Horst Siebert (Tubingen, J.C.B. Mohr, 1994) ; et « Social Justice and Economic Efficiency », présenté lors d'un séminaire sur « Philosophie et Politique » à Berlin en novembre 1997.

2. Sur la distinction entre « résultats cumulatifs » et « résultats globaux », voir mon « Maximization and the Act of Choice », *Econometrica* 65 (juillet 1997). Le résultat global prend en compte non seulement les résultats cumulatifs, mais aussi le *processus* de choix lui-même.

3. Le type de relations paraissant adapté à la marchandisation est une question séparée, et importante. Sur ce sujet, voir Margaret Jane Radin, *Contested Commodities* (Cambridge, Mass., Harvard University Press, 1996).

4. Robert W. Fogel et Stanley L. Engerman, *Time on the Cross : The Economics of American Negro Slavery* (Boston, Little, Brown, 1974).

5. Voir G. A. Cornia avec R. Paniccià, *The Demographic Impact of Sudden Impoverishment : Eastern Europe during the 1986-1996 Transition* (Florence, International Child Development Center, Unicef,

1995). Voir aussi Michael Ellman, « The Increase in Death and Disease under "Karastroika" », *Cambridge Journal of Economics* 18 (1994).

6. Friedrich Hayek, *The Road to Serfdom* (Londres, Routledge, 1944). Voir aussi Janos Kornai, *The Road to a free Economy : Shifting from a Socialist Sytem* (New York, Norton, 1990) et *Visions and Reality, Market and State : Contradictions and Dilemmas Revisited* (New York, Harvester Press, 1990).

7. Sur ce point, voir mon « Gender and Cooperative Conflict », in *Persistent Inequalities : Women andWorld Development*, édité par Irene Tinker (New York, Oxford University Press, 1990) ; voir aussi dans cet ouvrage les références aux textes empiriques et théoriques sur ce sujet.

8. Sur cette question, voir Ester Boserup, *Women's Role in Economic Development* (Londres, Allen & Unwin, 1970) ; Martha Loutfi, *Rural Women : Unequal Partners in Development* (Genève, OIT, 1980) ; Luisella Goldschmidt-Clermont, *Unpaid Work in the Household* (Genève, OIT, 1982) ; Amartya Sen, « Economics and the Family », *Asian Development Review* I (1983), *Resources, Values and Development* (Cambridge, Mass., Harvard University Press, 1984), et *Commodities and Capabilities* (Amsterdam, North-Holland, 1985) ; Irene Tinker, éd., *Persistent Inequalities* (1990) ; Nancy Folbre, « The Unproductive Housewife : Her Evolution in Nineteenth Century Economic Thought », *Signs : Journal of Women in Culture and Society* 16 (1991) ; Naila Kabeer, « Gender, Production and Well-Being », *Discussion Paper 288*, Institute of Development Studies, University of Sussex, 1991 ; Lourdes Urdaneta-Ferrœn, « Measuring Women's and Men's Economic Contributions », actes de la 49ᵉ session de l'ISI (Florence, Institut de la statistique international, 1993) ; Naila Kabeer, *Reversed Realities : Gender Hierarchies in Development Thought* (Londres, Verso, 1994) ; PNUD, *Human Development Report 1995* (New York, Oxford University Press, 1995) ; entre autres contributions.

9. La nécessité de combiner l'observation du mécanisme de marché conjointement à celle d'autres institutions économiques, sociales et politiques a été soulignée par Douglass North, *Structure and Change in Economic History* (New York, Norton, 1981), et (avec l'accent sur d'autres aspects) par Judith R. Blau, *Social Contracts and Economic Markets* (New York, Plenum, 1993). Voir aussi l'étude récente de David S. Landes, *The Wealth and Poverty of Nations* (New York, Norton, 1998).

10. Il existe aujourd'hui une littérature assez abondante sur cette question et celles qui s'y rapportent ; voir Joseph Stiglitz et F. Mathewson éd., *New Developments in the Analysis of Market*

Structure (Londres, MacMillan, 1986), et Nicholas Stern, « The Economics of Development : A Survey », *Economic Journal* 99 (1989).

11. Voir Kenneth J. Arrow, « An Extension of the Basic Theorems of Classical Welfare Economics », *Proceedings of the Second Berkeley Symposium of Mathematical Statistics*, éd. par J. Neyman (Berkeley, Calif., University of California Press, 1951), et Gerard Debreu, *A Theory of Value* (New York, Wiley, 1959).

12. La modélisation de l'économie de marché dans la littérature récente sur le développement a élargi de manière substantielle les hypothèses assez limitées de la formulation d'Arrow-Debreu. Ces nouveaux travaux explorent l'importance des économies de grande échelle, le rôle de la connaissance, l'apprentissage par l'expérience, la prévalence de la concurrence monopolistique, les difficultés de coordination entre différents agents économiques et les exigences de la croissance à long terme par opposition à l'efficacité statique. Sur divers aspects de ces changements, voir Avinash Dixit et Joseph E. Stiglitz, « Monopolistic Competition and Optimum Product Diversity », *American Economic Review* 67 (1977) ; Paul R. Krugman, « Scale Economies, Product Differentiation and the Pattern of Trade », *American Economic Review* 70 (1981) ; Paul R. Krugman, *Strategic Trade Policy and New International Economics* (Cambridge, Mass., MIT Press, 1986) ; Paul M. Romer, « Increasing Returns and Long-Run Growth », *Journal of of Political Economy* 94 (1986) ; Paul M. Romer, « Growth Based on Increasing Returns Due to Specialization », *American Economic Review* 77 (1987) ; Robert E. Lucas, « On the Mechanics of Economic Development », *Journal of Monetary Economics* 22 (1988) ; Kevin Murphy, A. Schleifer et R. Vishny, « Industrialization and the Big Push », *Quarterly Journal of Economics* 104 (1989) ; Elhana Helpman et Paul R. Krugman, *Market Structure and Foreign Trade* (Cambridge, Mass., MIT Press, 1990) ; Gene M. Grossman et Elhanan Helpman, *Innovation and Growth in the Global Economy* (Cambridge, Mass., MIT Press, 1991) ; Paul R. Krugman, « History vs Expectations », *Quarterly Journal of Economics* 106 (1991) ; K. Matsuyama « Increasing Returns, Industrialization and the Indeterminacy of Equilibrium », *Quarterly Journal of Economics* 106 (1991) ; Robert E. Lucas, « Making a Miracle », *Econometrica* 61 (1993) ; etc.

13. Pour une introduction élémentaire aux résultats et à leurs implications, voir mon *On Ethics and Economics* (1985), chapitre 2. Les résultats comprennent aussi le « théorème inverse » qui garantit la possibilité d'atteindre, au moyen du mécanisme de marché, *tout* optimum de Pareto possible, à partir d'une distribution initiale appropriée des ressources (et un ensemble de prix correspondant). La nécessité d'établir la distribution initiale des ressources (pour atteindre le résultat désiré), exige cependant un pouvoir

politique considérable et un radicalisme administratif soutenu visant à pratiquer la redistribution voulue des atouts, qui peut être importante (si l'équité occupe une place de choix entre les divers optima de Pareto). En ce sens, le recours au « théorème inverse » comme justification du mécanisme de marché fait partie du « manuel du révolutionnaire » (voir à ce propos mon *Ethics and Economics* p. 37-38). Le théorème direct n'a pas cette exigence ; tout équilibre concurrentiel y constitue un optimum de Pareto, dans les conditions requises (telles que l'absence de types d'externalités particuliers), pour *toute* distribution initiale de ressources.

14. Voir mon « Market and Freedoms », *Oxford Economic Papers* 45 (1993).

15. Il y a encore d'autres façons de considérer la liberté effective, examinées dans mon *Freedom, Rationality and Social Choice : Arrow Lectures and Other Essays* (Oxford, Clarendon Press, à paraître) ; voir aussi les textes qui s'y trouvent cités.

16. Voir Kenneth Arrow et Frank Hahn, *General Competitive Analysis* (San Francisco, Holden-Day, 1971 ; réédité à Amsterdam, North-Holland, 1979).

17. Si la forme des préférences impose une restriction sur ce que les individus sont supposés rechercher, il n'y a aucune restriction sur le *pourquoi* de cette recherche. Pour un examen des conditions requises, voir mon « Markets and Freedoms » (1993). La question essentielle ici est que le résultat d'efficacité – étendu pour s'appliquer aux libertés – se rapporte directement aux *préférences*, quelles que soient les raisons de ces préférences.

18. Voir mon « Poverty, Relatively Speaking », *Oxford Economic Papers* 35 (1983), reproduit dans mon *Resources, Values and Development*, et « Markets and Freedoms » (1993).

19. Voir, par exemple, A.B. Atkinson, *Poverty in Britain and the Reform of Social Security* (Cambridge, Cambridge University Press, 1970). Voir aussi Dorothy Wedderburn, *The Aged in the Welfare State* (Londres, Bell, 1961) ; Peter Townsend, *Poverty in the United Kingdom : A Survey of Household Resources and Standards of Living* (Harmondsworth, Penguin, 1979).

20. Voir Emma Rothschild, « Social Security and Laissez Faire in Eighteenth-Century Political Economy », *Population and Development Review* 21 (décembre 1995). En ce qui concerne les *Poor Laws*, Adam Smith voyait la nécessité de filets de sécurité en matière sociale, mais il critiquait les restrictions que ces lois imposaient sur les mouvements et autres libertés des pauvres ainsi pris en charge ; voir Adam Smith, *An Inquiry into the Nature and Causes of the Wealth of Nations* (1776 ; réédition R.H. Campbell et A.S. Skinner, Oxford, Clarendon Press, 1976), p. 152-154. À comparer avec Thomas Robert Malthus et son attaque frontale contre les *Poor Laws*.

21. Vilfredo Pareto, *Manual of Political Economy* (New York, Kelley, 1927), p. 379. Voir aussi Jagdish N. Bhagwati, « Lobbying and Welfare », *Journal of Public Economics* 14 (1980) ; Ronald Findlay et Stan Wellisz, « Protection and Rent-Seeking in developing Countries », *in* David C. Colander, *Neoclassical Political Economy : The Analysis of Rent-Seeking and DUP Activities* (New York, Harper and Row, 1984) ; Gene Grossman et Elhanen Helpman, *Innovation and Growth in the Globlal Economy* (Cambridge, Mass., MIT Press, 1991) ; Debraj Ray, *Development Economics* (1998), ch. 18.

22. Dani Rodrik a mis en évidence une asymétrie importante qui renforce dans une certaine mesure la thèse des défenseurs des barrières douanières : celles-ci font entrer de l'argent que le gouvernement est susceptible de dépenser ensuite (« Political Economy of Trade Policy », *in Handbook of International Economics*, vol. 3, éd. G.M. Grossman et K. Rogoff, Amsterdam, Elsevier, 1995). Rodrick souligne qu'aux États-Unis, pendant la période 1870-1914, les barrières douanières ont apporté au gouvernement plus de la moitié de ses revenus (avant la guerre civile, cette proportion s'est élevée à 90 %). Dans la mesure où cette politique introduit un biais restrictionniste, celui-ci doit être pris en compte, mais reconnaître la cause d'un biais prédispose à le rencontrer. Voir aussi R. Fernandez et D. Rodrik, « Resistance to Reform : Status Quo Bias in the Presence of Individual-Specific Uncertainty », *American Economic Review* 81 (1991).

23. Adam Smith, *La Richesse des nations*, volume I, livre II. Dans les interprétations modernes de l'opposition d'Adam Smith à l'intervention régulatrice de l'État, il peut y avoir une reconnaissance (erronée) du fait que son hostilité à de telles régulations est en rapport étroit avec le fait qu'il ait vu ces régulations comme visant souvent à veiller aux intérêts des riches. Smith s'est exprimé lui même et sans équivoque sur ce sujet :

« Quand la législation s'efforce de régler les différends entre les maîtres et leurs ouvriers, elle prend toujours ses conseillers parmi les maîtres. Aussi, lorsque la réglementation se trouve être en faveur des ouvriers, elle est toujours juste et équitable ; mais il peut ne pas en être ainsi lorsqu'elle favorise les maîtres. »

24. Voir Emma Rothschild, « Adam Smith and Conservative Economics », *The Economic History Review* 45 (février 1992).

25. Voir mon « Money and Value : On the Ethics and Economics of Finance », première conférence Paolo Baffi de la Banque d'Italie (Rome, Banque d'Italie, 1991) ; réédité *in Economics and Philosophy* 9 (1993).

26. Adam Smith ne considérait pas seulement le fait d'interdire l'intérêt comme une erreur, il faisait aussi remarquer qu'une telle

interdiction accroîtrait le coût de l'emprunt pour l'emprunteur nécessiteux.

« En quelques pays, la loi interdit l'intérêt. Mais comme partout quelque chose peut être tiré de l'usage de l'argent, partout l'usage de l'argent devrait avoir un prix. Cette réglementation, au lieu de le prévenir, accroît le mal de l'usure, l'expérience le prouve ; le débiteur devant payer non seulement pour son usage de l'argent, mais pour le risque encouru par son créditeur en acceptant compensation pour cet usage. » *La Richesse des nations*, vol. I, livre 2, ch. 4.

27. Adam Smith, vol. I, livre 2, ch. 4, « *Projector* », le terme traduit ici par « imprudent », n'est pas utilisé par Adam Smith en son sens premier et neutre de « quelqu'un qui forme des projets », mais dans un sens péjoratif (attesté dès 1616 par le *Shorter Oxford English Dictionary*), qui lui fait désigner, entre autres, un « promoteur d'affaires frauduleuses ; un fraudeur ». Giorgio Basevi a attiré mon attention sur le parallélisme entre les *projectors* montrés du doigt par Smith et le portrait peu flatteur que Jonathan Swift brosse de ceux-ci dans *Les Voyages de Gulliver*, publiés en 1726 – un demi-siècle avant *La Richesse des nations*.

28. Lettre de Jeremy Bentham, 1787, « To Dr. Smith », publiée dans Jeremy Bentham, *Defence of Usury* (Londres, Payne, 1790).

29. Rien ne donne à penser que Smith se soit laissé convaincre par l'argument de Jeremy Bentham, même si ce dernier semble avoir été persuadé du contraire. (« Les sentiments de Smith à l'égard de nos points de divergence semblent être à présent les mêmes que les miens », écrivait-il.) En réalité, le passage de *La Richesse des nations* critiqué par Bentham n'a fait l'objet d'aucune révision de la part de Smith dans les éditions ultérieures. Sur ce curieux débat, voir H. W. Speigel, « Usury », *in The New Palgrave : A Dictionary of Economics*, éd. par J. Eatwell, M. Milgate et P. Newman, volume 4 (Londres, MacMillan).

30. Adam Smith, *La Richesse des nations*, vol. I, livre 2, ch. 3.

31. *Ibid.*

32. La question des limites de l'économie de marché soulève des débats très divers. Pour une analyse claire de ces différents débats, voir Robert E. Lane, *The Market Experience* (Cambridge, Cambridge University Press, 1991) ; Joseph Stiglitz, *Whither Socialism ?* (Cambridge, Mass., MT Press, 1994) ; Robert Heilbroner, *Visions of the Future : The Distant Past, Yesterday, Today and Tomorrow* (New York, Oxford University Press, 1995) ; Will Hutton, *The State We Are In* (Londres, Jonathan Cape, 1995) ; Robert Kuttner, *Global Competitivness and Human Development : Allies or Adversaries ?* (New York, UNDO, 1996) et *Everything For Sale : The Visions and the Limits of the Market* (New York, Knopf, 1998) ; Cass Sunstein, *Free Markets and Social Justice* (New York, Oxford University Press, 1997).

33. Voir particulièrement Alice H. Amsden, *Asia's Next Giant : South Korean and the Late Industrialization* (New York, Oxford University Press, 1989) ; Robert Wade, *Governing the Market : Economic Theory and the Role of Government in East Asian Industrialization* (Princeton, Princeton University Press, 1990) ; Lance Taylor, éd., *The Rocky Road to Reform : Adjustment, Income distribution and Growth in the Developing World* (Cambridge, Mass., MIT Press, 1993) ; Gerry K. Helleiner, éd., *Manufacturing for Export in the Developing World : Problems and Possibilities* (Londres, Routledge, 1995) ; Kotaro Suzumura, *Competition, Commitment and Welfare* (Oxford, Clarendon Press, 1995) ; Dani Rodrik, « Understanding Economic Policy Reform », *Journal of Economic Literature* 24 (mars 1996) ; Jomo K.S., avec Chen Yun Chung, Brian C. Folk, Irfan ul-Haque, Pasuk Phongpaichit, Batara Simatupang et Mayuri Tateishi, *Southeast Asias's Misunderstood Miracle : Industrial Policy and Economic Development in Thailand, Malaysia and Indonesia* (Boulder, Colorado, Westview Press, 1997) ; Vinay Bharat-Ram, *The Theory of the Global Firm* (Delhi, Oxford University Press, 1997) ; Jeffrey Sachs et Andrew Warner, « Sources of Slow Growth in African Economies », Harvard Institute for International Development, mars 1997 ; Jomo K.S. éd., *Tigers in Trouble : Financial Governance, Liberalization and Crises in East Asia* (Londres, Zed Books, 1998)... Dani Rodrik offre une utile présentation générale de la nécessité d'une combinaison d'intervention publique, de marchés et d'échanges internationaux ; les combinaisons optimales peuvent varier selon les pays ; voir son *The New Global Economy and Developing Countries* (1999). Voir aussi Edmond Malinvaud, Jean-Claude Milleron, Mustaphak Nabli, Amartya Sen, Arjun Sengupta, Nicholas Stern, Joseph E. Stiglitz et Kotaro Suzumura, *Development Strategy and the Management of the Market Economy* (Oxford, Clarendon Press, 1997).

34. James D. Wolfensohn, « Comprehensive Development Framework », polycopié, Banque mondiale, 1999. Voir aussi Joseph E. Stiglitz, « An Agenda for Development in the Twenty-First Century », *in Annual World Bank Conference on Development Economics 1997*, éd. par B. Pleskovi et J.E. Stiglitz (Washington, D.C., Banque mondiale, 1998).

35. À ce propos, voir les quatre premiers chapitres de ce livre. Voir aussi Amartya Sen et James D. Wolfensohn, « Let's Respect both Sides of the Development Coin », *International Herald Tribune*, 5 mai 1999.

36. Voir Jean Drèze et Amartya Sen, *India : Economic Development and Social Opportunity* (Delhi, Oxford University Press, 1995). Voir aussi mon « How Is India Doing ? », *New York Review of Books* 21 (numéro de Noël, 1982), reproduit dans *Social and*

Economic Development in India : A reassessment, éd. par D.K. Basu et R. Sissons (Londres, Sage, 1986).

37. Dans ce contexte, voir Isher Judge Ahluwalia et I.M.D. Little (éd.), *India's Economic Reforms and Development : Essays for Manmohan Singh* (Delhi, Oxford University Press, 1998). Voir aussi Vijay Joshi et I.M.D. Little, *India's Economic Reforms, 1991-2001* (Delhi, Oxford University Press, 1996).

38. Voir l'analyse classique de « l'échec du marché » à l'égard des biens publics dans Paul A. Samuelson, « The Pure Theory of Public Expenditure », *Review of Economics and Statistics* 36 (1954), et « Diagrammatic Exposition of a Pure Theory of Public Expenditure », *Review of Economics and Statistics*, 35 (1955). Voir aussi Kenneth J. Arrow, « The Organization of Economic Activity : Issues Pertinent to the Choice of Market versus Non-market Allocation », *in Collected Papers of K.J. Arrow*, volume 2 (Cambridge, Mass., Harvard University Press, 1983).

39. L'incertitude, propre à la santé, rend problématique l'introduction du marché dans le domaine médical. Sur cette question, voir Kenneth J. Arrow, « Uncertainty and the Welfare Economics of Health Care », *American Economic Review* 53 (1963). Les mérites comparés de l'action publique dans le domaine de la santé sont très liés aux problèmes identifiés par Arrow comme par Samuelson (voir note précédente) ; à ce sujet, voir Jean Drèze et Amartya Sen, *Hunger and Public Action* (Oxford, Clarendon Press 1989).

40. Il existe à ce sujet une littérature abondante. Si certains travaux se sont focalisés sur la diversité institutionnelle indispensable au traitement du problème des biens publics et aux problèmes liés à celui-ci, d'autres sont centrés sur la redéfinition de « l'efficacité », constatation faite des coûts de transaction et de collusion. La nécessité du perfectionnement institutionnel au-delà de l'appui sur les seuls marchés traditionnels n'est pas évitée par une redéfinition, si le but est d'aller au-delà de la réalisation dont sont capables les marchés traditionnels. On trouvera un résumé brillant des diverses questions traitées dans cette littérature dans Andreas Papandreou, *Externality and Institutions* (Oxford, Clarendon Press, 1994).

41. Adam Smith, *La Richesse des nations*, vol. I, livre 2 et vol. 5, livre I.

42. Voir mon « Social Commitment and Democracy : The Demands of Equity and Financial Conservatism », *in Living as Equals*, éd. Paul Barker (Oxford, Oxford University Press, 1996), ainsi que « Human Development and Financial Conservatism », communication adressée à la Conference on Financing Human Resource Development organisée par la Banque asiatique pour le développement, le 17 novembre 1995, *in World Development*, 1998. La discussion qui suit s'inspire de ce document.

43. La sous-alimentation comporte de nombreux aspects extrêmement complexes. Voir à ce sujet les études publiées dans S.R. Osmani éd., *Nutrition and Poverty* (Oxford, Clarendon Press, 1992). Certains aspects de la privation nutritionnelle sont plus facilement observables que d'autres.

44. Voir la discussion sur ce point dans Jean Drèze et Amartya Sen, *Hunger and Public Action* (Oxford, Clarendon Press, 1989), ch. 7 (particulièrement p. 109-113). Les observations empiriques sont empruntées à T. Nash, « Report on Activities of the Child Feeding Centre in Korem », polycopié (Londres, Save the Children Fund, 1986), et J. Borton, J. Shoham, « Experiences of Non-governmental Organizations in Targeting of Emergency Food Aid », polycopié, compte rendu d'un atelier à la London School of Hygiene and Tropical Medicine, 1989.

45. Voir Drèze et Sen, *Hunger and Public Action* (1989). Voir aussi Timothy Besley et Stephen Coate, « Workfare versus Welfare : Incentive Arguments for Work Requirements in Poverty-Alleviation Programs », *American Economic Review* 82 (mars 1992) ; Joachim Von Braun, Tesfaye Teklu et Patrick Webb, « The Targeting Aspects of Public Works Schemes : Experiences in Africa », et Martin Ravallion, Gaurav Datt, « Is Targeting through a Work Requirement Efficient ? Some Evidence from Rural India », tous deux dans *Public Spending and the Poor : Theory and Evidence*, éd. par Dominique van de Walle et Kimberly Nead (Baltimore, Johns Hopkins University Press, 1995). Voir aussi Joachim von Braun, Tesfaye Teklu et Patrick Webb, *Famine in Africa : Causes, Responses and Prevention* (Baltimore, Johns Hopkins University Press, 1998).

46. Cela n'aidera pas ceux qui sont trop âgés, trop infirmes ou trop malades pour travailler, mais, comme nous l'avons déjà dit, les personnes dans de telles situations peuvent aisément être identifiées et assistées par d'autres moyens. Des expériences réelles de programmes complémentaires sont abordées dans Drèze et Sen, *Hunger and Public Action* (1989).

47. Voir Sudhir Anand et Martin Ravallion, « Human Development in Poor Countries : do Incomes Matter ? », *Journal of Economic perspectives* 7 (1993). Voir également Keith Griffin et John Knight (éd.), *Human Development and the International Development Strategy for the 1990s* (Londres, MacMillan, 1990). Dans le contexte spécifique des famines, voir aussi Alex de Waal, *Famines That Kill : Darfur 1984-1985* (Oxford, Clarendon Press, 1989).

48. Voir mon *On Economic Inequality*, p. 78-79.

49. Ces points sont approfondis dans « The Political Economy of Targeting », mon allocution-programme de 1992, à la conférence annuelle sur le développement économique organisée par la Banque

mondiale, publiée dans de Walle et Nead, *Public Spending and the Poor* (1995). Voir aussi les autres essais de cet ouvrage éclairant.

50. Sur les problèmes généraux relatifs à l'asymétrie de l'information, voir George A. Akerlof, *An Economic Theorist's Book of Tales* (Cambridge, Cambridge University Press, 1984).

51. Voir John Rawls, *Theorie de la justice*. Rawls commente la façon dont les arrangements institutionnels et les politiques publiques peuvent influencer « les bases sociales du respect de soi ».

52. Voir en particulier William J. Wilson, *The Truly Disadvantaged* (Chicago, University of Chicago Press, 1987) ; Christopher Jencks et Paul E. Peterson (éd.), *The Urban Underclass* (Washington, D.C., Brookings Institution, 1991) ; Theda Skocpol, *Protecting Soldiers and Mothers : the Politics of Social Provision in the United States, 1870-1920* (Cambridge, Mass., Harvard University Press, 1991). J'ai rencontré cet argument pour la première fois en 1971 lors d'une conversation avec Terence (W.M.) Gorman à la London School of Economics, mais je n'ai pas connaissance que ce dernier ait jamais mis ces idées par écrit.

53. Michael Bruno, « Inflation, Growth and Monetary Control : Non-linear Lessons from Crisis and Recovery », conférence Paolo Baffi (Rome, Banque d'Italie, 1996). Voir aussi son *Crisis, Stabilization and Economic Reform* (Oxford, Clarendon Press, 1993).

54. M. Bruno, « Inflation, Growth and Monetary Control », p. 7-8.

55. *Ibid.*

56. *Ibid.*

57. Bien que la Banque mondiale ait mis longtemps à reconnaître le rôle de l'État dans le succès économique asiatique, elle a fini par admettre l'importance des rôles particuliers des États dans la promotion de l'éducation et des ressources humaines ; voir Banque mondiale, *The East Asian Miracle : Economic Growth and Public Policy* (New York, Oxford University Press, 1993). Voir également Asian Development Bank, *Emerging Asia : Changes and Challenges* (Manille, Asian Development Bank, 1997).

58. Voir Hiromitsu Ishi, « Trends in the Allocation of Public Expenditures in Light of Human Resource Development – Overview in Japan » (Asian Development Bank, 1995).

59. La nature de cette relation a été discutée dans Drèze et Sen, *Hunger and Public Action* (1989). Voir aussi l'analyse à facettes multiples dans Banque mondiale, *The East Asian Miracle* (1993), et la liste importante de références empiriques qui s'y trouvent citées. Également, les travaux présentés à la Conférence internationale sur le financement du développement des ressources humaines organisée par la Asian Development Bank le 17 novembre 1995 ; une bonne partie de ces travaux a été publiée dans *World Development*, 1998.

60. Voir Jere R. Behrman et Anil B. Deolalikar, « Health and

Nutrition », *in Handbook of Development Economics*, éd. par H.B. Chenery et T.N. Srinivasan (Amsterdam, North-Holland, 1988) et Partha Dasgupta, *An Inquiry into Well-being and Destitution* (Oxford, Clarendon Press, 1993).

61. Cependant, du fait du poids considérable de leur dette internationale, certains pays, en particulier en Afrique, ont des choix fiscaux réduits. En la matière, la nécessité d'une politique internationale « visionnaire » en tant que possibilité économique « réalistique » est défendue par Jeffrey Sachs, « Release the Poorest Countries from Debt Bondage », *Int. Herald Tribune*, 12-13 juin 1999.

62. Voir PNUD, *Rapport sur le développement humain 1994*.

Notes du chapitre VI

1. La première partie de ce chapitre s'inspire de mon article « Freedoms and Needs », *New Republic*, 10 et 17 janvier 1994.

2. Cité dans John F. Cooper, « Peking's Post-Tiananmen Foreign Policy : The Human Rights Factor », *Issues and Studies*, 30 (octobre 1994), p. 69 ; voir aussi Joanne Bauer et Daniel A. Bell, éditeurs, *The East Asian Challenge For Human Rights* (Cambridge, Cambridge University Press, 1999).

3. Cette analyse poursuit les réflexions d'articles plus anciens : « Freedoms and Needs » (1994) ; « Legal Rights and Moral Rights : Old Questions and New Problems », *Ratio Juris* 9 (juin 1996) et « Human Rights and Asian Values », Morgenthau Memorial Lecture (New York, Carnegie Coucil on Ethics and International Affairs, 1997), dont une version abrégée a été publié par *The New Republic*, 14 et 21 juillet 1997.

4. Voir, parmi d'autres travaux, Adam Przeworski *et al.*, *Sustainable Democracy* (Cambridge, Cambridge University Press, 1995) ; Robert J. Barro, *Getting it Right : Markets and Choices in a Free Society* (Cambridge, Mass., MIT Press, 1996). Voir aussi Robert J. Barro et Jong-Wha Lee, « Loosers and Winners in Economic Growth », Working Paper 4341, National Bureau of Economic Research (1993) ; Partha Dasgupta, *An Enquiry into Well-Being and Destitution* (Oxford, Clarendon Press, 1993) ; John Helliwell, « Empirical Linkages Between Democracy and Economic Growth », Working Paper 4066, National Bureau of Economic Research (1994) ; Surjit Bhalla, « Freedom and Economic Growth : A Vicious Circle ? », présenté à Uppsala, lors du Symposium Nobel « Victoire et crise de la démocratie », août 1994 ; Adam Przeworski et Fernando Limongi, « Democracy and Development », présenté lors du même symposium.

5. Voir mon étude avec Jean Drèze, *Hunger and Public Action* (Oxford, Clarendon Press, 1989), 3ᵉ partie.

6. Voir mon : « Development : Which Way Now ? », *Economic Journal* 93 (décembre 1983) et *Resources, Values and Development* (Cambridge, Mass., Harvard University Press, 1984 et 1997).

7. On pourrait m'opposer qu'à l'époque des famines, dans les années 1840, l'Irlande était une partie du Royaume-Uni et non une colonie. Toutefois, un abîme culturel séparait la population irlandaise de la classe dirigeante anglaise, très défiante à l'égard des Irlandais (depuis le xvie siècle, au moins, comme le manifeste le très acerbe *Faerie Queene*, d'Edmund Spenser). De plus, la répartition du pouvoir était totalement déséquilibrée. Dans les faits, l'administration de l'Irlande ne différait guère d'un modèle classique de gouvernorat colonial en terre étrangère. Voir par exemple Cecil Woodham-Smith, *The Great Hunger : Ireland 1845-1849* (Londres, Hamish Hamilton, 1962). Joel Mokyr note que « l'Irlande était considérée par la Grande-Bretagne comme une nation étrangère et même hostile » (*Why Ireland Starved : A Quantitative and Analytical History of the Irish Economy, 1800-1850*, Londres, Allen & Unwin, 1983, p. 291).

8. Fidel Valdez Ramos, « Democracy and the Eastern Asian Crisis », adresse inaugurale au Centre for Democratic Institutions, Australian National University, Canberra, 26 novembre 1998, p. 2.

9. La portée de la délibération et le recours aux arguments moraux dans le débat public jouent ici un rôle essentiel. Voir Jürgen Haberman, « Three Normative Models of Democracy », *Constellations* 1 (1994) ; Seyla Benhabib, « Deliberative Rationality and Models of Democratic Legitimacy », *Constellations* 1 (1994) ; James Bonham et William Rehg, éditeurs, *Deliberative Democracy* (Cambridge, Mass., MIT Press, 1997). Voir aussi James Fishkin, *Democracy and Deliberation* (New Haven, Conn., Yale University Press, 1971) ; Ralph Dahrendorf, *The Modern Social Contract* (New York, Weidenfeld, 1988) ; Alan Hamlin et Philip Pettit, éditeurs, *The Good Polity* (Oxford, Blackwell, 1989) ; Cass Sunstein, *The Partial Constitution* (Cambridge, Mass., Harvard University Press, 1993) ; Amy Gutman et Dennis Thompson, *Democracy and Desagreement* (Cambridge, Mass., Harvard University Press, 1996).

10. Ce point est discuté dans Drèze et Sen, *Hunger and Public Action* (1989), p. 193-197, 229-239.

11. Notons aussi que les défis environnementaux lorsqu'ils sont relevés de façon adéquate, soulèvent quelques-unes des questions centrales liées au choix social et à la délibération politique ; voir mon « Environmental Evaluation and Social Choice : Contingent Valuation and the Market Analogy », *Japanese Economic Review* 46 (1995).

Notes du chapitre VII

1. La première partie de ce chapitre s'inspire de mon intervention devant l'Union interparlementaire du Sénat italien, à l'occasion du sommet mondial de l'Alimentation, à Rome, le 15 novembre 1996. Cette analyse suit, en ligne directe, mon *Poverty and Famines : An Essay on Entitlement and Deprivation* (Oxford, Clarendon Press, 1981) ainsi que mon étude avec Jean Drèze, *Hunger and Public Action* (Oxford, Clarendon Press, 1989).

2. Pour un exposé de mon « analyse des droits d'accès », voir mon *Poverty and Famines* (1981) et Drèze et Sen, *Hunger and Public Action* (1989) ; Drèze, Sen et Athar Hussain, *The Political Economy of Hunger : Selected Essays* (Oxford, Clarendon Press, 1995).

3. Mon *Poverty and Famines* (1981), chap. 6 à 9, passe en revue différents cas de famines, survenant sans baisse significative de la production ou de la disponibilité alimentaire.

4. Voir mon *Poverty and Famines* (1981) Et aussi Meghnad Desai, « A General Theory of Poverty », *Indian Economic Review* 19 (1984) et « The Economy of Famine », *in Famines*, édité par G.A. Harrison (Oxford, Clarendon Press, 1988). Voir aussi, édité par Lucile F. Newman, *Hunger in History : Food Shortage, Poverty and Deprivation* (Oxford, Blackwell, 1990) et pour des époques plus anciennes, Peter Garnsey, *Famine and Food Supply in the Graeco-Roman World* (Cambridge, Cambridge University Press, 1988).

5. « Famines and Economics », *Journal of Economic Literature* 35 (1997), de Martin Ravallion comporte une bibliographie critique de grande qualité sur les famines.

6. Voir mon *Poverty and Famines* (1981), chapitres 7 et 8.

7. Dans mon *Poverty and Famines* (1981), chapitre 9, j'analyse la famine de 1974, au Bangladesh. Voir aussi Mohiuddin Alamgir, *Famine in South Asia* (Boston, Œlgesclager, Gunn and Hain, 1980) et Martin Ravallion, *Markets and Famines* (1987).

8. Voir Martin Ravallion, *Markets and Famines* (1987).

9. On a parfois voulu voir, dans les exportations alimentaires irlandaises à destination de la Grande-Bretagne, la preuve que la production n'avait pas connu de baisse significative. Cette conclusion est erronée : nous avons, d'une part, des preuves directes de la baisse de la production alimentaire (en lien direct avec la maladie de la pomme de terre) et, d'autre part, la circulation des produits alimentaires est déterminée par les prix relatifs, pas seulement par le volume de la production dans le pays exportateur. De fait, les « contremouvements » alimentaires sont des phénomènes typiques des famines d'effondrement, lesquelles s'accompagnent en général

d'un déclin économique tel que la demande se rétracte beaucoup plus encore que la production (voir mon *Poverty and Famines*, 1981). En Chine, le choix des autorités fut d'acheminer *une plus grande part* de la production *réduite* vers les villes (voir Carl Riskin, « Feeding China : The Experience since 1949 », *in* Drèze et Sen, *The Political Economy of Hunger*, 1989).

10. D'autres facteurs encore expliquent le différentiel de mortalité, dans le cas de la famine de 1943, au Bengale. Entre autres, la décision des autorités de protéger la population urbaine en organisant le rationnement et le contrôle des prix et de laisser les ruraux sans aucune forme de protéction. À ce sujet, voir mon *Poverty and Famines* (1981), chapitre 6.

11. Il est fréquent que les populations rurales souffrent plus des famines que les citadins, qui bénéficient d'un rapport de forces économique et politique plus favorable. Le « parti pris » urbain a fait l'objet d'une étude, devenue depuis un classique du genre : *Why Poor People Stay Poor : A Study of Urban Bias in World Development* (Londres, Temple Smith, 1977).

12. Voir Álamgir, *Famines in South Asia* (1980) et mon *Poverty and Famines* (1981), chapitre 9. L'analyse des prix alimentaires (et d'autres facteurs) a fait l'objet d'une analyse détaillée par Martin Ravallion, *Markets and Famines* (1987). L'auteur montre comment le marché du riz, en anticipant une baisse de l'offre, dans des proportions d'ailleurs exagérées, a causé une flambée des prix.

13. *Encyclopaedia Britannica*, 11ᵉ édition (Cambridge, 1910-1911), vol. 10, p. 167.

14. Voir A. Loveday, *The History and Economics of Indian Famines* (Londres, G. Bell, 1916), et mon *Poverty and Famines* (1981), chapitre 4.

15. Voir Alex De Waal, *Famines that Kill* (Oxford, Clarendon Press, 1989). Voir aussi mon *Poverty and Famines* (1981), appendice D, sur sur la mortalité due à la famine, dans le cas du Bengale, en 1943.

16. Cette analyse reprend deux précédents essais : « Famine as Alienation », *in State, Market and Development : Essays in Honour of Rehgman Sobhan*, édité par Abu Abdullah et Azizur Rahman Khan (Dhaka University Press, 1996) et « Nobody Needs Starve », *Granta* 52 (1995).

17. Voir Robert James Scally, *The End of Hidden Ireland* (New York, Oxford University Press, 1995).

18. Voir Cormac O'Grada, *Ireland before and after the Famine : Explorations in Economic History, 1800-1925* (Manchester, Manchester University Press, 1988) et *The Great Irish Famine* (Basingstoke, MacMillan, 1989).

19. Terry Eagleton, *Heathcliff and the Great Hunger : Studies in Irish Culture* (Londres, Verso, 1995), p. 25-26.

20. Pour l'analyse de la famine irlandaise, on peut consulter Joel Mokyr, *Why Ireland Starved : A Quantitative and Analytical History of the Irish Economy, 1800-1850* (Londres, Allen and Unwin, 1983) ; Cormac O'Grada, *Ireland before and after the Famine* (1988) et *The Great Irish Famine* (1989) et Pat McGregor, « A Model of Crisis in a Peasant Economy », *Oxford Economic Papers* 42 (1990). Dans le contexte de la famine, le problème des sans-terre est particulièrement important en Asie du Sud et, dans une certaine mesure, en Afrique subsaharienne ; voir Keith Griffin et Azizur Khan, *Poverty and Landlessness in Rural Asia* (Genève, OIT, 1977) et Alamgir, *Famine in South Asia* (1980).

21. À ce sujet, voir Alamgir, *Famine in South Asia* (1980) et Ravallion, *Markets and Famines* (1987). Voir aussi Nurul Islam, *Development Planning in Bangladesh : A Study in Political Economy* (Londres, Hurst ; New York, Saint-Martin's Press, 1977).

22. Sur les « contre-mouvements », voir Sen, *Poverty and Famines* (1981) ; Graciela Chichilnisky, « North-South Trade With Export Enclaves ; Food Consumption and Food Exports », polycopié, Columbia University, 1983 ; Drèze et Sen, *Hunger and Public Action* (1989).

23. Mokyr, *Why Ireland Starved* (1983), p. 291. Sur différents aspects de cette relation complexe, voir R. Fitzroy Foster, *Modern Ireland 1600-1792* (Londres, Penguin, 1989).

24. Sur cet aspect, voir le jugement équilibré de Mokyr *in Why Ireland Starved* (1983), p. 291-292.

25. Voir Cecil Woodham-Smith, *The Great Hunger : Ireland 1845-1849* (Londres, Hamish Hamilton, 1962) ; O'Grada, *The Great Irish Famine* (1989) et Eagleton, *Heathcliff and the Great Hunger* (1995). La famine et l'attitude anglaise a profondément influencé l'histoire de l'Irlande ; voir Scally, *The End of Hidden Ireland* (1995).

26. Voir Andrew Roberts, *Eminent Churchillians* (Londres, Weinfeld & Nicholson, 1994), p. 213.

27. Cité par Woodham-Smith, *The Great Hunger* (1962), p. 276.

28. La pertinence du raisonnement moral dans la prévention des famines a été analysée de façon lumineuse par Onora O'Neil, *Faces of Hunger : An Esssay on Poverty, Justice and Development* (Londres, Allen and Unwin, 1986). Voir aussi P. Sainath, *Everybody loves a Good Drought* (New Delhi, Penguin, 1996) ; Helen O'Neill et John Toye, *A World Without Famine ? New Approaches to Aid and Development* (Londres, MacMillan, 1998) ; Joachim von Braun, Tesfaye Teklu et Patricia Webb, *Famine in Africa : Causes, Responses, Prevention* (Baltimore, Johns Hopkins University Press, 1999).

29. La riche documentation sur ce sujet est discutée et évaluée

dans Drèze et Sen, *Hunger and Public Action* (1989), chap. 9. Voir aussi C. K. Eicher, *Transforming African Agriculture* (San Francisco, The Hunger Project, 1986) ; M.S. Swaminathan, *Sustainable Nutritional Security for Africa* (San Francisco, The Hunger Project, 1986) ; M. Glantz, éd, *Drought and Hunger in Africa* (Cambridge, Cambridge University Press, 1987), J. Mellor, C. Delgado, C. Blackie, éd., *Accelerating Food Production in Sub-Saharan Africa* (Baltimore, Johns Hopkins University Press, 1987). Voir aussi les contributions de Judith Heyer, Francis Idachaba, Jean-Philippe Plateau, Peter Svedberg et Sam Wangwe, *in The Political Economy of Hunger*, édité par Drèze et Sen (1990).

30. Voir Drèze et Sen, *Hunger and Public Action* (1989), tableau 2.4, p. 33.

31. Voir Drèze et Sen, *Hunger and Public Action* (1989), chapitre 8 et, des mêmes, *The Political Economy of Hunger* (1990).

32. Sur les procédures de ce type, voir Drèze et Sen, *Hunger and Public Action* (1989), chapitre 8 et les contributions de Jean Drèze dans Drèze et Sen, *The Political Economy of Hunger* (1990).

33. Voir Drèze et Sen, *Hunger and Public Action* (1989), chapitre 8.

34. Sur cette question, voir mon *Poverty and Famines* (1981) et Drèze et Sen, *Hunger and Public Action* (1989).

35. On trouvera une comparaison dans Drèze et Sen, *Hunger and Public Action* (1989).

36. Voir Basil Ashton, Kenneth Hill, Alan Piazza et Robin Zeitz, « Famine in China 1958-1961 », *Population and Development Review* 10 (1984).

37. Voir T.P. Bernstein, « Stalinism, Famine and Chinese Peasants », *Theory and Society* 13 (1984), p. 13. Et aussi, Carl Riskin, *China's Political Economy* (Oxford, Clarendon Press, 1987).

38. Citation tirée de : *Mao tse-Tung, Unrehearsed, Talks and Letters : 1956-1971*, édité par Stuart R. Schram (Harmondsworth, Penguin Books, 1976), p. 277-228. Voir aussi la discussion de ce jugement par Ralph Miliband, *Marxism and Politics* (Londres, Oxford University Press, 1977), p. 149-150.

39. Voir aussi, Ralph Miliband, *Marxism and Politics* (1977), p. 151.

40. Voir aussi Drèze et Sen, *Hunger and Public Action* (1989).

41. Pour un compte rendu « interne » de la stratégie de prévention des crises et des réformes à long terme en Asie de l'Est et du Sud-Est, voir Timothy Lane, Atish R. Gosh, Javier Hamann, Steven Phillips, Marianne Schulz-Ghattas et Tsidi Tsikata, *IMF-Supported Programs in Indonesia, Korea and Thailand : A Preliminary Assessment* (Washington D.C. : International Monetary Funbd, 1999).

42. Voir James D. Wolfensohn, *The Other Crisis : Adress to the*

Board of Governors of the World Bank (Washington D.C., World Bank, 1998).

43. L'appauvrissement peut résulter non seulement de catastrophes naturelles ou d'effondrements économiques, mais aussi de guerres. Voir mon « Economic Regress : Concepts and Features », *in Proceedings of the World Bank Annual Conference on Development Economics 1993* (Washington D.C., World Bank, 1994). Sur le rôle du militarisme comme fléau moderne, voir aussi John K. Galbraith, « The Unfinished Business of the Century », polycopié, conférence donnée à la London School of Economics, 28 juin 1999.

44. Voir Torsten Persson et Guido Tabellini, « Is Inequality Harmful to Growth ? Theory and Evidence », *American Economic Review* 84 (1994) ; Alberto Alesina et Dani Rodrik, « Distributive Politics and Economic Growth », *Quarterly Journal of Economics* 108 (1994) ; Albert Fishlow, C. Gwin, S. Haggard, D. Rodrik et S. Wade, *Miracle or Design ? Lessons from the East Asian Experience* (Washington D.C., Overseas Development Council, 1994). Pour une comparaison avec l'inde, voir Jean Drèze et Amartya Sen, *India : Economic Development and Social Opportunity* (Delhi, Oxford University Press, 1995). Le plus bas niveau d'inégalité de ce type, toutefois, ne garantit pas le type d'équité qui accompagne la politique démocratique en temps de crise et d'appauvrissement aigu. Comme le note Jong-Il You, dans ces pays, Corée du Sud comprise, « une faible inégalité et de hauts profits coexistaient, du fait d'une répartition exceptionnellement égale de la richesse » (« Income Distribution and Growth in East Asia », *Journal of Development Studies* 34, 1998). De ce point de vue, l'histoire de la Corée et, en particulier, la réforme foncière, le développement du capital humain, à travers la diffusion de l'éducation, etc. semblent avoir joué un rôle très positif.

Notes du chapitre VIII

1. J'ai abordé cette question dans plusieurs travaux antérieurs, parmi lesquels : « Economics and the Family », *Asian Development Review* 1 (1983) ; « Women, Technology and Sexual Divisions », *Trade and Development* 6 (1985) ; « Missing Women », *British Medical Journal* 304 (mars 1992) ; « Gender and Cooperative Conflict », *Persistent Inequalities : Women and World Development*, édité par Irene Tinker (New York, Oxford University Press, 1990) ; « Gender Inequality and Theories of Justice », *Women, Culture and Development : A Study of Human Capabilities*, édité par Martha Nussbaum et Jonathan Glover (Oxford, Clarendon Press, 1995) ; (avec Jean Drèze) *India : Economic Development and Social Opportunity* (Delhi, Oxford University Press, 1995) ; « Agency and Well-Being : The Development

Agenda », *in A Commitment to the Women*, édité par Noeleen Heyzer (New York, Unifem, 1996).

2. Mon article « Well-Being, Agency and Freedom : The Dewey Lectures 1984 », *Journal of Philosophy* 82 (avril 1985), analyse la distinction philosophique entre l'« aspect agent » et l'« aspect bien-être » d'une personne et s'efforce d'en établir les conséquences pratiques dans divers domaines.

3. Pour d'autres estimations statistiques de la « surmortalité féminine » dans divers pays d'Afrique du Nord et d'Asie, voir mon *Resources, Values and Development* (Cambridge, Mass., Harvard University Press, 1984) et, avec Jean Drèze, *Hunger and Public Action* (Oxford, Clarendon Press, 1989). Voir aussi Stephan Klasen, « Missing Women Reconsidered », *World Development* 22 (1994).

4. Il existe une riche documentation à ce sujet.On trouvera mes propres tentatives d'exploiter ces données dans « Gender and Cooperative Conflict » (1990) et « More Than a Hundred MillionWomen are Missing », *New York Review of Books* (22 décembre 1990).

5. J'ai discuté ces questions dans *Resources, Values and Development* (1984), « Gender and Cooperative Conflict » (1990) et « More Than a Hundred Million Women are Missing » (1990). Une étude fondatrice apparaît dans l'ouvrage classique d'Ester Boserup, *Women's Role in Economic Development* (Londres, Allen & Unwin, 1971). Les travaux récents sur l'inégalité entre les sexes dans les pays en développement ont mis en lumière diverses variables. Voir, par exemple, Hanna Papanek, « Family Status and Production : The "Work" and "Non-Work" of Women », *Signs* 4 (1979) ; Martha Loutfi, éd, *Rural Work : Unequal Partners in Development* (Genève, OIT, 1980) ; Mark R. Rosenzweig et T. Paul Schultz, « Market Opportunities, Genetic Endowment and Intrafamily Resource Distribution », *American Economic Review* 72 (1982) ; Myra Buvinic, M. Lycette et W. P. McGreevy, éd., *Women and Poverty in the Third World* (Baltimore, Johns Hopkins University Press, 1983) ; Pranab Bardhan, *Land, Labor and Rural Poverty* (New York, Columbia University Press, 1984) ; Devaki Jain et Nirmala Banerjee, éd., *Tyranny of the Household : Investigative Essays in Women's Work* (New Delhi, Vikas, 1985) ; Gita Sen et C. Sen, « Women's Domestic Work and Economic Activity », *Economic and Political Weekly*, 20 (1985) ; Monica Das Gupta, « Selective Discrimination againts Female Children in India », *Population and Development Review* 13 (1987) ; Gita Sen et Caren Grown, *Development, Crises and Alternative Visions : Third World Women Perspectives* (Londres, Earthscan, 1987) ; Alaka Basu, *Culture, the Status of Women and Demographic Behaviour* (Oxford, Clarendon Press, 1992) ; Nancy Folbre, Barbara Bergmann, Bina Agarwal et Maria Flore éd., *Women's Work in the World Economy* (Londres, MacMillan, 1992) ; Nations-Unies Escap, *Integration*

of Women's Concern into Development Planning in Asia and the Pacific (New York, United Nations, 1992) ; Bina Agarwal, *A Field's of One's Own* (Cambridge, Cambridge University Press, 1995) ; Edith Kuiper et Jolande Sap avec Susan Feiner, Notburga Ott et Zafiris Tzannatos, *Out of the Margin : Feminist Perspectives on Economics* (New York, Routledge, 1995) ; etc.

6. Les divisions sexuelles au sein de la famille sont parfois appréciées comme des « problèmes négociables ». Entre autres contributions, voir, à ce sujet, Marylin Manser et Murray Brown, « Marriage and Household Decision Making : A Bargaining Analysis », *International Economic Review* 21 (1980) ; M. B. McElroy et M. J. Horney, « Nash Bargained Household Decisions : Toward a Generalization of Theory of Demand », *International Economic Review* 22 (1981) ; Shelley Lundberg et Robert Pollak, « Noncooperative Bargaining Models of Marraige », *American Economic Review* 84 (1994). Pour des approches divergentes, voir Sen, « Women Technology and Sexual Divisions » (1985) ; Nancy Folbre, « Hearts and Spades : Paradigm of Household Economics », *World Development* 14 (1986) ; J. Brannen et G. Wilson, éd., *Give and Take in Families* (Londres, Allen & Unwin, 1987) ; Susan Moller Okin, *Justice, Gender and the Family* (New York, Basic Books, 1989) ; Sen, « Gender and Cooperative Conflict » (1990) ; Marianne A. Ferber et Julie A. Nelson, éd., *Beyond Economic Man : Feminist Theory and Economics* (Chicago, Chicago University Press, 1993) ; etc. Des contributions intéressantes sur ces questions ont été rassemblées par Jane Humphries, *Gender and Economics* (Cheltenham, Edward Elgar, 1995) et Nancy Folbre, *The Economics of the Family* (Cheltenham, Edward Elgar, 1996).

7. Voir Okin, *Justice, Gender and the Family* (1989) ; Drèze et Sen, *Hunger and Public Action* (1989) ; Sen, « Gender and Cooperative Conflict » (1990) ; Nussbaum et Glover, *Woman, Culture and Development* (1995). Voir aussi les articles de Julie Nelson, Shelley Lundberg, Robert Pollak, Diana Strassman, Myra Strober et Viviana Zelizer dans les « Papers and Proceedings » de l'*American Economic Review* 84 (1994).

8. Cette question commence à faire l'objet d'une grande attention en Inde. Voir Asoke Mitra, *Implications of Declining Sex Ratio in India's Population* (Bombay, Allied Publishers, 1980) ; Jocelyn Kynch et Amartya Sen, « Indian Women : Well-Being and Survival », *Cambridge Journal of Economics* 7 (1983) ; Bardhan, *Land, Labour and Rural Poverty* (1984) ; Jain et Banerjee, éd., *Tyranny of the Household* (1985). Le « problème de survie » entretient des relations avec la question, plus vastes de la négligence : voir, à ce sujet, les études présentées par Swapna Mukhopadhyay, éd., *Women, Health, Public Policy and Community Action* (Delhi, Manohar, 1998) ; Swapna

Mukhopadhyay et R. Savithri, Poverty, *Gender and Reproductive Choice* (Delhi, Manohar, 1998).

9. À ce sujet, voir Tinker, *Persistent Inequalities* (1990). Ma propre contribution dans cette collection (« Gender and Cooperative Conflict ») s'attache aux influences économiques et sociales qui affectent les divisions au sein de la famille et discute les grandes disparités mondiales (par exemple, les préjugés antiféminins sont beaucoup plus accusés en Asie du Sud et de l'Ouest et en Afrique du Nord et en Chine, qu'en Afrique subsaharienne ou en Asie du Sud-Est) ou régionales dans un même pays (pour l'Inde, par exemple, ces préjugés, prédominants en Uttar Pradesh et au Pendjab, sont inexistants au Kérala). Notons aussi que les divers facteurs influençant la position des femmes entretiennent des liens étroits, par exemple, les droits juridiques et l'éducation élémentaire (le recours légal exigeant la faculté de lire et d'écrire) ; voir Salam Sobhan, *Legal Status of Women in Bangladesh* (Dhaka, Bangladesh Institute of Legal and International Affairs, 1978).

10. On connaît mieux le rôle de la division sexuelle dans le partage de la faim grâce à l'étude magistrale de Megan Vaughan, *The Story of an African Famine : Hunger, Gender and Politics in Malawi* (Cambridge, Cambridge University Press, 1987) ; Barbara Harriss, « The Intrafamily Distribution of Hunger in South Asia », *in The Political Economy of Hunger*, édité par Jean Drèze et Amartya Sen (Oxford, Clarendon Press, 1990), entre autres travaux.

11. Plusieurs de ces questions ont été étudiées dans le contexte indien, avec des comparaisons *en* Inde et *hors* d'Inde ; voir Drèze et Sen, *India : Economic Development and Social Opportunity* (1995) ; voir aussi Alaka Basu, *Culture, the Status of Women and Demographic Behaviour* (1992) et Agarwal, *A Field of One's Own* (1995). L'étude des sources des handicaps est particulièrement importante dans l'analyse des désavantages frappant les groupes les plus dépourvus de marge de manœuvre économique ou sociale, tels que les veuves, surtout dans les familles pauvres. Voir Martha Alter Chen, éd., *Widows in India* (New Delhi, Sage, 1998) et *Perpetual Mourning : Widowhood in Rural India* (Delhi, Oxford University Press, 1999 ; Philadelphie, University of Pennsylvania Press, 1999).

12. Sur les questions en jeu, voir mon « Gender and Cooperative Conflict », *in Tinker, Persistent Inequalities* (1990) et les ouvrages cités en référence.

13. Voir L. Beneria, éd., *Women and Development : The Sexual Division of Labor in Rural Societies* (New York, Praeger, 1982). Voir aussi Jain et Banerjee, *Tyranny of the Household* (1985) ; Gita Sen et Grown, *Development, Crises and Alternative Visions* (1987) ; Aleh Afshar, éd., *Women and Empowerment : Illustrations from the Third World* (Londres, MacMillan, 1998).

14. Voir Mamta Murthi, Anne-Catherine Guio et Jean Drèze, « Mortality, Fertility and Gender Bias in India : A District Level Analysis », *Population and Development Review* 21 (décembre 1995). Voir aussi Sen et Drèze, éd., *Indian Development : Selected Regional Perspectives* (Delhi, Oxford University Press, 1996). Il n'est pas toujours aisé d'identifier un enchaînement causal – par exemple, l'« alphabétisation influence-t-elle la place des femmes dans la famille ou est-ce leur meilleure situation qui incite les familles à envoyer les petites filles à l'école ? ». Statistiquement, un troisième facteur pourrait être en relation avec les deux précédents. Quoi qu'il en soit, les études de terrain montrent une forte inclination des familles, même dans les zones les plus reculées, en faveur de la scolarisation des enfants, filles comprises. Selon une étude, réalisée sur une grande échelle, même dans les États où l'alphabétisation des filles est la plus faible, la proportion des parents qui jugent important d'envoyer les filles à l'école est remarquablement élevée : 85 % au Rajasthan, 88 % dans l'État du Bihar, 93 % dans l'État du Madhya Pradesh. Le principal obstacle à la scolarisation des filles, et le principal facteur d'explication des disparités entre les États, paraît être l'absence d'écoles à proximité. Voir *The Probe Team, Public Report on Basic Education in India* (Delhi, Oxford University Press, 1999). Le rôle des politiques publiques est ici crucial. Certaines intitiatives récentes ont eu des effets bénéfiques sur l'alphabétisation, en particulier dans l'Himachal Pradesh, et plus récemment dans les États du Bengale de l'Ouest, du Madhya Pradesh et dans quelques autres.

15. Pour l'Inde, le recensement de 1995 indique que le taux de mortalité, à l'échelle nationale, dans la tranche d'âge 0-4 ans était de 25,6 pour mille pour les garçons et de 27,5 pour mille pour les filles. Dans cette même tranche d'âge, le taux de mortalité féminin était moins élevé que le taux de mortalité masculin dans quelques États seulement : Andhra Pradesh, Assam, Himachal Pradesh, Kérala et Tamil Nadu. Le désavantage comparatif pour les filles était le plus prononcé dans les États suivants : Bihar, Haryana, Madhya Pradesh, Punjab, Rajasthan, Uttar Pradesh.

16. Murthi, Guio et Drèze, « Mortality, Fertility and Gender Bias in India » (1995).

17. Voir Jean Drèze et Mamta Murthi, « Female Literacy and Fertility : Recent Census Evidence from India », polycopié, Centre for History and Economics, King's College, Cambridge, G.B., 1999.

18. On manque de données tenant compte des variations par district, pour analyser l'impact des différentes formules de droits de propriété, qui sont relativement uniformes dans toute l'Inde. À titre d'exemple, on connaît le cas, souvent étudié, des Nairs du Kérala, qui ont longtemps observé des règles d'héritage matrilinéaire (ce qui tend à confirmer les conséquences positives des droits de propriété

accordés aux femmes sur la survie des enfants et celle des petites filles, en particulier).

19. On voit là une association positive entre insertion des femmes sur le marché du travail et survie des moins de 5 ans, mais les données ne sont pas statistiquement significatives.

20. Entre autres contributions importantes, voir J. C. Caldwell, « Routes to Low Mortality in Poor Countries », *Population and Development Review* 12 (1986) et Behrman et Wolfe, « How Does Mother's Schooling Affect Family Health, Nutrition, Medical Care Usage and Houshold Sanitation ? » (1987).

21. Pour une discussion plus approfondie, voir Sen et Drèze, *India : Economic Development and Social Opportunity* (1995).

22. À ce sujet, les divers indices ont été soumis à l'examen critique et, comme il va de soi, toutes les études empiriques ne paraissent pas s'imposer avec la même évidence. Voir, en particulier, les « perspectives critiques » présentées par Caroline H. Bledsoe, John B. Casterline, Jennifer A. Johnson-Khun et John C. Haaga, éd., *Critical Perspectives on Schooling and Fertility in the Developing World* (Washington D.C., National Academy Press, 1999). Voir aussi Susan Greenhalgh, *Situating Fertility : Anthropology and Demographic Inquiry* (Cambridge, Cambridge University Press, 1995). Robert J. Barro et Jong-Wha Lee, « International Comparisons of Educational Attainment », contribution présentée lors d'une conférence de la Banque mondiale : « Comment les politiques nationales affectent la croissance à long terme ? » (Washington D.C., 1993) ; Robert Cassen *et al.*, *Population and Development : Old Debates, New Conclusions* (Washington D.C., Transaction Books for Overseas Development Council, 1994).

23. Sur cette question et celles qui en découlent, voir mon « Population : Delusion and Reality », *New York Review of Books*, 22 septembre 1994 ; *Population Policy : Authoritarianism versus Cooperation* (Chicago, MacArthur Foundation, 1995) et « Fertility and Coercion », *University of Chicago Law Review* 63 (été 1996).

24. Voir Nations-Unies, ESCAP, *Integration of Women's Concerns into Development Planning in Asia and the Pacific* (New York, United Nations, 1992), en particulier, l'article de Rehman Sobhan et les références citées. Les questions soulevées sont étroitement liées à la conception du rôle des femmes dans la société et touchent, de ce fait, à la problématique des études féministes. On trouvera de nombreuses contributions (dont certaines références obligées) *in* Susan Moller Okin et Jane Mansbridge, éd., *Feminism* (Cheltenham, Edward Elgar, 1994). Voir aussi Catherine A. Mackinnon, *Feminism Unmodified* (Cambridge, Mass., Harvard University Press, 1987) et Barbara Johnson, *The Feminist Difference : Literature, Psychology,*

Race and Gender (Cambridge, Mass., Harvard University Press, 1988).

25. Voir Philip Oldenberg, « Sex Ratio, Son Preference and Violence in India : A Research Note », *Economic and Political Weekly*, 5 et 12 décembre 1998 ; Jean Drèze et Reetika Khera, « Crime, Society and Gender in India : Some Clues for Homicidal Data », polycopié, Centre for Development Economics, 1999. Cette découverte intéressante s'appuie sur des facteurs culturels et d'autres, d'ordre économique et social. Si je me suis, dans cette brève présentation, concentré sur les derniers, il y a pourtant des relations intéressantes avec des questions de psychologie ou d'évaluation, soulevées par les tenants d'une différence morale et comportementale, déterminée par le sexe, et en particulier Carol Gilligan ; voir *In a Different Voice* (Cambridge, Mass., Harvard University Press, 1982). Une expérience vaut d'être rapportée : la plus remarquable réforme des prisons, dans une perspective humanitaire, en Inde, a été le fait d'une femme, directrice de prison, Kiran Bedi. Elle rend compte de son projet et des oppositions qu'elle a dû surmonter dans *It's Always Possible : Transforming one of the Largest Priosn in the World* (New Delhi, Sterling, 1998).

26. Oldenberg défend la première hypothèse ; voir aussi Arup Mitra, « Sex, Ratio and Violence : Spurious Results », *Economic and Political Weekly*, 2 et 9 janvier 1993. Pour Drèze et Khera, l'ordre des causes serait inverse. Voir aussi leurs références, parmi lesquelles Baldev Raj Nayar, *Violence and Crime in India : A Quantitative Study* (Delhi, MacMillan, 1975) ; S. M. Edwards, *Crime in India* (Jaipur, Printwell Publishers, 1988) ; S. Venugopal Rao, éd., *Perspectives in Criminology* (Delhi, Vikas, 1988).

27. Le recours à la responsabilité du groupe pour demander un taux élevé de remboursement constitue un autre facteur. Voir Muhammad Yunnus et Alan Jolis, *Banker to the Poor : Micro-Lending and the Battle Against World Poverty* (Londres, Aurum Press, 1998). Voir aussi Lutfun N. Khan Osmani, « Credit and Women's Relative Well-Being : A Case Study of the Grameen Bank, Bangladesh » (Thèse de doctorat, Queen's University of Belfast, 1998). Voir aussi Kaushik Basu, *Analytical Development Economics* (Cambridge, Mass., MIT Press, 1997), chapitres 13 et 14 ; Debraj Ray, *Development Economics* (Princeton, Princeton University Press, 1998), chapitre 14.

28. Voir Catherine H. Lovell, *Breaking the Cycle of Poverty : The BRAC Strategy* (Hartford, Kumarian Press, 1992).

29. Voir John C. Caldwell, Barkat-e-Khuda, Bruce Caldwell, Indrani Pieries et Pat Caldwell, « The Bangladesh Fertility Decline : An Interpretation », *Population and Development Review* 25 (1999). Voir aussi John Cleland, James F. Phillips, Sajeda Amin et G.M. Kamal, *The*

Determinants of Reproductive Change in Bangladesh : Succes in a Challenging Environment (Washington D.C., Banque mondiale, 1996) et John Bongaarts, « The Role of Family Planning Programmes in Contemporary Fertility Transition », *in The Continuing Demographic Transition*, édité par G.W. Jones *et al.* (New York, Oxford University Press, 1997).

30. Voir Agarwal, *A Field of One's Own* (1995).

31. Voir Henrietta Moore et Megan Vaughan, *Cutting Down Trees : Gender, Nutrition and Agricultural Change in the Northern Province of Zambia, 1890-1990* (Heinemann, 1994).

32. Même dans les économies avancées, les femmes doivent surmonter nombre de difficultés spécifiques sur le marché du travail et dans les relations économiques. Voir Barbara Bergmann, *The Economic Emergence of Women* (New York, Basic Books, 1986) ; Francine D. Blau et Marianne A. Ferber, *The Economics of Women, Men anb Work* (Englewood Cliffs, N.J., Prentice Hall, 1986) ; Victor R. Fuchs, *Women's Quest for Economic Equality* (Cambridge, Mass., Harvard University Press, 1988) ; Claudia Goldin, Understanding the Gender Gap : An Economic History of American Women (New York, Oxford University Press, 1990). Voir aussi le recueil d'articles, *in* Marianne A. Ferber, *Women in the Labor Market* (Cheltenham, Edward Elgar, 1998).

33. On risque une simplification abusive en réduisant la question de la « fonction d'agent » ou de l'« autonomie » des femmes à des formules reflétant la seule relation statistique avec des données telles que l'alphabétisation ou l'emploi des femmes. Voir, à ce sujet, l'analyse anthropologique perspicace d'Alaka M. Basu, *Culture, Status of Women and Demographic Behaviour* (Oxford, Clarendon Press, 1992). Voir aussi les études présentées dans Roger Jeffery et Alaka M. Basu, éd., *Girls' Schooling, Women's Autonomy and Fertility Change in South Asia* (Londres, Sage, 1996).

34. Voir Naila Kabeer, « The Power to Choose : Bangladeshi Women and Labour Market Decisions in London and Dhaka », polycopié, Institute of Development Studies, University of Sussex, 1998.

35. L'évolution du rôle des femmes (et ses effets) en Inde, depuis l'Indépendance, est discuté dans un recueil d'articles choisi par Bharati Ray et Aparna Basu, *From Independance Towards Freedom* (Delhi, Oxford University Press, 1999).

36. *Le Rapport sur le développement humain 1995* du PNUD présente une compariaosn par pays des différences liées au sexe, en matière de leadership social, politique ou économique, au-delà d'une enquête utilisant des indicateurs plus conventionnels. Voir aussi les références citées.

Notes du chapitre IX

1. Thomas Robert Malthus, *Essay on the Principle of Population as it Affects the Future Improvement of Society, with Remarks on the Speculations of Mr Godwin, M. Condorcet and Other Writers* (Londres, J. Johnson, 1798), chapitre 8. Voir aussi, *The Works of Thomas Robert Malthus*, édité par E. A. Wrigley et David Souden (Londres, William Pickering, 1986) et en particulier la brillante introduction.

2. Voir *Commodity Market Review 1998-1999* (Rome, FAO, 1999), p. xii. Voir aussi l'analyse détaillée présentée dans ce rapport et *Global Commodity Markets : A Comprehensive Review and Price Forecast* (Washington D.C., World Bank, 1999). Une étude technique admirable, due à l'IFPRI (International Food Policy Research Institute) conclut à une probable baisse continue des prix alimentaires entre 1990 et 2020. L'étude prévoit une baisse de 15 % pour le blé, 22 % pour le riz, 23 % pour le maïs et 25 % pour les autres céréales. Voir Mark W. Rosengrant, Mercedita Agcaoili-Sombilla et Nicostrato D. Perez, « Global Food Projections to 2020 : Implications for Investment », International Food Policy Research Institute, Washington D.C., 1995.

3. Voir Tim Dyson, *Population and Food : Global Trends and Future Prospects* (Londres et New York, Routledge, 1996), tableau 4.6.

4. Dyson, *Population and Food*, 1996, tableau 4.5.

5. Voir mon *Poverty and Famines : An Essay on Entitlement and Deprivation* (Oxford et New York, Oxford University Press, 1981), chapitre 6.

6. Note du Secrétaire général des Nations-Unies au Comité préparatoire de la Conférence internationale sur la population et le développement, troisième session, 18 février 1994. Voir aussi Massimo Livi Bacci, *A Concise History of World Population*, traduit par Carl Ipsen (Cambridge, Cambridge University Press, 1997).

7. Le développement qui suit s'inspire de mes articles antérieurs sur le problème démographique, en particulier « Fertility and Coercion », *University of Chicago Law Review* 63 (été 1996).

8. Voir mon « Rights and Agency », *Philosophy and Public Affairs* 11 (1982), repris dans *Consequentialism and Its Critics*, édité par S. Scheffler (Oxford, Oxford University Press, 1988) et « Rights as Goals », *in Equality and Discrimination : Essays in Freedom and Justice*, édité par S. Guest et A. Milne (Stuttgart, Franz Steiner, 1985).

9. Voir mon « Rights and Agency » (1982) ; « Rights as Goals » (1985) ; *On Ethics and Economics* (Oxford, Blackwell, 1987).

10. John Stuart Mill, *On Liberty*.

11. J'ai montré ailleurs que la contradiction est telle que même une reconnaissance minimale de la priorité à la liberté peut entrer en conflit avec le moindre principe social fondé sur l'utilité, c'est-à-dire l'optimum de Pareto. Voir mon « Impossibility of a Paretian Liberal », *Journal of Political Economy* 78 (janvier-février 1971), repris dans mon *Choice, Welfare and Measurement* (Cambridge, Mass., Harvard University Press, 1997) et dans le recueil d'articles *Philosophy and Economic Theory*, édité par Frank Hahn et Martin Hollis (Oxford, Oxford University Press, 79). Voir aussi mon *Collective Choice and Social Welfare* (San Francisco, Holden-Day, 1970, republié par North-Holland, Amsterdam, 1979) ; « Liberty and Social Choice », *Journal of Philosophy* 80 (janvier 1983) et « Minimal Liberty », *Economica* 57 (1992). Voir aussi le compte rendu du symposium sur ce thème, dans *Analyse & Kritik* 18 (1996), parmi de nombreuses contributions sur cette question.

12. Voir Massimo Livi Bacci et Gustavo De Santis, éd., *Population and Poverty in the Developing World* (Oxford, Clarendon Press, 1999). Voir aussi Partha Dasgupta, *An Enquiry into Well-Being and Destitution* (Oxford, Clarendon Press, 1993) ; Robert Cassen *et al.*, *Population and Development : Old Debates, New Conclusions* (Washington D.C., Transaction Books in Overseas Development Council, 1994) ; Kerstin Lindahl-Kiessling et Hans Landberg, éd., *Population, Economic Development and the Environment* (Oxford, Oxford University Press, 1994) ; etc.

13. Malthus utilise dans son *Essai*, la version originale de 1795, de *Esquisse d'un tableau historique des progrès de l'esprit humain*, par Marie-Jean-Antoine-Nicolas de Caritat, marquis de Condorcet.

14. Condorcet, *Esquisse d'un tableau historique des progrès de l'esprit humain*.

15. Malthus, *A Summary View of the Principle of Population* (Londres, John Murray, 1830, Penguin Classics, 1982). Bien que Malthus néglige le rôle de la raison (par opposition à la contrainte économique) dans la réduction du taux de fertilité, il élabore une analyse remarquable du rôle des marchés alimentaires dans la détermination de la consommation des différents groupes et classes. De Malthus, voir *An Investigation of the Cause of the Present High Price of Provisions* (Londres, 1800). Sur les enseignements à en tirer voir mon *Poverty and Famines* (1981), appendice B, et E.A. Wrigley, « Corn and Crisis : Malthus on the High Price of Provisions », *Population and Development Review* 25 (1999).

16. *A Summary View of the Principle of Population* (1982), p. 243. Le scepticisme de Malthus quant à la capacité des familles à prendre des décicions raisonnables devait le conduire à critiquer l'aide publique aux pauvres, en particulier les *Poor Laws*.

17. Voir J.C. Caldwell, *Theory of Fertility Decline* (New York, Academic Press, 1982) ; R.A. Easterlin, *Population and Economic Change in Developing Countries* (Chicago, Chicago University Press, 1980) ; T.P. Schultz, *Economics of Population* (New York, Addison-Wesley, 1981) ; Cassen *et al.*, *Population and Development*, 1994. Voir aussi Anrudh, K. Jain et Moni Nag, « The Importance of Femal Primary Education in India », *Economic and Political Weekly* 21 (1986).

18. Gary S. Becker, *The Economic Approach to Human Behavior* (Chicago, University of Chicago Press, 1976) et *A Treatise on the Family* (Cambridge, Mass., Cambridge University Press, 1981). Voir aussi Robert Willis, « Economic Analysis of Fertility : Micro Foundations and Aggregate Implications », *in* Lindahl-Kiessling et Landberg, *Population, Economic Development and the Environment* (1994).

19. Voir Nancy Birdsall, « Governemnt, Population and Poverty : A "win-Win" Tale », *in* Lindahl-Kiessling et Landberg, *Population, Economic Development and the Environment* (1994). Voir aussi son « Economic Approaches to Population Growth », *in The Handbook of Development Economics*, volume 1, édité par H.B. Chenery et T.N. Srinivasan (Amsterdam, North-Holland, 1988).

20. Voir John Bongaarts, « The Role of Family Planning Programmes in Contemporary Fertility Transitions », *in The Continuing Demographic Transition*, édité par Gavin W. Jones *et al.* (New York, Oxford University Press, 1997) ; « Trends in Unwanted Childbearing in the Developing World », *Studies in Family Planning* 28 (décembre 1997) et les ouvrages cités. Voir aussi Geoffrey McNicoll et Mead Cain, éd., *Rural Development and Population : Institutions and Policy* (New York, Oxford University Press, 1990).

21. Voir Banque mondiale, *World Development Report 1998-1999* (Washington D.C., World Bank, 1998), tableau 7, p. 202 et aussi World Bank and Population Reference Bureau, *Success in a Challenging Environement : Fertility Decline in Bangladesh* (Washington D.C., World Bank, 1993).

22. Voir, par exemple, R.A. Easterlin, *Population and Economic Change in Developing Countries* (Chicago, Chicago University Press, 1980) ; T.P. Schultz, *Economics of Population* (New York, Addison-Wesley, 1981) ; J.C. Caldwell, *Theory of Fertility Decline* (1982) ; Nancy Birdsall, « Economic Approaches to Population Growth », *in The Handbbok of Development Economics*, volume 1, édité par H.B. Chenery et T.N. Srinivasan (Amsterdam, North-Holland, 1988) ; Robert J. Barro et Jong-Wha Lee, « International Comparisons of Educational Attainment », World Bank (1993) ; Gita Sen, Adrienne Germain et Lincoln Chen, *Population Policies Reconsidered : Health, Empowerment and Rights* (Harvard Center for Population and Development/International Women's Health Coalition, 1994). Voir aussi

les articles de Nancy Birdsall et Robert Willis, *in* Lindahl-Kiessling et Landberg, *Population, Economic Development and the Environment* (1994).

23. Mamta Murthi, Anne-Catherine Guio et Jean Drèze, « Mortality, Fertility and Gender Bias in India : A District Level Analysis », *Population and Development Review* 21 (décembre 1995) et Jean Drèze et Mamta Murthi, « Female Literacy and Fertility : Recent Census Evidences from India », polycopié, Centre for History and Economics, King's College, Cambridge, 1999.

24. Voir un important recueil d'articles, choisi par Roger Jeffery et Alaka Malwade Basu, *Girl's Schooling, Women's Autonomy and Fertility Change in South Asia* (New Delhi, Sage, 1997).

25. L'alphabétisation permet à une collectivité d'assumer une évolution de ses valeurs. Une famille alphabétisée, au sein d'une collectivité qui ne l'est pas, n'a pas les mêmes possibilités. La question du choix de la « base de référence » dans l'analyse statistique est cruciale. Dans ce cas précis, des bases larges (régions ou districts) sont plus pertinentes que la famille.

26. Voir Banque mondiale, *World Development Report* 1997 et 1998-1999.

27. Patrick E. Tyler, « Birth Control in China : Coercion and Evasion », *New York Times*, 25 juin 1995.

28. Sur les relations entre liberté de procréation et problème démographique, voir Gita Sen, Adrienne Germain et Lincoln Chen, *Population Policies Reconsidered* (1994) ; Gita Sen et Carmen Barroso, « After Cairo : Challenges to Womens'Organizations », *in A Commitment to the World's Women : Perspectives for Development for Beijing and Beyond*, édité par Noeleen Heyzer (New York, UNIFEM, 1995).

29. *International Herald Tribune*, 15 février 1995, p. 4.

30. Le Kérala n'est qu'un État, au sein d'un pays. Mais avec sa population de 29 millions d'habitants, ce serait, s'il était indépendant, l'un des grands pays du monde, plus peuplé que le Canada, par exemple. Son bilan n'est donc pas négligeable.

31. À ce sujet, voir mon « Population : Delusion and Reality », *New York Review of Books*, 22 septembre 1994. Voir aussi Robin Jeffrey, *Politics, Women and Well-Being : How Kerala Became a Model* (Cambridge, Cambridge University Press, 1992) et V.K. Ramachandran, « Kerala's Development Achievement », *in Indian Development : Selected Regional Perspectives*, édité par Jean Drèze et Amartya Sen (Delhi, Oxford University Press, 1996).

32. Le Kérala affiche un taux d'alphabétisation des femmes adultes plus élevé que la Chine, au niveau national (86 % contre 68 %) ou que l'une quelconque de ses provinces. L'espérance de vie à la naissance, en 1991, au Kérala était de 69 ans pour les hommes

et de 74 ans pour les femmes, contre respectivement 68 et 71 ans, en Chine. Pour une analyse des causes de la situation au Kérala, voir T.N. Krishhan, « Demographic Transition in Kerala : Facts and Factors », *Economic and Political Weekly* 11 (1976) et P.N. Mari Bhat et S.L. Rajan, « Demographic Transition in Kerala Revisited », *Economic and Political Weekly* 25 (1990).

33. Pour les sources, voir Drèze et Sen, *India : Economic Development and Social Opportunity* (1995).

34. On observe aussi une baisse de la fertilité dans les États du Nord, mais à un rythme beaucoup plus lent que dans le Sud. Dans leur article « Intensified Gender Bias in India : A Consequence of Fertility decline » (Working Paper 95/02, Harvard Center for Population and Development, 1995), Monica Das Gupta et P.N. Mari Bhat ont attiré l'attention sur un autre problème lié à la baisse de la fertilité : la tendance à accentuer la sélection sexuelle, par des avortements liés au sexe du fœtus et par la mortalité infantile due à la négligence (phénomènes très marqués en Chine). Les exemples paraissent beaucoup plus nombreux en Inde du Nord. Il est vraisemblable que les politiques coercitives favorisent ces attitudes (comme nous l'avons vu dans notre comparaison entre la Chine et le Kérala).

35. Voir Drèze et Sen, *India : Economic Development and Social Opportunity* (1995) et les références citées.

36. Au-delà même de l'exigence indiscutable de rejeter les méthodes coercitives, il est important aussi de promouvoir la *qualité* et la diversité des moyens non coercitifs de planning familial. En Inde, aujourd'hui, une méthode prédomine : la stérilisation des femmes, y compris dans les États du Sud. Par exemple, 40 % des femmes mariées, entre 13 et 49 ans, en Inde du Sud, sont stérilisées, alors que 14 % seulement des femmes ont eu recours à des méthodes de contraception modernes, non définitives. Même la simple connaissance des méthodes autres que la stérilisation est plus limitées. Seulement la moitié des femmes mariées, âgées de 13 à 49 ans paraissent connaître l'existence du préservatif et du stérilet. Voir Drèze et Sen, *India : Economic Development and Social Opportunity* (1995).

37. Voir les références citées dans Drèze et Sen, *India : Economic Development and Social Opportunity* (1995). Voir aussi Gita Sen et Carmen Barroso, « After Cairo : Challenges to Women's Organizations ».

38. Voir Drèze et Sen, *India : Economic Development and Social Opportunity* (1995), p. 168-171.

39. Voir les références données par Drèze et Sen, *India : Economic Development and Social Opportunity* (1995).

40. Voir mon « Population and Reasoned Agency : Food, Fertility and Economic Development », *in* Lindhal-Kiessling et Landberg,

Population, Economic Development and the Environment (1994), « Population, Delusion and Reality », *New York Review of Books*, 22 septembre 1994 et « Fertility and Coercion » (1996).

Notes du chapitre X

1. Emmanuel Kant, *Critique de la raison pratique* (1788), PUF, 1997.

2. « Culture is Destiny : A Conversation with Lee Kwan Yew » par Fareed Zakaria, *Foreign Affairs* 73 (mars-avril 1994), p. 113. Voir aussi la critique de cette position par Kim Dae Jung, leader du mouvement démocratique, élu depuis à la présidence de la république, « Is Culture Destiny ? The Myth of Asia's Anti-Demcratic Values – A Response to Lee Kwan Yew », *Foreign Affairs* 73 (1994).

3. *Information Please Almanac 1993* (Boston, Houghton-Mifflin, 1993), p. 213.

4. Voir Isaiah Berlin, *Four Essays on Liberty* (Oxford, Oxford University Press, 1969), p. xl. Cette analyse est remise en cause par Orlando Patterson, *in Freedom* (New York, Basic Books, 1991). L'auteur met en avant la notion de liberté politique dans la pensée occidentale classique (principalement en Grèce et à Rome), mais on trouve les mêmes éléments chez les classique orientaux, que Patterson néglige. À ce propos, voir Morgenthau Memorial Lecture, « Human Rights and Asian Values » (New York, Carnegie Council on Ethics and International Affairs, 1997) et les extraits publiés par *The New Republic*, 14 et 21 juillet 1997.

5. Voir *les Analectes de Confucius*, traduits par Simon Leys.

6. Voir les commentaires de Brooks et Brooks, *The Original Analects* (1998). Voir aussi Wm Theodore de Bary, *Asian Values and Human Rights : A Confucian Comunitarian Perspective* (Cambridge, Mass., Harvard University Press, 1998).

7. *Les Analectes de Confucius*, Simon Leys.

8. *Ibid.*

9. *Ibid.*

10. Voir Vincent A. Smith, *Asoka* (Delhi, S. Chand, 1964).

11. Voir Jean Drèze et Amartya Sen, *Hunger and Public Action* (Oxford, Clarendon Press, 1989), p. 3-4, 123.

12. *Kautilya's Arsashastra*, traduction anglaise de R. Shama Sastry, 8ᵉ édition (Mysore, Mysore Printing and Publishing House, 1967), p. 47.

13. Voir R.P. Kangle, *The Kautilya's Arsashastra* (Bombay, University of Bombay, 1972), 2ᵉ partie, chapitre 13, section 65, p. 235-239.

14. Voir Vincent A. Smith, *Akbar, The Great Mogul* (Oxford,Clarendon Press, 1917), p. 257.

15. Cette analyse s'inspire d'un article pour l'Unesco, « Culture

and Development : Global Perspectives and Constructive Scepticism », polycopié, 1997.

16. J'ai discuté le concept darwinien du progrès dans mon « On the Darwinian View of Progress », *London Review of Books* 14 (5 novembre 1992), repris dans *Population and Development Review* (1993).

17. Si les tenants du conservatisme culturel sont atterrés par les succès de MTV et de Kentucky Fried Chicken, préférés, en toute liberté, par les consommateurs, il y a peu de consolation à leur offrir. Il n'empêche que la possibilité de choisir est un droit que tout citoyen devrait avoir.

18. Rabindranath Tagore, *Letters to a Friend* (Londres, Allen & Unwin, 1928).

19. Voir mon « Our Culture, Their Culture », *New Republic*, 1er avril 1996.

20. Howard Eves, *An Introduction to the History of Mathematics*, 6e édition (New York, Saunders College Publishing House, 1990), p. 237.

21. John Stuart Mill, *On Liberty* (1859, Penguin Books, 1974).

22. Voir la lettre d'Edward Jayne, *The New Republic*, 8 et 15 septembre 1997. Ma réponse apparaît dans le numéro du 13 octobre 1997.

23. On trouvera une introduction à ces textes dans *A Sourcebook in Indian Philosophy*, édité par S. Radhakrishnan et C.A. Moore (Princeton, Princeton University Press, 1973), dans la section « The Heterodox Systems », p. 227-346.

24. Traduction anglaise de H.P. Shastri, *The Ramayana of Valmiki* (Londres, Shanti Sadan, 1952), p. 389.

25. *Brihadaranyaka Upanishad* 2.4, 12.

26. Voir aussi Chris Patten, *East and West* (Londres, MacMillan, 1998).

27. Voir Stephen Shute et Susan Hurley, éd., *On Human Rights : The Oxford Amnesty Lectures* 1993 (New York, Basic Books, 1993) ; Henry Steiner et Philip Alston, *International Human Rights in Context : Law, Politics and Morals* (Oxford, Clarendon Press, 1996) ; Peter Van Ness, éd., *Debating Human Rights* (Londres, Routledge, 1999).

28. Voir Irene Bloom, J. Paul Martin et Wayne L. Proudfoot, éd., *Religious Diversity and Human Rights* (New York, Columbia University Press, 1996).

29. Voir Martha Nussbaum et Amartya Sen, « Internal Criticism and Indian "Rationalist Tradition" », *in Relativism : Interpretation and Confrontation* (South Bend, Ind., University of Notre-Dame Press, 1989) et Martha Nussbaum, *Cultivating Humanity* (Cambridge, Mass., Harvard University Press, 1997).

30. Joanne R. Bauer et Daniel A. Bell, éditeurs, *The East Asian Challenge for Human Rights* (Cambridge, Cambridge University Press, 1999).

Notes du chapitre XI

1. Dans l'*Éthique à Nicomaque*, comme dans la *Politique*, Aristote examine les types de raisonnement qui peuvent être utilisés.

2. Kenneth Arrow, *Individual Values and Social Choice* (New York, Wiley, 1951 ; 2ᵉ édition, 1963).

3. Voir Friedrich Hayek, *Studies in Philosophy, Politics and Economics* (Chicago, University of Chicago Press, 1967), p. 96-105 et les ouvrage cités en référence.

4. On trouvera cette démonstration exposée en détail dans mon *Collective Choice and Social Welfare* (San Francisco, Holden-Day, 1970, republié à Amsterdam, par North-Holland, 1979) et *Choice, Welfare and Measurements* (Oxford, Blackwell, 1982, Cambridge, Mass., Harvard University Press, 1997). J'y examine les questions d'interprétation et les possibilités constructives. Voir aussi l'étude critique des textes sur la question dans mon « Social Choice Theory », *in* K.J. Arrow et M. Intriligator, *Handbook of Mathematical Economics* (Amsterdam, North-Holland, 1986) et les ouvrages cités en référence.

5. J'ai développé cet argument dans mon disours de réception du prix Nobel « The Possibility of Social Choice », *American Economic Review* 89 (1999).

6. Ces interrelations sont examinées dans mon adresse à l'American Economic Association, « Rationality and Social Choice », *American Economic Review* 85 (1995). James Buchanan a ouvert ce champ d'études avec son « Social Choice, Democracy and Free Markets », *Journal of Political Economy* 62 (1954) et « Individual Choice in Voting and the Market », *Journal of Political Economy* 62 (1954). Voir aussi Cass Sunstein, *Legal Reasoning and Political Conflict* (Oxford, Clarendon Press, 1996).

7. En pratique, même la « maximisation » n'exige pas une mise en ordre complète. En effet, une mise en ordre partielle suffit à définir un ensemble « maximal » de possibilités qui ne sont pas moindre que chacun des choix disponibles. Sur l'analyse de la maximisation, voir mon « Maximisation and the Act of Choice », *Econometrica* 65 (juillet 1997).

8. Adam Smith, *The Theory of Moral Sentiments* (1759, édition révisée, 1790), *Théorie des sentiments moraux*, PUF, 1999.

9. Adam Smith, *La Richesse des nations* (1776), *Recherches sur la nature et les causes de la richesse des nations*, Flammarion « GF », 1991 (2 vol.).

10. *Ibid.* Sur l'interprétation et le rôle de la « main invisible », voir Emma Rothschild, « Adam Smith and the Invisible Hand », *American Economic Review* 84 (mai 94).

11. Voir Friedrich Hayek, *Studies in Philosophy, Politics and Economics* (1967), p. 96-105.

12. Albert Hirschman a présenté des développements lumineux sur l'importance des conséquences *intentionnelles* qui *ne* sont *pas* réalisées. Voir mon avant-propos à l'édition du vingtième anniversaire de son *The Passions and the Interests : Political Arguments for Capitalism before its Triumph* (Princeton, Princeton University Press, 1997). Voir aussi Judith Tendler, *Good Governemnt in the Tropics* (Baltimore, Johns Hopkins University Press, 1997).

13. Voir mon livre avec Jean Drèze, *India : Economic Development and Social Opportunity* (Delhi, Oxford University Press, 1995).

14. Voir Sen et Drèze, *India : Economic Development and Social Opportunity*, chapitre 4.

15. J'ai discuté ces questions et leurs conséquences dans *Choice, Welfare and Measurement* (1982, 1997) ; *On Ethics and Economics* (Oxford, Blackwell, 1987) et « Maximisation and the Act of Choice » (1977).

16. La définition classique du marché concurrentiel donnée par Kenneth Arrow, Gerard Debreu et Lionel McKenzie a permis des élaborations très fructueuses, malgré sa sécheresse, inhérente à ses présupposés stucturels. Voir Kenneth J. Arrow, « An Extension of the Basic Theorems of Classical Welfare Economics », *in Proceedings of the Second Berkeley Symposium of Mathematical Statistics*, édité par J. Neyman (Berkeley University of California Press, 1951) ; Gerard Debreu, *Theory of Value* (New York, Wiley, 1959) ; Lionel McKenzie, « On the Existence of General Equilibrium for a Competitive Market », *Econometrica* 27 (1959).

17. Voir Hirschman, *The Passions and the Interests* (1997, édition du vingtième anniversaire). Voir aussi Samuel Brittan, *Capitalism with a Human Face* (Aldershot, Elgar, 1995).

18. J'ai exploré ces relations dans mon essai « Economic Wealth and Moral Sentiments » (Zurich, Bank Hoffman, 1994). Voir aussi Samuel Brittan et Alan Hamlin, éd., *Market Capitalism and Moral Values* (Cheltenham, Edward Elgar, 1995) et *International Business Ethics*, édité par George Enderle (South Bend, Ind., University of Notre-Dame Press, 1998).

19. Karl Marx (avec Friedrich Engels), *L'Idéologie allemande* (1846), Nathan, 1998 ; Richard Henry Tawney, *Religion and the Rise of Capitalism* (Londres, Murray, 1926) ; Max Weber, *L'Éthique protestante et l'esprit du capitalisme*, Flammarion, 2000.

20. Bruno Frey a identifié une question essentielle qu'il a nommée

la « motivation intrinsèque ». Voir son « Tertium Dater : Pricing, Regulating and Intrinsic Motivation », *Kyklos* 45 (1992).

21. Adam Smith, « History of Astronomy », *in Essays on Philosophical Subjects* (Londres, Cadell & Davis, 1795 ; Oxford, Clarendon Press, 1980, p. 34).

22. Michio Morishima, *Why has Japan « succeeded »* : *Western Technology and the Japanese Ethos* (Cambridge, Cambridge University Press, 1982).

23. Ronald Dore, « Goodwill and the Spirit of Market Capitalism », *British Journal of Sociology* 36 (1983) et *Taking Japan Seriously : A Confucian perspective on Leading Economic Issues* (Stanford, Stanford University Press, 1987). Voir aussi Robert Wade, *Governing the Market* (Princeton, Princeton University Press, 1990).

24. Masahiko Aoki, *Information, Incentives and Bargaining in the Japanese Economy* (Cambridge, Cambridge University Press, 1989).

25. Kotaro Suzumura, *Competition, Commitment and Welfare* (Oxford et New York, Clarendon Press, 1995).

26. Eiko Ikegami, *The Taming of the Samurai : Honorific Individualism and the Making of Modern Japan* (Cambridge, Mass., Harvard University Press, 1995).

27. *Wall Street Journal*, 30 janvier 1989, p. 1.

28. Voir les comptes rendus de la conférence « Économie et Criminalité », organisée à Rome, en mai 1993, par la commission de lutte contre la mafia du parlement italien, sous la présidence de Luciano Violante, *Economica e criminalità* (Rome, Camera dei Deputati, 1993) et ma contribution « On Corruption and Organized Crime ».

29. Voir Stefano Zamagni, *Mercati illegali e Mafie* (Bologne, Il Mulino, 1993) ; *The Economic of Altruism* (Aldershot, Elgar, 1995) et spécialement son introduction ; Daniel Hausman et Michael S. McPherson, *Economic Analysis and Moral Philosophy* (Cambridge, Cambridge University Press, 1996) ; Avner Ben-Ner et Louis Putterman, *Economics, Values and Organization* (Cambridge, Cambridge University Press, 1998).

30. Pour des analyses générales sur le rôle de la confiance, voir les essais rassemblés dans Diego Gambetta, *Trust and Agency* (Oxford, Blackwell, 1987).

31. Voir mon « Isolation, Asusrance and the Social Rate of Discount », *Quarterly Journal of Economics* 81 (1967), repris dans *Resource, Values and Development* (Cambridge, Mass., Harvard University Press 1997) et *On Ethics and Economics* (Oxford, Blackwell, 1987).

32. Sur la nature et l'importance de cette connexion, voir Alan Hamlin, *Ethics, Economics and the State* (Brighton, Wheatsheaf Books, 1986).

33. *Richesse des nations*, volume 1, livre 2, chapitre 4.

34. Jeremy Bentham, *Defense of Usury. To Which is added a Letter to Adma Smith, esq, LLD* (Londres, Payne, 1790).

35. J'ai abordé ces distinctions avec précision dans mon « Rational Fools : A Critique of the Behavioural Foundations of Economic Theory », *Philosophy and Public Affairs* 6 (été 1977) ainsi que dans *Choice, Welfare and Measurement* (1982) et *Beyond Self-Interest* (Chicago, Chicago University Press, 1990). Voir aussi mon « Goals, Commitment and Identity », *Journal of Law, Economics and Organization* 1 (automne 1985) et *On Ethics and Economics* (1987).

36. L'important travail de Gary Becker, *The Economic Approach to Human Behaviour* (Chicago, Chicago University Press, 1976) ménage une place plus grande à la sympathie qu'à l'engagement. Le maximand souhaité par la personne rationnelle peut inclure le souci des autres, c'est un élargissement considérable de la perspective néoclassique qui postule l'intérêt individuel. On peut trouver d'autres élargissements du cadre de l'analyse comportementale dans le dernier livre de Gary Becker, *Accounting for Tastes* (Cambridge, Mass., Harvard University Press, 1996). Mais le maximand reflète toujours, ici, l'intérêt individuel : il est caractéristique de la sympathie, et non de l'engagement. Il reste toutefois possible d'intégrer, dans le cadre de la maximisation, d'autres valeurs que la poursuite de l'intérêt personnel ; voir mon « Maximisation and the Act of Choice » (1997).

37. Adam Smith, *The Theory of Moral Sentiments, Théorie des sentiments moraux*, PUF, 1999.

38. *Ibid.*

39. *Ibid.*

40. George J. Stigler, « Smith's Travel on the Ship of the State », *in Essays on Adam Smith* (Oxford, Clarendon Press, 1975).

41. Adam Smith, *La Richesse des nations, Recherches sur la nature et les causes de la richesse des nations*, Flammarion « GF », 1991 (2 vol.).

42. Adam Smith, *The Theory of Moral Sentiments, Théorie des sentiments moraux* PUF, 1999.

43. Voir mon « Adam Smith's Prudence », *in Theory and Reality in Development* (Londres, MacMillan, 1986). Sur l'histoire des interprétations erronées d'Adam Smith, voir Emma Rothschild, « Adam Smith and Conservative Economics », *Economic History Review* 45 (février 1992).

44. John Rawls, *Le Libéralisme politique*.

45. Pour des exemples de différents types de relations raisonnées, voir Drew Fudenberg et Jean Tirole, *Game Theory* (Cambridge, Mass., MIT Press, 1992) ; Ken Binmore, *Playing Fair* (Cambridge, Mass., MIT Press, 1994) ; Jîrgen Weibull, *Evolutionary Game Theory* (Cambridge, Mass., MIT Press, 1996) et Avner Ben-Ner

et Louis Putterman, *Economics, Values and Organization* (Cambridge, Cambridge University Press, 1998).

46. Emmanuel Kant, *Critique de la raison pratique*, PUF, 1997 ; Adam Smith, *The Theory of Moral Sentiments*, PUF, 1999 et *La Richesse des nations, Recherches sur la nature et les causes de la richesse des nations*, Flammarion « GF », 1991 (2 vol.).

47. Voir Thomas Nagel, *The Possibility of Altruism* (Oxford, Clarendon Press, 1970) ; John Rawls, *Théorie de la justice*, Seuil, 1997 ; John C. Harsanyi, *Essays in Ethics, Social Behaviour and Scientific Explanation* (Dordrecht, Reidel, 1976) ; Mark Granovetter, « Economic Action and Social Structure : The Problem of Embeddedness », *American Journal of Sociology* 91 (1985) ; Amartya Sen, *On Ethics and Economics* (1987) ; Robert Frank, *Passions within Reason* (New York, Norton, 1988) ; Vivian Walsh, *Rationality, Allocation and Reproduction* (Oxford, Clarendon Press, 1996), entre autres contributions. Voir aussi le recueil de textes *in* Hahn et Hollis, *Philosophy and Economic Theory* (1979) ; John Elster, *Rational Choice* (Oxford, Blackwell, 1986) ; Mansbridge, *Beyond Self-Interest* (1990) ; Mark Granovetter et Richard Swedberg, *The Sociology of Economic Life* (Bouder, Colo., Westview Press, 1992) ; Zamagni, *The Economics of Altruism* (1995). Sur ce sujet, on pourra s'intéresser à la riche histoire de la psychologie : voir, en particulier, Shira Lewin, « Economics and Psychology : Lessons for our Own Day From the Earliest Twentieth Century », *Journal of Economic Literature* 34 (1996).

48. Voir mon *On Ethics and Economics* (1987) et mon avant-propos à Ben-Ner et Putterman, *Economics, Values and Organization* (1998).

49. Voir Adam Smith, *The Theory of Moral Sentiments, Théorie des sentiments moraux*, PUF, 1999.

50. Nous pouvons aussi être conduits à adopter un comportement grégaire, voir Abhijit Banerjee, « A Simple Model of Herd Behaviour », *Quarterly Journal of Economics* 107 (1992).

51. Frank H. Knight, *Freedom and Reform : Essays in Economic and Social Philosophy* (New York, Harper and Brothers, 1947, Liberty, 1982), p. 280.

52. Buchanan, « Social Choice, Democracy and Free Markets » (1954), p. 120. Voir aussi son *Liberty, Market and the State* (Brighton, Wheatsheaf Books, 1986).

53. Kautilya, *Arthashastra*, 2ᵉ partie, chapitre 8.

54. Voir Syed Hussein Alatas, *The Sociology of Corruption* (Singapour, Times Books, 1980) et aussi Robert Klitgaard, *Controlling Corruption* (Berkeley, University of California Press, 1988), p. 7. Un tel système de rétribution peut aider à réduire la corruption par son « effet de revenu », le fonctionnaire n'a pas besoin d'arrondir ses fins de mois. De plus, il s'accompagne d'un « effet de substitution » : le

fonctionnaire sait que la corruption peut lui coûter un revenu important, s'il est découvert.

55. Voir *Economica e criminalità*, rapport de la commission de lutte contre la mafia du parlement italien, présidée par Luciano Violante.

56. Adam Smith, *The Theory of Moral Sentiments*, *Théorie des sentiments moraux*, PUF, 1999. Le respect des normes sociales peut être un allié utile de l'engagement. Ce qu'illustre la conduite d'ONG actives au Bangladesh, comme la Grameen Bank de Muhammed Yunnus, le BRAC de Fazle Hasan Abed ou le Gonoshashthaya Kendra (Centre pour la santé du peuple) de Zafurullah Chowdhury. Voir aussi l'analyse de l'efficacité gouvernementale en Amérique latine, par Judith Tendler, *Good Government in the Tropics* (1997).

57. D'après Alatas, *The Sociology of Corruption* ; voir aussi Klitgaard, *Controlling Corruption* (1988).

58. Je me suis efforcé d'aborder ces divers problèmes dans plusieurs articles, recueillis *in Resources, Values and Development* (1997).

Notes du chapitre XII

1. Isaiah Berlin m'a raconté l'anecdote. Je profite de cette occasion pour lui rendre hommage et rappeler combien m'ont été utiles ses critiques toujours bienveillantes, qui visaient mes notions rudimentaires de la liberté et de ses implications.

2. Voir aussi mon « The Right Not to Be Hungry », *in Contemporary Philosophy* 2 (La Hague, Martinus Nijhoff, 1982) ; « Well-Being, Agency and Freedom : The Dewey Lectures 1984 », *Journal of Philosophy* 82 (avril 1985) ; « Individual Freedom and Social Commitment », *New York Review of Books*, 16 juin 1990.

3. Voir mon « Equality of What ? » *Tanner Lectures on Human Values* (Cambridge, Cambridge University Press), repris dans mon *Choice, Welfare and Measurement* (Oxford, Blackwell ; Cambridge, Mass., Harvard University Press, 1997), « Well-Being, Agency and Freedom » (1985) ; « Justice : Means versus Freedoms », *Philosophy and Public Affairs* 19 (1990) ; *Inequality Reexamined* (Oxford, Clarendon Press ; Cambridge, Mass., Harvard University Press, 1992).

4. Les principales questions posées par la caractérisation et l'évaluation des libertés, y compris les problèmes techniques, sont abordées dans mon *Freedom, Social Choice and Responsability : Arrow Lectures and Other Essays* (Oxford, Clarendon Press, à paraître).

5. Le développement est appréhendé ici comme le dépassement des obstacles qui empêchent le déploiement des libertés. Cette caractérisation du développement, valide dans une perspective très

générale, mériterait toutefois d'être spécifiée, dès lors que l'on s'attache à des questions plus précises ou plus controversées, qui exigent des critères de jugements plus détaillés. À ce propos, voir mon *Commodities and Capabilities* (Amsterdam, North-Holland, 1985); *Inequality Reexamined* (1992) et aussi *Freedom, Rationality and Social Choice* (à paraître). Les *Rapports sur le développement humain*, du PNUD, conçus, à partir de 1990, par Mahbub ul Haq adoptent une démarche similaire et se focalisent, aux aussi, sur un certain nombre d'obstacles particuliers. Voir aussi les questions formulées par Ian Hacking, « In Pursuit of Fairness », son compte rendu de *Inequality Reexamined*, paru dans *New York Review of Books*, 19 septembre 1996. Voir aussi Charles Tilly, *Durable Inequality* (Berkeley, University of California Press, 1998).

6. Voir mon *Commodities and Capabilities* (1985); *Inequality Reexamined* (1992) et « Capability and Well-Being », *in The Quality of Life*, édité par Martha Nussbaum et Amrtya Sen (Oxford, Clarendon Press, 1993).

7. Voir John Rawls, *Théorie de la justice*, Seuil, 1997; John Harsanyi, *Essays in Ethics, Social Behaviour and Scientific Explanation* (Dordrecht, Reidel, 1976) et Ronald Dworkin, « What is Equality? Part 2 : Equality of Ressources », *Philosophy and Public Affairs* 10 (1981). Voir aussi John Roemer, *Theories of Distributive Justice* (Cambridge, Mass., Harvard University Press, 1996).

8. Je discute ce point dans mon *Inequality Reexamined* (Oxford, Clarendon Press, 1992) et de façon plus complète dans « Justice and Assertive Incompletness », polycopié, Harvard University, 1997. Il s'agit de l'une de mes contributions aux Conférences Rosenthal à la Northwestern University Law School, en septembre 1990.

9. Une question similaire est soulevée par les différents moyens de juger de l'avantage individuel quand nos préférences et nos priorités divergent. Là se pose un « problème de choix social » qui exige une résolution partagée (telle que discutée dans le précédent chapitre).

10. Voir mon article « Gender Inequality and Theory of Justice », *in Women, Culture and Development : A Study of Human Capabilities*, édité par Martha Nussbaum et Jonathan Glover (Oxford, Clarendon Press, 1995). D'autres articles de ce recueil portent sur cette question.

11. Aristote, *Éthique à Nicomaque*, trad. fr. J. Tricot, Vrin, 1994, livre 1, section 6.

12. Sur la question des libertés dans les écrits des fondateurs de l'économie politique, voir *The Standard of Living*, édité par Geoffrey Hawthorn (Cambridge, Cambridge University Press, 1987).

13. Cela s'applique à *Recherches sur la nature et les causes de la richesse des nations*, tout comme à la *Theory of Moral Sentiments*, PUF, 1999.

14. Ce jugement est formulé dans *L'Idéologie allemande*, écrit avec Friedrich Engels (1846). Voir aussi, de Karl Marx, *Les Manuscrits de 1844* et *La Critique du programme de Gotha* (1875).

15. John Stuart Mill, *On Liberty* (1859) ; *The Subjection of Women* (1869).

16. Friedrich Hayek, *The Constitution of Liberty* (Londres, Routledge and Kegan Paul, 1960), p. 35.

17. Peter Bauer, *Economic Analysis and Policy in Underdeveloped Countries* (Durham, N.C., Duke University Press, 1957) p. 113-114. Voir aussi *Dissent on Development* (Londres, Weinfeld & Nicholson, 1971).

18. W. Arthur Lewis, *The Theory of Economic Growth* (Londres, Allen & Unwin, 1955), p. 9-10, 420-421.

19. Friedrich Hayek, *The Constitution of Liberty* (1960), p. 31.

20. Cette question, comme d'autres liées à l'évaluation des libertés » est discutée dans mon *Freedom, Rationality and Social Choice* (à paraître). Le problème est ici celui de la relation entre la liberté, d'un côté, et les préférences et les choix, de l'autre.

21. Voir Robert J. Barro et Jong-Wha Lee, « Losers and Winners in Economic Growth », Working Paper 4341, National Bureau of Economic Research (1993) ; Xavier Sala-i-Martin, « Regional Cohesion : Evidence and Theories of Regional Growth and Convergence », Discussion Paper 1075, CEPR, Londres, 1994 ; Robert J. Barro et Xavier Sala-i-Martin, *Economic Growth* (New York, McGraw-Hill, 1995), Robert J. Barro, *Getting it Right : Markets and Choices in a Free Society* (Cambridge, Mass., MIT Press, 1996).

22. Adam Smith, *La Richesse des nations* (1776).

23. Voir Emma Rothschild, « Condorcet and Adam Smith on Education and Instruction », *in Philosophers and Education*, édité par Amélie O. Rorty (Londres, Routledge, 1998).

24. Voir, par exemple, Felton Earls et Maya Carlson, « Towards Sustainable Development for the American Family », *Daedalus* 122 (1993) et « Promoting Human Capability as an Alternative to Early Crime », Harvard School of Public Health et Harvard Medical School, 1996.

25. J'ai tenté de discuter cette question dans « Development : Which Way Now ? », *Economic Journal* 93 (1983), repris dans *Resources, Values and Development* (Cambridge, Mass., Harvard University Press, 1997) ainsi que dans *Commodities and Capabilities* (1985).

26. Dans une large mesure, les rapports annuels sur le développement humain du PNUD, publiés depuis 1990, veulent répondre à cette nécessité et adopter cette vue très large. Mon ami Mahbub ul Haq, décédé l'année dernière, a joué un rôle majeur dans ce projet, ce qui me remplit de fierté.

27. Adam Smith, *The Theory of Moral Sentiments* (1759), *Théorie des sentiments moraux*, PUF, 1999.

Index des noms

Index des thèmes

Table

TABLE 477

TABLE 479

Compogravure : Facompo, Lisieux

Imprimé en France sur Presse Offset par

BRODARD & TAUPIN

GROUPE CPI

La Flèche (Sarthe), le 21-01-2003
N° d'impression : 16959
N° d'édition : 7381-1231-X
Dépôt légal : janvier 2003